L'AIR DES LETTRES

ROBERT KANTERS

L'AIR
DES LETTRES

ou

Tableau raisonnable
des Lettres françaises d'aujourd'hui

BERNARD GRASSET
PARIS

AVANT-PROPOS

Ceci est un recueil d'articles : autant dire un carnet de route d'un observateur de la vie littéraire. Je voudrais cependant que cela ne soit pas simplement un recueil d'impressions dispersées et de réactions éphémères, mais l'esquisse d'un tableau naturel, aussi équilibré que possible, ombres et lumières, de la littérature française actuelle, et aussi le fruit d'une attention passionnée à cette littérature soutenue pendant presque tout le temps de ma vie. Un tableau dessiné avec le seul souci d'une perspective juste, replaçant objets et personnages dans la clarté de l'ensemble, sans souci des petits projecteurs individuels de la vanité ou de l'admiration de commande. Et une évocation d'une vie de lecture. Depuis les premières découvertes de l'enfance, rencogné dans la cuisine de l'appartement familial, jusqu'à l'exercice hebdomadaire du métier de critique pendant des années, la lecture a été pour moi beaucoup plus qu'une passion ou un vice impuni, un enrichissement perpétuel, au point que la substance des livres aimés me semble avoir nourri la substance de mon âme, au point que je ne puis me demander ce qu'ils m'ont apporté sans me demander du même coup comment j'ai vécu et ce que je suis finalement devenu.

Ce langage d'un lyrisme volontairement un peu appuyé fait déjà comprendre de quel côté je me range quant à la méthode de la lecture critique. Je ne crois pas beaucoup, je l'avoue, à la théorie des méthodes scientifiques dont on parle beaucoup aujourd'hui. C'est-à-dire que je crois que ces méthodes elles-mêmes ont du bon et peuvent nous faire faire des découvertes, mais que ce n'est peut-être pas dans la mesure où elles sont vraiment scientifiques. La science stricte de la littérature, si elle existe, laisse encore trop souvent passer l'essentiel, c'est-à-dire ce qui est propre à l'œuvre unique et irremplaçable, pour ne pas dire l'individuel : et si elle retient le meilleur, c'est par des méthodes qui n'ont de scientifique que le nom. Il n'est pas sûr qu'une étude, conduite dans les règles, de la Phèdre de Pradon ne soit pas aussi intéressante qu'une étude de la Phèdre de Racine : c'est le signe que cette critique-là s'intéresse à autre chose que ce qui retient spectateurs et lecteurs.

Les méthodes modernes visent à dégager les procédés de fabrication des œuvres, elles peuvent aboutir à une sorte de rhétorique et de poétique tirées de l'expérience et qui enseigneront aux futurs écrivains un ensemble de règles et de recettes, sans se demander bien entendu si cet enseignement tombe sur le futur Racine ou le futur Pradon. Ce qui est d'autant plus légitime que le mouvement scientifique tend à éliminer toute considération personnelle. A l'ancienne critique (l'homme et l'œuvre, l'homme traqué jusque dans les comptes de sa blanchisseuse) a succédé dans la pratique universitaire une critique qui n'est déjà plus tellement nouvelle et qui ne veut considérer que l'œuvre seule, le texte seul. Le mot à mot, le phrase à phrase, le thème à thème et l'organisation quasi matérielle de l'ensemble. La querelle, presque purement scolaire, peut durer longtemps: l'ancienne méthode biographique tombait dans un excès de détails oiseux d'une pesanteur affligeante, mais nous connaissons déjà des travaux de critique thématique ou de nouvelle critique menés par des imbéciles et qui s'effondrent sous le ridicule. Même chez les meilleurs, les œuvres d'art considérées en faisant entièrement abstraction de leurs auteurs, comme si elles étaient le produit de l'activité d'anges ou de robots, restent inhabitées et surtout deviennent inhabitables.

On prendra donc l'autre voie. L'artiste est un autre, comme le voulait Marcel Proust, il cohabite avec l'homme, mais il est différent. Mais cet être des profondeurs qui est en chacun de nous, ou plutôt qui est nous, et qui se traduit ou se trahit dans le moindre geste, dans le plus petit détail de notre comportement, comment pourrait-il être absent de ce geste prémédité et prolongé, de ce geste important entre tous qui est la création de l'œuvre ? il n'est pas jusqu'à un gigantesque effort de dissimulation, comme chez Proust lui-même, qui ne soit révélateur. Nous interrogerons le texte, avec toutes nos ressources, celles de la minutieuse stylistique, comme celles de la psychanalyse, pour le faire parler. De quoi ? De la vie.

Les querelles sur les méthodes de la critique ont moins d'importance que l'imprécision de ses buts. Pourquoi des critiques, gardiens de musées ou de cimetières ? Déchiffrer une œuvre pour lui arracher des aveux biographiques ou anecdotiques qu'elle voudrait nous refuser est de peu d'importance. Etablir que Musset a eu ou a raté George Sand telle nuit, tracer la courbe tremblo-

tante des rapports entre Jean-Jacques et Maman après l'arrivée de Claude Anet aux Charmettes, cela ne peut satisfaire qu'une petite curiosité maniaque. Mais dresser dans le désert le squelette supposé d'une œuvre de l'esprit est un tour de force qui n'est guère moins gratuit. Ce que le critique peut essayer de faire, comme vous, c'est de lire, avec peut-être une information plus précise et plus riche sur l'ensemble d'une œuvre, d'une époque, d'une littérature.

Peut-être parce que bien avant d'être cri du cœur ou confidence différée, arrangement régulier de mots pour composer un sonnet, une tragédie ou un roman fleuve, l'œuvre que nous lisons est elle-même une lecture de ce texte aux hiéroglyphes sans cesse renouvelés que nous appelons la vie. Le critique n'est pas un gardien de cimetière, il est celui qui entretient les œuvres vivantes et en parle aux vivants. Chaque homme doit ânonner, puis lire lentement le texte que la vie lui propose et son sort dépend peut-être de la rapidité avec laquelle il en prend connaissance et parfois arrive à en corriger les fautes de ponctuation. Pour Œdipe, il a été bien plus facile de résoudre l'énigme du sphinx que de trouver le chiffre de sa destinée. Parmi les moyens qui peuvent nous aider il y a l'exemple des vivants, et grâce aux livres les exemples qui survivent. Le petit garçon ne deviendra pas servilement le mousquetaire ou le cosmonaute de ses premières lectures : mais il restera en lui comme une trace du comportement qu'il faut adopter en abordant un monde nouveau, ou de la botte secrète qui assura la victoire. Peut-être ne lit-on jamais seulement pour son plaisir, et le plaisir n'est-il ici qu'un signe de l'efficacité. Dans la nuit ou dans la clarté du jour, un texte aux signes innombrables se déroule sous nos yeux, et nous avons à suivre notre ligne, horizontale, verticale, parfois capricieuse, et nous ne saurons qu'à la fin, ou nous ne saurons peut-être jamais si la partie du texte qui nous est réservée a un sens ou n'en a pas. Les livres sont comme d'autres lecteurs qui nous aident à lire et à vivre. Une science de la littérature me semble de peu de prix sans une philosophie des fins de la lecture. Je ne propose cette image d'un grand texte de la vie que comme la justification la plus élémentaire, celle qui présuppose le moins de la nature et du contenu de l'être, sans ramener la lecture et l'écriture à des activités de taupe maniaque...

Heureux Balzac qui pouvait lire ce texte à la lueur de deux grands flambeaux, la monarchie et la religion. Nous ne disposons pas des mêmes secours, ni les écrivains d'aujourd'hui, ni leurs critiques. Il va de soi que l'on ne trouvera ici ni l'illustra-

tion d'une école, ni une histoire éclectique plus ou moins cohérente, ni même un tableau complet. L'idée de départ a été de présenter et de réunir les membres d'une génération littéraire aujourd'hui aux affaires, puis de prendre une vue raisonnable de la littérature actuelle. Nous disposons d'histoires, de dictionnaires, de tableaux établis en général sans le moindre discernement et sans le moindre détachement, et pour beaucoup, de petits dictionnaires de poche sans le moindre souci d'exactitude. Ou bien nous avons des ouvrages, parfois même des manuels scolaires qui sournoisement ne font place qu'à une seule tendance : nul n'a de talent hors nous et nos amis. Enfin, nous en entendons qui sont dans une sorte d'extase perpétuelle devant l'abondance et la nouveauté de la production contemporaine, sans se dire un instant que cette impression de nouveauté et d'abondance tient à l'absence de tout jugement critique, et nous en entendons qui se lamentent sur le malheur des temps, sur la pauvreté et la faiblesse de la littérature actuelle. Tout cela me semble également injuste, et c'est pour cela que mon livre risque de paraître injuste à tout le monde. En particulier, il y a une génération de garçons et de filles de talent, en gros celle qui a fait ses débuts immédiatement après la seconde guerre mondiale et qui est aujourd'hui en pleine maturité, à laquelle on ne fait pas sa place. Elle a manqué d'un dénominateur commun, ou mieux d'une dénomination commune, d'un « -isme » comme le romantisme ou même le surréalisme. L'existentialisme littéraire a été un mouvement important et assez largement répandu, mais il n'a duré qu'un temps trop court, avant de basculer dans la politique, non sans laisser quelques hommes à la mer. Le nouveau roman n'a guère été qu'une chapelle d'admiration mutuelle empoisonnée, avec quelques relais dans les séminaires des universités américaines. Cela dit sans écarter les hommes de talent ici ou là. Il a même manqué à cette génération un point de rassemblement matériel, les éditeurs n'envisageant plus leur tâche que du point de vue du commerce de la librairie et les revues disparaissant les unes après les autres sans postérité. Les efforts sont donc restés dispersés : ce qui semble d'autant plus naturel que le monde lui-même subissait une mutation qui n'allait pas sans désordre au point que les idées directrices de l'activité semblaient elles-mêmes s'obscurcir les unes après les autres. Les méthodes de remplacement fournies par la science ne pouvaient elles-mêmes qu'accélérer le mouvement et non lui assigner un but. En un sens, beaucoup d'écrivains d'aujourd'hui font de la corde raide au-dessus d'un vide intellectuel, utilisant les ressources de leur expérience privée et de leur réflexion personnelle pour se doter d'un balancier. On parle à chaque instant, avec autant de détachement que de gravité de la mort de Dieu, de la mort de

*l'homme, de l'absence des maîtres à penser : mais il est sûre-
ment plus intéressant de voir comment chacun s'en tire pour son
compte, comment il propose une lecture de la vie d'aujourd'hui,
en faisant appel à telle ou telle grille pour la déchiffrer ou bien
en renonçant du moins d'une manière explicite à toute tentative
de déchiffrement et en la considérant à la manière de Macbeth
comme une histoire dépourvue de sens.*

*C'est la dispersion morale des écrivains de cette généra-
tion, plus encore que celle des écrivains de la génération de 1920
qui sont rentrés de la guerre dans une maison délabrée mais
encore presque habitable et qui souvent, faute de feu, ont tiré des
feux d'artifice, c'est cette dispersion qui, à première vue, semble un peu décourageante ; et c'est pour combattre cette impression que je tente ici un rassemblement. Cette génération ne
forme pas un bloc, et les universitaires de l'avenir auront du mal
à la faire entrer sans injustice dans deux ou trois compartiments
bien étiquetés. Mais elle existe en tant qu'ensemble d'individus et
d'individus de talent. Voici ceux qu'un observateur qui se voudrait
raisonnable propose à votre lecture.*

*Quelques explications peuvent être utiles. L'ordre de présenta-
tion est strictement chronologique, établi d'après les dates de
naissance, de manière à présenter un tableau échelonné des
générations qui composent le monde littéraire actuel : quelques
ombres qui n'ont pas cessé de compter, me semble-t-il, puis les
plus âgés qui composent une sorte de sénat , puis la grande
génération qui est en pleine floraison, puis quelques-uns des plus
jeunes.*

*Pour le reste, le choix part d'une vision de la littérature telle
qu'elle se fait, et non d'une théorie de la littérature telle qu'elle
devrait se faire selon telle ou telle école. J'ai essayé de me garder des exclusives, de m'en tenir à un choix qui tienne compte
du talent et aussi, non du succès, mais du retentissement. Le succès n'est pas négligeable, mais il peut tenir à une équivoque, à
une certaine bassesse flatteuse. L'isolement, le silence, l'in-
succès sont souvent des signes d'un mandarinat stérile plus que
de haute qualité. Mais nous savons très bien qu'il y a des œuvres qui cheminent vers leurs vrais lecteurs, l'œuvre de Victor
Segalen aujourd'hui, par exemple, pour prendre un exemple pas
trop lointain, et c'est ce que l'on peut appeler le retentissement,
presque au sens de la caractérologie : c'est en tout cas un signe
bien assuré qu'une œuvre est vivante et riche de possibilités.*

*Il y a bien entendu de nombreuses lacunes et de nombreuses
omissions, mais cela ne me semble pas trop gênant. Moins
gênant que la volonté d'être complet des dictionnaires et des
histoires où le souci de l'information prend la place du souci du
discernement. Il y a, tout le monde le sait, dans le passé récent*

des œuvres dont le retentissement est tout à fait amorti, même si de pieuses sociétés d'amis font encore du bouche à bouche ; il y a dans notre monde même des œuvres arrêtées ou finies, après avoir un temps éveillé la curiosité et l'espérance, il y a beaucoup de morts vivants qu'entraîne le fleuve de la littérature...

Certaines de mes omissions sont purement l'effet du hasard : il s'agit d'un recueil d'articles, et l'occasion ne s'est pas présentée de parler de tel ou tel, ou d'en parler à propos d'une œuvre significative. D'autre part, il a fallu faire un choix aussi pour des raisons matérielles dans un immense tas de « papiers ». Et ici les omissions ne sont pas sans regrets, et elles ne sont peut-être que provisoires, si l'occasion m'est donnée d'établir un autre recueil. Comme je regrette de n'avoir pas eu la possibilité de parler dès maintenant d'écrivains que j'estime ou que j'admire, comme Joseph Kessel, ou Hervé Bazin, Yves Bonnefoy ou Edmonde Charles-Roux, Pierre-Jean Jouve ou Maurice Pons, Henri Petit ou Henri Queffellec, et tant pis pour ceux qui feront la fine bouche devant mon éclectisme. D'autres omissions portent sur des écrivains dont je n'ignore pas qu'ils tiennent une place, mais qui pour mon compte me touchent peu, comme M. Claude Simon ou M. Yves Gandon, qui ont des lecteurs et des admirateurs. Certaines omissions enfin sont volontaires, elles portent sur des écrivains qui n'ont plus qu'une vie apparente, sur des œuvres qui resteront inachevées ou sur lesquelles la pierre du tombeau est déjà refermée. A mes risques et périls, au risque de me tromper, au péril d'injustice. Pour vouloir faire un tableau raisonnable de nos lettres, on n'échappe pas à sa propre vue personnelle.

Ainsi ne peut-on faire un retour sur la littérature sans faire aussi un retour sur soi-même. La littérature est à chaque instant une lecture du monde par ses contemporains, et le critique est une sorte de lecteur professionnel qui essaie de dégager ce qui, à son sens, va plus loin, avec le plus d'acuité, non point certes en allant plus loin que l'auteur, mais en jalonnant son itinéraire, en dégageant parfois la direction de son cheminement. Presque aussi loin que ma mémoire remonte, il me semble que j'ai un livre comme compagnon favori. On ne m'a pas beaucoup raconté d'histoires fantastiques ou féeriques dans mon enfance, mais dès que j'ai su lire au sens le plus élémentaire, j'ai compris que je pouvais être mon propre magicien. Les premiers contes des frères Grimm m'ont intrigué et m'ont enseigné, non pas le frisson, mais une sorte de peur diffuse; le premier tapis volant était enveloppé sous la couverture cartonnée rouge d'une édition des Mille et Une Nuits *à l'usage de la jeunesse. Jules Verne vint avec d'autres romanciers que les garçons lisaient alors, et je suis des lecteurs qui subirent davantage la fascination personnelle du capitaine Nemo qu'ils ne débordèrent d'admiration pour les accomplissements techniques du* Nautilus *ou d'autres machines. Etait-ce une évasion ? Sans doute, je devenais étranger à ce qui m'entourait : ma mère m'a souvent raconté qu'elle me voyait me tordre de rire parce que j'étais plongé dans* Pickwick, — *un livre que j'aime toujours mais qui ne m'amuse plus aussi franchement. Un peu plus tard, mon premier cosmonaute qui m'entraîna à sa suite dans les espaces infinis, ce fut Pascal. Il m'a laissé sur quelque planète déserte, sans religion, mais la tête religieuse ou métaphysique. Mais faut-il parler d'évasion ? Ne s'agit-il pas plutôt de naturalisations successives qui se font à mesure que l'on avance en âge dans des pays selon notre cœur ?*

Ai-je lu ma vie au lieu de la vivre ? On sent venir l'objection et l'ironie. Mais comment serait-ce possible ? Il faut retourner la maxime du moraliste mondain : personne ne peut entendre parler de l'amour s'il n'a aimé. Ce que nous savons seulement par la lecture reste lettre morte, lettre écrite donne langue morte encore indéchiffrable. Un texte ne recueille notre approbation qu'à cause de ce que nous savons déjà, de ce que nous sommes déjà : Proust s'installe en nous parce qu'il épouse la forme de notre cœur. Et la lecture n'est pas non plus une attitude purement passive, une attitude de spectateur indifférent. Toutes les thèses, tous les sermons sur la négritude n'ont pas allumé dans mon cœur et dans des milliers d'autres cœurs autant d'amour pour nos frères noirs que la lecture de la Case de l'oncle Tom, *ce livre aujourd'hui décrié par les habiles. Ce que l'on considère parfois comme l'action politique directe des intellectuels, la signature de manifestes et de manifestes, la présence en tête des cortèges et des manifestations, n'est-ce pas une dérision, et ne souffre-t-on pas un peu de voir qu'un Sartre ne s'en est jamais sorti et que sa présence morale dans les affaires du monde a été souvent d'un poids bien faible ?*

Tout d'ailleurs aujourd'hui invite le lecteur à la modestie : le silence se fait plus pesant dans la cité des livres, et le métier de critique tel que je l'ai pratiqué dans la grande presse est un métier qui risque de se perdre, comme s'est perdu dans la cité des hommes celui d'allumeur de réverbères (j'ai racheté il y a quelques mois le roman de Miss Cummins, encore une lecture des premiers temps et qui m'avait fait pleurer, mais je n'ai pas eu le temps de le relire...). Au jugement, à l'appréciation, à l'éclairage, on préfère cette forme compacte de l'obscurité et de l'ignorance qu'on appelle l'information. Et pourtant, à moins d'un abaissement considérable du niveau de vie mentale, ceci tuera encore cela, le livre, peut-être sous une autre forme, vien-

dra à bout de l'ordinateur comme de la cathédrale. Mais restons à notre place, bornons-nous à continuer d'essayer de faire entrer la lecture dans la vie pour la rendre meilleure.

Les articles réunis ici ont paru pour la plupart dans l'Express, le Figaro Littéraire, la Revue de Paris, *et je remercie Mme Françoise Giroud, Mme Solange de La Baume, MM. Maurice Noël, Michel Droit et André Brincourt pour leur hospitalité et surtout pour leur parfait libéralisme. Enfin ce livre n'aurait pas vu le jour sans l'affectueuse insistance et l'aide efficace de mes amis Matthieu Galey et Michel Klein que je remercie aussi tout particulièrement.*

R. K.

Première partie

OMBRES PROCHES

FRANÇOIS MAURIAC

Je n'imagine pas un livre comme celui-ci dont il serait absent. Toute ma vie de lecteur, depuis l'adolescence où avec Pascal et plus que Gide, que je découvrais et aimais en même temps, il m'a appris à parler et à lire la langue du cœur, jusqu'à maintenant, ses livres m'ont accompagné et m'ont souvent soutenu. A mesure que l'œuvre se détachera mieux de l'homme, de ses humeurs, de ses apparentes contradictions, on verra qu'elle est un effort constant dans tous les domaines vers plus de justice et de vérité. Et on verra aussi que c'est une œuvre vivante, combattante, de quelqu'un qui tenait sa place sur la scène de son siècle. Entre tant d'articles écrits à mesure, on garde ici quelques pages sur les Mémoires intérieurs, *pour célébrer cette forme de journalisme, à mi-chemin entre celui des feuilles imprimées et celui des cahiers intimes, qu'il était seul à pratiquer, un article sur son dernier succès de romancier,* Un adolescent d'autrefois, *suivi d'une note sur le fragment posthume, et le dernier adieu.*

Pour le chant profond.

Nous ne nous reconnaissons pas tout à fait dans la suite de notre vie, dans l'enchaînement de nos actes et de nos paroles. S'il croit, ne disons même pas à l'âme, mais au verbe, l'homme le plus fidèle sait qu'il est autre chose que la somme de ce qu'il a fait, l'écrivain le plus sincère qu'il a encore quelque chose à dire après avoir tout dit. Ce qu'il faudrait saisir, c'est la petite source intérieure dont l'eau ne cesse pas de couler au plus creux d'une vie, la musique d'avant les paroles dont la mélodie profonde est la vraie nourriture, la vraie loi et la vraie liberté d'une œuvre. C'est à dégager ce filet d'eau, comme avec ses mains, à faire entendre ce filet de voix que rien ne peut couvrir que M. François Mauriac consacra un de ses livres les plus beaux et les plus forts. Le premier volume des *Mémoires intérieurs* retraçait, à propos de lectures surtout, les aventures de son esprit : c'était le livre d'Animus. Les *Nouveaux Mémoires intérieurs* [1], c'est le livre d'Anima, inséparable de son compagnon certes, mais plus étroitement attachée à ce qu'il y a d'essentiel, plus acharnée à découvrir et à dire l'inflexible vérité d'un homme, son seul partage et son seul bien, demain peut-être sa seule défense s'il doit être interrogé sur ce qu'il a été et ce qu'il a aimé beaucoup plus que sur ce qu'il a fait.

Pour dégager ce chant profond, le mémorialiste avec un instinct souverain choisit entre les voix intérieures qui ont accompagné sa longue vie, celles qu'il faut faire un peu taire, et celles

1. Flammarion.

qu'il faut faire parler. La musique d'accompagnement de la grâce est partout présente, mais sans jamais se muer en fades cantiques ou en hymnes de commande. La main n'a rien perdu de sa fermeté à lancer le trait : « Dans son extrême vieillesse, elle avait encore des restes éclatants de laideur... » Ou : « Ce bon Samaritain avait été aussi un chasseur de chevelures, et... trouvait à sa chasse une satisfaction humaine. Ses convertis ne se comptaient plus, mais lui il les comptait. » Mais l'heure n'est pas à la pointe, ni à la polémique. Même de tel grand général auquel il a consacré un livre il est à peine question, comme pour ne pas réveiller des controverses et des oppositions qui risqueraient de prendre trop d'importance. C'est une méditation sur la mort, mais qui fait grande place à l'amour de la vie, et pas seulement de la vie éternelle. C'est une méditation sur la vieillesse, mais toute réchauffée par la chaleur des anciens étés, par la brûlure des passions de la jeunesse perdue peut-être, mais jamais oubliée.

C'est même ce va-et-vient entre les âges de la vie qui permet le mieux à l'écrivain de mettre en évidence la constance de sa présence à lui-même. Cela nous vaut, du seul point de vue littéraire, de merveilleuses évocations de la province vers la fin du siècle dernier et le début de celui-ci, évocations de cette province-là, Bordeaux et la Gironde, inépuisable réservoir de sensations et de souvenirs dont il peut encore tirer, après tant d'œuvres romanesques, après les Mémoires interrompus de *Commencements d'une vie,* des pages d'un accent nouveau, plus apaisé et plus tendre. Enfance étroite, douillette, pieuse, à un jet de pierre de la cathédrale et de la tour Pey-Berland, et que le changement des habitudes et des mœurs semble rejeter dans une très lointaine province du temps, — une enfance éclairée par la lampe Pigeon et par la « palombe » du Saint-Esprit.

Enfance moins étroite qu'il ne paraît d'abord cependant, parce que sa stabilité même est prise dans un double cycle dont le déroulement commande d'ailleurs l'architecture de ces *Nouveaux Mémoires intérieurs* beaucoup plus que la simple chronologie. Le cycle de la nature retrouvée aux vacances grandes ou petites, le cycle des saisons, le cycle de Cybèle : et pour cet enfant dont la sensibilité accroche tout, et par tous les sens, c'est une fête, un triomphe. Et le cycle de la liturgie, le cycle toujours recommencé des grandes fêtes qui jalonnent chaque année la vie terrestre du fils de Dieu, et qui n'inscrivent pas moins profond leurs mystères douloureux ou joyeux dans ce jeune cœur. Ce qu'il faut pour faire un petit païen, ce qu'il faut pour faire un petit chrétien, et ajoutons ce qu'il faut pour faire un petit bourgeois pharisien, c'est ce qu'il trouve dans son berceau. Sa force a été non de choisir ou de doser, mais de refuser de choisir précisément et de retenir tout ce qui convenait à sa nature.

Le moyen, c'est la fidélité à ce que l'on sent juste et vrai — et on pourrait ajouter pour l'artiste : à ce que l'on sent beau. Philosophie désuète et moyen qui n'est certes ni infaillible, ni à la portée de tout le monde. Même une âme bien née peut faire des faux pas, M. Mauriac ne s'en cache pas. Bien née, me direz-vous, cela ne peut s'entendre que selon les conventions d'une cité. Mais justement non : c'est l'odeur d'hypocrisie de son milieu familial autour de sa grand-mère agonisante qui soulève le cœur du jeune garçon, comme l'odeur d'hypocrisie des milieux politiques au moment de la déposition insensée du sultan du Maroc soulèvera le cœur de l'homme fait. Son vieil adversaire, M. Jean-Paul Sartre, n'a pas le monopole de la nausée.

Ce sens de la vérité, pour sa génération, pour celle de M. Mauriac, pour la mienne encore, André Gide le désignait d'un nom qui ne me semble plus beaucoup à la mode, la sincérité. La sincérité est la belle vertu de l'adolescence, sa force et sa faiblesse : elle n'est ni la naïveté de l'enfant, ni la véracité de l'homme. Parcourant aussi le cycle des âges de la vie, ces *Nouveaux Mémoires intérieurs* apportent aussi, dans l'œuvre de M. François Mauriac, une nouvelle méditation sur cette adolescence. Il lui a dit adieu, c'est le titre de son second recueil de poèmes, il y a plus d'un demi-siècle, mais avec une certaine dilection, une certaine nostalgie, dont les échos délicieux ont roulé de livre en livre. « Aujourd'hui même, l'authentique vieillesse m'a guéri de ce mal, dit-il, comme la mort nous guérit de la vie. » Mais cet adieu il adjure un correspondant encore jeune qui se cramponne à sa dix-septième année de le faire, à son tour. Parce que la sincérité absolue de la dix-septième année nous attache plus qu'à la vérité à une image de nous-même à laquelle plus tard, nous ne pouvons pas faire de respiration artificielle. Elle devient un mensonge, il faut aimer d'un cœur d'homme.

Il faut aimer pourtant. Si j'avais l'outrecuidance de songer à apporter une retouche à cet autoportrait, je dirais que je ne sens pas tout à fait assez le passage du fleuve de feu, l'écho à distance de ces romans qui dans leur nouveauté brûlaient jusqu'à la chair des jeunes lecteurs, parce qu'ils n'étaient que le cri d'une chair torturée. M. Mauriac me dira que c'est *Souffrances et bonheur du chrétien* qui rend compte de tout cela, qui est bien loin... D'ailleurs, si j'avais cette outrecuidance (allons, ça vient) je regretterais, en même temps que cette discrétion quand il s'agit de l'amour charnel, un certain apaisement quand il s'agit de l'amour de Dieu, et pour tout dire, un moindre jansénisme.

Janséniste, je le sais bien, M. Mauriac ne l'a jamais été, il ne pouvait pas l'être, d'abord parce qu'il était païen, attaché à la terre, les doigts imprégnés du sang de ses vignes et de la sève de ses pins. Et qu'on ait envie de lui faire ces deux reproches-là montre que c'est sans doute lui qui a raison. Il n'est pas janséniste, il est une âme naturellement augustinienne, c'est-à-dire qui ne récuse pas la force de ses attachements à la terre parce qu'il veut soumettre sa conduite à la force plus grande encore de son attachement à la vérité.

Il faut y venir, et ne pas faire de cette vérité une idole. Elle a un nom, et ce livre est le livre d'un chrétien. Volontairement, il y a fait la part à la pratique catholique quotidienne, comme il la fait dans sa vie. Et à chaque instant à propos de lui, à propos des siens, il ressaisit le fil d'or. Sa dernière page retrouve la belle image d'un petit poème de vieillesse de Walter Savage Landor :

I warmed both hands before the fire of life ;
It sinks, and I am ready to depart,

mais ce feu dont il approche ses vieilles mains, pour lui, c'est celui des soldats et des servantes du jeudi saint, et il espère être plus ferme que Simon-Pierre, qui ne put continuer à s'y réchauffer qu'en reniant trois fois son Maître. Christianisme qui est celui de l'enfance, à Saint-André et à Grand-Lebrun, avec ses dévotions et ses exercices de piété : mais on a ouvert les fenêtres, on a fait rentrer les vieilles vertus qu'un catholicisme de classe avait presque exilées, on se réjouit sans tomber dans de nouveaux excès de voir le pape Jean XXIII permettre de moissonner le blé poussé dans les sillons de Marc Sangnier. Ce n'est pas un christianisme de théologien : c'est un christianisme de catéchisme élargi par l'intelligence de la foi. Le « ce que je suis » de ces *Nouveaux Mémoires intérieurs* rejoint tout naturellement le « ce que je crois » d'un livre précédent. Dans le chant profond de sa vie le poète entend une prière, et rend grâces.

Livre admirable, et d'abord par les nombres et les cadences de la prose. Jamais peut-être la phrase de M. Françaois Mauriac ne s'est développée avec une telle souplesse, une telle ampleur, une telle sûreté dans l'utilisation de ses propres moyens, qu'elle se brise volontairement ou qu'elle prenne son vol, qu'elle isole ce qu'elle veut mettre en valeur ou qu'elle joue au contraire de sourds échos intérieurs pour nous faire mieux sentir son déroulement. Il ne l'aime pas, il ne l'aime pas du tout, il laisserait volontiers ce cousinage à M. André Malraux, mais enfin on échappe difficilement à la comparaison avec le Chateaubriand des *Mémoires d'outre-tombe*. Rien de commun pour

l'intention ou pour l'esprit. Mais, il y a comme un oiseau qui
passe, au gazouillement de cette grive perchée sur la plus haute
branche d'un bouleau qui arrache Chateaubriand à son triste présent pour le ramener au domaine de son enfance (et dont Proust
saisit un écho), répondent peut-être ce chant de merle dans un
matin neigeux et noir dont M. Mauriac se demande s'il appartient au présent ou au révolu, et plus loin ce chant de loriot que
son fils Claude veut recueillir dans un film sur l'oubli : comme si
la grande prose française n'avait qu'une manière de tendre ses
filets pour piéger les oiseaux de la mémoire.

Livre admirable, parce que l'oiseau, le voici, vivant, et d'autant plus respectueux de chaque palpitation de la vie qu'il est
touché par la vieillesse. C'est une réponse humaine, pleine de
tendresse pour les hommes, à la question « comment peut-on
être chrétien ? » Mais c'est aussi, pour tout homme, un rappel
à l'ordre de la vie intérieure, à la dignité secrète, si difficile à
maintenir dans le désordre du monde et de nos passions, mais
à laquelle rien ne devrait nous faire renoncer pour toujours.
D'où me revient le mot du damné ? Se peut-il qu'un jour vraiment « le chant raisonnable des anges s'élève du navire sauveur... » ?

Le triomphe de François Mauriac.

Quel beau livre ! Il nous rend le plaisir de lire un roman, alors
que tant de romanciers se font un devoir de rendre l'accès de
leurs œuvres difficile. Il nous rend l'impatience d'ouvrir le
volume à peine posé sur notre table, comme il y a trente, quarante ans — le nouveau Mauriac — comme, me semble-t-il, pour
moi, depuis que je sais lire. Et il nous rend notre impatience
de tourner les pages, parce que dès la première nous savons que
le vieil enchanteur n'a rien perdu de son pouvoir, parce que cette
voix souveraine ne fléchit jamais et ne cesse jamais de nous
harceler. D'ailleurs il ne s'agit nullement d'émotion rétrospective ou de jeu du souvenir. Un grand écrivain d'aujourd'hui parle
avec cette assurance ; cette fermeté, cette plénitude qui ne peuvent tromper et qui n'ont pas besoin d'une caution du passé.
Quel beau livre !

Vers le passé, le titre même, *Un adolescent d'autrefois* [1],
choisi peut-être en faible écho un peu ironique d'un vieux titre

1. Flammarion.

de Fogazzaro, nous invite à nous tourner. Par un artifice un peu gauche (une suite de cahiers écrits sur le moment pour un ami absent) le récit est mis dans la bouche d'un garçon, Alain Gajarc, vingt-deux ans en 1907 aux dernières pages, c'est-à-dire le contemporain exact de l'auteur. Les vieux mauriaciens pourront s'en donner à cœur joie au jeu des reconnaissances : les paysages familiers du bazadais, et des rues de Bordeaux, ce séminariste bientôt manqué qui me semble faire écho à un personnage du *Démon de la connaissance*, cette foire des Quinconces où le musée Dupuytren jouxte sans doute le théâtre de saint Antoine et du petit marin, ce prénom d'Alain déjà employé pour le personnage pur de *Ce qui était perdu*, mais ce personnage d'Alain ébauché sous les traits d'Yves Frontenac, et ces rapports de la mère et du fils qui fournissent comme une version moins dramatique, mais non moins âpre de *Genitrix* ; et tant de pages de *Commencements d'une vie* ou des *Mémoires intérieurs*. Il raconte donc toujours les mêmes histoires, il avait donc tout dit ? Et quand cela serait ? on joue toujours avec la même balle, mais il y a un moment où on la lance mieux. Et puis cela n'est pas, et c'est ce qui force notre admiration.

Roman d'un vieil homme qui revient sur sa jeunesse, *Un adolescent d'autrefois* pouvait être après les *Mémoires intérieurs* et les *Mémoires politiques* un chapitre de « Mémoires imaginaires » une demi-autobiographie camouflée. Mais il n'en est rien. C'est un vrai roman, écrit avec l'optique et la technique du roman. S'il s'y trouve des évocations et des confidences que nous avions déjà recueillies, c'est qu'un romancier ne peut rien tirer que de son propre fonds, quand bien même il ne voudrait en tirer que des mots. Mots, images, visages, oubliés ou présents, baignent dans les grandes profondeurs de son milieu intérieur. Et si l'homme a une âme, si l'écrivain est un grand écrivain, jamais ce matériel ne reste le même.

Il n'est pas vrai que notre vérité ultime soit dans cet instant qui passe et que nous essayons de retenir par les artifices du monologue intérieur, le discours de James Joyce n'étant d'ailleurs pas tellement plus fidèle que le discours racinien en alexandrins. Le rameau tombé en nous, c'est couvert de nos cristaux qu'il nous exprime pleinement. Ainsi, ce quartier de la rue de Cheverus ou de la rue Duffour-Dubergier, cette légère cabane camouflée où l'on attend le passage des palombes, dix fois M. Mauriac y revient, mais toujours avec d'autres poids et d'autres mesures. Cet ami de notre adolescence, cette jeune fille, ce parent, nous avons un temps projeté sur eux les lumières contrastées de nos passions, mais dix ans, vingt ans, cinquante ans après, est-ce que nous ne discernons pas mieux de quel poids ils

ont pesé sur toute notre vie, leur vérité et la nôtre ne sont-elles
pas la somme de ces instantanés pris à de longs intervalles
toujours sur la même plaque sensible de notre cœur ? C'est à
cela que tiennent la nouveauté et la force d'*Un adolescent d'autrefois*.

Un jeune homme riche et pieux, vit sous la tutelle très serrée de sa mère, grande bourgeoise terrienne, et il n'en ressent
que des impatiences intellectuelles pour ainsi dire tant qu'il ne
sait pas très bien ce qu'il va faire de lui-même. Auprès de lui,
Simon, fils du régisseur mais presque un ami, prend un mauvais
départ, puis fait un mauvais retour. De Marie Bard, la jeune fille
qui l'intéresse, employée dans une librairie bordelaise, il apprend
qu'elle aussi a fait un très mauvais départ, au point qu'elle est
peut-être même irrécupérable par et pour un jeune homme
comme lui. Et d'une misérable petite fille qui l'aime et qu'il
déteste, il verra aussi la pauvre vie détournée et affreusement
tranchée. C'est tout cela qui instruit Alain presque à son insu,
mais lui donne la force de résister. Il ne s'agit pas des amours
d'un riche propriétaire de pins et d'une petite commise de
librairie contrariées par une mère abusive, comme le croiront
les petits nigauds. Il s'agit d'un garçon qui dans son monde
d'autrefois, où les contraintes étaient lourdes, cherche à prendre l'aiguillage de sa vie en toute liberté. Or, regardez cette
Mlle Bard, Marie comme la Maria Cross du *Désert de l'amour*
que l'on a adapté pour la télévision; regardez cette mère
autoritaire et possessive, nous l'avons déjà noté, comme celle
de *Genitrix*. Ce sont les différences des portraits qui frappent
encore plus que les ressemblances et en dehors de toute comparaison, comme cette Marie Bard qui a vécu, et qui lutte de
toute son intelligence, mais un peu petitement pour vivre encore,
comme cette mère qui pouvait être une Agrippine du bazadais
et qui s'humanise à la fin, comme cette fillette dont le destin
est clos par un décret, faut-il dire de la Providence ; — toutes
sont des personnages vivants, et qui nous posent, comme à
Alain, les questions de la destinée. Ainsi la « famille » imaginaire a viré sous l'œil de M. François Mauriac, elle semble
davantage abandonnée à la pitié, à la grande pitié de Dieu.

Et Alain lui-même, l'adolescent d'autrefois ? Il a une grâce
légère en lui, un don de sympathie au sens le plus fort, il semble tenir un peu d'un jeune homme de Giraudoux, et, Dieu me
pardonne, du visiteur du film de M. Pasolini *Théorème*. Mais il
est surtout et enfin la première figure réussie du jeune homme
chrétien dans l'œuvre de M. Mauriac. Alain vit sa foi et vit
de sa foi, en fidèle simple et pieux beaucoup plus qu'en intellectuel tenté par l'espèce l'aggiornamento qu'on appelait alors
modernisme, c'est dans cette foi qu'il trouve la force de résis-

ter aux trois concupiscences dont sa mère, son ami et sa maîtresse pourraient lui proposer les tentations. Et à cette foi, on
y croit si j'ose dire. Alain n'est nullement un personnage édifiant : il est un jeune homme construit autour d'une foi chrétienne tremblante comme le souffle de l'esprit et solide comme
la pierre de l'Eglise. Si bien que le roman, loin d'être une
douillette histoire d'amour à l'ombre de Pey-Berland, est le dur
roman d'un jeune chrétien dans un siècle de fer. D'un jeune
chrétien riche, mais il ne me semble pas que dans ce cas
l'Evangile nous enseigne à considérer la richesse comme une
circonstance atténuante. Il y a Dieu et il y a Mammon : c'est
la seule contestation. Et la seule issue, c'est la fidélité à la vocation la plus profonde : peut-être celle qui met à la disposition
de Dieu les biens que l'on tient de Mammon non par une donation sommaire, mais par une donation de soi-même à travers
l'exercice de son art. Alain songe à écrire : et, fait de ses
cahiers, le livre que nous lisons est peut-être comme *la Recher-*
che proustienne le livre que le narrateur va écrire. *Un adoles-*
cent d'autrefois s'arrête à l'installation d'Alain à Paris où il
devait venir, non point comme Rastignac, mais comme son
tendre cousin d'Angoulême, Lucien de Rubempré, plusieurs fois
invoqué. Les dernières pages du volume recouvrent à peu près
les premières de *l'Enfant chargé de chaînes*, le premier roman
de M. Mauriac : mais une dernière fois, ne vous laissez pas
prendre aux apparences grossières de l'autobiographie. Il y a
bien sûr des traits d'humour, des malices, des allusions dans
Un adolescent d'autrefois (un jeune homme de ce temps-là
écrivait-il en six lettres dans ses cahiers un mot que M. Jean-
Paul Sartre bien plus tard devait faire suivre de l'épithète « respectueuse » ? ou bien un vieil écrivain aujourd'hui doit-il commencer à l'écrire pour garder le respect des lecteurs ? cela me
chagrine un peu), mais ce qui me paraît distinguer nettement
Alain du jeune auteur de *la Robe prétexte* et bientôt de *Pré-*
séances, c'est le sens de la vacherie, que notre adolescent n'a
pas...

Si par métier j'ai proposé ici une défense et illustration de ce livre, ce que je voudrais marquer surtout c'est à quel point
ce roman est vivant et animé de la vibration de la vie, comme on pourrait le dire des *Grandes Espérances,* le chef-d'œuvre
du vieux Dickens. C'est le triomphe de notre vieux maître, et
c'est son cadeau royal. Sans orgueil et sans illusion. Il y a
dans *Un adolescent d'autrefois* un personnage épisodique, une
silhouette qui intéresse l'auteur et qui m'intéresse : c'est un de
ces vieux originaux, de ces vieux sauvages excentriques, comme
on en trouve dans les provinces et qu'on désigne par le nom
de sa terre, de son coin, le vieux de Lassus. Alain songe au

vieux de Lassus quand il pense à son propre avenir, à cette
sagesse si courte, sagesse quand même. Imaginons l'adolescent
devenu non le vieux sanglier de Lassus, mais un vieux Parisien,
le vieux de l'avenue Théophile-Gautier. Cela change tout aux yeux
du monde, cela ne change presque rien aux yeux du sauveur.
C'est parce qu'il le sait toujours, parce qu'il le dit ici de la
façon la plus émouvante que M. François Mauriac reste le grand
vivant que nous aimons.

Note sur le fragment posthume : « *Maltaverne* ».

Il y a des œuvres où le dernier souffle d'un grand écrivain
semble s'élever toujours pour ne retomber jamais. La magie de
la voix qui nous a été longtemps si proche et si chère se
retrouve dès les premières lignes de *Maltaverne* [1]. C'est toujours le même grand art mis au service de la même et pressante exigence, celle de dire encore quelque chose, de mettre
mieux en lumière quelques-unes des paroles arrachées à la vie
ce qui sont sa réponse à nos cœurs avides de certitude et de
paix. Puis la voix se perd, non point dans l'ombre, dirait-on,
mais dans la lumière qui est, nous l'espérons à notre tour,
celle de l'espérance comblée. Cette petite histoire, faite de souvenirs et de songes, mais que le vieillard portait au monde de
toutes ses forces, de toute sa foi, prend soudain la valeur d'une
prière. Personne ne pourra jamais lire les quelques chapitres
de *Maltaverne* sans penser qu'ils sont à l'extrême pointe d'une
œuvre et d'une vie et les deux dernières pages portées presque
littéralement par son dernier souffle, nous dit-on, nous laissent
au-delà de leur sens immédiat, au bord du mystère.
Un adolescent d'autrefois avait été comme l'annonce d'un
nouveau printemps. Très supérieur aux œuvres romanesques
publiées une quinzaine d'années auparavant, débarrassé de toutes
préoccupations, sauf de l'essentiel, le livre renouait avec les
sources vives toujours préservées. Le succès fit reprendre cœur
au romancier, qui projeta tout de suite de donner une suite à
son œuvre. Mais il avait compris que son succès tenait à l'éclairage qu'il avait su ménager, revenant sur sa jeunesse dans la
méditation du grand âge qui est au-delà de la vieillesse. Il résolut donc de reprendre le fil chronologique de sa narration où
il l'avait laissé, mais de la reprendre d'un point nouveau, pres-

1. Flammarion.

que totalement étranger à celui qu'il avait atteint dans sa propre vie.

Il y a dans *Un adolescent d'autrefois,* un personnage secondaire, un vieil homme retiré sur son lopin de terre, solitaire, renfermé, à demi sauvage : les originaux bourrus de ce genre, qui ont décidé un jour d'achever leur vie repliés sur quelque secret, ne sont pas tout à fait rares dans nos campagnes. A sa mère qui l'interroge sur ce qu'il fera pendant une de ses absences, Alain répond : « Je marcherai. J'irai voir une fois encore le vieux de Lassus pour observer ce que je serai dans soixante ans quand je serai le vieux de Maltaverne. » C'est cette prémonition qui devait gouverner le second volume. Alors que cet Alain est proche de lui sous bien des aspects et que l'on peut légitimement parler d'une part d'autobiographie, par un véritable coup d'Etat, d'Alain vieilli, François Mauriac fait un vieux solitaire, sans femme, sans enfants, à peu près sans amis puisqu'il a survécu à tout le monde, auteur d'un seul livre, un livre de jeunesse qui a gardé un discret rayonnement, *Maltaverne,* et de nombreuses et belles chroniques dispersées dans les colonnes de *l'Echo de Paris,* du *Figaro,* de *l'Express* peut-être. C'est ce vieil homme dépouillé qui se retourne vers sa vie, vers nous, vers le jeune correspondant admiratif auquel une grande partie de ces pages est adressée.

Que faut-il en penser ? L'analyste littéraire et peut-être le psychanalyste sont tentés de s'interroger sur ce vieil homme qui au moment d'être rayé du nombre des vivants rêve de rayer sa propre vie, aussi cruel pour lui-même puisqu'il renonce à son œuvre et à sa gloire, que pour les siens. Voulait-il tout désavouer ? Jouait-il simplement à tout recommencer, à repartir à zéro vers une autre réussite, si on considère que le vieux de Lassus, le vieux de Maltaverne ont réussi quelque chose ? Mais la réponse est sans doute plus nuancée et plus secrète.

En attendant le roman continue en renouant avec le fil du récit de l'adolescent d'autrefois. Alain Gajarc est à Paris, vers 1910, il fait ses débuts dans le milieu littéraire et mondain. Un premier succès lui ouvre beaucoup de portes, trop peut-être, mais il en profite pour se pousser dans la société avec une sorte de rouerie qu'à distance il juge sévèrement. La plume est bonne, elle évoque bien ce petit monde d'écrivains un peu aigris, de femmes entichées de poésie et parfois secrètement folles de leur corps. Alors qu'il vient à peine d'échapper sans trop de ridicule aux griffes de l'une d'elles qui voulait quasiment le violer, Alain trouve un télégramme qui lui annonce que sa mère est très gravement malade. Il part, à la fois insensible et bouleversé, c'est-à-dire bouleversé à une telle profondeur que sa sensibilité consciente n'en est pas encore informée, et le plus beau chapitre de ce *Maltaverne* inachevé est consacré à la mort d'une mère, à cette pauvre agonie chrétienne, où les griefs du passé ne comptent plus bien sûr, mais où la mère et le fils semblent comme paralysés à l'idée qu'ils ne pourront pas se rembourser les dettes de tendresse accumulées dans le peu de temps qui leur reste. Ce qui compte pour Alain, ce sont les consolations de la religion, comme on disait jadis, c'est sa foi « janséniste », dit-il à plusieurs reprises. Ce récit fait dans la longue lettre adressée à son jeune admirateur, Alain reprend sa vie solitaire. Aux toutes dernières pages du fragment, nous voyons paraître ce jeune homme, et nous apprenons un peu abruptement qu'Alain a l'intention de l'adopter. Un fils selon l'esprit, ou un petit-fils si on songe à la différence d'âge, pour remplacer les enfants selon la chair.

Que serait-il arrivé ? La relation du vieil homme avec le jeune aurait-elle été heureuse ou, comme il arrive plus souvent, nourrie d'un pain d'amertume ? Comment François Mauriac pensait-il remplir la vie d'Alain Gajarc entre vingt-cinq et soixante-quinze ans ? Nous ne le saurons pas et cela ne doit pas nous préoccuper beaucoup. Ce qui compte, c'est que notre vieil ami a voulu mettre dans ces pages, semble-t-il, un dernier « ce que je crois ». Il reste fermement, pieusement fidèle à sa religion, c'est en elle qu'il met son ardente espérance, mais c'est d'abord la religion de sa mère et de son enfance, non celle des philosophes et savants, ni celle des anciens ou des nouveaux docteurs. En même temps, il reste fidèle à la terre, en barrésien, à la terre que sa mère a tant aimée elle aussi : le titre de ce dernier livre est le nom d'une propriété, Maltaverne, et il ne manque pas d'y faire place au rite du baiser sur l'écorce du vieux chêne que ce chantre de Cybèle et d'Atys a si souvent évoqué. Enfin, il lui plaît de rester fidèle à la jeunesse, à la sainte jeunesse, à l'air simple, au doux front, à l'œil limpide et clair comme disent les vers de Baudelaire qu'il aimait citer, fidèle au jeune homme : *Maltaverne* est une tradition de l'adolescent d'autrefois à un adolescent d'aujourd'hui, non un acte de reniement, mais un acte de confiance. Les trois thèmes du Dieu chrétien, de la terre et de la jeunesse se conjuguent une dernière fois. Le reste est lumière.

Dernier adieu.

Avant d'être littérature, roman, polémique ou poésie, cette œuvre est d'abord une nourriture de l'âme. Pas un livre, et peut-être pas une page qui n'emprunte à sa chaleur à lui pour mieux nous parler en secret notre douce langue natale. Jamais il ne cherche à nous instruire, à nous convaincre, encore bien moins à nous endoctriner : il cherche à dire la vérité avec assez de force pour nous la faire aimer. Des premiers vers de l'adolescent jusqu'aux dernières pages du *Bloc-notes,* l'extrême abondance de son œuvre n'a rien d'étonnant, ni de superflu, parce que tout jaillit de la source intérieure. C'est pour cela que sa mort ce matin nous laisse interdits, découverts, soudain privés d'une voix qui parlait à l'intérieur de nous-mêmes.

Il ne s'agit donc pas de retracer une carrière d'écrivain, mais d'évoquer l'histoire d'une fidélité à l'essentiel. Il est nourri par sa province et par sa classe sociale. Toute sa vie, il portera en lui les lourdes chaleurs des landes et des vignes girondines confondues avec les feux de l'adolescence et ces legs de la terre et du sang compteront vite davantage que les principes étroits et douillets d'une pieuse éducation bourgeoise de ce temps-là. Quatre romans de jeunesse disent son impatience de certains conformismes, ses velléités de révolte sociale : *l'Enfant chargé de chaînes, la Robe prétexte, Préséances,* où il se fait les ongles en même temps qu'il se fait la main, et *la Chair et le sang.*

Puis c'est l'explosion, le jaillissement des courts chefs-d'œuvre des années 20, du *Baiser au lépreux* à *Destins,* en passant notamment par *Genitrix, le Désert de l'amour* et *Thérèse Desqueyroux.* Les vrais maîtres de l'écrivain (je n'en vois guère que deux : Barrès et Francis Jammes) n'étaient pas des romanciers professionnels : il trouve donc sa forme de narration, brève, ramassée, toute percée de sanglots retenus et de cris impuissants. Il est dans le mouvement de la littérature de l'époque, ce qui explique son immense succès, puis sa gloire, et pourtant il dit autre chose que ce qui est à la mode : en face de tous ceux qui chantent la jouissance élégante, presque tous, il parle de l'amour comme d'une sombre, étouffante et glorieuse malédiction. Il ne s'agit plus seulement d'écarter les convenances bourgeoises : il faut aller jusqu'au cœur qui bat dans la nuit, savant à faire de chaque parole un coup de couteau et à distiller ses souffrances. Il s'agit de bien autre chose que des cas de conscience d'un chrétien scrupuleux. Il a écrit un *Démon de la connaissance,* non un démon de la chair ; il a parlé avec une fiévreuse insistance de la luxure parce que c'est sur ce point-là qu'il sentait le plus vivement le tragique général de la condition humaine. Il a traqué jusqu'aux frontières des pays sans chemins la boue, le mal, la mort, — pour leur donner leur nom. Pour mon compte, je crois que je lui dois, plus encore qu'à Marcel Proust, ma manière d'aimer, et comme la forme de mon cœur, le goût impérieux, exquis et âcre de la passion, de la possession toujours remise en cause, et cette idée qu'un autre être est le complément du nôtre et que nous avons quelque droit sur lui de toute éternité et pour toujours. Idée de l'amour que nous nous imaginions peut-être venu, à travers Pascal, du cher Augustin, — pour évoquer au passage quelques esprits de la famille.

Ce romancier qui savait que la chair est beaucoup plus que la chair et qui osait le dire d'une telle voix devait scandaliser non les chrétiens, mais les bien-pensants et les tièdes. Une commande de librairie lui donne l'occasion d'écrire en guise de supplément à Bossuet ces *Souffrances du chrétien* où il marque le sommet de son tourment, le plus haut point de la vague. Quelques circonstances tournent sa vie d'un autre côté : il exprime encore quelques gouttes de ses poisons dans *Ce qui était perdu,* il les orchestre, si j'ose dire dans *le Nœud de vipères,* il essaie pour la première fois de dire quelque chose du chant raisonnable des anges dans *le Mystère Frontenac.* Puis l'œuvre romanesque continue, avec de plus grands intervalles, sinon avec moins de conviction, un peu comme si l'auteur lancé dans d'autres voies se faisait parfois ombre à lui-même, jusqu'à ce dernier livre, hélas, cet *Adolescent d'autrefois* qui tend la main à l'enfant qui se sentait enchaîné, et qui rassemble non les roses de l'automne mais les roses de toute une vie.

Il suffit de l'avoir rencontré une fois pour savoir que François Mauriac était un être de dialogue comme on dit maintenant. La conversation était un art qu'il pratiquait avec une adorable virtuosité. Sans méchanceté quoi qu'on répète : il avait seulement une juste et saine appréciation des médiocres et des tricheurs, un certain don pour la mettre en forme lapidaire, et un courage insouciant. Dès qu'il entreprenait de parler un peu longuement des autres, il ne s'intéressait guère qu'à ceux qu'il portait dans son cœur, ses amis de jeunesse : André Lafon, Jean de La Ville de Mirmont, ses maîtres de toujours : Pascal, Racine, Barrès, ou encore Proust, son allié. Son goût et sa maîtrise de la parole parlée étaient si grands qu'il a presque inventé un nouveau genre littéraire : les volumes du *Journal* ne constituent pas un journal intime mais ne sont pas non plus des recueils d'articles de journaux malgré l'apparence, parce que, entre le monologue et le dialogue, il cherche une voie moyenne qui oblige l'autre à parler tout en faisant entendre sa propre voix. Dans l'admirable *Bloc-Notes,* il se tient plus près du journal personnel classique, mais il multiplie aussi interpellations, apostrophes passionnées, moqueries directes qui semblent obliger son interlocuteur muet à broncher. Et les voix sur ce théâtre intérieur sont merveilleusement variées, elles vont du ton de tendre intimité de l'homme qui se retourne vers son enfance à l'impatience rageuse de celui qui n'est préoccupé que du bien public. Très vite, ce grand ton il l'a gardé pour les grandes causes : la guerre d'Espagne, la Résistance, la libération du Maroc, puis de l'Algérie. Dans cet article où je fais attention à ne citer que peu de noms propres, il y en a un qu'il ne me pardonnerait pas de ne pas écrire, et comment pourrait-on l'omettre ? Celui du général de Gaulle.

Cette action politique, ou plutôt cette action civique, a déterminé une grande partie de sa vie et surtout de son personnage pendant ses dernières annénes. Elle est fondée comme le reste de l'œuvre sur la vérité et sur l'amour, sur son idée du bien public et national. Il a toute sa vie, du *Sillon* au gaullisme, combattu sans se soucier des partis, et encore moins des aboiements des partisans. C'est cela que nous aimons. Ce qui dirigeait cette action, c'est sa vie de chrétien, de chrétien de vieille roche, ou de vieille pierre, si on peut reprendre le calembour sacré. Vie qui s'inscrit dans toute une série de livres de piété, depuis celui qu'il avait consacré aux enchantements du *Jeudi saint* jusqu'à quelques figures de saints, en passant pour mieux saisir l'approfondissement, la gravité de cette vie spirituelle par les deux ouvrages publiés à vingt-deux ans de distance, la *Vie de Jésus* et le *Fils de l'homme.*

Enfin, chef-d'œuvre d'extrême vieillesse les deux tomes des *Mémoires intérieurs,* rassemblent le bouquet plus qu'ils ne bouclent la boucle. Ce qu'il avait déjà dit, il le redit dans une lumière nouvelle. Ce qui avait fait la vérité profonde de son œuvre romanesque, il le reprend à visage découvert, souriant ou grave comme il convient. Il lui suffit une fois de plus d'être fidèle à lui-même pour être égal aux plus grands. Et surtout, il montre qu'il n'a pas perdu notre oreille, cette oreille de l'âme dont nous parlions, et cette magie de la voix intérieure.

Ce sacrement de l'admiration et de l'amitié lui vaudra une immortalité plus précieuse que le prix Nobel, dans le palmarès duquel il fait un peu curieuse figure, lui mal-pensant de droite au milieu des bien-pensants bénisseurs de gauche, comme un jeune élève des maristes qui décrocherait le prix d'honneur à la laïque. Je vois beaucoup d'écrivains qui sont des idoles aujourd'hui. Je n'en vois pas un qui, parvenu au même degré de notoriété, soit resté de la même manière un homme, un homme vrai et, pour reprendre un titre de son cher Barrès, un homme libre. C'est ainsi qu'il convient de se présenter devant l'histoire, et sans doute devant Dieu.

JEAN GIONO

Celui-ci n'était pas tout à fait de ma paroisse : il était homme des bois, je suis homme des rues. Sa prédication naturiste me parut toujours simplette et anachronique. Mais des premiers livres du poète aux derniers livres du conteur, un monde merveilleux s'est édifié, triomphe de l'imagination romantique qui est la vraie richesse de l'écrivain. Des écrivains qui viennent de disparaître, celui-ci me semble un de ceux qui garderont le plus sûrement leur place.

Adieu à Jean Giono

Un grand écrivain vient de disparaître, et plus encore un homme qui emporte avec lui la clé de tout un pays. En un peu plus de quarante ans, il avait édifié et publié une œuvre immense, de *Colline* et de *Un de Baumugnes* jusqu'au récent *Iris de Suse,* où tout n'a peut-être pas la même valeur, mais où rien n'est indifférent quand il ouvre, quand il force la porte du monde dont il nous avait révélé et imposé l'existence. Seul peut-être de tous les écrivains d'aujourd'hui, il a inventé une province, et une province bouillonnante de vie, dont le premier caractère est d'appartenir autant à la géographie de la terre qu'à la géographie de l'esprit.

Il apparaît vers 1930 avec ses premiers livres, et c'est une ouverture extraordinaire, une bouffée d'air dans la littérature un peu crayeuse de la N.R.F. de l'époque : c'est la Provence, mais ce n'est pas la Provence de Daudet ou de M. Marcel Pagnol, non seulement parce que c'est une autre région terrestre mais encore et surtout parce que c'est une autre région de l'âme. Du premier coup, il échappe à tout soupçon de régionalisme d'ailleurs, il ne creuse pas où il est attaché par goût du pittoresque ou par patriotisme local, il édifie sur sa terre, mais entre ciel et terre, un monde balayé par le vent dont le climat ne convient qu'à une race d'âmes fortes dans l'amour et même dans le crime.

On a coutume de distinguer dans cette œuvre deux grandes périodes, séparées grosso modo par la guerre. Il y a dix ans, de 1937 à 1947, entre *Batailles dans la montagne* et *Un roi sans divertissement,* dix ans et un évident changement de ton

et de registre. La première période est celle des courts récits et
des grandes prédications, la seconde celle des grands romans.
Parti du chant de sa terre (*le Chant du monde* est un de ses plus
beaux livres) Jean Giono s'est essayé pendant quelques années à
une prédication morale, politique et philosophique dont il
n'avait peut-être pas les moyens. Il a voulu jouer la Marseillaise
de la Paix sur sa flûte de Pan, il a gonflé quelques-uns de ses
livres, *Que ma joie demeure, les Vraies Richesses,* de condamna-
tions de la société urbaine et industrialiste, d'appels à la simplicité et au naturisme. Plus que du grand paganisme de l'Antiquité,
il y prend le relais de Rousseau et de Thoreau : et l'aventure
du Contadour des années 30 mérite peut-être d'être considérée
comme la première aventure « hippy ». Emprisonné pendant des
mois au début et à la fin de la guerre pour des raisons politiques,
Giono a surtout pu mesurer le peu de retentissement réel de sa
prédication pacifiste, et il s'est remis à son rouet de romancier
qui ne cherche apparemment qu'à raconter de son mieux les
belles histoires de *Noé,* du *Hussard sur le toit,* du *Bonheur fou,*
et bien d'autres que nous découvrirons sans doute encore par les
publications posthumes.

C'est un schéma qui suppose presque que l'œuvre de Jean
Giono couvre tout l'intervalle entre Homère et Stendhal. C'est
un peu trop, et ce n'est pas assez. Mieux vaudrait peut-être considérer que, sauf pendant la courte période où il s'est dangereusement abandonné à des idées générales utopiques, Giono est resté
constamment fidèle à lui-même et à sa terre, à un certain rapport entre sa terre et lui-même. Ce rapport, il me semble qu'il
l'a rarement aussi bien défini que dans quelques lignes d'un de ses
derniers livres, *Ennemonde* : il y parle d'un pays « où la vie ne
subsiste qu'avec une constante alimentation en irréalité... Mais
c'est que la réalité poussée à l'extrême rejoint précisément l'irréalité. Aller droit aux choses, c'est accepter leur magie ; en tout
cas c'est ne pas la discuter ».

C'est le pays de Giono, c'est le secret de son art et de sa
poésie. Conteur épique de ses débuts ou raconteur intarissable
des livres de la seconde période, il pousse le réalisme jusque
bien avant dans l'irréalité. Son art d'écrivain consiste d'abord à
mettre notre œil, notre oreille en condition. Nous savons bien
que l'objet le plus réel, le plus familier peut être transformé
par les conditions de l'observation, que l'insecte ou le microbe
peuvent devenir dragon au microscope. De même, avec des précautions infinies, Jean Giono découvre la réalité sans jamais la
perdre de vue mais en nous la faisant voir comme irréelle. Il est
prodigieusement sensible à la magie des choses, il sait en isoler
une, concentrer notre regard sur ce que nous voyons et en même
temps sur ce que nous savons ou allons savoir du passé et de

l'avenir, de ce chapeau ou de ce couteau. Il ne s'agit pas de
revenir à un certain style de vie grossièrement naturel, mais de
revenir beaucoup plus profond à une perception, à une conduite
qui tiennent elles-mêmes de la magie à l'égard des objets usuels,
des bêtes, des arbres, des eaux courantes, du vent, du ciel. La
clé des vraies richesses, c'est la soumission, c'est le renoncement à l'avarice. Le très grand écrivain qu'a été Giono, ce n'est
pas l'homme d'une prédication politique ou para-religieuse.
C'est l'homme de la magie des choses, c'est Jean Giono, le
magicien : dans son cas c'est beaucoup plus qu'une formule flatteuse et vague. Aujourd'hui, son corps a été rendu à la terre
à laquelle son esprit a toujours fortement appartenu. Mais il
nous reste le pouvoir de pousser la porte qu'est la couverture de
chacun de ses livres et d'entrer dans le domaine enchanté où
les choses sont beaucoup plus que ce qu'elles sont...

En relisant « le Hussard sur le toit ».

On a pris l'habitude de diviser la carrière et l'œuvre de Jean
Giono en deux parties distinctes : la première qui couvre les
années 30, l'avant-guerre et la guerre comprend un certain nombre des grandes œuvres qui ont assis sa réputation, mais ses
écrits de ce temps-là paraissent marqués un peu lourdement par
un symbolisme cosmique et par une prédication naturiste et pacifiste ; la seconde, qui s'amorce vers 1947 et durera jusqu'à la
fin, est celle d'œuvres où au contraire Giono semble s'abandonner au pur plaisir de conter pour conter et pour nous entraîner à sa suite dans un monde romantique extraordinairement
chaud et passionné. Notre *Hussard sur le toit* [1] occupe une bonne
place dans cette seconde série. Les mésaventures personnelles
de l'auteur, emprisonné pour ses idées aussi bien au début de la
drôle de guerre qu'à la libération, expliquent suffisamment la
cassure. Peut-être le temps est-il venu, maintenant que la vie a
atteint son terme, et que l'œuvre est achevée (même s'il doit
y avoir, comme il est possible d'abondants posthumes), de chercher plutôt à dégager l'unité de la courbe du solitaire de Manosque.
    Ce n'est pas en vain que je parle ici d'un solitaire. Giono l'a
été, a voulu l'être, pendant presque toute sa vie, menée soigneu-

----

1. Extraits d'une préface pour une réédition dans la Collection des
Grands Prix de Monaco.

sement à l'écart de Paris et du monde littéraire, et quand il recevait, s'entourait d'amis, se lançait dans quelque aventure collective, se ménageant toujours de larges possibilités de retraite, pour retrouver le contact de la nature ou de l'idée qu'il se faisait d'elle et souvent pour se replonger dans son monde imaginaire. Ce qui assure l'unité de sa courbe, c'est peut-être le goût de parler et le goût d'écrire, c'est tout un chez ce Méridional conscient de sa filiation grecque, le goût de raconter des histoires et de se raconter des histoires.

. . . .

Après 1947, le roman est d'abord un roman d'aventures rejeté dans un passé plus ou moins précis, mais qui donne l'impression d'être à la fois gorgé de moelle et décanté. On croirait le roman recueilli de la bouche de quelque conteur ou conteuse, qui fait souvent des digressions, passe d'un souvenir à un autre, et surtout ne veut rien laisser perdre d'un souvenir, ni une odeur de la forêt tel jour dans tel coin, ni la lueur dansante d'une flamme reflétée par une vitre. Le romancier a écouté toutes les confidences, celle d'un bûcheron et celle du grand arbre, celle du braconnier et celle du renard. On dirait qu'il n'écoute plus Ulysse, revenu de son grand voyage, mais qu'il interroge Eumée qui en a peut-être appris autant en observant pendant dix ans le petit monde d'Ithaque. La prose est moins chargée d'élans d'épopée aussi, mais elle est d'un grain très serré et d'une saveur qui remplit la bouche.

En même temps, le personnage central de ces romans est souvent une sorte de hors-la-loi, proscrit en fuite à travers le maquis, ou « zèbre », voleur de grand chemin. En poussant un peu, on pourrait dire que Jean Giono aime raconter et se raconter des histoires de brigands.

Mais cela va plus loin ; un hors-la-loi, c'est-à-dire le type même du héros romantique et populaire. Un homme qui lutte pour sa liberté, et pour rien d'autre, qui préfère se mettre au ban de la société plutôt que sacrifier son indépendance. Il me semble que l'on commence à voir mieux l'unité de l'œuvre de Giono. Cet homme qui court le monde, c'est lui le solitaire, le père tranquille de Manosque. Cette protestation pour l'homme seul, avec ses vraies richesses, maître de lui-même et maître de l'univers à la fois qu'il avait cru pouvoir lancer directement, presque en chef de secte ou de parti, n'est-ce pas elle qu'il reprend, mais dans un autre registre, parce qu'il a mûri, parce qu'il est devenu entièrement maître de son art de conteur ? Ce qu'il veut dire au monde n'a pas changé, mais il a changé de porte-parole. C'est Angelo qui relaie Giono.

Avec *le Hussard sur le toit*, il ne s'est pas donné la partie belle. La toile de fond, si on peut dire, c'est une épidémie de choléra, peinte avec réalisme, jusque dans ses moindres horreurs. C'est bien le choléra, le vrai : peu de temps auparavant, Albert Camus avait publié *la Peste* dont la valeur symbolique était peut-être trop sensible. L'imagination européenne, comme étonnée de survivre au cataclysme, semblait hantée par les fléaux apocalyptiques, et peut-être plus ou moins inconsciemment Giono a-t-il choisi un sujet qui lui permettait d'évoquer ce qui avait failli arriver, la fin d'un peuple ou d'un monde.

En même temps c'est un merveilleux roman d'aventures, une chevauchée dans le goût des grandes chevauchées qui ont toujours séduit notre imagination. Mais, par un contraste violent avec le tableau du choléra, cet Angelo, c'est l'ennemi de la mort, c'est bien le fils spirituel de celui qui, il y a bien longtemps, écrivait *le Triomphe de la vie*. A travers les romans d'aventures, les histoires de brigands, c'est cela qui revient et cela qui compte : l'affirmation de la vie. La prédication un peu insistante, un peu trop appuyée des romans à thèse a fait place à une méthode plus efficace, la création de héros dont l'exemple compte plus que la parole, et qui nous apprennent à aimer la vie par-dessus tout. Dans le cadre régional et dans le cadre historique choisis, beau, jeune, ardent, Angelo est bien le héros idéal, et *le Hussard sur le toit* le roman qui donne le plus à réfléchir et à aimer au lecteur parce qu'il semble plein, débordant de richesses réchauffées par l'amour.

CLAIRE SAINTE-SOLINE

Une œuvre déjà menacée parce que si elle est solide, elle a été édifiée à petit bruit. Ces beaux romans, ces nouvelles ne s'effacent pas de la mémoire de ceux qui les ont lus, mais il faut qu'on continue à les lire parce que de telles œuvres dans leur discrétion font plus pour maintenir la qualité de notre littérature que bien des manifestations foraines. En souvenir d'une femme qui a beaucoup donné à l'amitié, je voudrais reprendre quelques pages écrites pour la saluer en présentant son dernier recueil de nouvelles.

En souvenir d'une marquise.

Des nouvelles de Claire Sainte-Soline.

Le glissement du sens se fait de lui-même, des nouvelles, de courts récits en prose, art dans lequel elle excellait, et des nouvelles de la femme, de l'amie qui a franchi le peu profond ruisseau, et qui est encore si souvent présente à notre pensée. Glissement de sens à peine : chaque récit de ce recueil est bien une vraie histoire, menée d'une main ferme, avec des personnages, une intrigue, une chute savamment ménagée et qui ne déçoit jamais parce qu'elle ouvre le récit au lieu de le clore, mais c'est aussi le signe d'une présence attentive : quelqu'un raconte, quelqu'un parle, et quand le récit est lui-même parlé, mis dans la bouche d'un personnage, notre oreille attentive entend une voix qui se glisse dans la voix supposée et nous rappelle que chaque page de l'œuvre de Claire Sainte-Soline est arrachée à son carnet de passagère sur la terre.

Il n'y a aucune difficulté et aucun inconvénient dans ce cas à parler en même temps de l'auteur et de l'œuvre : la rare qualité morale de l'être est comme l'étoffe et la garantie du travail de l'écrivain. Une vingtaine de volumes, romans et recueils de nouvelles, qui ont eu plus ou moins de succès, qui lui ont valu une carrière littéraire normale et même brillante dans notre petit monde. Mais ce n'est pas le plus important ou le plus intéressant : ce qui compte, ce qui est rare, c'est un don jamais en défaut d'amitié pour la vie. Elle a peint des humbles, comme la femme du peuple de *D'une haleine*, des artistes, des originaux parfois, des êtres qui n'intéressent personne et qui sont si intéressants si nous savons les regarder comme elle le faisait avec cette sympathie forte de l'amitié. Il faisait bon être passager sur la terre en même temps qu'elle, être de la même traversée dans le siècle, et sa mort a laissé ceux qui la connaissaient et ceux qui la lisaient orphelins de l'amitié.

Chaque récit, chaque roman est comme un geste vers un frère humain, et ce geste suppose les plus rares vertus, la loyauté, le courage, la discrétion. Elle aimait la vérité d'une manière inflexible, à la fois par nature et par discipline intérieure. Elle ne l'enseignait pas dans son œuvre ou dans son activité de professeur : elle la montrait. Pas de prédication, pas de revendication violente ou d'attendrissement oiseux, pas de complaisance ni pour elle-même, ni pour les autres. Son talent d'écrivain est de nous faire partager exactement sa compréhension généreuse. Les bons, ce sont les fidèles, comme la « marquise » du premier de ces récits, les méchants ce sont les menteurs, surtout dans la mesure où ils créent un désordre en se mentant à eux-mêmes, comme l'homme des *Lettres* ou l'homme du *Coati,* que l'art de la romancière conduit sans un mot de trop à la plus impitoyable autodénonciation.

Il y a dans toute cette œuvre de grands paysages animés, du désert, de la campagne, des rues et des villes aussi ; il y a beaucoup de bêtes, du chacal à la vache, toujours considérées sans condescendance, et sans anthropomorphisme, avec un effort de compréhension de l'autre qui ne diffère pas en nature de l'effort nécessaire pour comprendre l'animal humain. Quant à celui-ci, à part le cas du mensonge, de la duplicité, que nous avons déjà relevé, comment pourrions-nous le juger ? Il fait son chemin au milieu de l'immense troupeau, il porte le poids des circonstances injustes ou chanceuses, il essaie d'aller au bout de sa route et de sa journée. L'amitié, ce n'est pas arracher, ou même recevoir des confidences : c'est savoir que l'autre a son secret, lui faire confiance pour le porter de son mieux, et l'aimer silencieusement sans mesure. L'amitié, c'est être là.

Cette existence, on le voit, s'est pensée et accomplie sur un plan uniquement terrestre. Dans les belles pages écrites au moment où elle se savait condamnée par la maladie à une fin assez prochaine, que l'on a placées en tête de ce volume, et que vous pourrez lire avant ou après les nouvelles, il n'y a pas une pensée pour une vie autre que celle-ci. Ni le professeur, ni l'écrivain, ni la femme n'ont une âme religieuse. Claire Sainte-Soline est une laïque : une laïque de ces quelques générations déjà passées, formée par l'Université française, au cours desquelles on a essayé de donner au laïcisme la grandeur d'âme de la sainteté, ou peu s'en faut. C'est l'attention à la vie qui impose la générosité et le courage, le respect de soi-même et le respect

des autres. Et cela, bien sûr, dans la chaleur et dans le sourire.
Elle avait un caractère entier et une vertu traitable. Cela ne se
discutait même pas et lui donnait une stature à part au milieu des
péronnelles du monde littéraire.

L'œuvre de l'écrivain, encore une fois, à l'écart des théories
et des modes, est faite de cette simplicité, de ce parler franc et
généreux. Pas de laisser-aller pour cela, bien entendu : la phase
robuste et claire est le fruit d'un travail très conscient, la démarche du récit est calculée pour nous tenir en suspens jusqu'à ce que
nous ayons fait le tour de tous les aspects d'un être ou d'une situation plus un. « Il me semble avoir essayé de faire passer ma
connaissance du monde et des êtres dans le domaine de l'art »,
dit-elle. Elle dit la connaissance de la vie, et non la conception, alors que notre goût actuel fait plus volontiers place aux
idées. Et de même sa conception de l'art reste modestement
figurative, appliquée à l'expérience quotidienne alors que beaucoup aujourd'hui ont de bien autres prétentions. C'est-à-dire que
Claire Sainte-Soline est un écrivain traditionnel, appliquée à se
servir au mieux des outils, des mots, des images et des rythmes
de notre prose. A-t-elle réussi ? Je le crois, parce que chaque
scène qu'elle dessine s'inscrit avec force dans la réalité de l'art,
parce que chaque mot qu'elle prononce continue à vibrer de la
double vibration de la lumière du monde et de la voix intérieure.

Sa figure s'inscrit tout naturellement dans une lignée de grandes bourgeoises cultivées, du XVII° et peut-être surtout du
XVIII°. Elle a du naturel et de la sûreté, une simplicité domestique qui ne répugne pas à la pratique des petits devoirs quotidiens, le sens de l'honneur, l'application sans effort aux tâches
de son métier de professeur, avec pour récompense la joie de la
communion, le sentiment d'avoir fait entrer un peu plus de
lumière dans le monde. Et de même dans le second métier,
celui des lettres, jamais rien qui pose ou qui pèse : comme si les
métiers étaient moins des techniques acquises que des activités
naturelles d'un esprit toujours prêt à recevoir et à donner. Elle
a vécu, elle a parlé, elle est partie avec la même force tranquille, la même discrétion et la même pudeur.

Quel sera l'avenir de cette œuvre dont la qualité même ne
se préoccupe pas de s'accorder au goût du siècle, je ne sais. En
prenant congé, elle a pensé un instant aux enfants des siens :
« Peut-être, un jour, l'un d'eux aura-t-il un regard, un geste de
moi. Je ne serai pas là; mais tout de même ce sera un peu
comme si j'étais là. » Nous sommes les enfants de son génie :
pour avoir lu ses livres, peut-être garderons-nous une façon de
voir, de sentir, de juger qui nous viendra d'elle, peut-être conti-
nuerons-nous à incarner fragmentairement un peu de l'expérience qu'elle avait arrachée à la vie pour nous. C'est l'immorta-

lité des vrais grands selon l'ordre du cœur : nous dirons une parole ou nous retiendrons un geste, si nous en sommes dignes, à cause de l'image de tel ou tel personnage, nous aurons un peu plus de courage ou de lucidité confiante ; cela n'est pas rien. Elle sera là. Le dépôt de cette œuvre n'est pas confié à la renommée, mais à la sainte amitié.

PIERRE-HENRI SIMON

Il a été l'un des derniers des justes avant d'être l'un des derniers des juges. Il avait été professeur et moraliste avant d'être romancier et critique, par tempérament beaucoup plus que par métier. Sa position dans la critique, acquise par une fidélité rigoureuse à ses idées esthétiques comme à ses idées morales, était celle d'une sorte de balance, insensible aux illusions et aux coups de pouce de la mode ou du moment. Son œuvre de romancier a bénéficié des mêmes vertus, de la même recherche de la sagesse humaine. Il était de ces conservateurs qui savent conserver sans stériliser et accueillir avec intelligence.

« La sagesse du soir ».

Le croira-t-on ? Le héros sympathique de ce roman est un
être qui appartient à une catégorie particulièrement méprisée par
la jeunesse d'aujourd'hui, un de ceux que lycéens et étudiants
prennent volontiers pour cible de leurs graffiti injurieux ou
obscènes ou sur lesquels ils aiment retourner une poubelle pleine
d'ordures, — bref, un ancien proviseur de lycée. C'est dire que
la Sagesse du soir [1] va délibérément à contre-courant.

M. Pierre-Henri Simon a lui-même été professeur pendant la
plus grande partie de sa carrière, professeur de lycée et d'université. Depuis, on l'a mis à garder un bien autre troupeau, et
on sait qu'il est un des derniers représentants de la grande critique hebdomadaire dans un journal du soir. On fait parfois des
réserves, qui l'honorent plutôt, on parle de son grand sérieux, on
remarque qu'il ne s'embarque pas précipitamment sur le dernier
bateau, enfin on constate qu'il prend la littérature assez au
sérieux pour ne pas négliger toute préoccupation morale et que,
proviseur des lettres, il ne néglige pas la note de conduite dans
son appréciation. Proviseur, et mieux que cela : quand une grave
maladie le tient pendant quelque temps éloigné de son poste
d'observation critique, comme il est arrivé, on sent bien qu'il
manque quelque chose, une pondération à notre vie littéraire.
Tout ceci ne nous éloigne pas tellement de *la Sagesse du soir*
puisque l'un des sujets de ce livre de bonne foi et de bonne

1. Le Seuil.

volonté est la confrontation des générations dans la société d'aujourd'hui.

C'est le troisième volume qui porte en surtitre *Figures à Cordouan,* mais il est strictement vrai que les œuvres de cette série sont indépendantes. Cordouan est le nom prêté par M. Pierre-Henri Simon à une ville au bord de l'Atlantique et au bord de la Saintonge, une ville qui pourrait être La Rochelle, mais qui est surtout la capitale d'une région chère à sa mémoire et à son cœur. Les « figures » sont des habitants de la ville, notables ou originaux, que tel ou tel volume met particulièrement en évidence. Cette fois, c'est l'ancien proviseur du lycée de Cordouan, Arthur Emery, M. Arthur ou M. Emery selon les circonstances, qui est la figure centrale. Il est à la retraite, il est veuf, il vit dans sa vieille maison de campagne de Corme Royal, et cette année-là, il y a près de dix ans déjà, il est heureux parce qu'il va réunir dans sa maison quelque peu rafraîchie, ses cinq enfants, leurs conjoints et leurs descendants, pour toute la période des grandes vacances.

Voilà le prétexte tout simple du roman, ce qui peut nous valoir une « Emery saga » comme il y a une « Forsyte Saga » qui a connu une nouvelle jeunesse à la télévision. Il y a de nombreux personnages bien entendu : Edouard, le fils aîné, l'officier de carrière coureur de jupons, qui a fait l'Indochine et l'Algérie, et Marc le fils cadet, au contraire bohème et efféminé, pianiste d'une petite formation de Saint-Germain-des-Prés. Françoise, la fille la plus autoritaire et qui régenterait volontiers la maison, et son mari Peyroles, un couple de bien-pensants et finalement un couple peu sympathique. Nathalie, la fille de l'officier, qui ressemble trait pour trait à sa grand-mère disparue, Bonne, mais avec une autre âme et à vingt ans, une grande liberté de mœurs. Et Adeline, la servante nécessairement au grand cœur sous son air bougon. Et beaucoup d'autres. Peu ou pas de grands événements pendant ces deux mois de vacances : les incidents qui pourraient donner à l'histoire de la famille Emery une couleur plus dramatique, telle histoire de faux chèque de Marc, telle fredaine de Nathalie, sont estompés au contraire, on sent que M. Pierre-Henri Simon néglige volontairement ce qui aurait fait le nœud d'un roman de Bourget ou de Bordeaux, pour lequel l'un des enfants a même un mot irrévérencieux. La vie n'est ponctuée ou troublée que par des événements réguliers en quelque sorte, le 15 août, l'ouverture de la chasse, l'invitation au château.

Est-ce à dire qu'il ne se passe rien ? Au contraire, et c'est ici qu'on sent l'art et le dessein de M. Pierre-Henri Simon : la joie de M. Emery au début des vacances, quand il se trouve au milieu de sa réunion de famille, s'effrite subtilement, semble se voiler d'un malaise, se désagréger ou presque. Simplement parce que, peu à peu, il voit mieux les oppositions de ses enfants sous la fraternité de surface, parce qu'il découvre de vieilles blessures, de celles qui ne cicatrisent jamais dans le bouillon des rancunes familiales. Et que peut-on faire pour les autres ? pour le bonheur des autres, puisque le bonheur est la grande préoccupation de M. Emery et de M. Simon ? L'amour même n'y suffit pas... Et la bonté, est-ce vraiment une vertu ?

Ainsi entre les repas de famille et les longues conversations avec quelques amis, Arthur Emery cherche sa sagesse du soir. Il n'a pas vécu comme un héros ou comme un saint, mais il a été un homme bon et vertueux, il a accompli sa longue et lourde tâche de proviseur, de père de famille, de citoyen d'un temps troublé par deux grandes guerres et par combien de mutations. La vie, c'est ce sillon marqué dans la masse de la pâte humaine, ce bout de sillon un peu tordu qui ne vient de nulle part et ne va nulle part, mais dont quand vient le soir, nous aimerions nous imaginer qu'il a un sens. Pour M. Emery, cinq enfants et des petits-enfants le continuent. Le continuent ou le contredisent dans le monde actuel ? La sagesse du soir est peut-être d'essayer de surmonter les contradictions quant aux idées et quant aux mœurs, d'essayer de dégager quand même une continuité des vertus. Quant à celui qui arrive au soir sans être pris dans la pâte humaine, sans les devoirs, ni les récompenses de la famille, est-ce un sillon qu'il laisse derrière lui ou un sillage ?

Il me semble d'ailleurs que de la vie d'Arthur Emery, M. Pierre-Henri Simon a voulu faire une image plus qu'une leçon. Dans la solitude qui se referme sur lui à la dernière page, M. Arthur peut deviner une légère odeur du bois dont son ami le menuisier fera un jour son cercueil. Mais l'important est qu'après ces vacances, il n'est plus tout à fait le même homme seul. Il est comme réconforté en même temps qu'un peu déçu, il devine que la sagesse du soir, c'est la force de faire décemment, sans tituber et sans secours s'il se peut, les quelques derniers pas...

Deuxième partie

LE SÉNAT

JACQUES MARITAIN

Un philosophe, retiré dans une solitude chrétienne, est l'un des doyens de notre monde littéraire et intellectuel : il n'est pas mauvais de le rappeler, parce que cela pourrait être comme un contrepoids invisible à bien des désordres. Au mouvement des réflexions sur la poésie, sur la peinture, sur toutes les formes de l'art pendant la première moitié de ce siècle et spécialement pendant l'entre-deux-guerres, nul n'a été plus intimement associé que M. Jacques Maritain. Et il est toujours intervenu avec le souci de la raison et de la vie spirituelle. Il est toujours là. Sans avoir l'outrecuidance d'aborder son œuvre philosophique ou théologique, on lui fera une place ici à propos de ses idées et sur l'art et à propos de l'œuvre de celle dont le nom reste lié au sien.

A l'écoute de la poésie

Interroger la poésie, se demander d'où elle vient, où elle va, et surtout où va-t-elle chercher tout cela, c'est probablement la tâche essentielle de la critique ancienne ou nouvelle : parler d'un roman, voire d'un livre de philosophie, c'est toujours, ou ce devrait toujours être, un essai d'évaluation de son degré d'existence poétique. Notre siècle de fer, qui est aussi un siècle où le fer pressent sa faiblesse, a sa poésie, parfois un peu secrète pour le lecteur mal préparé, mais moins difficile qu'on ne le croit. Et de tous les côtés, de toutes les manières, cette poésie qui est parmi nous, on cherche à l'éclairer, à en dégager les voies ou les ressorts : cela va de M. Jacques Maritain qui voudrait en saisir le souffle créateur à la stylistique moderne qui en compte les mots et les pieds.

M. Jacques Maritain est aujourd'hui dans une position un peu particulière. Dans le *Panorama de la philosophie française contemporaine,* de M. Jean Lacroix, il n'occupe aucune place, il compte moins que le brave Amédée Ponceau. A propos de son ouvrage, *le Paysan de la Garonne,* un des très rares livres qui essaient de conserver sa saveur au sel de baptême, un certain nombre de bons pères se sont répandus dans la presse en déclarant d'une voix confite qu'ils l'aiment, certes, mais enfin qu'il n'est plus ce qu'il était et surtout qu'il n'est plus dans le vent, hélas! bref, qu'il est chrétiennement gâteux (il y a, mes pères, bien des *Provinciales* qui se perdent...). Et en un sens M. Lacroix a raison, puisque toute sa vie M. Maritain lui-même a toujours voulu être un philosophe non du XXᵉ, mais du

XIII° siècle. Mais n'est-ce pas faire un peu trop bon marché du fait que toute sa vie aussi il a essayé de faire application de cette philosophie ancienne aux différents aspects du monde moderne avec le maximum de compréhension et de réalisme ? En particulier dans le domaine des arts et de la poésie, d'*Art et scolastique* à ce gros livre sur l'intuition créatrice, la force de son œuvre tient à l'union étroite de sa philosophie avec la connaissance la plus étendue et la plus sagace des valeurs esthétiques contemporaines les moins contestables.

L'ouvrage que nous lisons est la version française d'un texte pensé et publié en anglais il y a quelques années. Impossible ici d'en reprendre tous les thèmes, très riches et très nombreux, impossible aussi d'en aborder la critique proprement philosophique, inséparable d'un examen général du thomisme. Il faut nous borner à donner une idée de son sujet et de la manière dont il le traite dans les termes de son système. Il s'agit, en somme, de dégager la singularité, la soudaineté et l'importance de ce que l'on appelle communément l'inspiration poétique (chez les poètes, chez les peintres, chez les musiciens). De montrer cette force qui n'est pas contestable, ni contestée, dont l'irruption dans notre vie intellectuelle a quelque chose de scandaleux, mais en même temps de montrer que cette force n'est pas si soudaine, ni si scandaleuse, qu'elle n'est pas don des dieux ou de la folie, mais qu'elle s'intègre parfaitement dans le jeu complet des puissances de notre âme. Ce qui nous est demandé, « c'est de faire descendre la muse platonicienne au-dedans de l'âme humaine, où elle n'est plus muse, mais intuition créatrice ; et c'est de faire descendre l'inspiration platonicienne au-dedans de l'intellect uni à l'imagination, où l'inspiration jaillie de plus haut que l'âme devient inspiration jaillie de plus haut que la raison conceptuelle, c'est-à-dire expérience poétique ».

La source, ou mieux le pays où se situe la source, c'est la vie préconsciente de l'intellect, et M. Maritain insiste pour que nous distinguions bien l'inconscient animal, freudien, de l'inconscient spirituel ou musical qui est en quelque sorte saisie des rythmes de la pensée avant toute formulation de la pensée elle-même. L'intuition créatrice si j'ose dire, c'est une sorte de court-circuit de l'inconscient spirituel, un mouvement de l'esprit qui saisit du même coup, en même temps sujet et objet, le moi et les choses. C'est le moment de relever quelques-unes des citations dont M. Maritain a le don. Ainsi, le poète chinois qui disait : « La montagne et moi, nous ne sommes jamais fati-

1. *L'Intuition créatrice dans l'art,* Desclée De Brouwer.

gués l'un de l'autre. » Ou Pierre Reverdy : « La valeur d'une
œuvre est en raison du contact poignant du poète avec sa
destinée. » Et Henri Matisse : « Je ne puis distinguer entre le
sentiment que j'ai de la vie et la façon dont je le traduis. » Ou,
pour nous résumer de M. Jacques Maritain lui-même, qui cède
si rarement au plaisir de la formule : « La connaissance poétique
est aussi naturelle à l'esprit de l'homme que le retour de l'oiseau
à son nid et c'est l'univers qui, avec l'esprit, fait retour au nid
mystérieux de l'âme. »

De l'âme : c'est-à-dire non du moi matériel, de l'ego centré
sur lui-même, mais du Soi créateur, de la personne en tant
que personne, en acte de communication spirituelle. C'est à
cette âme qu'il arrivera

> To see a world in a grain of sand,
> And a heaven in a wild flower...

> (Blake).

Mais il importe de marquer que cette connaissance, qui « n'est
ni conceptuelle ni conceptualisable », n'est pas laissée à la
bonne aventure et qu'elle ne peut pas non plus prétendre se
substituer à toute connaissance, à la connaissance rationnelle
qui a son domaine, ou à la connaissance mystique qui a le sien
hors de notre monde. La connaissance poétique, ce n'est pas
le mépris de la raison (« le poète n'est jamais trop froid, trop
réfléchi », Novalis), ni l'exaltation de la passion (« Aucun poète n'a jamais fait œuvre durable au moment où la passion le
dominait », Arnim). Et ce mot de T.S. Eliot, que l'on voudrait
voir méditer par tant d'auteurs de plaquettes : « En fait, le
mauvais poète est généralement inconscient quand il devrait
être conscient, et conscient quand il devrait être inconscient! »
Ou encore, plus humble et plus grand : « Ce que je produis est
dû à ma compréhension de la musique et à mes chagrins », disait Schubert.

Ainsi, la poésie incarne l'intuition créatrice de l'esprit dans
la connaissance des choses et porte la connaissance des
choses jusque dans la connaissance du Soi. Elle ne peut
renoncer ni à un aspect ni à l'autre. Elle est la singulière symbiose de la lumière et de l'objet éclairé — et chez les plus
grands son éclat a la même évidence contraignante que le soleil des intelligibles.

Raïssa Maritain :
La poésie entre deux silences.

Je voudrais partir du plus simple et du plus facile. La nuit,
une femme s'adresse à celui qu'elle aime, qui est au loin, en
voyage sur quelque transatlantique. Voici ce petit poème, qui a
quatorze vers, comme un sonnet, qui est tout simple, tout uni,
qui pourrait être publié presque n'importe où, me semble-t-il
même dans la grande presse ou dans la presse du cœur. C'est
Lettre de Nuit :

> *Pendant que s'éloigne le navire qui te porte*
> *O toi ! ma douceur et ma sécurité*
> *J'écoute si le vent chante à travers les portes*
> *Et dans le silence de la nuit que rien ne trouble*
> *Par-dessus l'espace aboli j'attends ton souffle*
> *Je me vois dans le miroir de tes yeux pensifs*
> *Et tu te demandes si je rêve endormie*
> *Ou si je veille, imaginant*
> *Les longs balancements du vaisseau* Ile-de-France
> *Et le frémissement des eaux qu'il déplace*
> *Et le mugissement des sirènes brisant les airs*
> *Et tout ce désert autour de toi et le ciel clos*
> *Mais en toi une grande lumière*
> *Et ma petite image qu'elle éclaire.*

La simplicité même n'est-ce pas ? Et pourtant les deux personnages, ou plutôt les deux figures sont situées, elle dans la
maison aux portes closes sur la terre, lui dans le bateau qui
s'en va sur la mer, et la pensée va de l'une à l'autre, et revient
avec « sécurité », dans la nuit elle franchit la distance et passe
sur la boule, parce que la femme qui écrit sait qu'en cet
homme il y a une grande lumière et qu'elle est elle-même comme une petite image dans la lumière de ces yeux-là, si bien
que par amour, ce n'est pas seulement l'espace qui est aboli,
mais l'incertitude et l'angoisse. Déjà nous nous demandons
s'il n'y a pas quelque indiscrétion à expliquer cette page directement et tendrement confidentielle, et nous commençons à
voir briller, par-delà cette « prose » et cette nuit, une lumière.
C'est la première page du recueil des *Poèmes et Essais* [1] de

1. Desclée De Brouwer.

Raïssa Maritain, constitué avec des petits livres déjà publiés, *Lettre de nuit, la Vie donnée, Au creux du rocher,* plus des poèmes inédits, deux essais importants, une dizaine de notes ou d'articles sur la poésie et quelques traductions poétiques. Cela fait un beau volume qui parle constamment au cœur sa douce langue natale, comme je voulais le montrer en citant d'abord la night-letter, mais qui peu à peu parle aussi à l'âme avec une pression pleine de gravité et cherche à la conduire de l'ombre à la splendeur du vrai.

Raïssa Maritain, nous savons que pendant plus de quarante ans, M. Jacques Maritain a pu l'invoquer en toute ferveur et en toute vérité, « dimidium animae », comme déjà il le faisait dans la dédicace d'*Art et scolastique ;* nous la voyons à travers un mot de Jean Cocteau, converti de Maritain, qui a trouvé un écho jusque dans ce recueil : « Votre femme qui a l'air d'un fil de la Vierge, et qui est un soldat de Dieu... », ou bien à travers l'évocation du milieu des Maritain avant la guerre de 1914 par M. François Mauriac dans son *Journal.*

Nous pouvons la connaître surtout par ses écrits, comme ces Mémoires dont le titre, *les Grandes Amitiés,* ne sonne pas en vain en écho aux *Grandes espérances,* et par quelques écrits de M. Maritain lui-même, comme son *Carnet de notes* (avec des photographies d'un visage de lumière) dont l'avant-propos est comme un cri de douleur arraché par la mort de la bien-aimée le 4 novembre 1960. De ce couple, disons que le plus remarquable est qu'il rayonne à la fois, d'une manière indivisible, d'intelligence et de bonté. C'est sans doute par ce rayonnement de générosité (et de générosité combative s'il le faut, il l'a montré au temps de *l'Action française* comme au temps du *Paysan de la Garonne*) que M. Jacques Maritain est beaucoup plus que le grand interprète du thomisme au XX° siècle. Et une part importante de ce rayonnement qui a éclairé bien au-delà de la critique ou de l'exégèse complaisante les arts et la poésie de ce temps est peut-être la part de Raïssa.

Les poèmes réunis ici, relativement peu nombreux puisqu'ils couvrent une trentaine d'années de l'existence de l'auteur, sont comme les fruits et le journal d'une expérience poétique vécue. Dans sa simplicité, la page que nous lisions en commençant nous a déjà montré comment il fallait entendre cette confidence. Il me semble que nous pourrions indiquer les grands plans de cette expérience en disant que Raïssa Maritain a en somme l'art de procéder à plusieurs lectures de la vie et de les superposer. La première est celle du donné immédiat, des arbres, des étoiles, des oiseaux, des gestes et des visages, des paysages aussi, voire des paysages romains, par exemple. Ainsi les arbres qui font à la fenêtre un lacis de ramilles et tracent sur le ciel tendre des dessins où les pieds des anges vont peut-être se prendre. Le poète fixe comme dans un croquis le dessin et la profondeur d'un instant et du fait même qu'il le retient, il le retient comme significatif. Justement une seconde lecture s'adresse aux œuvres déjà faites, celles des peintres et des musiciens :

> *Toute beauté recèle un chant*
> *Et le poète qui l'entend*
> *Avec piété veut le redire.*

Ainsi de nombreux poèmes partent d'un monument, d'un tableau et s'efforcent de lui reprendre son chant de beauté : de Chagall, par exemple, qui devait toucher la jeune Raïssa venue de Marioupol, petite ville au bord de la mer d'Azov.

Mais déjà une troisième lecture se dessine, celle des psaumes, des livres sacrés, de la liturgie, du grand texte du culte et de l'Eglise. Ce chant-là aussi, le poète veut le redire ; et la grande découverte, c'est que le même texte, en somme, dont nous superposons les lectures à des niveaux différents si nous avons des yeux pour voir et des oreilles pour entendre. De tous ces poèmes qui partent d'expériences très simples, une sorte d'hymne de louange au Créateur semble se former comme se forme un cortège ou une procession qui remonte vers l'être dont tout procède. En même temps, nous passons au-delà des formes de la création, nous passons du physique au métaphysique, nous arrivons, si on peut dire, à la lecture du texte non écrit. Ou, plus exactement, nous avons toujours été guidés par lui, nous nous sommes toujours tenus en même temps aux deux points de vue ; toute poésie est par essence connaissance métaphysique et méta-intellectuelle, elle touche au sacré, le chant qui s'élève des bruits du monde, de ses musiques, de ses joies et de ses douleurs se résout dans le silence du poète, en écho lui-même au silence de la divinité. Un instant Raïssa médite sur le mot où Heidegger, méditant lui-même sur Hölderlin, évoque le sacré « transporté et transmué par le silence du poète dans la douceur de la parole indirecte (médiate) et médiatrice.

Le remarquable, dont je ne puis dire qu'un mot, est que cette expérience poétique est comme guidée et éclairée par une structure intellectuelle et philosophique ainsi qu'en témoignent les essais. Raïssa Maritain a une conscience très claire des limites et aussi de la réalité du langage poétique. Les distinctions soigneusement établies sur les mots qui, en poésie, sont à la fois des objets et des signes, d'abord des objets, mais aussi et nécessairement des signes, ne semblent pas du

tout en retard sur les positions de la critique la plus contemporaine, elles sont peut-être même seules capables, au-delà de la
nuit et de la complaisance du non-sens, de sauver à la fois les
phénomènes et leur intelligibilité. La réalité de la parole poétique triomphe ainsi de l'incommunicabilité, ce qui est encore
un fait d'expérience, elle l'exorcise parce qu'elle touche, et elle
seule, à la réalité dernière et sans doute sacrée de la parole.
Mais en même temps, Raïssa met en garde contre toute confusion entre la poésie et la mystique, elle parle des rapports de
la poésie et de la prière avec plus de rigueur intellectuelle
que le bon abbé Bremond, elle réintroduit la poésie dans l'expérience spirituelle mais à sa place, en particulier dans un texte
écrit à New York et publié d'abord par M. Max-Pol Fouchet
dans *Fontaine*, en 1942.

Il y a beaucoup à retenir dans les essais de Raïssa comme
dans ceux de M. Jacques Maritain lui-même sur la poésie et sur
l'art, et des concordances sont frappantes avec les exégètes
éminents comme Albert Béguin ou Heidegger, ou avec des témoins comme Baudelaire, Nerval, Pierre Reverdy ou Henri Michaux. En poussant un peu la formule, on pourrait peut-être
dire qu'il y a un silence de l'homme et un silence de Dieu. Ces
silences ne sont pas « éloquents », comme dit le cliché. Mais
ils ne sont pas non plus « muets » et c'est la poésie qui en apporte la preuve irréfragable.

Le vigoureux esprit de Raïssa Maritain est-il toujours porté
par l'aile de sa poésie aussi loin qu'elle le voudrait ? Je n'en
suis pas toujours sûr. La confrontation de la loi et de l'amour,
par exemple, dans le *chant mineur* me semble moins riche que
dans l'admirable méditation que M. Maritain a reprise en ap-
pendice à son *Paysan de la Garonne*. Mais que de pages où la
poésie de prière, la poésie métaphysique, trouve sa grandeur
et sa pénétration ! Cet article n'aura pas été tout à fait inutile s'il vous permet de passer de la route simple *Lettre de nuit*
du début à cette grave et profonde *Prière* :

Vous êtes la Vérité — Vous êtes la Sincérité,
Mais tout homme est menteur.
Que tout ce qui est en moi
Le bien et le mal, le mensonge et l'erreur,
Ce que je sais et ce que j'ignore,
Vous prie et vous adjure et crie vers Vous !
Si je cherche à me connaître je me perds dans mes pensées
Vous seul connaissez le vrai nom de mon être
Et s'il est digne de haine ou d'amour.
Que votre pitié nous sauve par la grâce,
Vous qui opérez en nous le vouloir et le faire

Et qui pourriez d'une pierre
Faire un enfant d'Abraham
*Purifiez, illuminez mon âme
et qu'elle échappe à la puissance du néant.*

MARCEL JOUHANDEAU

Une autobiographie immense, morcelée, transposée, raturée, dissimulée, magnifiée en près de cent cinquante volumes. Deux échardes dans la chair de cet homme qui se croit, qui se veut un homme de Dieu : sa femme, Elise, la mal-aimée, et les innombrables garçons, trop aimés. Des ragots de chaisière déversés dans le confessionnal de Bossuet mais c'est Bossuet qui prend la parole, c'est une éloquence toute classique, presque sacrée qui gonfle les aveux les plus pénibles, comme si quand on a su ce qu'est l'abjection on ne le savait pas pour toujours. La grimace du saint et la grimace du démon apparaissent tour à tour dans cette œuvre où l'ordre des mots voudrait singer l'ordre des vertus. Le temps fera la part de l'excessive complaisance, mais il restera un écrivain qui a poussé singulièrement loin le combat intérieur.

Jouhandeau et sa Jouhandelle.

Le 4 juin 1929, à la mairie du XVIe arrondissement d'abord, puis dans la chapelle de la Vierge à Saint-Honoré-d'Eylau, on célébra le mariage d'Elisabeth Toulemon et de Marcel Jouhandeau. Les témoins de la mariée étaient Jean Cocteau et René Crevel, ceux du marié Marie Laurencin, qui avait été l'instigatrice de cette union, et M. Gaston Gallimard, qui était accompagné de Mme Valentine Tessier. La sœur de la mariée et une amie, danseuse acrobatique de son métier, complétaient le petit cortège que deux voitures emportèrent ensuite au moulin de Bicherel pour déjeuner. L'âtre de la cheminée était garni de deux cents lis. Les nouveaux époux n'étaient cependant pas de jeunes époux, ils avaient tous les deux dépassés la quarantaine et ils ne s'étaient pas décidés à sauter le pas sans hésitations, tiraillements et discussions familiales. Elle est vêtue d'un tailleur rouge qui dessine son corps, une chéchia posée sur ses cheveux coupés à la garçonne s'incline sur l'oreille, emportée par un gland pesant qui se balance à la hauteur des deux martres qui entourent ses épaules. Lui respire au contraire la sagesse et l'austérité. Au moral, le contraste n'est pas moins vif. Elle est ancienne danseuse connue sous le nom de Caryathis, qui a créé *la Belle Excentrique* d'Erik Satie et tout fait pour mériter à la ville comme à la scène une réputation d'excentricité jusqu'au jour où elle a renoncé à son art, brûlé ses tutus, vendu ses bijoux pour devenir propriétaire et tenancière d'une maison meublée, près de la porte Maillot. Lui, après une enfance pieusement exaltée à Guéret, est monté à

Paris un peu avant la Grande Guerre (qu'il fera dans l'auxiliaire) et il est devenu professeur de sixième au pensionnat Saint-
Jean-de-Passy. Mais en dehors de cette existence réglée et
modeste, il a publié depuis 1921 quatre ou cinq livres et quatre
ou cinq plaquettes qui lui ont valu non le succès, mais l'estime
et l'admiration d'un petit groupe de bons esprits, en particulier
dans le milieu de la *Nouvelle Revue française* alors dans tout
son éclat. En se mariant, les deux quadragénaires, la danseuse
retraitée et le petit professeur, s'imaginaient peut-être faire une
fin. Ils frappaient les trois petits coups d'une tragi-comédie qui
trente-cinq ans plus tard n'est pas encore terminée.

« Pour éviter le pire, je me suis marié » dit M. Godeau, porte-
parole de M. Marcel Jouhandeau, dans un livre publié quatre
ans à peine après la cérémonie que nous venons d'évoquer,
premier volume de la longue série où jusqu'à nos jours il con-
fessera et exaltera ses tourments conjugaux. Et elle prend la
parole à son tour, elle verse au dossier dans *le Lien de ronces* [1]
non seulement son propre témoignage mais encore près de cent
cinquante pages de lettres, malheureusement non datées et
non classées, de l'un et de l'autre. « Marcel et moi qui avions senti
autrefois l'aiguillon de la solitude, nous avions décidé de faire
camper ensemble nos deux existences », dit-elle avec un certain
bonheur d'expression. Il y a certes beaucoup à dire sur le
bruyant exhibitionnisme de ce couple qui a pris l'habitude de
régler ses comptes les plus sordides et de laver son linge le
plus sale sous les yeux sceptiques, goguenards ou dégoûtés
de petits échotiers de la littérature. Aux manifestations de la
vieille excentrique, comment ne pas préférer le discret, le total effacement d'une Madeleine Gide, dont M. Jean Schlumberger nous a révélé la qualité d'âme ? Et si *le Lien de ronces*
n'était fait que de criailleries et de récriminations, il ne relè-
verait que de la petite, de la minuscule histoire littéraire. Mais
le livre éclaire un peu mieux un drame, celui de l'aiguillon de
la solitude, celui de l'écharde dans la chair, qui est au centre
même de toute la sensibilité et de toute l'œuvre de M. Marcel
Jouhandeau, et il me semble y entendre, plus encore que le réqui-
sitoire, la plainte de la créature dont il s'est servi comme d'un
instrument pour rendre des souffrances plus exquises et litté-
rairement plus fécondes. Tandis que de son pas onctueux l'auteur des *Carnets de Don Juan* descend les cercles de son petit
enfer personnel, Elise-Sganarelle s'accroche à ses basques et
lui réclame avec la fureur d'une âme frustrée ses gages et
peut-être son amour.

1. *Le Lien de ronces ou le Mariage*, Grasset. Cf. aussi les deux dernières plaquettes de Marcel Jouhandeau : *Que tout n'est qu'allusion* et
Descente aux enfers, Gallimard.

Ce que nous voyons assez bien à travers le récit de Mme Elise Jouhandeau et à travers cette précieuse correspondance, c'est pourquoi et comment, inconsciemment et consciemment, involontairement et volontairement, l'écrivain a mis au point son mariage comme une machine à se faire mal. « Jusqu'alors, dit-elle et cela nous le savions déjà, sa vie était centrée sur sa mère, ce qui provoquait chez lui un dessèchement sentimental envers les femmes. » A quarante ans, M. Marcel Jouhandeau n'était pas « fini » si j'ose dire, il gardait une part d'adolescence, sa mère n'avait pas su et pas voulu en faire tout à fait un homme et, par consentement tacite, il avait surtout cultivé des relations féminines incomplètes, volontiers indulgentes à ses inclinations vers le ciel, ou à ses inclinations vers l'enfer, ou aux deux à la fois. Il ne sait pas, ou il ne s'avoue pas, qu'il n'échappera jamais au monde maternel, à sa complicité, à sa chaleur. Mais en même temps il sent le besoin contradictoire de s'achever, de devenir un adulte à part entière — part entière de virilité et de responsabilité. Son métier de professeur de sixième pratiqué comme il le pratiquera pendant trente-sept ans, avec un zèle scrupuleux et quasi religieux, est et restera son meilleur facteur d'équilibre, mais il l'isole en même temps qu'il le protège. Tandis qu'au contraire la religion dont il est intimement imprégné au lieu de le protéger alimente son drame : « Elevé dans le catholicisme — écrira-t-il bien plus tard, mais c'est sans doute vrai dès cette époque — je ne pratique pas ma religion, parce que je vis habituellement dans le péché, mais vivre dans le péché n'implique pas qu'on vit en dehors de la Foi : sans la foi, il n'y aurait pas de péché. » En l'éloignant de l'amour de Dieu et de l'amour des femmes, c'est bien du pire que son goût des garçons le menace, de la pire solitude, celle qui colle au corps et à l'âme. Héros ou Gribouille, il va fuir dans le mariage son peu de goût pour les femmes.

Cela ne va pas sans réticences et sans reprises d'abord : « Caryathis, votre mot me touche, ne faites pas cette folie de m'aimer, de croire en moi, je suis un monstre solitaire, sans cœur, sans bonté... » Et puis c'est le miracle, l'amour large, profond, l'amour charnel et l'amour fou. Ses lettres à elle sont pleines de la passion la plus voluptueuse et la plus tendre. Et ses lettres à lui ne sont pas moins ardentes, moins pressantes. A « Mon chéri, mon aimé », « Marcel adoré », « Mon Tout », répondent les « Carya Chérie », les « O ma Carya adorée », les « Chérie je t'aime de toute mon âme et de tout mon corps » (avec cependant en post-scriptum cette précaution : « Puis-je te demander comme une grâce de ne pas lire mes lettres à Jean Cocteau ? »). Il y a entre ces deux êtres une grande flambée de passion, un immense espoir de délivrance. Et puis la retombée, le moment où le mariage n'est plus fait que de deux solitudes qui campent ensemble.

Il n'est ni intéressant, ni utile, ni même possible de faire le partage des responsabilités. Lui n'a pas échappé aux siens, bien entendu, ni surtout à sa mère dont il se rapprochera au contraire davantage encore quand elle deviendra veuve. Et comme les petits bourgeois de Guéret et l'ex-danseuse devenue femme d'affaires n'ont pas les mêmes idées, les sordides querelles d'intérêt s'enveniment très vite. (« Tu ne m'as révélé tes dettes qu'après notre mariage et encore peu à peu, l'une après l'autre. Cela ressemble étrangement à une escroquerie... »). Il n'a surtout pas renoncé tout à fait et pour toujours à ses goûts. Ces goûts, ce milieu, Elise ne pouvait les ignorer avant son mariage, le choix de ses deux témoins le prouve assez. Mais peut-être a-t-elle sincèrement rêvé de bâtir un amour contre lequel les flammes de Sodome ne pourraient rien, — et elle a échoué, et elle a regimbé, multiplié les scènes de jalousie, les heurts de caractères, elle a cru pouvoir reprendre elle aussi la liberté d'être elle-même jusque dans ce qu'elle avait de plus fantasque, de plus autoritaire et de plus tyrannique. Et les voilà séparés, et les voilà rivés.

Elle, elle se retourne vers sa maison comme vers un asile, et vers ses affaires de logement et d'argent où elle peut user ce qu'il y a de despotique dans sa nature; et aussi vers la religion et vers ses prêtres : c'est la belle excentrique qui a reconstitué un milieu où les soutanes froufroutent comme à Guéret à l'heure de la visite de M. l'Archiprêtre, tandis que le confesseur de Marcel. c'est peut-être celui qui dans *le Temps retrouvé* traverse un jour furtivement l'antichambre de la maison de Jupien...

Lui, il a retrouvé la solitude à la fois comme tourment de son cœur et comme asile de son travail. Le besoin de protéger sa liberté d'écrivain créateur avait joué un grand rôle dans son éloignement progressif au cours des premières années après le mariage. Mais ô joie, voici que les combats qu'il doit mener pour préserver son inspiration deviennent eux-mêmes source d'inspiration, voici que l'écharde enfoncée dans sa chair alimente son œuvre d'une douleur nouvelle. Ce que Mme Elise Jouhandeau note avec une lucidité que la maladresse de l'expression ne doit pas nous dissimuler en disant : « Son œuvre ne pouvait que bénéficier d'une telle expérience, car le tour oratoire a besoin d'émotions ressenties par soi-même et de hauts combats contre les forces insidieuses du péché. » M. Jouhandeau va épier sa compagne avec une patience d'entomologiste, il va devenir le Henri Fabre de la vie conjugale. Et à partir de là, il

va construire une grande partie de son œuvre, il va modeler
un monde dont Elise est le *daimôn* comme il avait modelé Chaminadour à partir des récits de sa mère, il va être contraint
de formuler cette algèbre des valeurs morales qui tente de
justifier son œuvre d'alchimiste du bien et du mal aux balances
un peu faussées. Il se venge sur Elise de la profanation de
l'image maternelle à laquelle il a consenti un moment et dont
il se repent toujours, en même temps qu'il la remercie d'une
souffrance qui était nécessaire à son idée de la grandeur.

Nous sommes loin de l'anecdote un peu indiscrète, du potin
un peu vil, nous sommes à la source trouble d'une création.
Le Lien de ronces est un témoignage passionné, avec sans doute
tout ce que le témoignage passionné a de douteux quand la
passion y joue un grand rôle. C'est un livre écrit souvent dans
un jargon étrange et pompeux où la phrase rebelle ne dit pas
toujours ce que Mme Jouhandeau veut dire, mais nous le fait
comprendre et souvent avec tant de force qu'elle le dit quand
même. Chez M. Jouhandeau, la perte depuis quelques années
de son frein le plus sûr, l'enseignement des enfants, et le développement, avec le succès, de l'orgueil, voire d'une certaine
complaisance, transforment un peu l'image de lui-même, est-ce
pour son plus grand bien, je ne sais. Je les regardais l'autre
jour, dans un salon, lui brillant au milieu d'un petit cercle de
disciples, elle, vieille impératrice byzantine et charbonneuse, un
peu à l'écart... « Quand je songe — lui écrivait un jour M. Marcel Jouhandeau — ... que nous ne nous quitterons qu'à la mort,
que tu fermeras mes yeux, ou que je fermerai les tiens, mes
deux mains s'éloignent l'une de l'autre dans un élan de reconnaissance qui ressemble à la prière. »

« Du pur amour »

On lit dans la *Légende dorée* que la nuit de la Nativité, tous
les sodomites du monde furent détruits. Jacques de Voragine
ajoute d'ailleurs, selon saint Augustin, dont on n'attendait pas
une telle rigueur, que « Dieu, voyant dans le genre humain ce
vice contre nature, fut presque en suspens s'il s'incarnerait »
(Ed. Garnier-Flammarion 1,71). Peu d'images, me semble-t-il,
expriment avec autant de force et de clarté une sorte d'horreur sacrée. C'est dire que lorsque M. Marcel Jouhandeau s'in-
génie à ménager certaines communications entre le langage de
la piété et de la grâce et celui de ses amours, lorsqu'il reprend

par exemple l'expression *Du pur amour* [1] au vocabulaire de Fénelon et de Mme Guyon pour en faire le titre de son livre, il tombe dans la confusion la plus abominable, même si un jour prochain quelque synode hollandais ou papou devait bénir son œuvre. Et pourtant cette œuvre mérite notre sympathie et souvent notre admiration, par l'acuité de l'observation psychologique comme par la nudité toute classique de la prose dans laquelle elle s'exprime. L'écrivain nous oblige ici à surseoir à la condamnation du moraliste, et à lire, maintenant que vous voilà prévenus, ces cinq cent cinquante grandes pages où il n'est question avec complaisance et exaltation que de l'amour, et de l'amour charnel, d'un vieillard et d'un jeune homme. Il est sans doute plus difficile et plus dangereux d'ouvrir ce lit que d'ouvrir un tombeau devant la cour. Plus de cent livres publiés en un demi-siècle à petit bruit ou à bruit scandaleux ont d'ailleurs préparé le public : M. Marcel Jouhandeau a tout dit, semble-t-il, et plutôt deux ou trois fois qu'une. Né le 26 juillet 1889, à quarante ans, en 1929, il a épousé la danseuse Caryatis, dit la brève notice imprimée sur les rabats du livre. Un grand cycle de son œuvre a été consacré aux siens, à sa famille et à sa ville, Guéret, rebaptisée Chaminadour. Un autre grand cycle est consacré à cette femme, devenue presque légendaire sous le nom d'Elise, qui a d'ailleurs essayé de répliquer dans des livres de souvenirs, souvent pathétiques sous la drôlerie, et jamais négligeables. Et un troisième cycle est consacré à l'amour des garçons, à l'usage délicieux, même s'il s'y glisse un vague relent criminel, des garçons. Après Proust, Gide, Montherlant, Genet, l'auteur des *Amitiés particulières* et quelques autres, le sujet n'est plus tabou dans notre littérature, il est presque banal. Mais M. Marcel Jouhandeau plus que les autres, à part M. Jean Genet, travaille à lui donner une « gloire ». Il faut donc en juger aujourd'hui du point de vue de la littérature et du point de vue du cœur humain, et morbleu, les enfants de Sodome ont aussi leur cœur humain qui brûle avant d'être calciné.

Le dimanche de Quasimodo 1948, dans le train bondé qui remonte d'Avignon à Paris, un jeune homme, très beau garçon, qui lit *Hôtel du Nord*, invite M. Marcel Jouhandeau à s'asseoir à côté de lui sur sa valise. C'est le début prosaïque d'une passion. Le jeune homme, Robert, qui joue de la clarinette dans la musique des Equipages, se montre aimable, il vient quelques jours plus tard rendre visite aux Jouhandeau. Il aime les femmes, mais apparemment il ne craint pas le loup. Il ne peut

1. Gallimard.

bientôt ignorer ni le prestige littéraire de Marcel, ni son souci de la qualité morale, ni ses goûts sexuels. Les voilà amants, et c'est le début d'une passion qui durera au moins huit ans et dont ce livre est la chronique minutieuse.

Le lecteur, sinon l'auteur, songe à la différence d'âge, à ce beau corps de vingt ans étendu près d'un corps de soixante qui n'a guère que la peau sur les os. M. Marcel Jouhandeau a trouvé un compromis avec la pudeur, ses images si elles ne sont jamais obscènes ne manquent jamais de précision, il nous laisse entendre les petits défauts d'harmonie physique entre les deux partenaires, il se montre avec quelque complaisance plus prompt et plus fréquemment prompt à l'action que son jeune partenaire : est-ce bien vrai, et la réticence ne tenait-elle pas à autre chose qu'au tempérament ? Confidences d'Arnolphe sur une Agnès de la clarinette, peut-on dire puisque M. Jouhandeau a intitulé *L'Ecole des garçons* un volume épistolaire déjà consacré à la même liaison. Mais glissons, même si notre auteur appuie. L'intéressant, c'est la durée de la liaison, son insertion dans la vie des deux partenaires, sa profondeur aussi. Voici entre les deux hommes un sentiment qui est beaucoup plus que de l'amitié et qui tend, par les baisers, par les caresses, par la jouissance physique à tenir toute la place de l'amour. Mais M. Jouhandeau est marié, n'entend pas quitter Elise, qu'une longue expérience rend bien vite méfiante, puis hostile à l'égard de Robert. Et Robert, laissé seul, frustré, non de la passion, mais de toute tendre et continue intimité, songera tout naturellement au mariage à son tour, il épousera Brigitte, avec la protection de Marcel, mais non sans que leur intimité physique n'en devienne de plus en plus difficile. Cela peut sembler monstrueux ou ridicule : mais c'est un drame où quatre cœurs et quatre corps sont engagés. Le génie littéraire de M. Marcel Jouhandeau, c'est de parer des prestiges de Racine ou de Mme de la Fayette ces histoires qui relèvent plutôt d'un moderne *Satiricon*. Et c'est lui qui a raison, quel lecteur un peu perspicace de Proust, quel homme d'aujourd'hui ne le sait ? Il n'y a qu'un seul amour comme l'a parfois répété l'auteur du *Pays sans chemin,* et la passion qui nous jette à la poursuite d'un garçon, dans la fièvre d'une possession infiniment plus tendre et plus complète que la « possession » physique, c'est l'amour où il reste toujours un éclat de sa nature divine que rien ne peut corrompre. Ainsi dans ce livre trop long, avec parfois un peu trop d'aveugle satisfaction de lui-même, M. Marcel Jouhandeau accumule les notations de moraliste et de psychologue sur l'amour : réflexions parfois banales ou du moins d'une valeur générale, parce que c'est le même amour, et parfois réflexions plus aiguës et plus douloureuses parce que cet amour-là a plus d'obstacles à vaincre même dans notre société où presque tout est permis.

Il faut laisser tomber les comparses, les Henri, les Max, les Angeline, il ne faut pas trop s'attarder aux incidents de parcours que même le vigoureux talent de M. Marcel Jouhandeau, ici comme dans les *Chroniques maritales,* n'arrive souvent qu'à gonfler sans les magnifier comme il le souhaite il faut négliger les répétitions dans ce trop gros livre, où parfois comme par une négligence du copiste des cahiers intimes les mêmes notations élaborées sont utilisées deux fois. Finalement il reste une histoire d'amour au sens le plus noble.

Parce qu'on voit le vieil homme accepter le rayonnement de son jeune amant plus encore que ses réticences ; on le voit se soumettre pour mieux conquérir, et au long des années ordonner, oui, sa vie sentimentale pour s'adapter à ce qui pourrait paraître à beaucoup un affreux désordre. Heureux Jouhandeau dont ce jeune Robert, corps et âme illumine la vie. Heureux Robert, dont le portrait se précise touche après touche, avec sans doute une trop complaisante tendresse de la part du peintre : mais le garçon jeté par le hasard d'un encombrement de chemin de fer dans cette étrange aventure semble de bonne qualité et il s'en tire avec honneur parce qu'il sait beaucoup donner et beaucoup recevoir et maintenir ainsi cette difficile égalité des cœurs et des esprits qui est peut-être plus importante pour l'amour et pour sa durée que l'égalité des conditions sociales.

Non, ce n'est pas le pur amour. Il ne connaît pas sans doute les impuretés de l'intimité maritale, ni celles de la femme « enfant malade et douze fois impur ». Mais il paie cette sèche pureté par son instabilité même, et par une stérilité selon la chair dont la possible fécondité selon l'esprit n'est qu'une insuffisante compensation. Du moins l'histoire de Robert et de Marcel ranime-t-elle dans une autre société et dans un autre monde moral l'histoire de Socrate et des jeunes gens de Platon.

Le problème est peut-être justement celui de cet autre monde moral, né du christianisme, que M. Jouhandeau invoque parfois à la légère, mais que nous ne pouvons pas ne pas évoquer. Les images de l'amour des garçons dans notre Occident ne peuvent plus être seulement celle des palestres de la Grèce ou celles de bergeries virgiliennes : elles sont aussi celles des villes brûlées et des fontaines de grâce qui semblent interdites. Ce qui caractérise l'œuvre de M. Marcel Jouhandeau, ce n'est pas le sacrilège, ni le cynisme pour le cynisme, mais c'est sans doute sa soif désespérée qui ne veut renoncer ni aux sources de la terre, ni aux sources de la grâce, si bien que le bonheur de l'amour pour lui n'est peut-être jamais ni tout à fait pur, ni tout à fait sans défi...

SAINT-JOHN PERSE

Une grande figure, une grande voix de notre littérature, qui se tient à distance, protégée, rehaussée par une zone de silence.

Le poète.

Dans le désordre et l'angoisse des premiers mois de guerre, à Bordeaux, en octobre 1914, trois hommes se trouvèrent un jour réunis pour déjeuner. L'aîné, qui avait quarante-six ans, consul général de France à Hambourg, avait été expulsé par les Allemands dès le début des hostilités, puis avait dû fuir devant l'invasion sa maison familiale de l'Aisne. Le second, de dix ans plus jeune, ancien élève de l'Ecole de santé navale de la ville, un « navalais », rentrait d'une expédition en Chine et venait d'être affecté à l'hôpital maritime de Rochefort. Le cadet, presque de dix ans plus jeune encore, qui lui aussi était un peu chez lui à Bordeaux où il avait fait une grande partie de ses études, attaché de presse au cabinet de Delcassé, avait suivi le gouvernement dans sa retraite provisoire. Paul Claudel, Victor Segalen, Alexis Léger, dont le premier pseudonyme de Saint-Léger ferait place quelques années plus tard à celui de Saint-John Perse. Il y a là un déjeuner de Bordeaux de la poésie française qui mérite une place dans la petite histoire littéraire. Même s'ils n'ont parlé que de la toute récente victoire de la Marne ou de la course à la mer de Falkenhayn, un grand être impalpable planait au-dessus de leur table et les unissait en vérité. Il est bon aussi que quelque temps plus tard, mais avant la fin de la guerre, ils se soient trouvés tous trois en Chine, à la même époque, mais dispersés : cette terre-là avait quelque chose à leur dire, mais pas la même chose à chacun. Ils sont, entre eux, rapprochés, et éloignés. Et ils sont aussi, tous les trois à l'écart des autres. Mais à mieux y regarder, c'est toute l'histoire de la poésie française depuis la fin du symbolisme qui est à refaire, ou plutôt à écrire, en rejetant à peu près tout des étiquettes, des distinctions d'écoles, des classifications. Ou peut-être est-ce une botanique, une physiologie végétale, de cette poésie qu'il faudrait établir, en se bornant à essayer de suivre de l'intérieur, dans ce grand arbre prodigieusement vivant, un des plus grands de toute l'histoire littéraire, les montées, les coulées, les ramifications, les exaltations de la sève. Nulle époque peut-être n'a eu comme la nôtre le sentiment organique de l'unité de la poésie, et nulle n'en a proposé des visages plus opposés : Valéry, Claudel, Apollinaire, Supervielle, Jouve, Saint-John Perse, Michaux ou l'astre lui-même aux sept têtes de la poésie surréaliste, comment les faire tenir dans la configuration, rassurante pour l'histoire, d'une Pléiade? Et pourtant, c'est par rapport au grand arbre tout entier qu'une critique de situation aimerait pouvoir placer la maîtresse branche de Claudel ou la maîtresse branche de Perse.

La solitude de Saint-John Perse est passée en lieu commun et en hommage. Hommage dû : les publications des dernières années n'ont pas seulement multiplié par cinq ou six le volume de l'œuvre précédente, elles ont établi le poète parmi les plus grands poètes français vivants, et probablement même au tout premier rang. Mais lieu commun qui appelle la réflexion, car enfin cette poésie n'est pas surgie un jour de rien, ou de la mer, comme l'îlet de Saint-Léger-les-feuilles au large de Pointe-à-Pitre. Et sans aucune arrière-pensée de jouer au jeu des influences, il peut ne pas être inutile de jouer un instant à celui des airs de famille. Ainsi le premier poète que le poète a rencontré en chair et en os, c'est Francis Jammes, qui en a fait un poème souvent cité (« Alexis, précieux mandarin, fait de laque, Et son œil de grain de café... etc. »). N'épiloguons pas sur le café de la Guadeloupe, ou sur ce mandarin qui deviendra deuxième secrétaire à la légation de France à Pékin, mais n'oublions pas non plus une certaine résonance de poésie à poésie, un certain goût de nommer beaucoup d'objets proches ou lointains pour en jouir et jouir de leurs noms, un certain appétit, ou mieux un appétit certain de la poésie pour le monde concret... Ou bien demandons-nous si toutes les jeunes filles de Jammes (Victoire d'Etremont, Laure de la Vallée, Lia Faucheresse...) seraient déplacées dans les paysages de *Pour fêter une enfance*, ou ne pourraient se parfumer avec « l'herbe-à-Madame Lalie »...

C'est la mauvaise pente, celle qui porterait Perse du côté des poètes exotiques, ou pittoresques ou fantaisistes. Valery Larbaud le signalait déjà dans son article de 1911. Et il proposait d'autres apparentements : « Tout lecteur, sur ces fragments, aura bientôt associé M. Léger à l'école d'Arthur Rimbaud, et l'aura apparenté aux successeurs directs de Rimbaud : Paul Valéry, L.-P. Fargue, et Paul Claudel.» Aujourd'hui, la présence de Valéry au premier rang des successeurs directs de Rimbaud étonne un peu, mais n'oublions pas que Larbaud ne connaissait alors qu'une sorte de pré-Valéry, celui d'avant *la Jeune Parque* et la seconde vie littéraire. Mais pour le reste, le sentiment de Larbaud mérite tout à fait d'être pris en considération. Par rapport au gros de la poésie de l'époque, les wagons de queue et les fourgons du symbolisme, MM. Léger, Fargue, Claudel font figure d'indépendants, et on ne pourra pas les rattacher non plus aux élégiaques, ou aux unanimistes, ou aux poètes de « l'esprit nouveau ». Mais en même temps, l'apparentement avec Paul Claudel est tout provisoire : la sève de Rimbaud coule dans leurs vers, soit, il y aura le déjeuner de Bordeaux en 1914 dont on pourrait chercher ensuite le lointain écho dans l'article publié par Paul Claudel dans cette revue après la parution de *Vents* (1ᵉʳ novembre 1946) et dans la contribution de Saint-John Perse à l'hommage à Claudel (1955) : mais les deux œuvres sont aussi différentes que possible, différentes comme deux branches d'un même arbre qui par miracle ne pousseraient pas dans le même climat. Et de même s'il ne faut pas minimiser la présence du troisième convive de Bordeaux, Victor Segalen, s'il y a beaucoup à dire sur ce qui le rapproche de Saint-John Perse, il y a aussi beaucoup à apprendre de ce qui l'en éloigne : ce n'est pas seulement l'orchestration des thèmes qui est différente chez l'auteur de *Stèles* et chez l'auteur d'*Anabase,* mais c'est l'idée même qu'ils se font de la nature de la musique.

Quant au dernier nom cité par Larbaud, celui de Léon-Paul Fargue, un important texte récent de Saint-John Perse lui-même nous permet d'avancer de quelques pas. « Chaque fois que je vous lis, j'ai le sentiment qu'un pays nouveau de la poésie s'ouvre pour nous. Mais en même temps des appels d'une solennité tendre m'arrivent des confins, des franges, des créations les plus anciennes, des étoiles faussement mortes », écrivait Fargue peu avant sa mort à l'auteur de *Vents*. La réponse, c'est la longue et belle préface que l'auteur de *Vents* a donnée à une réédition des *Poésies* de Fargue. Beau texte, plein d'amitié et de perspicacité, qui éclaire très bien l'œuvre de Fargue et contribuera sans doute beaucoup à l'empêcher de glisser vers un injuste oubli. Mais c'est par rapport à Saint-John Perse lui-même, et à la poésie, qu'il nous intéresse.

Ainsi, comme nous essayons de le faire ici, c'est par un problème de situation sur l'arbre généalogique de la poésie moderne que Perse aborde son sujet. Pour lui, après Claudel et

Valéry, à son rang de puîné, plus près du siècle que Jammes et du « lieu poétique » français qu'Apollinaire, Fargue « a su dégager à son heure un élément très sûr de la sensibilité française en cours ». Il le situe « entre la masse basaltique d'un Claudel et les pures cristallisations d'un Valéry », ou bien encore, remontant plus haut : « Issu, comme tous les siens, de l'affluent Baudelaire plus que du fleuve Hugo, plus nervalien que verlainien, plus rimbaldien que mallarméen, et de Corbière plus que de Laforgue tenant le goût de l'incisif dans la désinvolture... » C'est une aubaine : il n'existe peut-être pas dans toute l'œuvre publiée de Saint-John Perse une seule page où il y ait autant de noms propres ou de dérivés de noms propres, et cette manière de voir la poésie peut nous aider à connaître celui qui la voit ainsi autant que Léon-Paul Fargue.

Il ne néglige certes ni Jammes, ni Apollinaire, mais Jammes lui paraît avoir été trop béarnais, et Apollinaire, trop cosmopolite. Jammes est l'homme de ses géorgiques, et Kostrowitzki le prophète du Montparnasse international, et Perse n'est pas un nationaliste étroit, mais il est un nationaliste profond : « La France » est moi-même et tout moi-même. Elle est pour moi l'espèce sainte, et la seule, sous laquelle je puisse concevoir de communier à rien d'universel, à rien d'essentiel. Même si je n'étais pas un animal essentiellement français, une argile essentiellement française (et mon dernier souffle comme le premier, sera chimiquement français), la langue française serait encore pour moi le seul refuge imaginable, l'asile et l'antre par excellence, le seul lieu géométrique où je puisse me tenir en ce monde pour y rien comprendre, y rien vouloir ou renoncer. » (Lettre à Archibald Mac Leish, 1942.) Est-il exagéré ensuite de penser que quand Saint-John Perse écrit à Fargue « comme tous les siens », il se compte parmi ceux-là, il se sent lui aussi « issu de l'affluent Baudelaire plus que du fleuve Hugo », et cela malgré l'aspect encyclopédique de ses grands poèmes où il semble vouloir embrasser à la manière de Hugo la légende du monde et des siècles ? Simplement parce que sa sensibilité, et, si j'ose dire, la sensibilité de son intelligence ont été informées par Baudelaire et les baudelairiens. Plus nervalien que verlainien pour Fargue, et pour Saint-John Perse si on nous suit, cela signifie sans doute la préférence donnée à un lyrisme de la connaissance sur un lyrisme de l'épanchement sentimental, et plus rimbaldien que Mallarméen (nous voici revenus aux successeurs directs dont parlait Larbaud) l'orientation vers un romantisme qui se dompte par la lucidité plus que vers un classicisme qui s'impose par décret. Approximations sommaires, et parfois apparemment contradictoires, mais elles permettent d'entrevoir que ce pays de poésie qui n'est qu'à Saint-John Perse

dont parlait Fargue, est du côté de Hugo, de Nerval, de Baudelaire, de Rimbaud, mais à condition d'entendre qu'il est du
côté le plus classique de tous ces écrivains romantiques. Que
c'est pour faiblesse ou insuffisance de ce classicisme des grande profondeurs que Verlaine et Apollinaire sont écartés. Et
que Fargue est conservé parce qu'il est classique, parce qu'il
a mené en fiacre ou en taxi la même quête que Perse sur
son char. « A qui, sous des formes nouvelles, traite fidèlement
de choses vraies, essentielles et constantes, n'advient-il pas de
faire un jour figure de classique parmi les écrivains d'un ancien modernisme ? »
Traiter fidèlement de choses vraies, essentielles et constantes, voilà donc une règle d'or de l'art poétique. Mais il y en
a beaucoup d'autres que sous le couvert de Léon-Paul Fargue, cette préface exprime également : « Il sut, d'un même
mouvement, mener le sentiment des choses à leur source, l'ombre des choses à leur clarté première : jusqu'en ce lieu très sûr,
ou très suspect, où l'homme et le langage confondus sont, comme dans un seul acte et dans une même parole, d'un même
souffle proférés... Fargue, poète, sait d'instinct, et vérifie de
tout son être, qu'une fatalité heureuse régit l'équation poétique entre l'abstrait et le concret, entre l'imaginaire et le réel,
comme entre l'esprit et la lettre, et qu'à solliciter seulement
l'autre de ses deux ailes, s'exposerait mortellement... A égale
distance entre l'abstrait et le concret, gardé, porté très librement par le sens musical, le poète mène avec aisance, aux plus
fraîches convoitises de l'esprit et des sens, l'harmonieuse continuité d'une langue où l'exigence la plus classique s'exerce
encore à l'invisibilité... » Et, au risque d'anticiper, ce regard
sur l'avenir de la poésie : « Tant que le mystère, au cœur anxieux de l'homme revendiquera l'issue du chant ou du sarcas-
me; tant que la langue française elle-même, au cœur obscur de
l'homme tiendra son office d'exorcisme, Léon-Paul Fargue
poète français, gardera nom de vivant dans la mémoire des
poètes. »
Tout, dans ces textes, dit la même chose : la poésie est une
technique du langage dont la justification est prise sur la réalité. Dans un balancement constant et mesuré, à l'abstrait
répond le concret, à l'imaginaire, le réel, et la poésie ne peut
traiter que de choses vraies, essentielles et constantes, et c'est
seulement en traitant de ces choses-là qu'elle répondra quelque chose au cœur anxieux, au cœur obscur de l'homme. Alors
« véracité et vérité y trouvent également leur compte ». Croyance fondamentale, croyance sacrée sur laquelle il faut revenir
parce que Saint-John Perse lui-même ne craint pas d'y insister. Dans la brève allocution au banquet Nobel en 1960, il avait

déjà affirmé que « si la poésie n'est pas, comme on l'a dit, « le réel absolu », elle en est bien la plus proche convoitise et la plus proche appréhension, à cette limite extrême de complicité où le réel dans le poème semble s'informer lui-même ». Et avant de le faire à propos de Fargue, c'est à propos de Braque qu'il s'était déjà expliqué dans la méditation poétique *Oiseaux,* destinée d'abord à accompagner un recueil d'eaux-fortes et depuis publiée séparément. Les oiseaux sont déjà en eux-mêmes « comme des fruits, ou mieux comme des mots... dans la maturité d'un texte immense en voie toujours de formation ». Mais les oiseaux de Braque, et comment douter que nous ne pénétrions ici dans l'atelier du poète en même temps que dans celui du peintre, ne sont guère individualisés ou spécifiés, ils sont de tous rivages et de toutes saisons, cependant « tout synthétiques qu'ils soient, ils sont de création première et ne remontent point le cours d'une abstraction. Ils n'ont point fréquenté le mythe, ni la légende ; et répugnant de tout leur être à cette carence qu'est le symbole, il ne se relèvent d'aucune Bible ni Rituel ». Ils ne doivent rien à la colombe de Noé, ni au vautour de Prométhée; ni au grand oiseau blanc d'Edgar Poe, ni à l'albatros de Baudelaire, ni à l'oiseau de Coleridge. Ils sont « de faune vraie. Leur vérité est l'inconnue de tout être créé. Leur loyauté, sous maints profils, fut d'incarner une constance de l'oiseau... Ils courent leur chance près de l'homme. Et s'élèvent au songe dans la même nuit que l'homme ».

Ici encore tout est parfaitement explicite : comme dans la préface pour Fargue, ce qui domine c'est la méfiance de l'abstraction. C'est la méfiance du symbole aussi, et cela doit nous aider à tracer une grande ligne de démarcation dans les parentés poétiques de Saint-John Perse : le symbole ajoute à l'oiseau, à l'objet en général, une signification en quelque sorte préfabriquée, venue de l'extérieur, alors que c'est en lui-même que l'oiseau est comme un mot. Et bien entendu, cette méfiance générale entraîne des méfiances particulières à l'égard des significations antérieurement reçues sur la réputation d'un poète ou sur une tradition mythologique ou religieuse : un oiseau ne *dit* pas le Saint-Esprit, il *dit* l'oiseau. Au poète de lire « ce texte immense toujours en voie de formation », d'essayer malgré tout de transcrire quelque chose de ce que dit la haute vague du monde et qui est comme « une seule et longue phrase sans césure à jamais inintelligible » de parvenir par illumination du cœur à la « mise en clair des messages », mais avec lucidité « et tenant clair au vent le plein midi de sa vision », au poète d'être « Maître d'astres et de navigation » et d'habiter l'éclat.

C'est dire, sous différentes formes empruntées à des textes

de différentes époques, toujours la même chose : que la poésie
doit être fidèle à la réalité, qu'elle doit être une lecture de la
réalité, et même qu'elle est la seule lecture de la réalité, *et* de la
surréalité, qui échappe à la science. Cela explique et justifie la
diversité des essais consacrés à l'œuvre de notre poète, et il y en
a d'excellents comme ceux de M. Roger Caillois, de M. Albert
Loranquin, de M. Albert Henry, de M. Jacques Charpier, etc. [1];
en gros, parce que cette distinction ne peut pas être soutenue
longtemps, ils peuvent se présenter comme une analyse des
formes ou comme une analyse des contenus, comme une poétique (lexique, grammaire, images, structures, etc.) ou comme une mythologie privée. Mais les deux aspects sont également valables parce tout se passe comme s'il n'y avait pas une
poétique et une mythologie, mais deux langages de véracité et
de vérité en stricte correspondance, à tel point que tout défaut
dans cette correspondance serait mensonge ou erreur, une faute
grave contre la nature même de la poésie.

Cela doit même permettre, puisque le Maître d'astres et de
navigation laisse percer quelque amertume d'avoir été appelé
l'Obscur, de donner une manière de lire Saint-John Perse.
Il suffit, de se rappeler qu'il s'agit d'une lecture en partie double, d'une colecture du poème et du monde. Il fait compliment
à Fargue d'avoir toujours été « de ceux pour qui la poésie entend traiter l'obscur par le clair, et non le clair par l'obscur »,
et ici encore il parle pour lui. Il n'y a pas un ésotérisme, au
sens courant, de Saint-John Perse, sa poésie n'est pas un langage chiffré volontairement pour révéler et pour taire en même temps, elle veut être au contraire la transparence du chiffre des choses. Le lecteur novice peut lire des pages et des pages de Saint-John Perse sans rien comprendre, même s'il est
sensible à l'orchestration verbale, à la musique du discours. Mais
il lui suffira ensuite de revenir au texte avec attention, avec patience, armé seulement disons d'un Petit Larousse, et les difficultés apparentes s'évanouiront parce qu'elles tiennent seulement à l'extrême précision du vocabulaire, à la densité du discours. Chaque mot est pris avec sa pleine charge de sens, et les

---

1. Ces quelques pages ne peuvent évidemment constituer qu'une sorte
de vue cavalière sur l'œuvre de Saint-John Perse à la lumière de quelques-
uns de ses écrits : *Oiseaux* et *Poésie*, et la préface aux *Poésies* de Léon-
Paul Fargue (Gallimard), et de quelques-unes des excellentes études qui
lui ont été consacrées, comme celle de M. Albert Henry : *Amers de Saint-
John Perse* (La Baconnière), et *Saint-John Perse* de M. Albert Loranquin
(Gallimard). On se reportera évidemment aussi à la *Poétique de Saint-
John Perse* de M. Roger Caillois (Gallimard) au *Saint-John Perse* de
M. Alain Bosquet (Seghers) et au très précieux numéro été-automne 1950
des Cahiers de la Pléiade.

mots sont distribués dans la phrase, dans le verset, dans le poème de manière à garder à cette charge son maximum de puissance. Ce qui n'est possible qu'en tenant compte de sa disposition plastique et de son efficacité musicale à la fois. La poésie de Saint-John Perse décrit et chante d'un seul mouvement, elle reprend son bien à la peinture et à la musique ensemble. Justement parce que la réalité n'est pas le bien du peintre, ou du musicien, mais le bien commun de l'homme et le bien du poète qui seul peut en faire chanter tous les aspects en chœur. « All realities will sing, nothing else will », selon un mot de Coventry Patmore que l'abbé Brémond aimait citer. C'est la prééminence du langage parlé. Rappelez-vous le texte que nous citions tout à l'heure : « La langue française... seul refuge imaginable, ... asile et antre par excellence, seul lieu géométrique où je puisse me tenir en ce monde pour y rien comprendre, y rien vouloir ou renoncer. » Ou bien d'une manière plus directe et plus émouvante encore dans *Exil,* la déclaration de l'étranger : « J'habiterai mon nom fut la réponse aux questionnaires du port. » Cette poésie devient évidente si on l'accepte comme un monde ou chaque être habite son nom. Le poète est l'homme du dictionnaire entre la langue de la réalité et sa langue (la française en l'occurrence), il est « le bilingue entre toutes choses bisaiguës ». Ce qui distingue les poètes les uns des autres et pourrait porter quelque lumière dans la situation que nous esquissions au début, c'est le plus ou moins grand souci de la propriété des termes, condition sine qua non de toute appropriation intellectuelle.

Bien sûr, ce n'est pas tout à fait aussi simple à pratiquer qu'à énoncer. Dans trois brillants articles de la *Nouvelle Revue française* (Novembre 1962, janvier 63 et janvier 64), sous le titre *Enigmes de Perse*, M. Jean Paulhan avec sa virtuosité et sa feinte simplicité s'est très bien arrangé pour brouiller les cartes tout en semblant les mettre en ordre et les montrer dans un ordre nouveau tout en semblant les avoir brouillées. La poésie de Perse, accorde-t-il, semble placée plus qu'une autre dans le *vrai* de l'expression, mais elle est aussi la proie des ambiguïtés et des contradictions, elle est épopée sans héros, louange sans preuves, rhétorique sans langage. Ambiguïtés et contradictions qui peuvent peut-être se lever si on trouve à se placer dans une situation où le bien et le mal, le projet et l'acte, le mot et la pensée se confondent, situation dont la *Gîtâ nous a parlé, et les mystiques, et les ésotériques* et les surréalistes, pourrait-on ajouter, situation enfin, dont, dans le cas de Perse, M. Jean Paulhan ne fait que suggérer les coordonnées.

Il est évident qu'il peut y avoir quelque chose de purement

verbal dans les considérations sur la coïncidence des deux
langues, celle du monde et celle du poète. Car cette langue du
monde n'est pas une langue primitive, au sens des linguistes ou au sens des kabbalistes. Elle est à sa manière une hypothèse de travail dont la poésie doit faire la preuve. Nous sommes donc renvoyés au lexique de Saint-John Perse, ou, puisque cela revient au même, à ce que, dans l'état actuel de ses
travaux, il a déjà mis au jour du lexique de la réalité.

Le premier mouvement apparaît alors comme un mouvement
d'universalité : cette poésie veut tout embrasser jusque dans
le détail. Elle est encyclopédique, comme dit M. Roger Caillois qui a insisté sur sa parenté avec des œuvres de même tendance, comme celles de Jules Verne, d'André Malraux ou d'Ar-
nold Toynbee. Poésie de l'espace et du temps dont on a souvent
marqué la vertigineuse ampleur, la prodigieuse richesse de
vocabulaire qu'il s'agisse des sciences naturelles, des choses de
la mer ou encore de mille détails des civilisations archaïques.
Le poème est toute l'histoire, la scène tout l'univers, et le
moindre détail vient habiter son nom propre (en français).
Mais à mesure d'homme et de poème, les énumérations ne
peuvent jamais être poussées jusqu'au dernier terme, l'abondance de l'œuvre ne peut concurrencer l'abondance de la
réalité, la poésie encyclopédique est une chimère, une contradiction dans les termes. Il faut donc opérer un rassemblement.

C'est ici que nous retrouvons la méthode de Braque. Quand
il ferait voler des centaines d'oiseaux dans le ciel, avec l'ef-
farvatte (petite rousserole, espèce du genre fauvette) et le py-
gargue (haliaetus albicillus), Saint-John Perse n'arriverait pas à
convoquer tous les oiseaux de tous les cieux. A lui donc la
création avec les mots d'oiseaux « inallusifs et purs de toute
mémoire », la recréation par synthèse et non par allégorie ou
par superposition simplificatrice. Et ces oiseaux, avec leurs
noms communs ou rares, sont bientôt tous les oiseaux parce
qu'ils sont « plus près du genre que de l'espèce, plus près de
l'ordre que du genre ». Mais cette méthode du rassemblement
par l'espèce, le genre et l'ordre est d'application universelle.
Les autres animaux, les végétaux, les paysages, et les hommes
avec toute la diversité de leurs fonctions dans la société, peuvent être pris dans cette classification qui englobe un détail
infini mais sait aussi dégager les lignes générales. Une partie
importante de la poésie de Saint-John Perse est faite ainsi
d'énumérations, de processions qui déroulent devant nous un
grand nombre de singularités et nous suggèrent en même temps
qu'elles épuisent une variété presque infinie. La perception admirablement exacte d'un seul détail concret suffit à écarter

le péril de généralisation abstraite : et elle nous suggère en
même temps que rien de l'univers n'a pu échapper à un œil
aussi aigu.

Cela vaut en particulier pour la diversité des conditions humaines. Car la poésie de Saint-John Perse est peuplée et peuplée bien souvent d'hommes saisis dans l'exercice de leurs
activités quotidiennes, avec la même science précise que pour
les oiseaux saisis dans leur vol. Mais une certaine distance
du langage nous fait bien sentir que ces artisans, ces officiers,
ces marins, ces cavaliers en même temps qu'ils sont exactement eux-mêmes sont là pour toute notre espèce, tout notre
genre, tout notre ordre. Poésie qui n'ignore rien, même des
techniques de laboratoire les plus modernes, qui peut embrasser du premier soulèvement de terre au fond des âges
jusqu'à la fission atomique, mais dans laquelle l'homme n'en
reste pas moins le plus souvent drapé d'une manière un peu
traditionnelle, dans une société qui nous donne vaguement
l'impression d'une société à Castes : on pense, un peu irrévé-
rencieusement à ces cités des films ou des bandes dessinées
d'anticipation où, au milieu des machines les plus perfec-
tionnées, des hommes de l'avenir semblent vivre dans une tunique et un loisir grecs.

C'est que la poésie de Saint-John Perse, procède par un
double mouvement de précision, puis de décantation. Elle est
précise à l'extrême, mais elle ne cherche pas le pittoresque,
elle ne cherche même pas la leçon qui peut se dégager de l'extrême précision (ce qui serait, par exemple, la tendance de Segalen), elle vise à la généralité : *Anabase* est accidentellement,
mais non spécifiquement un poème asiatique. Peu à peu ce
resserrement conduit à ces poèmes dont les titres tiennent en
un mot : *Exil, Pluies, Vents, Amers, Chronique,* et un mot
qui renferme tout un élément, l'air, l'eau, le temps, mais en le
considérant en quelque sorte par rapport à la condition humaine la plus générale, la situation dans l'espace (*Exil*) ou
dans la durée (*Chronique*). Partie de l'énumération encyclopédique du concret dans sa plus grande diversité, cette poésie
semble aboutir à l'affrontement de l'homme et du monde dans
sa plus grande généralité. Partie d'une sorte d'installation
dans l'historique, elle aboutit dans l'élémentaire. Mais le ba-
nyan de la pluie, c'est sur la Ville qu'il prend ses assises, ce
sont hommes qui tiennent face au vent, et le plus vaste poème,
c'est celui de la mer, mais de la mer et de la Ville. Car, au vrai, il
n'est d'histoire que de l'âme, songeait l'exilé, et partout, « c'est
de l'homme qu'il s'agit dans sa présence humaine ; et d'un
agrandissement de l'œil aux plus hautes mers intérieures »,
« c'est de l'homme qu'il s'agit et de son renouement », et pour

la seule traversée, c'est le Poète lui-même qui se tient « à la
coupée du Siècle ».

Peut-on pousser la réduction encore plus loin ? «Epopée sans
héros » disait M. Paulhan, on voit à quel point c'est vrai, et
aussi à partir de quel point ce n'est peut-être plus tout à fait
vrai : il faut hasarder aux dépens de la stricte logique que le
héros c'est l'homme qui ne doit s'entendre ni comme un singulier (Saint-John Perse lui-même) ni comme une généralisation
(l'humanité). Disons, avec Saint-John Perse, et en prenant bien
soin comme lui d'écarter le grouillement des implications religieuses sur ce terme, que ce héros c'est l'âme. La poésie de
Saint-John Perse est un discours de l'âme dans le monde.
c'est peut-être encore trop, car la présence de l'âme au monde
est souvent immanence plus que dualité. C'est donc le discours
de l'âme. Mais d'une âme qui saisit toutes choses et elle-même,
nous l'avons vu, par et dans le langage. C'est le discours du
discours (« Le chant profond chez Saint-John Perse, à partir
d'*Anabase,* est à lui-même sa propre matière », dit M. Albert
Henry au terme d'analyses entièrement différentes). C'est la parole. C'est la houle de l'univers, c'est le mouvement premier
et dernier... Nous avons tout au long de ces pages parlé du
réalisme de Saint-John Perse comme si cette idée de réalité
ne faisait aucune difficulté, comme si nous savions tout ce qui
est réel et ce qui ne l'est pas, alors que c'est loin d'être le cas.
Mais voici que nous le savons : il y a bien une réalité, une
réalité ultime, et c'est le mouvement. « Une poésie du mouvement », c'est le sous-titre de l'excellente étude de M. Henry. Et
M. Roger Garaudy a raison de dire que le poème le plus proche de l'œuvre de Saint-John Perse, c'est le poème d'Héraclite
d'Ephèse, qui fut lui aussi surnommé l'Obscur, le philosophe
de l'écoulement et du devenir, de la lutte et de la conversion
des contraires. Nous en arrivons enfin à une poésie élémentaire, c'est-à-dire de la réalité dernière réduite à un seul élément, qui est son mouvement même, comme si le chant non seulement *disait,* mais encore *était* le monde.

Reste alors, puisque il n'est d'histoire que de l'âme, à insérer cet élément poétique ou cette poésie de l'élément, dans la
vie de l'âme, dans le renouement de l'homme. Le grand courant de l'œuvre n'est évidemment ni religieux, ni même « mythologique » ou spirituel au sens ordinaire. « Le monde n'a été
créé par aucun dieu ni par aucun homme. Il fut, il est, il sera un
feu éternellement vivant qui s'allume et s'éteint selon des lois
déterminées... Le Maître dont l'oracle est à Delphes ne parle
pas, ne dissimule pas : il signifie », dit la cosmogonie d'Héraclite. Si c'est cela ou quelque chose d'analogue qui est aussi
au cœur de la cosmogonie de Perse, on comprend qu'on puisse

prendre de son œuvre certaines vues en apparence contradictoires. M. Jean Paulhan cite par exemple au passage l'opinion de M. Pierre-Jean Jouve qui voit en Perse « le poète du
Désespoir auguste et du Malheur essentiel », et celle de M. Michel Maxence qui lui reproche au contraire son optimisme béat,
son incessant éloge de l'excellence du monde. Et il est vrai
que si on se fait une certaine idée du salut, cette poésie de
l'élément fondamental ne fait pas beaucoup de place à l'avenir de l'âme personnelle, « privée », et qu'au contraire si on
se fait une certaine conception du drame existentiel, de l'angoisse d'être, elle ne lui fait pas place non plus. Et la suggestion
finale de M. Paulhan (que chez Perse « l'âme n'est pas une partie
du corps, elle est le corps : elle n'a pas sa demeure dans l'esprit, elle est l'esprit ») est sans doute la meilleure, et au surplus la plus « héraclitéenne ». Et tout cela coïncide parfaitement avec le principe fondamental du discours de Stockholm :
« Par son adhésion totale à ce qui est, le poète tient pour nous
liaison avec la permanence et l'unité de l'Etre. »

« Et sa leçon est d'optimisme », ajoute immédiatement le
texte. A ce mouvement incréé du feu élémentaire, Saint-John
Perse dit oui. Ce qui ne le conduit nullement à un optimisme
« béat », à un éloge universel, permanent et bientôt mécanique, mais simplement à une attitude positive d'adhésion générale mais sans aveuglement. Refuser cet écoulement, se placer à contre-courant, ce serait cela le Désespoir. De même que
refuser d'être dans ce courant une conscience, une poésie, ce serait cela la démission. Au poète d'être l'homme de l'éloge, l'homme du rassemblement (« et ramenant enfin les pans d'une plus
vaste bure, nous assemblons, de haut, tout ce grand fait terrestre »), l'homme fier de sa marche sous sa charge d'éternité,
l'homme de la chance de l'esprit et de l'offrande dédiée :
« L'offrande, ô nuit, où la porter ? Et la louange la fier ?...
Nous élevons à bout de bras, sur le plat de nos mains, comme
couvée d'ailes naissantes, ce cœur enténébré de l'homme où fut
l'avide, et fut l'ardent, et tant d'amour irrévélé... »

Paul Claudel déjà dans un article marquait une certaine
déception car « la conclusion hésitante à son aventure spirituelle donnée par ce successeur de Colomb, qui s'en trouverait
satisfait ? » Car, disait-il encore, « Dieu est un mot que Saint-
John Perse évite, dirai-je religieusement ? et que pour un empire il ne laisserait pas sortir de ses lèvres ». Et M. Albert Loranquin note que si on ne sait pas grand-chose des sentiments de
Saint-John Perse à l'égard du christianisme, on peut les considérer comme pacifiquement hostiles. C'est le moins qu'on
puisse dire, et il serait à la fois malhonnête et vain d'essayer
de coiffer ce « Saint » d'une auréole catholique ou simplement

de tirer cette poésie vers un spiritualisme chrétien (ou taoïste) comme il serait inutile et cruel de crucifier un oiseau de Braque. Mais cette haute poésie n'en a pas moins de noblesse, ni de fécondité spirituelle. Elle n'est nullement panthéiste, au sens où elle célébrerait une réalité préalablement imprégnée de divin ; elle est plutôt le chant de cette pensée, de cette « âme » qui n'est point substantiellement différente de l'univers du temps et de l'espace, mais qui cependant s'arrache à lui, se conquiert et se constitue en capital d'honneur humain. C'est en ce sens, et pas plus, mais très profondément qu'elle est une poésie « métaphysique », la plus grande peut-être de toute l'histoire de la poésie française, en tout cas la mieux accordée à l'âme de l'homme d'aujourd'hui, sa meilleure arme et sa meilleure chance.

MAURICE GENEVOIX

Dans les bois, avec les bêtes, et dans les bois les plus sacrés de la littérature, de l'école normale à l'Académie. Le miracle de son grand âge, c'est que sa plume passe de plus en plus facilement des uns aux autres, qu'un humanisme, c'est-à-dire un inventaire très concret des moyens qui sont à notre disposition pour devenir de plus en plus homme, se dégage spontanément de cette longue expérience. Sa carrière pourrait passer pour la carrière exemplaire, mais c'est l'ensemble de son œuvre qui lui donne stabilité et sens.

Aux écoutes de la forêt.

Le thème de la forêt est sans doute, avec celui, très voisin, de la mer, un des plus féconds de presque toutes les littératures, comme si l'immense forêt primitive à laquelle ils ont arraché leur espace vital hantait encore obscurément l'imagination des hommes. La forêt, « sauvage et âpre et forte », comme celle où Dante s'égare aux premiers vers de *la Divine Comédie,* c'est parfois notre monde, mais plus souvent c'est au contraire le monde qui n'est pas le nôtre, celui où les puissances de la nature semblent du seul fait de leur existence donner quelque mystérieuse réplique à toute notre agitation. La forêt est le lieu de l'affrontement de l'homme avec ce qui n'est pas l'homme et qui, cependant, à la différence de la mer et de la montagne, est vivant. Affrontement pacifique et même communion presque panthéiste pour toute une famille d'esprits. Affrontement brutal et sanglant pour d'autres qui introduisent alors un autre grand thème presque millénaire, celui de la chasse, celui de l'homme vivant qui, par nécessité ou par sport, s'acharne à blesser ou à détruire d'autres formes de la vie. C'est de cette grande forêt terrestre et mythique, de cette forêt perdue que le roman de M. Maurice Genevoix essaie de nous faire retrouver le chemin [1].

C'est une histoire, et elle nous est dite à voix de conteur d'histoires, familière et respectueuse à la fois, habile à choisir les mots et les tournures de manière à nous faire sentir que, comme toutes les belles histoires, celle-ci vient de très près et de très

1. *La Forêt perdue.*

loin, de la grande forêt et presque de la nuit des temps. Quelques « céans », quelques archaïsmes un peu conventionnels donnent la coloration médiévale, mais le fond, c'est la langue de la vénerie, la langue de la forêt elle-même, d'une magnifique, d'une prodigieuse richesse, qui roule sur la langue et dans l'oreille et ne laisse perdre ni un bruit, ni une couleur, ni un souffle de vent, si bien qu'on avance dans le livre comme dans la forêt déjà dans l'attente de quelque chose de sacré.

La forêt de M. Maurice Genevoix est une forêt française, si j'ose dire, une forêt de pays de Loire, la forêt des derniers grands romans de chevalerie, quand la chasse remplaçait déjà la guerre au premier rang des plaisirs seigneuriaux. Moins Brocéliande que forêt de quelque saint Eustache ou saint Hubert où l'on peut s'attendre à rencontrer quelque bête porteuse d'un signe. Les personnages, le vieux seigneur Abdon, son fils Bonavent, sa fille Florie, et le piqueux La Brisée semblent sortir de la même imagerie. Ils vivent en lisière de la forêt, monde défendu, en ce sens qu'il se défend lui-même. Mais le mystérieux Waudru qui surgit de temps en temps à point nommé, c'est peut-être l'esprit des bois venu d'une tradition bien plus ancienne, les nuages qui passent dans le ciel sont peut-être l'ombre de quelque chasse maudite, et les murmures mêmes de la forêt ont parfois comme un accent wagnérien. Tout cela parce que l'histoire qui nous est racontée n'est pas tout à fait à mesure humaine.

Elle est l'affrontement de deux mondes, le monde des hommes et le monde de la nature, c'est-à-dire ici le monde de la forêt que l'on pourrait presque dire « vierge » si cette association de mots n'avait aujourd'hui une résonance exotique. D'un côté Abdon, Bonavent et Florie, comme un homme en trois générations, avec La Brisée, instrument tenace de leur volonté ; et de l'autre côté, la bête royale, le Cerf magnifique, allongé comme un dieu, et qui porte comme deux arbres sur sa tête altière. Point d'apparition, il est une apparition, point de signe en forme de croix comme pour les saints dont nous parlions à l'instant, il est un signe et le signe d'un monde antérieur à la croix et à l'homme. Déjà le vieil Abdon l'a connu et l'a chassé en vain, puis il s'est incliné, il a respecté la forêt « pour qu'il y ait un monde sans hommes, sans armes d'hommes, où la vie et la mort ne voient point transgresser leurs lois, où les bêtes puissent mourir ... de leur vraie mort de bêtes », il n'a plus pratiqué que des formes de chasse plus bénignes, avant de se retirer tout à fait, sorte de roi méhaigné de cette quête du Cerf. Bonavent et La Brisée s'attaquent sans scrupules à la forêt, ils y portent cruellement la mort à armes humaines, mais le Roi, mais le Cerf leur échappe et les défie et, dans une très belle scène, c'est

avec le récit d'une chasse faussement victorieuse qu'ils doivent
leurrer le vieil Abdon mourant.

C'est alors que nous comprenons qu'il s'agit moins d'une
chasse que d'un combat implacable, d'un affrontement de deux
idées du monde, c'est ici qu'on ne peut guère s'empêcher aussi de
penser au *Moby Dick* de Melville. Le combat contre la bête
presque mythique a pour enjeu dans les deux cas la place de
l'homme dans le monde. Mais alors que chez Melville la baleine
blanche est encore dans une certaine mesure la projection d'une
part de l'esprit de l'homme dans une créature du monde terrible et aveugle de l'océan, ici le Cerf est comme l'incarnation
des puissances inhumaines certes, mais vivantes, de la forêt. La
chasse du capitaine Achab est une chasse de vengeance, et presque une chasse d'homme à homme, la chasse de Bonavent et de
La Brisée est une chasse de conquête, mais aussi, dans une certaine mesure, une chasse d'amour. C'est l'ambiguïté de la chas-
se-passion, de la chasse « royale », ni les romans de M. Genevoix, ni ceux de M. Pierre Moinot ne le démentent, que cette
relation noble qui semble s'établir entre le chasseur et sa proie,
si bien que nul ne parle des bêtes de la forêt avec autant de tendresse familière que ceux qui se font un honneur de les affronter
et de les vaincre. Ici, ni Bonavent, ni La Brisée ne sortent vainqueurs de leurs rencontres avec la Bête, il s'en faut. La forêt que
le vieil Abdon avait respectée, ils ont essayé de la pénétrer.
Mais aux paroles du vieil Abdon que nous citions correspondent
les paroles de La Brisée blessé qui confesse son amour de la
forêt et du Cerf : « Que seulement il plie les genoux, qu'il con-
sente, tout s'ouvrira, tout s'éclairera, tout sera nôtre. Nous mar-
cherons dans la forêt sans qu'un oiseau bouge sur sa branche,
sans qu'une tige de scille à fleurs bleues que le poids d'un bourdon fait pencher se redresse à l'envol du bourdon. Nous serons
accordés à l'arbre, à la terre noire sous les feuilles, à la chanson des petites ailes, poussière dorée dans les nappes de soleil.
Nous vivrons dans la forêt... ».

Chant de réconciliation, chant du chasseur pardonné par
l'amour et pour son amour. Mais est-ce possible ? M. Genevoix
a voulu que Florie entre à son tour dans la forêt, que la femme
s'avance vers la bête, et la bête l'épargne et va mourir de sa
belle mort, et la femme revient vers les bras de l'amour
humain, trop humain. Mais on a un peu l'impression que l'écrivain ne s'est pas tout à fait résigné à cette fin à peu près heureuse : la longue et haute plainte de la forêt dont le roi est mort
passe sur l'éveil de la plaine, dit-il, « comme la voix d'un autre
monde ». Ainsi passait sur la mer la plainte qui annonçait la
mort du grand Pan... L'homme ne peut pas vaincre la forêt, il
peut la perdre : mais les choses sont ainsi faites qu'alors il perd

en même temps une partie de son âme. Ainsi peu à peu dans cette histoire la voix familière du conteur laisse percer la voix plus grave d'une sagesse, sans doute parce que M. Maurice Gene-voix est du très petit nombre des écrivains d'aujourd'hui qui aiment assez la forêt pour la faire parler et qui aiment encore assez les hommes pour essayer de leur faire entendre cette voix...

« *Le Bestiaire enchanté* ».

Pas de livres, des bêtes. Ces pages du *Bestiaire enchanté* [1] qui fait suite à *Tendre Bestiaire,* M. Maurice Genevoix dit quelque part qu'il les écrit à la seule lumière de la mémoire. A part les épigraphes de cinq ou six lignes de chaque chapitre, emprun-tées au Larousse ou à un petit guide pratique, point de réfé-rences à de grands animaliers ou à des ouvrages scientifiques. Des bêtes, des rencontres avec des bêtes, ici ou là, en Orléanais ou en Afrique. Elles sont là, une trentaine, sagement rangées par ordre alphabétique, ou à peu près, de l'abeille à la truite, sauf le mouflon, qui vient à la queue du troupeau hétéroclite, a les honneurs de la couverture et fait l'objet d'un texte long et dra-matique, une véritable petite nouvelle dirait-on si on ne pensait que tout y est vrai comme dans le reste du volume. Curieusement, les quelques livres qui remontent à la mémoire eux aussi sont des livres de l'enfance, *les Vacances des jeunes Boers* de Mayne Reid ou *l'Enfant des bois* d'Elie Berthet. Mais en même temps qu'il oublie tous les livres, qu'il semble s'attacher uniquement aux bêtes, M. Maurice Genevoix sait revenir aussi vers des hommes qu'il a rencontrés et vers lui-même. Si bien qu'il fait parfois évo-quer une sorte de Montaigne qui promènerait ses pensées non dans la bibliothèque de sa tour, mais dans la forêt ou bien le long de la rivière, qui aurait des entretiens non avec les grands auteurs de l'Antiquité, mais avec l'alose, la coccinelle ou le ser-pent. Chaque être a, ne disons pas sa leçon, mais sa parole vivante, que nous pouvons entendre et mettre à profit pour éclai-rer notre être propre et y persister. Il ne s'agit pas d'une sim-ple promenade et d'un prétexte à littérature, d'un « Monsieur le secrétaire perpétuel dans la forêt » analogue au trop fameux sous-préfet aux champs : mais d'un grand effort continu pour capter pour nous la rumeur du monde vivant, toujours si proche et si étranger.

1. Plon.

L'animal lui-même est saisi dans son milieu, avec toutes ses couleurs, avec ses moindres mouvements, avec tous les signes de son secret, tous les indices de son monde intérieur, sans doute stupide, mais réel et vivant et incommunicable autrement que par l'effort de la sympathie. Grâce à l'amour attentif de l'animalier, grâce au talent de l'écrivain, nous voyons le grand barbeau dans la rivière, avec son épaisseur fuselée, sa majesté dorée. Comme tout le monde, j'ai appris beaucoup de choses passionnantes sur les oies cendrées en écoutant M. Konrad Lorenz qui les a merveilleusement étudiées en naturaliste et en écologue. Mais il me semble que je ne les avais jamais vues avant de lire, par exemple chez M. Genevoix : « Je les ai vues, mais entre tous mes souvenirs, il n'en est guère qui plus que celui-là aient pris le ton et les couleurs du rêve. La nuit était sans lune, à peine baignée d'un faible clair d'étoiles qui la mouillait d'une vague lueur diffuse, partout égale et sans accent. Les oies cendrées qui prenaient terre, les ailes rejetées en arrière et les palmes tendues en avant, surgissaient dans cette grisaille atone, grises elles-mêmes, presque fondues en elle comme si leur corps eût été transparent... » N'est-ce pas comme un parachutage céleste ? n'est-ce pas surtout comme une vision d'oiseaux fantastiques, l'extrême netteté du réalisme rejoignant ici la pureté de l'imaginaire ? Parfois, le portrait s'anime, nous voyons l'autruche se promener, tête relevée, ou nous assistons à la rencontre avec le farouche chimpanzé de Kindia, qui attend que le visiteur ait tourné le dos pour lui lancer maladroitement une pierre : et le réflexe du digne académicien, singe du singe, est de lui lancer une pierre à son tour...

Récits de visites, récits de chasse, récits de pêche. Et par conséquent, silhouettes de pêcheurs et de chasseurs. Peut-être parce que l'homme est mon gibier, comme pour Montaigne, je me sens particulièrement curieux de ces personnages que M. Genevoix excelle à croquer comme les autres habitants de ce bestiaire, Baffault, le pêcheur de carpes par exemple, (« l'épervier qui déploie, en plein vol sa corolle ronde cerclée de plombs et le grésillement du filet qui gifle l'eau de toute sa surface... ») ou bien Irénée, ses petits pois et ses récriminations.

Ce qui me semble rendre ces évocations particulièrement précieuses, c'est que, comme au hasard, M. Genevoix ressuscite ainsi un petit monde rural d'autrefois, d'il n'y a pas très longtemps, et pourtant en voie de disparition. Au chapitre de l'anguille, par exemple, qui rencontrons-nous ? Monsieur le sénateur, Monsieur le ministre bientôt, rosette de la Légion d'honneur à la boutonnière, pas fier, n'allant pas s'isoler et s'asseoir dans la salle d'attente des premières, mais restant dans la salle commune, près de la bascule aux bagages, bonjour à droite, bonjour à gauche, tapotant les joues des enfants... N'est-ce pas un excellent croquis d'un notable de la Troisième République et propre à faire comprendre un certain style de vie de la démocratie française à l'époque où le kilomètre en troisième classe coûtait un sou et où l'on alignait vingt-sept sous sur la tablette du guichet pour aller à Orléans. Un temps lointain, disons avant les voitures sans chevaux...

Si plaisamment que ces tableaux de genre humains (ou ces tableaux du genre « humain » soient semés dans *le Bestiaire,* il faut cependant revenir aux bêtes. Récits de pêcheur, de chasseur, disions-nous : point de vaine sensiblerie, et M. Genevoix sait raconter comment il apporte la mort violente dans le monde animal. Pourtant, je crois que ce qu'il préfère, c'est le récit d'un affrontement presque à égalité. Le livre s'achève sur la rencontre du garde Wells, du mont Revelstoke, avec son adversaire mouflon. Mais beaucoup plus près de nous dans l'espace, sinon dans le temps, il y a la rencontre du jeune Maurice et du grand barbeau dont nous admirions la description tout à l'heure. Le ton se fait plus grave, comme pour un *paulo majora canamus* : « C'est un de mes souvenirs les plus secrets, les plus aigus, qui m'entraîne vers une réalité où la poésie la plus fraîche rejoint comme d'un coup d'aile le fantastique et le mystérieux... » C'est d'un jeune garçon qui se met à l'eau tout nu, de sa rencontre avec un grand barbeau, qu'il s'agit, de sa tentative pour le prendre au collet. Tentative presque réussie, mais peut-être la nudité du garçon, dans les mêmes eaux aux longues herbes que le poisson, nous suggère-t-elle déjà quelque communion, et l'adolescent croit entendre sa proie crier, lui parler, au moins du regard, lui dire : « Ce qui arrive par toi, en cet instant, ce n'est pas dans l'ordre du monde. Sens ta poitrine : elle vient de se serrer aussi. Tu respires mal... Desserre ce lien, laisse-moi aller. Tout alors retrouvera la joie, la joie de vivre, et l'harmonie, et la beauté de ce jour merveilleux... » Je sais bien ce qu'il y a d'optimisme un peu forcé dans ces paroles, et que le cruel monde vivant des eaux n'est sans doute pas tellement différent du cruel monde vivant des hommes (M. Genevoix a écrit aussi une demi-douzaine de volumes sur la plus cruelle partie de chasse à l'homme de l'histoire, la guerre de 14). Mais l'important ici, c'est le sentiment d'un ordre du monde auquel le muet message du monde animal nous rappelle. Un ordre du monde assez relatif, où il y a des aoûtats pour faire perdre patience aux sages et aux saints, un ordre qui reste très mystérieux pour nous, mais enfin le sentiment d'une unité du monde vivant auquel nous appartenons, plus forte que ce qui vient la briser. Il ne faut point faire parler les bêtes autrement que par figure littéraire, il ne faut point verser dans un animisme sentimental débilitant, plus peut-être que M. Genevoix quand je consulte ma raison, je serais tenté de ne voir dans les animaux que des machines extrêmement subtiles, comme aujourd'hui on nous propose presque de voir dans les ordinateurs des espèces d'esprits. Mais voici, par la grâce de notre auteur, l'autruche, l'écureuil, le mouflon, la grenouille. Sans aller jusqu'à fraterniser avec ces intéressantes bestioles, n'avons-nous pas le sentiment qu'il y a quelqu'un derrière la porte, derrière la peau, derrière la porte de peau trouée par les deux yeux comme par deux meurtrières ?

Pourquoi ce bestiaire est-il enchanté, alors qu'il ne contient en somme que d'assez simples histoires d'animaux ? D'abord sans doute parce que chacune de ces histoires arrache à la grisaille progressive du souvenir, une heure colorée. « Le goût du bonheur est inoubliable — dit M. Genevoix après avoir évoqué une heure de gloire enfantine — et c'est pour en sauver ce qui peut l'être encore, pour l'offrir et le partager, que je me souviens et j'écris. » Mais l'enchantement est aussi de faire tomber les murs et les bibliothèques, de faire oublier les livres, sauf Mayne Reid et *l'Enfant des bois*, et de nous plonger directement dans les murmures de la forêt, de nous les faire entendre en même temps que les murmures de notre propre sang. Il n'est pas mauvais en un temps de littérature trop intellectuelle de nous rappeler que nous sommes aussi des bêtes. Mais il est encore meilleur de nous suggérer que ce monde des bêtes, c'est aussi le monde de la vie dans lequel nous baignons irrévocablement et d'essayer de nous en faire sentir de nouveau la chaleur et l'enchantement.

JEAN GUÉHENNO

*Un cheminement vers la sagesse qui n'est pas un affaiblisse-
ment, ni encore moins un affadissement. Il vient du peuple, il a
mis son point d'honneur a n'en pas sortir. Il a puisé dans ses
maîtres du siècle des lumières et du siècle suivant, dans Rousseau
et dans Michelet, les éléments de ses convictions et de sa foi.
Le problème, celui de l'accession réelle du plus grand nombre aux
possibilités de culture, est le sien depuis longtemps, et il l'a
abordé en moraliste plus qu'en sociologue, en homme qui a le
courage de réfléchir jusqu'au bout sur les réalités de l'enseignement qu'il connaît bien et sur ce que cela peut être que changer
la vie...*

« Changer la vie ».

A quel moment le jeune Jean Guéhenno est-il devenu un
autre ? Est-ce un jour de distribution de prix, vers ces douze-
treize ans, quand sa mère, chapeautée comme une dame,
accompagnait triomphalement à travers toute la ville, du collège
à la maison, celui qui venait d'être onze, douze fois nommé ?
Est-ce bien plus tôt quand il restait parfois seul à la maison pendant des heures, perché sur un tabouret devant la table de la cuisine, griffonnant, barbouillant, rêvassant ? Quel mot, quel geste,
quel instant jette un enfant hors de lui-même et de son milieu
sur la grande route de l'esprit ? Après plus de cinquante ans,
dans ce beau livre de souvenirs et de méditations qui respire la
paix du soir, c'est à la recherche de cet instant, de ce saut, de
cet embarquement définitif qui décide d'une vie et la change que
M. Jean Guéhenno repart dans une rumination sans regrets,
mais aussi sans fin.

Si le mot n'avait un sens trop technique d'une part, trop vulgaire de l'autre, on dirait volontiers de *Changer la vie* [1] que c'est
une méditation existentielle sur un des plus graves problèmes,
celui des rapports de la nature et de la culture dans l'homme et
dans la société d'aujourd'hui. C'est sur cela que M. Guéhenno
s'interroge sans cesse en se racontant. C'est un problème qui a
une valeur générale, mais il en parle d'abord comme quelqu'un
qui l'a vécu, dans sa vie privée, et en a été déchiré pour toujours.

1. Grasset.

M. Guéhenno est né en 1890, l'année même où Ernest Renan se décidait enfin à publier *l'Avenir de la science*. Je crois qu'il faut noter la coïncidence pour marquer à la fois la continuité et l'éloignement des temps. *Changer la vie,* ce sont les *Souvenirs d'enfance et de jeunesse* d'un autre Breton, et comme Renan, M. Guéhenno pourrait écrire qu'il a dû résoudre pour son compte les plus hauts problèmes de la philosophie et de la religion « non avec le laisser-aller du spéculatif, mais avec la fièvre de celui qui lutte pour la vie ».

A le lire, nous voyons même à quel point cette lutte était urgente. A Fougères, vers la fin du siècle dernier, les conditions de vie de ceux qui travaillaient à l'usine ou à domicile pour la principale industrie locale, celle des chaussures, étaient extrêmement dures. La famille Guéhenno, comme beaucoup d'autres, vivait dans une pauvreté qu'il n'est pas toujours facile de distinguer de la misère. Nous ne sommes pas loin du petit peuple des romans populaires d'Eugène Sue, ou des *Misérables,* ou de Dickens. On vit dans l'incertitude, dans la peur, et ce n'est pas une image, une clause de style, c'est une peur très simple et très directe : la peur d'avoir faim. On ne peut risquer de perdre ni une minute, ni un sou, ni une bouchée de pain, parce que tout est chèrement conquis. La fête de Noël, c'est l'achat unique, extravagant, d'une orange, si belle, si rayonnante qu'on la pose sur la cheminée jusqu'à ce qu'elle y pourrisse, comme si sa fonction principale était d'illuminer les longues semaines d'hiver. Il faut à la classe ouvrière un labeur acharné pour sauvegarder à la fois le pain et la dignité. D'autant que les révolutions du siècle ni les idées nouvelles ne semblent avoir effacé le sentiment d'un ordre social presque sacré : il y a un monde entre celui qui n'est pas sûr de manger demain et celui qui a échappé à cette terreur. Encore aujourd'hui, quand il veut marquer la quiétude de sa vieillesse, M. Guéhenno écrit : « Il n'est pas vraisemblable que je manque jamais plus du pain ni de la liberté. » Entre les classes, il y a des distinctions sensibles : le chapeau pour les femmes, le col dur pour les hommes. Et l'instruction.

Arrêtons-nous encore un instant sur ces évocations de l'enfance et de la première jeunesse, d'autant qu'elles fournissent à M. Guéhenno ses pages les plus tendres, les plus nostalgiques, les plus savoureuses : « le paradis perdu », dit-il, ou bien « souvenirs du bonheur ». Si nous avons quelque peine, en effet, à fixer le point de départ exact des aventures de l'esprit, c'est ici que commence l'aventure du cœur. En fait, ce monde où la moindre couleur prend de l'éclat parce que tout est gris, où la moindre fête devient une joie profonde parce qu'elle est rare et précieuse, ce monde étroit, où la tendresse tient chaud, c'est un élément qui comptera toujours en premier pour M. Guéhenno.

On l'a parfois plaisanté sur la place qu'il fait au cœur : c'est ici
que cela s'explique. Ses années d'enfance le lient pour toujours à
une famille selon l'esprit au moins autant qu'à une famille selon
la chair. Il emprunte le titre et l'épigraphe de son livre à la fois
à Karl Marx et à Rimbaud. Mais, au fond, ces hommes-là ne
sont pas de chez lui. Les siens, ce sont Renan et plus encore
Michelet, les prophètes du socialisme français, les grands
romantiques et, à travers eux, Jean-Jacques Rousseau. Au
moment où il va entrer dans la cité des livres, certains de ses
choix sont déjà faits.

Bon élève au collège où ses parents le maintiennent jusqu'à
quatorze ans en se saignant (il faut le lire presque à la lettre),
refusé à l'examen des bourses, M. Jean Guéhenno entreprend de
préparer seul son baccalauréat tout en étant petit employé à
vingt-cinq francs par mois. A quinze ans le voici écartelé, il ne
cessera plus de l'être. Choisir l'instruction, en effet, c'est se séparer et l'enfant se demande avec angoisse si on peut se séparer
des siens sans les trahir. Les siens, tous les siens : le conflit
familial n'est qu'un aspect du conflit social. Le baccalauréat est
pratiquement encore un privilège de classe, la porte d'entrée en
la bourgeoisie. Et l'opposition des classes a une importance que
déjà maintenant nous avons du mal à imaginer : trop souvent,
la grève est entrée dans la routine de l'évolution sociale. La
grève des ouvriers de la chaussure à Fougères, en 1906, à laquelle
le jeune homme va être mêlé, est une âpre tragédie, parce que
les deux partis bandent leurs forces, parce que le spectre de la
famine n'est pas loin. A de tels moments, le refuge dans la
paix des livres semble une injure à ceux qui souffrent dans leur
chair. Pour le cœur pur et sensible du jeune homme ce déchirement sera ineffaçable.

Il continue, il passe les deux parties du baccalauréat, il obtient
une bourse au lycée de Rennes et, de là, passe à l'Ecole normale de la rue d'Ulm et commence sa brillante carrière universitaire à la veille de la Grande Guerre. Il a réussi, il est sauvé.
Mais est-ce qu'on peut se sauver tout seul ?

Il est un ferment de solidarité ineffaçable non seulement avec
les siens mais avec tous les hommes que M. Jean Guéhenno
n'a pratiquement jamais connu : c'est la religion. Il a reçu la
formation religieuse des enfants de son temps, il a appris son
catéchisme (il fait même des comparaisons entre le catéchisme
d'alors et celui d'aujourd'hui, comme M. Etienne Gilson dans *le
Philosophe et la théologie* et leurs conclusions sont analogues :
elles ne sont pas en faveur des catéchismes au goût du jour), il
a fait sa première communion avec scrupule sinon avec ferveur.
Mais bien vite il s'est détaché de la religion ou la religion s'est
détachée de lui, peut-être parce que la piété — comme l'instruc-

tion — passait plus ou moins pour un signe de classe, peut-être parce qu'il n'est pas une nature religieuse mais plutôt, pour une part une nature rêveuse, pour une autre une nature philosophique. Point de crise comme chez Renan : nous l'avons dit, M. Guéhenno est de la génération qui a trouvé *l'Avenir de la science* dans son berceau. Mais en même temps, parce qu'il ne veut pas se sauver tout seul, parce qu'il a un besoin passionné de fraternité et de communion, il lui faut inventer quelque chose d'autre, et dans le sens de l'espoir. Un de ses premiers livres, sur Michelet, s'appelle *l'Evangile éternel*. Et il faut voir ici comment, après avoir rendu hommage à Renan, il rejette avec une sorte d'horreur sacrée le mot fameux sur la vérité qui est peut-être triste. Cela ne se peut pour notre auteur, car la vérité est joie de la découverte et du partage.

Le grand problème auquel M. Guéhenno revient toujours, dans tous ses livres, c'est en un sens un problème d'incarnation. Puisque lui-même donne pour titre à l'un de ses chapitres où il parle fort bien de son amour pour Platon, « la découverte du logos », disons que M. Guéhenno s'est demandé toute sa vie comment le logos, le verbe, pouvait se faire pain pour ceux qui ont faim de pain et non de métaphores. Cette interrogation ne lui appartient d'ailleurs pas en propre. Nombre de philosophes aujourd'hui ont une biographie, et même une autobiographie. Ce n'est pas une nouveauté : le plus grand texte philosophique de la langue française est une autobiographie, le *Discours de la méthode*. Mais rien que dans ces derniers temps nous venons de voir s'ajouter à *l'Histoire de mes pensées* d'Alain, des *Portraits de famille* beaucoup plus personnels ; M. Brice Parain, qui est passé rue d'Ulm quelques années après M. Guéhenno (avec un peu de chance, ils ont pu connaître les mêmes poissons rouges qu'on appelait les Ernest en hommage irrespectueux à Ernest Lavisse), retraça son itinéraire dans *De fil en aiguille*. Et Mme Simone de Beauvoir un peu plus tard. M. Jean-Paul Sartre l'amorça dans *les Mots*. Je crois que ces examens de conscience procèdent tous en partie du même désir de justification : voici non seulement comment j'ai pensé, mais surtout comment j'ai vécu pendant que les hommes de mon temps vivaient comme vous savez. Une humanité sans pensée serait de peu d'intérêt, une pensée sans humanité de peu de valeur : en tout cas, à tort ou à raison, tout mandarinat, aujourd'hui, a mauvaise conscience. Alain, fils de vétérinaire, Brice Parain, fils d'instituteur, se sont en un sens mieux adaptés que le fils des pauvres ouvriers de Fougères. Et cela explique ce qu'il y a de gauche et de touchant chez M. Guéhenno : même aujourd'hui, il n'en est pas tout à fait revenu, comme on dit, il y a encore chez lui du parvenu modeste qui s'assied un peu de biais au banquet de la culture parce que, humble et généreux, il a peur de ne pas penser à quelqu'un qui a froid dehors.

A son grand problème, y a-t-il une réponse ? Il est clair que les temps ont beaucoup changé. Le mot « bottines » qui revient souvent est presque tombé en désuétude, et le temps a marché à grands pas; ni les problèmes de la condition ouvrière, ni ceux de l'enseignement ne se posent plus dans les mêmes termes qu'avant 1914, et les mœurs ont changé, et les idéaux. Pourtant, il me semble que ce témoignage garde son intérêt parce que, avec les moyens de son temps et les préoccupations de sa génération, M. Guéhenno s'est posé avec une singulière acuité la question de la culture des masses et du danger que leur inculture fait courir à l'assiette même de toute civilisation. Ce livre est suivi d'autres volumes de souvenirs dont, à vrai dire, les lecteurs du *Journal d'un homme de quarante ans* ou de *la Foi difficile* peuvent déjà se faire une idée. Au cours des années, M. Jean Guéhenno a essayé de répondre à son problème par le combat et par l'action, premiers mots de l'évangile faustien. Est-il parvenu ainsi à changer la vie, comme il le souhaitait ? Ou bien, privilège et esclavage de Caliban devenu Prospero, son sort est-il de la changer seulement en parole?

La guerre et « la Mort des autres ».

Cette année-là, l'humanité résolut de célébrer de son mieux le cinquantième anniversaire de son plus énorme et sanglant sacrifice, la Première Guerre mondiale. Cette guerre a représenté pendant quatre ans pour le peuple français, pour le peuple allemand et pour quelques autres une obsession permanente si horrible et si profondément enracinée dans un mélange de boue et de sang humain que les immenses massacres, techniquement plus perfectionnés de la guerre suivante, n'ont peut-être pas laissé dans la conscience collective le même sillon d'épouvante. Célébrer cet anniversaire au mieux, était-ce réveiller, entretenir, exalter de nouvelles ardeurs belliqueuses, ou chercher au contraire, au-delà d'un sentiment d'horreur sacrée, un sentiment de confiance et de paix ? La réponse de fait, hélas, n'est pas douteuse. Mais il est bon, il était hautement honorable qu'avant les grandes cérémonies parût ce petit livre, *la Mort des autres* [1],

1. Grasset.

auquel M. Jean Guéhenno a attaché beaucoup plus que son prestige, le poids de son cœur et de sa conscience.

Trêve de généralités : sous ce titre modeste, *la Mort des
autres,* il y a non la mauvaise conscience, mais la conscience
douloureuse d'un homme qui pendant cinquante ans n'a pu se
satisfaire tout à fait de sa situation de survivant. Il a vu mourir
les autres, beaucoup d'autres, camarades ou inconnus, et bien
qu'épargné, il n'a pas accepté de guérir de la guerre, comme il
dit. Il ne s'est pas éloigné de cet homme acagnardé dans un
boyau, couvert d'une peau de bique, qu'il retrouve sur une mauvaise photo de l'hiver 1915, il est resté fidèle à lui-même, à ce
témoin de la saleté, de la puanteur, de la souffrance et de la
mort. De la mort imposée, de la mort subie.

Il ne s'agit pas, il le dit lui-même, d'enlever leur honneur aux
combattants, mais d'enlever son masque d'honneur à la guerre.
Il y a des passages de ce texte qui feront mal à certains mais,
qu'ils se rassurent, d'une douleur qui n'est point mortelle : « Ces
douze millions de jeunes morts d'il y a cinquante ans, nos camarades, dans une immense majorité n'ont pas voulu mourir. Peut-
être convient-il de le rappeler à tant d'orateurs qui, pendant les
cérémonies d'anniversaire et dans tous les pays du monde, célèbrent ces monstrueuses hécatombes et notre prétendue ardeur à
mourir. Il est clair désormais depuis longtemps que nos camarades ne sont morts que parce que l'Histoire est souvent bête et
criminelle, et ce cinquantenaire ne peut être que la commémora-
tion de la sottise et du crime... » Ou encore : « Il n'est guère de
lieux au monde, sans doute, où l'on mente davantage que devant
ces monuments élevés dans tous les villages aux anciens combattants. On y prépare les dupes de l'avenir... » Cela fait plaisir à
entendre dans une bouche d'homme et d'académicien.

Longuement, M. Guéhenno s'interroge aussi sur l'attitude des
clercs, des écrivains qui ont pris parti, et parfois avec quelle
sanglante aberration. Il y a un beau portrait de Jaurès, le premier mort, le témoin et le plus éloquent défenseur de l'homme,
victime d'un fait divers suspect, comme pour prendre une courte
avance sur le sort que lui réservait son ancien ami Péguy, dont
M. Guéhenno cite la phrase abjecte : « Dès la déclaration de
guerre, la première chose que nous ferons sera de fusiller Jaurès... ». Apre portrait aussi de ce Péguy, dont notre auteur fait
un raté rancuneux, déçu dans sa vie privée, dans sa vie littéraire,
voire dans sa vie spirituelle, un vaincu qui généralise outrageuse-
ment son cas en parlant d'une génération de vaincus, et se jette
dans la guerre comme dans une issue honorable pour son entê-
tement et peut-être pour son génie. Le Péguy de l'« Heureux ceux
qui sont morts dans une juste guerre... » : mais y a-t-il une
guerre juste et un bonheur de la mort des autres? Le livre de

M. Guéhenno est semé ainsi de rectifications, de reprises de conscience à propos de déclarations cavalières et sanglantes qui envoient allègrement ou pieusement de jeunes hommes à la boucherie. Il aurait pu y ajouter les sinistres balivernes du père Teilhard sur la ligne de front, « front de la vague qui porte le monde humain vers ses destinées nouvelles », ou sur la reprise de Douaumont, « avance définitive du Monde dans la Libération des âmes ».

Un chapitre est consacré à Barrès, « littérateur du territoire » qui écrit d'un élan six ou sept mille pages avec le sang des autres, même au risque que ce sang soit celui de son fils. M. Guéhenno confesse son admiration ancienne pour l'écrivain et le pouvoir persistant de sa cadence. Il n'est pas tout à fait possible d'isoler son attitude pendant la guerre de ses campagnes précédentes, pour Boulanger, contre Panama, contre Dreyfus ; il n'est pas possible de ne pas considérer toute sa vie et sa carrière, son drame personnel. Dans la belle, la confortable édition de son œuvre parue au Club de l'honnête homme (avec une annotation historique absolument insuffisante toutefois pour les nouvelles générations), j'ai encore l'impression d'un bouillonnement de vie et d'intelligence. Mais enfin, intelligence et cadence ont été mises au service de la mort, M. Guéhenno a raison de le rappeler sévèrement. Quand Barrès parle de sa *Chronique de la Grande Guerre* comme d'un « journal intime national » il laisse peut-être percer une dangereuse confusion des deux plans de sa vie intérieure et de sa vie esthétique, confusion dont l'éloquence a fait l'arme du crime...

De l'autre côté, voici Romain Rolland, voici Alain. Rolland, au-dessus de la mêlée, non sans orgueil, Alain, artilleur au cœur de la mêlée, non sans un peu trop d'humilité. Romain Rolland auquel il a peut-être manqué quelque chose pour être dans son ordre un artiste comparable à Beethoven ou à Tolstoï, et du même coup cela lui a manqué aussi pour être une figure morale de leur taille. Alain qui met tout son courage, toute son intelligence, tout son art de démêler de longues chaînes ténues de raisons, à séparer, sur le visage de l'homme-Janus, la part du citoyen et la part du militaire, et cela nous semble un peu vain.

Alphonse de Châteaubriant, Jean-Richard Bloch, d'autres moins connus, comme Marcel Etévé, dont M. Guéhenno utilise une belle correspondance, viennent témoigner à leur tour. Qu'on ne s'y trompe pas, en leur demandant de dire ce qu'ils ont dit de la guerre, M. Guéhenno ne fait que reprendre la première question posée au premier criminel sanglant, le « qu'as-tu fait de ton frère? ». Et à mesure, l'auteur interroge aussi sa propre mémoire et sa propre vie, avec une humilité profonde. Voici comment il a porté ses morts, voici comment il a crié contre

la violence. Et voici peut-être comment ces lucides dénoncia-
teurs de la violence au cours de cette guerre-là, Lénine et Trotski,
ont apporté le feu de violences nouvelles, de guerres nouvelles,
classe contre classe sur tous les points de tous les continents.
Aujourd'hui « qui croit encore à la guerre, à une guerre d'Europe
du moins ? Qui la craint ? » demande M. Guéhenno. Mais il évoque lui-même quelques lignes plus bas le Viêt-nam, l'Indonésie, le
Congo, la Rhodésie. Et toutes les capitales de la violence qui
n'ose pas encore dire son nom. Et il y aurait beaucoup à dire
peut-être sur les centaines d'intellectuels « barrésiens » de toutes
les couleurs qui signent des manifestes contre telle ou telle
nation guerrière, mais non contre la guerre et contre l'idée
même de nation — ce n'est pas l'idée de « patrie » — grosse
de haines féroces et imbéciles. La mort des autres ne choisit
pas...

Je ne sais si le livre de M. Jean Guéhenno a fait scandale
dans notre société de consommation qui est surtout sur le plan
intellectuel une société de consommation des tranquillisants. On
dira qu'il est sentimental, qu'il est banal, qu'on sait tout cela et
qu'il ne sert à rien de le redire. Ce n'est pas certain. Bien
entendu, il ne s'agit pas d'une étude démographique, économique,
psychologique, sociologique de la guerre, d'une science de la
guerre, que l'on pourra trouver dans les ouvrages du polémolo-
gue Gaston Bouthoul (comme *le Phénomène-guerre,* dans la
Petite Bibliothèque Payot). Mais il s'agit d'une interrogation
personnelle angoissée, et par là même originale. Tout se passe
comme si toute la civilisation occidentale avait vécu dans la
religion du dieu de la Guerre (Mars, Arès, Bellone, peu importe :
Thanatos), superficiellement tempérée par le christianisme et
comme si les sacrifices humains de cette religion devenaient de
nos jours de plus en plus catastrophiques. Est-ce que cela ne
mérite pas un moment de réflexion, même banale ? Est-ce que
cette réflexion ne pourrait pas nous conduire à ne plus écrire
qu'avec une extrême prudence, en évitant toute idée, toute
phrase, toute expression qui, de près ou de loin, pourrait nous
rendre responsables de la mort des autres, de la mort de tel ou
tel autre?

On forme le vœu que le petit livre de M. Jean Guéhenno,
de l'Académie française, soit envoyé à tous les maires, à tous
les officiels qui ont à faire des discours, et que le livre de M.
Jean Guéhenno, inspecteur général honoraire de l'Education
nationale, soit largement répandu lors des prochaines distribu-
tions de prix.

MARCEL BRION

Un oiseleur de l'esprit : il a consacré des monographies aux grands peintres, aux grands musiciens, des biographies à ceux qui ont fait de leur vie une œuvre d'art : de l'ensemble on pourrait tirer une méditation moins visionnaire que d'autres, mais appuyée par une érudition sûre, à propos de la destinée et du génie. Puis, ce grand voyageur des contrées de l'esprit s'est fait naturaliser citoyen d'une des terres les plus riches et les plus hautes atteintes par l'homme, celle du romantisme allemand. S'ajoutant les uns aux autres, les derniers romans de M. Marcel Brion forment un massif qui doit beaucoup à Novalis, à Hölderlin et à quelques autres, non point par imitation mais par consanguinité à plus de trente lustres de distance...

Si l'arbre ne meurt.

Cela se lit d'abord comme un roman d'amour, d'amour passion à l'état pur, cristallisé, d'amour romantique presque au sens premier de ce terme. L'ombre du titre, *l'Ombre d'un arbre mort* [1], ne doit pas s'étendre sur le roman lui-même, d'autant qu'il est semble-t-il dans la nature de l'auteur, M. Marcel Brion, de considérer toujours l'ombre comme un effet de la lumière : midi, Midi le juste, midi sans ombres, est l'heure de ce Méridional.

Le roman d'amour de Georgiana, la dame de Castlemorleigh, et de Terence Fingal — Fingal comme la grotte, oui, mais en pensant moins à Mendelssohn qu'à Ossian-MacPherson. Qu'aux premières pages, se promenant dans un bois, il trouve, à midi justement, sur une table de bois clair dans une cabane de rondins, au centre d'une clairière, un long gant de femme en cuir noir, la paume en l'air, qui semble encore garder la forme et la chaleur de la main, c'est « le coup de cloche de la destinée » comme il dit et pour nous comme l'indication de la tonalité musicale de l'œuvre. Cette main de vent, elle nous est tendue; que nous la saisissions, elle restera ferme dans la nôtre et nous guidera tout au long de la belle histoire. Georgiana est mariée à quelque invisible roi Marc, et Terence Fingal sera son amant. Nous ne connaîtrons pas grand-chose d'eux, si ce n'est leur amour et les décors dans lesquels ils le vivent. Il y a cependant encore un mot clé qui revient avec insistance dans les pre-

1. Albin Michel.

mières pages de Fingal : c'est le mot bonheur. Un long démenti, et parfois tremblant, à ceux qui disent qu'il n'y a pas d'amour heureux.

A peu près rien d'anecdotique sur le passé et sur la situation des personnages, en effet. Quelques noms propres, quelques traits nous indiquent la tonalité anglaise. L'époque n'est guère précisée qu'indirectement : disons que nous sommes avant la civilisation du moteur et de la technique, dans la civilisation du cheval. Une Angleterre encore proche de celle de Jane Austen, de George Eliot, peut-être des Brontë, mais avec un vent qui hurle moins haut. Et d'ailleurs, on voyage beaucoup; le mari de Georgiana, au service de la Couronne sans doute, l'entraîne à travers le monde, et le livre n'est pour ainsi dire fait que des brèves rencontres des amants qui s'arrangent pour se retrouver quelques jours ou quelques heures aux quatre coins du monde : Naples, Rome, un coin d'Allemagne romantique, de Bavière, sans doute, Hambourg aussi, Amsterdam peut-être, un chalet dans la montagne, une chapelle perdue en pays grec ou orthodoxe, l'auberge de l'Homme sauvage et son lac, une caverne-temple d'Orient, ce sont quelques-uns des lieux où Fingal et Georgiana poursuivent leur amour et vivent leur bonheur. Puisque Georgiana est mariée, ils ne peuvent le faire qu'à la dérobée. Mais dans le monde de l'amour-passion, le monde venu après Tristan et Yseut, ils sont unis par un sacrement plus impérieux que celui du mariage, même s'il reste dans leur bonheur quelque chose de précaire ou de menacé.

Pour le plaisir de la première lecture, il faut dire le talent d'évocation de M. Marcel Brion. Un pittoresque si l'on veut, mais un pittoresque de la qualité la plus rare, semble répandu partout pour nous rendre sensibles les paysages et les saisons. Les formes de la nature et les bâtiments des hommes ne semblent là que pour se faire dorer au soleil, pour se prêter aux jeux de la lumière et aux vibrations de la vie du cœur. Tout le monde connaît l'érudit, les travaux de M. Marcel Brion sur la peinture, sur la musique, sur la poésie et en particulier sur le cher romantisme allemand. Il y a très, très peu de noms propres dans *l'Ombre d'un arbre mort,* à peine ceux de Mozart et de Schubert passent-ils un instant comme la trace dans l'air du souvenir d'une musique inoubliable. Mais personne ne s'y trompera, c'est l'œuvre d'un homme d'extrême culture. La culture, on le sait, c'est ce qui reste dans l'esprit, dans la moelle, dans la main qui trace des lignes surtout, quand on a oublié tous les noms propres. Ou bien, c'est ici la faculté presque magique de n'avoir pas besoin d'évoquer un tableau de tel ou tel peintre parce qu'on est entré dedans et parce qu'on sait y faire entrer le lecteur avec soi. Vous ne voyez plus un Canaletto ou un Guardi, vous

voyez Venise comme si vous étiez à l'intérieur d'un Guardi ou
d'un Canaletto. Vous n'entendez plus un accent de Mozart, vous
êtes cet accent. Vous n'êtes plus devant une peinture de Pompeï
ou du musée de Naples : vous êtes comme le héros qui revient,
étourdi, du labyrinthe ou des enfers. Ou bien vous assistez presque comme un fidèle, dans un des plus beaux, des plus lumineux
chapitres du roman à cette grande cérémonie orientale sauvage
et savante. Oui, il y a une magie de la culture (qui est aussi magie
de l'amour, de la sympathie) même si pour trop de nos contemporains elle semble trop coûteuse.

Mais j'ai voulu vous conduire par la main, moi aussi, jusqu'à cette porte des enfers. Peu à peu, en suivant Terence
Fingal et Georgiana à travers le monde, nous remarquons quelques singularités, la chronologie se brouille un peu, mais elle
compte si peu, des souvenirs d'époques différentes semblent se
télescoper, et parfois, pas plus que Terence Fingal lui-même,
nous ne savons si cet épisode tient du rêve ou de la réalité, d'autant que, et de cela Terence Fingal en est sûr, il est arrivé aux
amants séparés de rêver le même rêve et de s'y rencontrer,
Fingal vous le jure par saint Peter Ibbetson, et peut-être même
pourrait-il vous montrer à certains moments une écharpe, un
bloc de malachite, quelque objet qui a basculé d'un monde dans
un autre.

Est-ce bien ainsi qu'il faut dire ? Ces danses, cette cérémonie
qui impressionnent les amants, sont une savante figuration du
ciel et du mouvement des astres, des liaisons entre les figures
qu'ils forment et les formes de nos destinées, liaisons symboliques mais peut-être plus réelles en profondeur que ne l'imagine la vulgaire astrologie. Cette grotte de Hadès au début du
livre est comme l'entrée d'un chemin. Le rêve est une autre
entrée sur un en-dehors du temps et de l'espace. Mais si les communications sont relativement si faciles entre notre monde et
ailleurs, faut-il parler d'un autre monde ? N'est-ce pas un même
monde que nous apprenons à voir mieux qu'avec nos yeux de
tous les jours ? Si vous êtes un lecteur docile et attentif, cela ne
vous paraîtra pas « fantastique » mais naturel, parce que Terence
Fingal et M. Marcel Brion, comme nous le disions tout à l'heure
pour une peinture ou une musique, vous font entrer à l'intérieur
du roman : vous êtes avec Fingal dans sa poursuite du souvenir et
du bonheur.

Recherche du temps perdu, mais il faut se garder de toute
assimilation proustienne, parce que le temps est ici d'une autre
nature : si bien que le mot de la fin, ce n'est pas le temps
retrouvé, mais l'éternité trouvée ou retrouvée. Nous sommes en
quelque sorte au-delà du temps et de l'espace, c'est pour cela que
les objets, obéissant à une autre pesanteur, tombent vers le lieu

qui est le leur, indifféremment dans la réalité quotidienne ou dans la réalité du rêve ; c'est pour cela que les temps se croisent dans le souvenir, pour cela que les rêves et les astres font également partie de l'étoffe de notre vie.

La fidélité, la pérennité en amour est la mise à l'épreuve et la preuve de ce monde-là. Terence Fingal qui se perd dans un bois au premier chapitre, qui va de l'autre côté de la forêt, pour reprendre le titre d'un roman précédent du même auteur, est dans la ligne de ceux qui vont « per una selva oscura », mais plus peut-être qu'à celle de Dante, sa descente aux enfers fait penser à celle d'Orphée. L'autre femme, la femme sans nom, qui joue un rôle dans un épisode long et important, est peut-être la figure de la Mort. Mais si le temps et l'espace ne sont que des illusions contingentes, s'il n'y a plus de temps ni d'espace, comment pourrions-nous distinguer les enfers de notre monde ? Et le voyage d'Orphée nous ne le faisons pas au milieu d'un monde symbolique d'ombres et de larves, mais nous le faisons dès maintenant, sur cette terre, par le souvenir, par notre insistance surtout à sauver à chaque instant notre âme en danger de se perdre. Le triomphe d'Orphée ne dépend que de lui, notre destin a sa pesanteur et notre âme son lieu.

L'arbre mort a été planté par le grand-père de Térence : il a été planté déjà mort, comme un signe de bois sec. Il est dans le roman comme l'aiguille d'un cadran solaire dans un monde où l'heure ne compte plus : et à la dernière page, il flambe, il cesse d'être de l'ombre pour devenir de la lumière, pour devenir lumière. La pensée de la mort est dans ce livre comme une menace permanente contre la pensée du bonheur, et le mot s'est même glissé dans le titre : mais ce que l'auteur veut affirmer, c'est que la mort peut être vaincue, qu'elle est vaincue par l'amour et par la lumière, par la vie.

Ainsi ai-je cru comprendre quelques aspects de ce long roman. Long, il le paraît parfois parce que, par sa nature même, il semble fait d'épisodes juxtaposés, de scènes pittoresques dont le nombre pourrait être augmenté ou diminué à volonté : mais il suffit de mieux y regarder pour saisir le fil de l'itinéraire symbolique. Livre de poids et livre grave à la fois : l'étendue des connaissances de M. Marcel Brion, critique et maître d'esthétique fait tort au romancier, d'autant qu'il ne fait pas mystère de ses goûts, ni de ses filiations. Mais trois de ses derniers romans, au moins, sont beaucoup plus que des œuvres à la suite dans tel ou tel courant : la parfaite assimilation des œuvres bien-aimées trouve ici sa récompense, leurs moyens reverdissent et l'œuvre devient beaucoup plus qu'un témoignage d'art et de virtuosité, l'expression d'une sagesse.

LOUIS ARAGON

Tout isole cet homme sociable, et même socialiste. Le souci de sa grandeur, l'exaltation de son amour, la rigueur de son parti politique forment un triple cercle qui le met à part. Les personnages de l'amoureux fou et de l'homme de parti risquent de gêner l'observateur qui voudrait dégager le personnage purement littéraire. D'autant que ses admirateurs et ses détracteurs le sont souvent pour de mauvaises raisons. Ce qui est évident, c'est l'intelligence et le grand talent. On ne peut prendre aucune vue cavalière du paysage littéraire français actuel sans marquer sa place. On le fera ici par deux articles sur deux de ses derniers livres, qui donnent l'occasion de quelques retours en arrière, et suggèrent qu'il a peut-être, lui, les clés des portes secrètes qui lui permettent de sortir de ses cercles intérieurs.

Les miroirs de la mort.

Par où entrer dans ce roman volontairement aménagé comme un labyrinthe de mémoire vraie et fausse et comme un palais de miroirs, comment en prendre une première vue sans risquer de se prendre à un reflet, comment en dégager une longue perspective ou le ramener à une intuition première? Aragon aime Elsa, dira-t-on, voilà une évidence fondamentale, et dès longtemps proclamée, un fil conducteur pour ce roman comme déjà pour une grande partie de l'œuvre. Et c'est vrai, à condition d'ajouter tout de suite que *la Mise à mort* [1] est un roman où M. Aragon se demande qui est Elsa, et qui est Aragon, et ce que c'est qu'aimer. Qui est Elsa, qui est Aragon, non dans un sens anecdotique, ni à la manière d'une confession générale, mais précisément à l'intérieur de leur amour. Aimer, chacun l'éprouve, c'est devenir un autre, à la fois à ses propres yeux et aux yeux de la créature aimée, et c'est la voir aussi comme un être différent : c'est ce jeu de doubles (que seuls les cœurs incapables d'amour prennent parfois pour un jeu de dupes) que M. Aragon veut étudier en inventant les mythes qui lui semblent les plus propres à en rendre pleinement compte. Le roman d'amour classique est souvent un roman en images, à deux dimensions : le jeu des dédoublements nous aide en quelque sorte à mieux pénétrer dans l'épaisseur de l'amour, dans sa durée, à le connaître comme un être vivant à trois, à quatre, à *n* dimensions. Mais en même temps, cette ambition

1. Gallimard.

commande la forme, qui ne peut justement plus être celle du roman classique, qui doit s'assouplir, se briser pour épouser une réalité psychologique protéiforme. *La Mise à mort* est un livre qui passionne parce qu'un écrivain y met à l'épreuve à la fois son amour et son art.

Dans ce petit restaurant aux nappes à carreaux blancs et rouges, à l'époque du Front populaire, c'est bien injustement que Fougère reproche à Antoine de trop se regarder dans le beau miroir de Venise : Antoine a perdu son image, Antoine depuis quelque temps déjà ne voit plus rien quand il est en face d'une glace, il n'a plus de reflet. Singularité fantastique! Et le réalisme, dira-t-on tout de suite, le réalisme, socialiste ou conservateur ? Pourquoi choisir, comme personnage central d'un roman, un homme qui n'a pas de reflet ? M. Aragon lui-même nous parle des précédents, non des vampires toutefois auxquels certaines traditions prêtent la même propriété, mais de Peter Schlemihl qui vendit son ombre, et du couple fameux du docteur Jekyll et de M. Hyde. Mais c'est peut-être pour introduire dans son roman la coloration allemande et la coloration anglaise qui y tiendront beaucoup de place. Et c'est aussi pour nous faire réfléchir : est-ce que l'homme est vraiment si simple qu'une division en deux — le bien, le mal — suffise à en rendre compte? Est-ce que, en y regardant bien, vous ne sentez pas beaucoup plus de deux hommes en vous ? Et est-ce que vous vous voyez, vous, quand vous vous regardez dans une glace ? Est-ce qu'un jour vous n'avez pas vous aussi cessé de vous voir, ce qui vous permet de vous dire « je ne change pas » ou « je suis belle » ? Est-ce que ce que vous prenez pour votre reflet n'est pas la superposition d'une image qui a été la vôtre, d'une autre qui est celle que vous pensez donner de vous-même, d'une troisième qui est celle que vous donnez à certains ? Ne pas se voir dans la glace, c'est un trait réaliste, mais d'une réalité plus complète et plus précise, et de même pour la multiplication des Antoine.

Car Antoine, le jeune écrivain, c'est aussi Anthoine Célèbre, le grand écrivain, et il ne s'appelle pas Antoine mais quelque chose comme Alfred à l'état civil : et par bien des traits de sa biographie, il est, disons très peu différent de M. Aragon. Tandis que Fougère, c'est le nom de cœur, mais peut-être pas le vrai de la grande cantatrice Ingeborg d'Usher qui est, elle, par bien des côtés, très peu différente de Mme Elsa Triolet. Il arrive même que dans une nouvelle écrite par Anthoine dont nous lisons le texte, le narrateur Pierre Houdry rencontre le médecin auxiliaire Aragon, et plus tard le couple Aragon-Elsa, et cette nouvelle qui est pourtant bien d'Anthoine Aragon fait mystérieusement écho à un amour de Goethe. Est-ce pour Bettina, est-ce pour Frédérique Brion, de Sesenheim ? Tout le roman est ainsi nourri de culture et de citations, ou plutôt de lecture et de lecture des poètes, de Shakespeare à Keats, d'Eichendorff à Rilke, de Lermontov à Pasternak, comme si l'auteur voulait nous suggérer que l'aventure des poètes est chaque fois unique et toujours la même. Et cela nourrit notre impression qu'il s'agit d'un monologue à plusieurs voix adressé à une seule bien-aimée en plusieurs personnes.

Le roman raconte, et très bien, beaucoup de choses, enterrement de Gorki, épisodes de l'occupation en Allemagne en 1919 ou de la campagne de France en 1940, beaucoup de choses que nous pourrions rapporter sans trop de difficultés ni de scrupules à un personnage unique, M. Aragon. Mais leur distribution entre plusieurs crée un phénomène de distanciation, ou de chambre d'écho qui nous fait mieux sentir la multiplicité et l'unité d'un homme. M. Aragon est, bien sûr, Antoine et Anthoine et Alfred, mais la séparation entre eux n'est pas l'effet d'une chirurgie, ni d'une chimie grossière, comme chez Stevenson. Elle n'est pas si totale qu'elle ne comporte des superpositions partielles, et des phénomènes d'osmose : si bien que c'est encore l'épreuve des miroirs qui permet le mieux d'en juger.

Et l'un des premiers miroirs, c'est la littérature ou le roman. Parce que le roman est un miroir que nous tendons aux autres sur la grand-route stendhalienne. Et aussi parce que le roman est un miroir où nous composons une image de nous-mêmes, à l'aveuglette pour ainsi dire, sans savoir à qui, à quoi nous ressemblerons. Et le reflet que nous recueillons scrupuleusement des autres est encore notre reflet : Madame Bovary, c'est moi, tandis que le lecteur qui se penche sur notre roman y compose à son tour une image de lui-même. Dans ses romans aussi, Anthoine cherche son reflet perdu, ou simplement infidèle. Un écrivain, dans *la Mise à mort,* essaie de deviner si l'image qu'il laissera de lui-même dans ses romans est une image ressemblante...

Avec d'autant plus d'angoisse que le second miroir, c'est l'amour, l'image que nous laissons au fond des yeux indéchiffrables d'Ingeborg. La division, bien sûr, c'est une supposition de Fougère, qui séparera ainsi en moi par jeu « non pas le criminel du philanthrope, mais le personnage qu'elle voit d'un œil critique, Alfred, celui que je suis vraiment, ainsi baptisé ou non, de l'idée qu'elle se fait de moi pour m'aimer, ou plus exactement pour l'aimer : Anthoine ». Mais dans ce miroir-là, qui est le reflet de l'autre, Alfred ou Anthoine, Anthoine ou Alfred ? Qui aime-t-elle, et d'ailleurs qui suis-je ? Moi, mon reflet dans mes livres, ou ce qu'elle retient de mon reflet et de moi ? Dès lors, on voit poindre le thème de la jalousie malgré tout secondaire dans ce roman au sens habituel (le personnage de Christian, dont on est jaloux, est extrêmement pâle), mais important au sens d'un doute sur l'unité intérieure : est-ce m'aimer, se demandait déjà Pascal, que m'aimer pour des qualités empruntées ? Comment le moi obscur, Alfred, ne serait-il pas jaloux du surmoi trop brillant, Anthoine? Et puis, qui est le misérable, et qui l'imposteur ?

D'autant que l'angoisse de la jalousie est moins pénible que l'angoisse de l'incertitude et de l'ignorance. Le miroir peut être aussi le miroir sans reflet, la glace sans tain. Glace sans tain du sommeil : « Jamais je ne passerai le seuil de la seconde chambre, où tu rêves. Jamais je ne traverserai le faux miroir qui n'est que l'écran entre moi mis et là-bas où tu es vraiment ce qui se passe... » Glace sans tain des mots, dans la conversation et dans la littérature, qui ne disent que ce qu'ils veulent dire et préservent jalousement le secret d'un arrière-texte. Glace sans tain de la vie qui nous laisse en présence et invisiblement séparés, ou de la mort qui est un autre sommeil, à moins que la vie ne soit un songe et que nous ne soyons faits de l'étoffe des rêves. Mais alors, amants solitaires et perdus dans cette réalité du cœur qui est bien une réalité, et nullement un monde fantastique, que pouvons-nous faire ? Peut-on crier : « M'aimes-tu ? » à un sphinx ? Et tandis que Mme Elsa Triolet publie *le Grand Jamais* («un homme qui est déjà mort et une femme qui lui survit »), faut-il continuer à tendre les mains vers quelque infatigable cantatrice en criant : « Ingeborg ! » dans l'espoir que son chant s'adoucira un jour pour dire : « Antoine... » ? Ou bien faut-il cesser le jeu, rendre les cartes, briser le miroir, au risque de se retrouver Alfred comme devant ? Mais brise-t-on une œuvre comme un miroir, à moins qu'elle ne soit que littérature, et peut-on imaginer une mise à mort qui tuerait Anthoine et ferait de Fougère une petite vieille parcheminée, les yeux froids, les mains vides... ?

Pour avoir essayé d'en dégager une ligne, j'ai peur d'avoir donné une idée trop abstraite de ce roman abondant et touffu. Lettres supposées, digressions, nouvelles y sont largement cousues, incorporées dans un mouvement fugué plus que symphonique. Les réflexions sur le roman y sont étroitement nécessaires à la marche du roman lui-même, nous l'avons vu, les citations et les « collages » entrent dans l'ordonnance générale, et ce qui est apparemment fantastique conduit à un réalisme supérieur, comme chez Shakespeare les sorcières et les apparitions. Conversion au nouveau roman de l'auteur de *la Semaine sainte* ? Si vous voulez, mais là où les nouveaux romanciers et les romancières anciennes qui se mettent à leur école peinent visiblement pour arriver à ce que M. Julien Gracq appelle joliment « l'assomption du réverbère, de la lampe Pigeon et du bouton de guêtre », tout ici, quand ce ne serait que dans le mouvement pressé du style, respire la liberté et la vivacité de la pensée. Non point conversion, mais reconversion sans doute, à la manière d'*Anicet ou le panorama*, « une pensée de jeunesse exécutée par l'âge mûr ».

Enfin, si on pense souvent au mot de Pascal que Drieu La Rochelle avait mis en épigraphe à *Blèche* : « une jolie demoiselle pleine de miroirs et de chaînes ». Ce qui nous intrigue et nous émeut le plus, c'est peut-être que la jolie demoiselle garde son mystère, derrière les chaînes et les miroirs qui la protègent plus qu'ils ne la chargent, et que du livre tout entier, on croit parfois entendre monter comme une plainte la voix d'un homme qui, à force d'aimer, commence à s'interroger sur l'amour.

Lecture d'Aragon

Confidences sincères d'un auteur sur ses rapports avec ses créations, ou roman de ses romans suggéré à notre propre réflexion ? Ce livre de M. Louis Aragon est l'un et l'autre, et il est bien davantage, c'est une libre fête de l'esprit, de l'ingéniosité et de l'intelligence, la promenade d'un homme qui a, à sa disposition immédiate, une immense culture littéraire et picturale, le long du sentier qu'il a suivi toute sa vie.

C'est le programme fixé, et il s'y soumet avec une extrême docilité. M. Albert Skira, l'éditeur qui par ses beaux livres d'art a été depuis un quart de siècle le véritable maître d'œuvre des « musées imaginaires » que nous avons dans nos bibliothèques, publie et dirige avec M. Gaëtan Picon une collection intitulée « les sentiers de la création » pour laquelle il a demandé à des écrivains et à des artistes mieux que des confidences anecdotiques, une sorte d'analyse intérieure des hasards et des nécessités qui sont à l'origine de leurs œuvres. Trois volumes ont paru avant celui de M. Aragon : ceux de Michel Butor, qui ne répond guère à la question, de M. Eugène Ionesco, de Mme Elsa Triolet, dont la grave méditation est émouvante comme celle d'une femme « qui a toujours payé rubis sur l'ongle » et qui sent approcher l'échéance de la « mort usurière » et, enfin, de M. Louis Aragon. Le livre est superbe, illustré avec goût et avec intelligence, de telle manière que les reproductions de Matisse, de Braque, d'André Masson semblent chaque fois dans une correspondance idéale avec le texte. C'est un volume qui vit entre vos mains.

Mais ce texte, il faut le laisser parler dans son ingénuité souriante ou concertée. Le petit Louis, aux premières années du siècle, a très vite appris à lire, et a très longtemps refusé d'apprendre à écrire, parce que l'écriture lui apparaissait comme un simple moyen mnémonique, un redoublement inutile de la parole. Mais assez vite, avant l'âge de six ans semble-t-il, il en arriva à inventer, avec des signes de l'alphabet, mais avec d'autres aussi, des gribouillis, une écriture personnelle, dont l'utilité lui paraissait être de pouvoir noter ses secrets et aussi de pouvoir dire plus que la réalité terre à terre : « Un beau jour, l'idée me vint que si je savais écrire, je pourrais dire autre chose que ce que je pensais... » Aveu ingénu, qui amorce, non une carrière d'homme politique, mais une carrière de romancier : c'est chose faite, à six ans; en 1903, il écrit son premier roman *Quelle âme divine,* dont il nous donne à voir un fragment du manuscrit. Et cela ne s'arrêtera plus, toute son enfance il couvrira des carnets de ses secrets ou de ses secrets imaginaires.

Imaginaires ou autrement réels? Il faut aller plus loin. Le livre s'intitule *Je n'ai jamais appris à écrire ou les incipit* [1], et M. Aragon nous explique que ses romans sortent de la première phrase, laquelle est donnée. Ainsi, tout au long du livre analysera-t-il la première phrase de ses romans, de « Cela ne fit rire personne quand Guy appela M. Romanet Papa » qui est la première phrase des *Cloches de Bâle,* jusqu'à « Il l'avait d'abord appelée Madame et toi le même soir, Aube au matin » qui est la première phrase de *la Mise à mort.* C'est dans le commentaire de ces « incipit » que M. Aragon montre toute sa liberté et toute sa richesse, son adresse à rassembler les trésors de la mémoire et de la culture derrière ces quelques mots qui semblent à la fois d'une grande banalité et saisis au vol, au milieu de l'action. Chaque fois, il retrouve ce qu'il y a derrière la phrase, et aussi ce qu'il y a devant, ce qu'elle commande pour les personnages, pour le décor, pour l'intrigue, pour tout le roman.

Mais bien entendu, cette riche et minutieuse analyse n'est possible qu'après coup. Cette phrase, insiste M. Aragon, est donnée, elle vient par surprise, en marchant dans la rue, ou aux heures entre chien et loup de la conscience, elle se prononce ou s'écrit d'abord sans que le romancier sache rien encore. La grande idée de l'auteur de *Je n'ai jamais appris à écrire,* c'est qu'il n'a pas écrit ses romans : il les a lus. La première phrase, qu'il appelle aussi la phrase de réveil, soulève un coin du voile, mais tout le travail du romancier est de

1. Albert Skira.

« lire » toute la suite du texte : il n'a pas à choisir ses romans, il est choisi par eux, il accède et nous fait accéder à une réalité secrète jusque-là occultée. Je ne résiste pas à l'envie de citer tout de suite, pour mieux faire comprendre ce point, un texte admirable de Georges Braque que M. Aragon nous livre plus loin : « Quand je commence, dit Braque, il me semble que mon tableau est de l'autre côté, seulement couvert de cette poussière blanche, la toile. Il me suffit d'épousseter. J'ai une petite brosse à dégager le bleu, une autre le vert ou le jaune : mes pinceaux. Lorsque tout est nettoyé, le tableau est fini. »

Il n'est pas inutile de revenir un peu en arrière. Le petit garçon écrivait des romans sur des carnets, il ne les montrait à personne, il raconte comment il en voulut à Miguel Zamacoïs, rencontré en villégiature et auquel il donnait des leçons de diabolo, pour son indiscrétion. Rencontre, disons-le en passant, qui peut faire rêver et se demander si dans les grands poèmes classiques de M. Aragon, depuis « la rime en 1940 », il n'y a pas parfois une résurgence étouffée du diabolo de l'auteur des *Bouffons*. Mais entre les romans de l'enfant et les romans de l'adulte, il y a eu interruption : c'est la période surréaliste et le livre nous intéresse également par ce qu'il nous dit des raports de M. Aragon avec André Breton. L'éthique-esthétique du surréalisme contient dans son principe une condamnation du roman, d'à peu près tous les romans. Si l'on veut, pour simplifier, le conflit est entre la réalité et le réalisme du romancier et la surréalité et le surréalisme du poète. Avec à peine un soupçon d'ironie, M. Louis Aragon se montre lui-même petit garçon devant l'autorité de Breton et revenant à la description et à la narration romanesque, pour ainsi dire subrepticement, au temps de son *Télémaque* et de son *Anicet*. Une première tentative de grand roman, de grande fresque sociale avec de multiples personnages avorte et l'auteur détruit le manuscrit de cette *Défense de l'infini*. Mais enfin, le monde romanesque est là, qui demande à être *lu*. Ainsi entrons-nous dans l'intimité, sur le plan esthétique, d'une rupture dont on ne retient le plus souvent que les aspects politiques.

Allons encore un peu plus loin. L'expression même « phrase de réveil » pour la première donnée romanesque ne fait-elle pas penser aux sommeils cultivés par les surréalistes ? N'avons-nous pas l'impression qu'il s'agit d'une phrase de réveil par rapport à l'autre sommeil, au sens pascalien ? De même si le roman n'est pas écrit, mais lu, est-ce que cela ne revient pas à essayer de nous faire croire que la masse énorme de ces gros livres est un phénomène d'une certaine écriture automatique ?

Quel est donc ce texte réel qu'il suffit de lire, ce texte de la vraie vie ? quel est ce tableau inscrit dans la toile que les pinceaux de Braque dégagent? et quel est le rôle de la main qui tient le pinceau, et qui est au bout du bras, qui est au bout... etc. ? Cette conception de signatures naturelles, d'une écriture universelle de la vie que nous avons à lire pour nous lire ne risque-t-elle pas de conduire à une conception mystique, ou hermétique, comme André Breton l'a su, alors que son ancien compagnon paraissait s'en tenir à un réalisme plus élémentaire ? Ou tout au moins n'y aura-t-il pas quelque difficulté à expliquer ce texte, préexistant et accordé (en accord) avec l'artiste, par des considérations de biologie matérialiste ? Les sentiers de la création conduisent peut-être toujours dans une forêt obscure, et s'y perdent : du moins nous font-ils aller un peu plus loin que la critique.

L'importance de l'incipit, de la première phrase, n'est pas niable : je ne sais plus quel essayiste anglais avait déjà soulevé la valeur et la richesse du premier coup d'archet, chez Dickens, pour *Notre ami commun,* par exemple ou chez Stevenson qui a su enfermer dans la première phrase de *l'Ile au trésor* la suggestion du roman tout entier. Mais la position de M. Aragon, on le voit bien, est un peu différente, elle revient à retirer à la muse voile et accessoires, mais en lui laissant son rôle. Etre romancier, c'est savoir lire Aragon dans le texte écrit de la main de... Et ce texte est une réalité, mais il est aussi comme le voulait l'enfant qui refusait d'apprendre à écrire, autre chose que la réalité réaliste, un mensonge, ou mieux un mentir vrai, puisque ce mensonge seul est capable de travailler à la manifestation de plus de vérité. Pour reprendre un mot qu'aimait Braque, ce livre est un peu un « atelier », où M. Aragon parle de lui-même, s'interroge sur son propre travail, et aussi parle avec ses amis, évoque Luis Buñuel ou les romans de Beckett, vit ses amitiés et ses connaissances. Il semble naturel, même lorsqu'il ne cache pas qu'il se relance avec un tout petit effort : mais les digressions sont souvent aussi instructives que le corps du discours. « Que ton roman soit la belle aventure », il faut un certain courage pour le redire aujourd'hui et en faire peut-être un cri de libération pour les jeunes romanciers.

LOUIS GUILLOUX

Vieux combattant de la lutte sociale et de la lutte littéraire, bon écrivain à coup sûr, il se laisserait presque oublier, malgré son Grand prix national des lettres. Il appartient à cette génération d'hommes de gauche qui a connu ses grandes heures au temps du Front populaire, et un certain regain tout de suite après la Libération. Son grand livre, pour beaucoup, reste Le Sang noir, *un grand livre avec de vrais débats qui engagent la conscience de l'homme, alors que tant de jeunes professeurs depuis 1968 écrivent gravement de petits livres pour dire comment ils ont été chahutés par leurs élèves. On se bornera, par force ici, à un bref hommage de circonstance et à une note sur un roman récent.*

Le patient

La pipe en avant et à la bouche, petit, maigre, les traits creu-
sés les longs cheveux rejetés en arrière, Louis Guilloux déambule de la rue du Bac à Saint-Germain-des-Prés. Quand nos solitudes se croisent, nous échangeons quelques plaisanteries
ou quelques quolibets régionalistes ; parfois, il consent à s'attarder un instant, il évoque une ombre, celle de Max Jacob ou celle
de Gide, dont il fut le compagnon en U.R.S.S., mais rarement,
car il n'est pas de ces écrivains sur le retour qui se font une
petite gloire et de petites rentes en exploitant la bonne fortune de survivre à leurs grands amis. La pipe bourrée, le demi
bu, il repart et je vois s'éloigner sa silhouette de pénitent breton. Où va-t-il ? Dans ses livres aussi, *le Sang noir, le Jeu de
patience*, et même *Parpagnacco*, il semble se promener, passant
et repassant au même endroit, prenant une rue, puis une autre,
revenant sur ses pas, au mépris de la stricte chronologie et de la
composition classique. Ce n'est pas la promenade qui l'intéresse, mais le gibier qu'il chasse avec la feinte nonchalance d'un
homme qui sait que la patience n'est pas seulement un jeu. Son
arme de chasseur, c'est son talent d'écrivain, un des plus sûrs,
des plus précis, des plus achevés des lettres d'aujourd'hui. Et
son gibier, c'est la vérité humaine, la vérité quotidienne d'un
homme ou de lui-même, voyageur sur la terre. Au temps de la
Résistance, il prétend que son ange gardien lui est apparu sous
la forme d'une chouette posée en plein jour sur le bras d'un
calvaire : cet ange avait compris qu'avec un Guilloux, la douceur et la tendresse doivent se porter à l'intérieur. Et celui

que je vois s'éloigner, c'est le patient (au sens médical aussi, celui qui souffre) que cet ange-chouette a pris la peine de sauver pour qu'il puisse continuer la lente opération alchimique qui conduit du sang noir au rouge sang. Et sa solitude, dans les prés de notre ancienne abbaye, c'est celle d'un homme de vérité.

Le compagnon

Le plus grand plaisir que Louis Guilloux puisse faire à ses amis, c'est d'être Louis Guilloux. Ce petit roman qui s'appelle *la Confrontation* [1], c'est l'occasion de le voir se confronter avec lui-même, de nous confronter avec lui et de nous confronter avec nous-mêmes. C'est un livre parlé où la passion ne se traduit pas par une élévation du ton, mais plutôt par une certaine accélération du débit quand l'auteur veut nous presser dans nos retranchements ; c'est un ouvrage savant et simple, savant comme certains romans d'aujourd'hui, et simple par ce qu'il essaie de nous communiquer, c'est un livre souvent un peu dur et presque partout amical.

M. Guilloux a eu le prix populiste, le prix Renaudot et le grand prix national des Lettres, c'est-à-dire qu'il a connu ces honneurs modestes, puis de plus en plus importants, qui font que la vie de certains bons écrivains français d'aujourd'hui ressemble un peu à la vie d'une classe perpétuelle qui est orientée à l'avance vers le grand jour de la distribution. Mais ses succès ne doivent rien à l'ambition mesquine ou à l'intrigue, comme c'est parfois le cas pour les bons élèves un peu trop bien peignés et un peu trop habiles à entrer dans le jeu des maîtres. Je crois que si cela se pratiquait dans la « classe » des lettres comme cela se fait dans certains collèges, M. Louis Guilloux aurait le prix de bonne camaraderie décerné par ses petits camarades eux-mêmes. Je crois même qu'il mérite mieux qu'un prix : une pension, à la manière de l'Ancien Régime. Pourquoi ses amis, M. André Malraux, M. Pierre Moinot qui veillent sur les affaires de l'esprit ne créent-ils pas pour lui un poste de grand pensionnaire, mieux : de « sage » de la république des Lettres? Personne ne protesterait. Mais la race de ces écrivains est si rare qu'à sa disparition, il faudrait peut-être laisser la dignité sans titulaire.

M. Louis Guilloux est né de justesse au XIX° siècle, en 1899.

1. Gallimard.

Il a connu sa plus grande période d'activité dans le journalisme, dans le monde littéraire, dans le monde tout court pendant l'entre-deux-guerres. Mais il garde en effet quelque chose d'un autre temps, de l'autre siècle ou de pas de temps du tout, déjà dans la coloration de son socialisme. Cet admirateur de la révolution de 1917 reste plus proche des socialismes français de la révolution de 1848. Peut-être parce qu'il a appris le socialisme dans l'échoppe de son père, cordonnier à Saint-Brieuc et actif militant plutôt que dans la cellule d'un parti. Son premier livre c'est *la Maison du peuple*, non la maison du prolétariat : Michelet plutôt que Marx. Il n'a servi aucun parti et c'est peut-être pour cela qu'aucun parti n'a servi avec soin sa réputation littéraire. Ce Breton n'a rien reçu explicitement du christianisme, cet élève de la communale et du lycée n'a pas reçu grand chose du laïcisme : il a été élevé à l'époque où des philosophes en col à manger de la tarte versaient le brouet un peu maigre d'un idéalisme post-kantien. C'est le peuple lui-même qui a été son maître, qui lui a donné des leçons de choses, c'est le socialisme qui a été son école à penser et à aimer le monde. Il est un compagnon, un peu au sens du compagnonnage, beaucoup au sens simple de l'amitié.

Né un peu plus tôt, je le vois en esprit compagnon de Tolstoï peut-être, et de Jaurès. En fait, il a été le compagnon intime de quelques grands, d'André Gide en U.R.S.S., de M. André Malraux, d'Albert Camus. Leur gloire a éclipsé la sienne : mais s'il entre de l'honneur dans l'amitié, c'est eux qui ont été honorés de son amitié. Il revient d'U.R.S.S. déçu comme Gide, mais il ne le manifeste pas avec autant d'humeur et d'éclat. Ami de M. Malraux, de Camus, il ne tombe jamais dans des écarts d'éloquence, comme il arrive au premier, comme il est souvent arrivé au second. Vous voyez que nous revenons à la littérature : si j'ai fait ce portrait un peu général avant d'en venir à *la Confrontation*, c'est parce que dans ce court roman, comme dans les gros, *le Sang noir, le Jeu de patience, les Batailles perdues,* M. Louis Guilloux se met tout entier et tout le temps à la fois. *Le Pain des rêves ?* cette œuvre a plutôt le goût du pain de tous les jours que les rêves de fraternité et d'amitié viennent beurrer plus ou moins bien.

Et d'abord il organise dans cette *Confrontation* un jeu de miroirs, mais de miroirs humains, dont il change un peu les angles au cours du récit pour que la confrontation même soit plus complète. Nous sommes la nuit, dans une chambre de bonne, au dernier étage d'un grand immeuble. Dans les chambres voisines, dans le couloir, des petites vieilles parvenues à l'âge des loyers très modérés. Par la fenêtre ouverte, la cloche de Saint-Thomas-d'Aquin ponctue les heures comme elle

pourrait les ponctuer pour moi tandis que j'écris cet article.
Il y a quelques années pour évoquer l'hospitalité un peu chi-
che qu'il devait à l'amitié d'un éditeur du quartier, M. Louis Guilloux disait volontiers qu'il vivait « dans une chambre de bon ».
Notre sage, vous disais-je.

Deux hommes autour d'une bouteille de Johnnie Walker, celui qui écoute, Germain Forestier, et celui qui parle. Quelques
jours auparavant, Germain Forestier s'est présenté rue Saint-
Louis-en-l'île, dans les bureaux d'un détective privé, l'inspecteur Favien. Il y a trouvé l'homme qui parle cette nuit, occupé à brûler des archives. Il l'a pris tout naturellement pour
l'inspecteur Favien lui-même, bien que l'homme ait prétendu
qu'il n'était là que par hasard et qu'il s'appelait en réalité
Jean-Louis Boutier, ancien journaliste. Germain Forestier a
chargé l'inspecteur ou son remplaçant d'une enquête : retrouver à Laval la trace d'un certain Gérard Ollivier, perdu de vue
depuis le lycée et savoir s'il est digne de recevoir un trésor
dont Forestier pourrait lui faire don. Ce que l'homme raconte
au cours de cette nuit, c'est son enquête à Laval, petite ville si-
tuée presque exactement à mi-distance de Brest et de Paris, de
l'océan et de l'autre océan.

Enquête presque policière que je ne vous raconterai pas
comme il est de règle pour les livres de ce genre, mais qui présente cette particularité que ses données et ses objectifs changent en cours de route. Cet homme qui parle et qui consent à
être Jean-Louis Boutier, mais refuse d'être l'inspecteur Favien
tout en se conduisant comme s'il l'était, qui est-il ? N'est-il
pas vraiment Favien, un Favien qui a brûlé ses archives et ses
vaisseaux ? Et ce client, ce Germain Forestier, qui est-il lui
aussi, pourquoi veut-il retrouver ce Gérard Ollivier ? pour une
confrontation avec l'ami qui a peut-être gardé les yeux de dix-
huit ans ? Et quel est ce trésor, gagné comment, quelle est
cette façon de donner à un ami, sous condition et moyennant un
certificat de moralité ?

Or, à Laval, si la trace de Gérard Ollivier n'est pas perdue,
l'enquêteur ne le verra pas, presque délibérément, mais il retrouvera moins encore le souvenir d'un Germain Forestier. Ses
recherches le mettent en présence de témoins plus ou moins
directs, en particulier lors d'une réunion dans un bar de la
ville appelé *le Nautilus* parce qu'il est situé en sous-sol ou,
parce qu'il est préparé pour une exploration dans les grandes
profondeurs du passé et de l'être ? Et tandis que les petites
vieilles soupirent et s'agitent dans les chambres voisines, tandis que Saint-Thomas-d'Aquin égrène les heures de la nuit,
qu'est-ce que ce singulier détective privé raconte à cet auditeur muet qu'il appelle d'abord Monsieur Forestier, puis Gé-

rard ? Y a-t-il un trésor lentement amassé que nous pourrions léguer à celui qui serait resté fidèle à celui que nous
avons été ? N'est-ce pas une impossible confrontation dont
G.G.G. Germain-Gérard Guilloux a essayé de mettre sur pied le
mécanisme ? Sur quel obstacle, sur quel obscur drame de famille ou d'abandon de famille vient échouer le *Nautilus* ? Et tandis
que des personnages secondaires semblent flotter de la vie de
Germain-Gérard à celle de l'inspecteur Favien, les secrets en-
fouis au plus profond semblent s'identifier, comme si de la
confrontation jaillissait la lumière et la vérité, qui est que
toute vie est comme un roman policier où chacun serait à la
fois le détective, le criminel et la victime. C'est cette vérité-
là que nous devons connaître et accepter dans la rigueur et
dans la pitié, c'est avec cette trinité intérieure que nous devons vivre, en elle que nous devons faire régner la justice.
Dans les chambres de bonnes, les petites vieilles qui n'ont plus
rien à faire ni à espérer s'éveillent à l'aube. « On dirait qu'elles ne veulent pas perdre un instant de la lumière du jour. »

Cela peut paraître un peu fragile ou un peu obscur, d'autant
que j'ai suivi le conseil de l'inspecteur Favien, « ne mettons pas
trop les points sur les *i* », cela fait penser parfois aux jeux de
patience de M. Robert Pinget, comme *l'Inquisitoire,* mais dans
le texte de M. Louis Guilloux tout devient parfaitement clair et
concret, les objets familiers sont là pour appuyer notre imagination, les gestes familiers sont aussi précis qu'ils peuvent
l'être dès que nous avons acquis la certitude qu'il y a du mystère quelque part. Jamais l'œuvre de M. Louis Guilloux n'a accepté des réponses préfabriquées ou donné des consignes. Elle
ne fait que poser les questions et peut paraître en cela un
peu décevante à certains, mais elle donne aussi le courage de
partir avant le jour...

MARCEL ARLAND

A cause de l'extrême finesse de sa sensibilité et surtout de l'extrême subtilité de sa prose, une des plus discrètement harmonieuses de ce temps, on le ramène volontiers à ses coteaux modérés. Mais sur ces coteaux passent des orages. Il a été, au lendemain de la Première Guerre mondiale, un des meilleurs témoins du nouveau mal du siècle littéraire, il est resté dans ses grands romans l'interprète de sa génération. Mais c'est dans la nouvelle et le court récit qu'il rassemble le mieux tous les secrets de sa nature et toutes les puissances de son art d'écrivain français.

« *Le Grand Pardon* ».

Le Grand Pardon [1] : l'idée est belle dès l'abord de cet écrivain vieillissant qui rassemble autour de lui des personnages à l'image de tous ceux qui peuplent son œuvre et se met en marche avec eux, enfants de ses désirs ou de ses regrets, forts et faibles, purs et impurs, chargés de leurs fautes et plus encore de leurs misères, vers ce Grand Pardon, mystérieux et miséricordieux, fanal de la bonne mort, entrée dans l'éternel dimanche, comme dit Corbières, entrée dans la lumière et, s'il se peut, dans la paix. Les vingt grandes nouvelles, coupées de textes plus courts, portraits ou réflexions, ébauches de prières, qui composent ce volume figurent assez bien cette procession des créatures d'un même esprit, avec ses piétinements et ses cheminements, et le sourd murmure de paroles où s'étouffent plaintes et imprécations. Ce livre n'est pas une somme de l'œuvre de M. Marcel Arland, mais il est comme une grande image de son art, ou comme son chef-d'œuvre d'artiste et d'artisan.

Un prix Goncourt en 1929 et trente-cinq volumes publiés depuis ses débuts, au lendemain de la Première Guerre mondiale, n'ont pas tout à fait suffi pour mettre M. Arland à sa place parmi ses pairs et ses contemporains, ni pour le grand public, qui ne le connaît pas assez, ni quoi qu'on en dise, pour la critique, qui s'incline très bas à chaque publication d'un nouveau livre, puis n'y pense plus. Mais cette demi-méconnaissance même

1. Gallimard.

n'est point faite pour le kiosque de la place publique ni pour la fête foraine.

Il est entré dans la vie littéraire dans une période de grand bouillonnement des idées et de la sensibilité : tandis que Julien Benda dénonçait les tares d'une pensée moderne bergsonienne et antirationaliste dans un essai intitulé *Belphégor*, les cris sauvages de Dada couvraient sa voix, le surréalisme allait naître et c'est à M. Marcel Arland que Jacques Rivière, prudent capitaine cherchant qui inviter à bord du blanc navire de la *Nouvelle Revue française* pour la plus prestigieuse croisière littéraire du temps, demandait de diagnostiquer le nouveau mal du siècle. Il faut revenir un instant à ces yeux de vingt-cinq ans qui se tournaient vers l'avenir : « Vers l'absolue sincérité, voilà de quel côté s'orienteront sans doute les quatre ou cinq individus qui suffisent pour représenter sinon pour exprimer une génération... Avant toute littérature il est un objet qui m'intéresse : moi-même. De cet objet, je cherche à m'approcher par les plus purs moyens qu'il me soit possible de trouver. La littérature, qui est le meilleur d'entre eux... La morale sera donc notre premier souci. Je ne conçois pas de littérature sans éthique... Toutes questions se ramènent à un problème unique, celui de Dieu... Car ce n'est pas en quelques années que l'homme se consolera de la perte de Dieu... Ce n'est point un retour vers le classicisme qui me semble souhaitable — mais dans le désordre et dans le tumulte des esprits, une nouvelle harmonie... »

Ce texte, publié dans la N.R.F. en 1924 (et repris dans les *Essais et nouveaux essais critiques,* p. 11-21, où il faut le lire en entier), pouvait faire de M. Marcel Arland un chef de file, un porte-parole de la nouvelle génération littéraire. Il n'en a rien été, parce que M. Arland était déjà un solitaire, ne croyant qu'au travail solitaire, peu capable de se pousser en avant, et peut-être aussi parce que la première phrase de l'essai disait : « Entre deux dangers, l'ordre et l'anarchie, les générations oscillent », alors que le danger que le tempérament de M. Arland le portait à affronter, c'était le danger de l'ordre, alors que, théoricien du nouveau mal du siècle pour la circonstance, tout le portait déjà vers un art classique, fait de sobriété et de vérité.

Fait de romantisme dompté, dirait Gide. Ce goût de l'absolue sincérité, ce retournement de la littérature vers la connaissance de soi-même, ce besoin d'une éthique, ce sont des traits gidiens, et il me semble que pour être équitable vis-à-vis de M. Arland, il ne faut pas oublier qu'il est aujourd'hui le grand mainteneur du classicisme de Gide, de M. Jean Schlumberger de Jacques Rivière, bref d'un certain stade de la *Nouvelle Re-*

vue française, à la fois esthétique, moral et peut-être religieux, avec une collaboration plus protestante que janséniste, quoi qu'on en dise souvent. La N.R.F. a été un classicisme (il me semble même lui voir publier parfois, aujourd'hui, des écrivains de son dix-huitième siècle) et l'accession de M. Marcel Arland à sa codirection est un signe de fidélité et de continuité. Les quatre ou cinq qui suffisent pour représenter une génération (la génération de M. Marcel Arland, né en 1899, c'est à peu près celle d'Aragon, d'Hériat, de Kessel, d'Audiberti, de Michaux, de Louis Guilloux, de Salacrou, de Prévert, de Green, de Malraux, de Daniel-Rops...) ne se sont peut-être pas exactement trouvés du côté où les appelait l'auteur du *Nouveau Mal du siècle*. Mais lui y est resté et c'est sa fierté, avec les mêmes soucis et les mêmes exigences, jusque dans ce *Grand Pardon*.

Comment définir ce peuple que l'écrivain accompagne sur les routes de sa patrie intérieure ? C'est un peuple français d'abord, français à la puissance deux, à la puissance trois, qui vit, qui sent, qui pense selon les habitudes et pour ainsi dire selon les instincts de ce peuple stable, rural, provincial, bourgeois par son idée de la vie plus profondément que par son style de vie. Presque tous les épisodes se passent en province, en Bretagne, en Auvergne, ou dans les approches du grand Midi : on distingue bien une ou deux fois la rue du Bac ou le square Boucicaut, mais j'imagine que les habitants de ces quartiers, comme moi, seront les derniers à protester contre une assimilation délicieusement provinciale. Province un peu reculée même en général, soit dans dans le temps, soit par la difficulté relative des communications. Cela veut dire que les sentiments et les pensées ont encore chez les personnages de M. Arland leur vitesse naturelle de mûrissement, que les passions et les souffrances savent qu'elles ont le temps pour elles, que l'âme existe enfin et ne se laisse pas oublier.

A tel point que le tourment de beaucoup de ces personnages est de porter en eux un souvenir, heureux mais sans suite et sans retour, ou tragique. Ils cherchent à revivre ou, au contraire, à effacer une heure ou une journée. Mais le monde de M. Arland est un monde où la vitesse de cicatrisation de l'âme est extrêmement lente : les brûlures y sont inguérissables. Brûlures du cœur, silence des mal-aimés, des tables de famille silencieuses, des mères sans cœur qui font des enfants et des adolescents plus malheureux et plus seuls que des orphelins. Brûlure de la chair, femmes marquées, hommes frustrés et jaloux qui s'acharnent sur le souvenir de celui qui est passé avant eux, qui sont tout disposés à pardonner à la femme aimée, mais qui ne réussissent guère parce que la femme et nous, nous savons bien que c'est un petit pardon, celui qui n'oubliera

jamais. Monde de la fêlure où le rêve et la réalité ne se re-
joignent presque jamais, où la femme, la fille, la nymphette
ne se donne jamais à bon escient, où la part de l'homme est
presque toujours une méditation âcre et désenchantée, monde sur lequel la menace de mort se fait de plus en plus pressante, et une mort qui n'est pas un suprême apaisement mais
plutôt une suprême déception ou une ultime tromperie. Et
revient, ni vu ni connu, le temps d'un sein nu entre deux chemises, la main qui caresse et qui quémande la misérable monnaie du bonheur, acceptée sans trop d'illusion, pour sa valeur
fiduciaire qui ne dure qu'un instant. C'est un monde où il n'y
a pas beaucoup de Dieu : on n'en parle guère qu'avec une
sorte de rancune et de rancœur. Et c'est un monde où il n'y a
pas beaucoup de Diable : ou plutôt, de même que presque
toujours dans les œuvres des écrivains, les anges et les démons
se fixent à une certaine heure, le démon de M. Arland est toujours le démon de midi. Les nouvelles de ce grand recueil
sont admirables par la simplicité et l'efficacité des moyens et
la seule parole évangélique que l'on croit entendre monter de
cette grande procession, c'est le « sitio », j'ai soif.

On fait tort à M. Arland, on le voit, quand on le présente
comme l'homme des coteaux modérés, le maître harmonieux de
la nouvelle et de la prose françaises. S'il est devenu cet écrivain classique, son classicisme reste fait d'un romantisme mal
dompté : sous l'élégance du classicisme, une voix gémit, une
plaie suppure — comme au flanc du Christ lépreux de Saint-
Julien-de-Brioude évoqué aux dernières pages... On le met un
peu trop facilement et un peu trop vite du côté des écrivains
apaisés : pour M. Jacques Chardonne, me disait M. Matthieu
Galey, Arland c'est Dostoïevski, et M. Chardonne a raison un
peu comme le buveur de tilleul qui considère avec effroi les
cerises à l'eau-de-vie.

A l'eau-de-vie, justement, et c'est ce que M. Marcel Arland
n'oublie jamais. Ses livres s'inscrivent mal dans la mémoire
du cœur parce que cette humanité frustrée, amère, aigrie n'est
souvent ni très sympathique ni même très pitoyable ; parce
qu'elle ne présente pas non plus ces contrastes tranchés du
noir et du blanc des habitants de Chaminadour, auxquels on
pense parfois en lisant cette geste provinciale. Mais cela tient
à la sincérité même de M. Arland, à son souci de la vérité. Une
absolue sincérité envers soi-même, voilà la promesse de l'essai
de 1924 et la noblesse de cette œuvre est d'y avoir été fidèle
pendant plus de quarante ans, sans une défaillance, sans une
complaisance. Quant au problème unique auquel se ramènent
toutes les questions, celui de Dieu, je pense que M. Arland n'a
pas cessé de le considérer comme le plus important, le titre

même de ce recueil suffirait à le prouver, mais qu'avec la même
honnêteté il avouerait qu'il n'en a pas la solution. La progression de ce pardon de l'ombre vers la lumière, comme l'auteur semble parfois vouloir l'organiser, me semble assez falla-
cieuse. Il y a tout au plus une voix qui, du fond de l'amertume,
semble avoir besoin de dire merci, une voix obscurément di-
rigée vers le « divin » silence, même à travers la luxure un
peu louche qui baigne beaucoup de pages de ce livre. Depuis
le romantisme, disait Rivière, répondant à l'Arland de 1924,
l'idée de littérature a été pénétrée, contaminée par l'idée de
religion. La dernière foi de toute cette œuvre, c'est peut-être
une foi de « charbonnier » dans la littérature, véhicule d'une
telle sincérité qu'elle ne peut pas être un mensonge ou une
erreur.

HENRI MICHAUX

L'œuvre d'un poète appelle presque automatiquement au-
jourd'hui des images de voyages imaginaires. C'est que la poé-
sie, depuis les romantiques allemands, depuis Baudelaire et
Mallarmé, depuis le surréalisme, s'est vouée délibérément à
l'exploration des voies nouvelles de l'esprit. M. Henri Michaux
est un de nos plus hardis et de nos plus heureux voyageurs.
Il a mis à l'épreuve les moyens dont il disposait, la poésie
elle-même, le langage, la tradition ou les traditions de la vie
mystique, puis les moyens courts et artificiels de faire orai-
son, la mescaline, les drogues, et récemment il a essayé la voie
du rêve. De tout cela, il rapporte une œuvre magnifique, une
connaissance plus précise des abîmes et des gouffres qui mena-
cent l'esprit libéré, et un pressentiment peut-être de ce qui le
récompense. C'est une œuvre qui ne s'adresse pas aux nombreux,
et qui souvent défie le commentaire et la critique. Voici deux
essais cependant, à mes risques et périls.

L'Explorateur des Gouffres

Un barbare en Asie, Voyage en Grande Garabagne, Au pays de la Magie, Nouvelles de l'étranger, et plus tard *Connaissance par les gouffres* [1] qui fait penser à un récit à la manière de M. Haroun Tazieff, l'explorateur des volcans : les titres des ouvrages de M. Henri Michaux sont volontiers des titres d'impressions de voyage. Un lecteur non prévenu pourrait s'y laisser prendre en parcourant cette bibliographie, n'étaient deux autres titres, celui d'un ouvrage déjà ancien *Lointain Intérieur,* et celui, admirablement trouvé, d'une anthologie : *L'Espace du dedans.* Les récits de voyage dans les pays réels (ceux d'Asie) ou dans les pays imaginaires (Garabagne, Poddema) sont des moyens d'exploration intérieure : ce qui éclaire leur signification et enlève toute gratuité, toute inhumanité aux inventions de prime abord bizarres qui peuvent y être contenues. Mais ce qui éclaire aussi l'attitude de M. Henri Michaux vis-à-vis de sa propre existence. Il dit lui-même : « J'écris pour me parcourir. Peindre, composer, écrire : me parcourir. Là est l'aventure d'être en vie. En somme, depuis plus de dix ans, je fais surtout de l'occupation progressive. » Depuis vingt ans dirons-nous, car ce texte est de 1950 et l'attitude de M. Michaux n'a pas changé depuis. La carte de ce voyageur, c'est lui-même, délicatement écartelé, écorché, préparé comme pour une planche d'anatomie. Et notons tout de suite ce qui

---

1. Gallimard, « le Point du jour ». Cf. aussi *Misérable Miracle* (Editions du Rocher, 1956) et *Michaux* par Robert Bréchon (Gallimard, 1959).

est plus important encore, ce qui fait l'originalité radicale
de cette œuvre : il est à la fois le voyageur et le *voyagé*, l'explorateur et le pays qu'il explore, il se pense simultanément sous
les deux espèces : « Coïncider, qu'est-ce à dire ? Dans ma vie
j'essaie (voulant observer) d'approcher le plus possible de moi,
mais sans coïncider, sans me laisser aller, sans me *donner*. Je
veux qu'il reste une marge, qui est aussi comme une marge de
sécurité. »

C'est pourquoi il n'y a aucun intérêt à distinguer ici l'imaginaire et le réel ; ou bien le subjectif et l'objectif. Quand on
dit que M. Henri Micheux invente, il est bien difficile de savoir si c'est au sens ancien de découvrir, ou bien au sens moderne de créer, quoique la probabilité soit en faveur du sens
ancien. Il aime le ton objectif du botaniste ou de l'ethnographe :
mais il est à la fois dans l'objectivité du ton et dans la singularité de la plante décrite ou des mœurs observées chez les
Emanglons ou les Hivinizikis. Et en même temps il n'est tout
à fait ni un Emanglon, ni l'ethnographe qui les observe. Quelques-uns de ses récits peuvent faire penser aux apologues et
aux paroles de Kafka : mais chez Michaux, les éléments ne sont
jamais arrangés à l'extérieur pour faire comprendre une certaine vérité, ils restent plongés dans « l'espace du dedans »
pour faire partager une certaine qualité de l'expérience. Et ils
y parviennent : M. Michaux s'est exprimé par la littérature
et par la peinture, mais c'est comme la musique que sa poésie
agit souvent sur nous, nous nous en trouvons enveloppés, nous
sentons soudain, comme André Gide le notait déjà, « aussi
bien l'étrangeté des choses naturelles que le naturel des choses étranges », nous sommes transportés par magie à l'intérieur
de l'espace intérieur du poète sans pour cela perdre le sentiment de notre identité, et nous nous dédoublons comme lui en
observateur et en observé, en voyageur et en paysage. Chaque
fois que la poésie va l'emporter, que nous allons céder au mi-
rage de l'identification (« coïncider »), l'humour intervient et
nous rend à la fois nos distances et notre liberté. L'œuvre de
M. Henri Michaux, c'est ce qui fait son équilibre et son prix, c'est
une tentative d'aliénation poétique contrariée et maîtrisée par
l'humour.

Aliénation contrôlée : la formule ici n'est pas le fameux « je
est un autre », mais « je est aussi un autre ». En un sens, l'œuvre est une thérapeutique : « Qui cache son fou, meurt sans
voix » dit M. Henri Michaux dans un chapitre de *Face aux ver-
rous*. Son œuvre a une voix parce que son fou y est constamment
présent — en liberté surveillée. Et ce n'est donc pas une nécessité, mais ce n'est pas non plus un hasard si depuis cinq
ans, de *Misérable Miracle* à *Connaissance par les gouffres*,

l'œuvre de M. Henri Michaux allait au-devant de certaines assimilations : « Aux amateurs de perspective unique, la tentation pourrait venir de juger dorénavant l'ensemble de mes
écrits, comme l'œuvre d'un drogué. Je regrette. Je suis plutôt
du type buveur d'eau. Jamais d'alcool. Pas d'excitants, et depuis des années pas de café, de tabac, de thé... » Il a raison :
c'est le contraire et c'est la même chose. La drogue l'intéresse
parce qu'elle lui permet d'observer, avec tout le grossissement souhaitable, dans des conditions définies rigoureuses
(du moins il le croit) ce rapport entre le voyageur intérieur et
le paysage humain qu'il traverse dont il a fait toute son étude.
Sa poésie n'était pas une poésie de drogué : c'était une drogue. Ainsi les toiles de certaines araignées droguées sont également incomplètes, que la drogue employée soit la marijuana
ou l'urine de schizophrène.

Souvent étudiés, souvent célébrés, les rapports de la drogue et de l'esprit restent singulièrement ambigus. Est-elle un
enrichissement ou un apprauvrissement ? une libération, ou
un viol ? S'il est permis, dans cette matière presque scientifique, d'indiquer son équation personnelle, je suis de ceux qui
répugnent, même à un essai, par une sorte de souci jaloux d'inté-
grité et d'identité : que m'importent les découvertes que la drogue me fera faire dans un espace intérieur qui ne sera plus
tout à fait mien, qui ne sera plus tout à fait moi? Mais à l'instant
même d'écrire cet article, n'ai-je pas pris du café dans l'espoir que pour moi aussi les idées s'ébranleraient comme les bataillons de la Grande Armée, les souvenirs arriveraient au pas
de charge et les traits d'esprit en tirailleurs : ainsi Balzac parlait du café, que Bach déjà avait chanté... Il y a une chimie du
cerveau, disons mieux une chimie de la conscience, sur laquelle
l'homme ne s'est jamais privé d'agir, par le chanvre, le coca, le
pavot, par l'aspirine familière, par le largactyl étudié par M.
Jean Delay, par l'ergot de seigle, par les champignons hallucinogènes du Mexique, la mescaline et la psilocybine de M. Henri Michaux. Il est donc bien imprudent dans ce domaine de
vouloir fixer une limite précise entre l'usage normal et l'usage
maniaque des produits qui agissent sur la chimie de l'intellect,
plus imprudent encore de prononcer une condamnation sans
nuance au nom de la morale ou de la religion : au Mexique, certains « appelaient ces champignons *teonanacatl,* ce qui signifie
chair de Dieu, ou du diable qu'ils adoraient, et de cette façon,
avec cette amère nourriture, ils recevaient leur Dieu cruel en
communion », dit un texte ancien cité dans *Connaissance par
les gouffres.*

Reste à recourir à la méthode empirique et évangélique à la
fois qui consiste à juger le fruit à ses effets. Les résultats cli-

niques des drogues sont spectaculaires, le professeur Delay et bien d'autres en ont donné des exemples frappants. Leurs résultats littéraires sont le plus souvent misérables. La médiocre compilation publiée par Baudelaire sous le titre *les Paradis artificiels* en est un premier signe. Dans toute la littérature occidentale, nous ne devons peut-être directement à la drogue que les cinquante-quatre vers écrits par Coleridge sous l'influence de l'opium : encore le palais élevé à Xanadu par Kubla Khan reste-t-il inachevé. Il faut attendre presque jusqu'à nos jours pour trouver les textes d'un Antonin Artaud, d'un Joë Bousquet, d'un Roger-Gilbert Lecomte, belles épaves rejetées à la côte tandis que les navigateurs cinglaient vers la folie et vers la mort. Je n'oublie pas quelques livres arrachés à l'alcool, ni ce que Balzac devait au café. Mais tout se passe, semble-t-il, comme si dans une civilisation donnée, il y avait des drogues domestiquées et d'autres sauvages. L'Orient avait peut-être domestiqué l'opium, le haschich. Nous semblons avoir domestiqué le café et l'alcool, c'est-à-dire en avoir trouvé le mode d'emploi bénéfique. En gros, nous devons au café *la Comédie humaine,* à la mescaline *Misérable Miracle* et *Connaissance par les gouffres* (en comptant pour peu un essai d'Aldous Huxley).

Car, sur ce point tout au moins, les déclarations de M. Michaux ne nous contrediront point : « misérable miracle, ou épouvantable miracle. Les drogues nous ennuient avec leurs paradis », écrit-il ironiquement. « Qu'elles nous donnent plutôt un peu de savoir. Nous ne sommes pas un siècle à paradis. » Mais quand il parle de paradis, c'est avec une amère ironie, et quand on essaie de faire la somme des connaissances positives arrachées à la drogue le résultat est bien maigre. La drogue, si nous en croyons les récits des voyageurs, procure une expérience sensorielle ou hallucinatoire ineffable, fulgurante, dans le plaisir ou dans la douleur, mais cette expérience ne peut pas être commercialisée : je veux dire mise dans le commerce des hommes et dans le trésor de l'humanité. Que l'on songe à tout ce que nous devons à l'expérience ineffable, fulgurante que nous faisons au plus haut point de l'amour, et au néant que nous devons à l'expérience de la drogue. Quand on nous présente la vie quotidienne d'un groupe de drogués comme dans *The Connection,* la pièce de M. Jack Gelber qu'une troupe américaine jouait à Paris, il y a quelques années, nous avons l'impression d'un abaissement et d'un rétrécissement de la vie. Quand nous essayons de conférer une valeur mystique à ce que nous pouvons savoir de l'extase des drogués, nous avons l'impression d'une mystique extrêmement sommaire et grossière. Quand nous lisons les textes ou regardons les dessins que

M. Henri Michaux nous donne comme les procès-verbaux frag-
mentaires de ses expériences avec la mescaline, nous regret-
tons les dessins et les poèmes de M. Henri Michaux.

Et pourtant il y a un mystère, et l'expérience valait d'être
tentée. Quand nous lisons avec malaise, avec un mélange d'admiration et d'angoisse, des pages de drogués comme Artaud,
comme Joë Bousquet, comme M. Henri Michaux, nous avons
bien l'impression de lire des « nouvelles de l'étranger » mais
nous sentons aussi, à certains instants d'une manière très aiguë,
que cela nous concerne. Les drogues sauvages dont nous parlions tout à l'heure nous font voir du pays : mais un pays dont
nous avons l'obscur pressentiment qu'il pourrait faire aussi
partie de notre héritage. Je crois que M. Henri Michaux s'ex-
primait mal quand il disait en tête de *Misérable Miracle :*
« Ceci est une exploration... La mescaline est l'explorée. » Et
qu'il s'exprime bien quand il dit dans *Connaissance par les
gouffres :* « Une drogue, plutôt qu'une chose, c'est quelqu'un. »
Quelqu'un en soi, avec qui il faut cohabiter ou se battre
(« il l'emparouille et l'endosque contre terre »), à qui il faut se
faire connaître en tout cas. Et la drogue prend ainsi, au bord
du gouffre de la folie, le relais de la poésie. On montrerait
sans grande peine que le langage imagé de M. Michaux n'a pas
tellement changé avant et après la mescaline, qu'on trouverait très tôt chez lui le recours aux ondes, aux vibrations, aux
vitesses, etc. Mais le ton a changé. Le programme de *Connaissance par les gouffres,* par exemple, on le trouve dans un texte
de 1950 : « Il sera beaucoup plus agréable de voyager en Suisse
quand on disposera de la contre-pesanteur. Ces grands pré-
cipices, voilà où il fera bon se jeter, s'arrêtant de tomber juste
avant de se fracasser le crâne et reprenant de la hauteur pour
revenir à la surface, émerger, s'acoquiner avec une crête et
puis redégringoler et remonter, et replonger et... » C'était pressentir le bon usage de la mescaline. Mais le ton s'est fait plus
grave, plus pathétique dans un chapitre de *Misérable Miracle,* de *Schizophrénie expérimentale,* et dans *Situations-Gouf-
fres* (difficultés et problèmes que rencontre l'aliéné), les qua-
tre-vingt-dix pages bouleversantes qui terminent ce livre. Si la
poésie de M. Henri Michaux était une aliénation contrôlée,
grâce à la mescaline il va maintenant jusqu'au bout en pleine
lucidité dans l'analyse de l'aliénation totale. Jamais, me semble-
t-il, on ne nous a fait ainsi participer de l'intérieur au mouvement
par lequel une vision du monde chavire, jamais on ne nous a
montré d'une manière aussi méticuleuse et aussi plausible comment naissent et s'imposent les interprétations et les obsessions de l'aliéné, comment elles le séparent et l'enferment.
Sans émotion, sans pathétique, mais non sans charité M. Mi-

chaux nous fait comprendre *l'autre*. Ce n'est plus un compte
rendu d'observation d'autant plus intéressant qu'il est fait par
un homme attentif, intelligent et rompu à la pratique du langage. C'est le compte rendu d'une expédition lancée aussi loin
que possible vers cette zone profonde où tout peut être remis
en question, jusqu'à l'unité et l'identité de notre âme. C'est
assez dire que ce livre ne doit pas être lu par ceux qui ont le
bonheur (le bonheur ?) d'être étrangers à ce genre d'inquiétude. *Connaissance par les gouffres,* comme nous avons essayé
de l'expliquer et comme son titre l'indique, est un ouvrage
réservé à ceux qui sont sujets au vertige.

Le voyageur et l'exorciste

Il y a plus de vingt-cinq ans déjà ce fut un scandale lorsqu'un gouvernement trop soucieux d'ordre moral fit interdiction à André Gide « de parler dans un hôtel chic et sans doute
de Nice et d'y présenter à un public de juifs, de snobs et de
crétins refoulés » (pour reprendre les termes de la presse de
l'époque cités dans le livre de Mlle Michèle Cotta sur la collaboration) un certain Henri Michaux. L'interdiction fut finalement levée, mais Gide se borna à publier le texte de sa conférence sans la prononcer : est-ce pour cela qu'après un quart
de siècle Henri Michaux est toujours à découvrir ? Ou bien aussi parce que l'œuvre de M. Henri Michaux, qui s'est beaucoup
enrichie dans l'intervalle, reste malgré sa clarté à chaque ligne,
à chaque page, une œuvre singulière et secrète ? Deux livres
devraient en faciliter beaucoup l'accès : M. René Bertelé a beaucoup enrichi son étude sur *Henri Michaux* [1] pour la mettre à
jour et son petit ouvrage reste, mieux qu'un examen critique,
la meilleure invitation au voyage et à l'amitié. Et M. Henri Michaux lui-même a augmenté de près d'une centaine de pages
son recueil *Passages* [2] où il est amené à s'expliquer sur bien
des points d'esthétique et même de morale.

Le personnage terrestre qui porte le nom d'Henri Michaux
reste fermement à l'abri des curiosités indiscrètes. Nous savons
qu'il aura soixante-cinq ans le 24 mai prochain (1964), que
son enfance a été très malheureuse, non point matériellement,
mais par une sorte de terrible froissement intérieur : « Plus

1. Seghers, coll. « Poètes d'aujourd'hui ».
2. Gallimard, « le Point du jour ».

je retourne vers mon enfance, confie-t-il à M. Bertelé, plus
forte je retrouve l'impression d'avoir été un étranger chez
mes parents... Dès que je parlai, ce fut pour dire que j'étais
un enfant trouvé. » Il ne s'habitue que lentement à la vie, il
reste replié le plus longtemps possible : « A huit ans, je rêvais
encore d'être agréé comme plante », note-t-il quelque part.
Pourtant peu à peu, il découvre la puissance des mots, comme
le petit Sartre dont nous parlions l'autre semaine, et il se met
à lire, *Ernest Hello* ou *Ruysbroek l'Admirable*. Il songe un
instant à entrer chez les bénédictins, mais son père l'en empêche, il se tourne vers la médecine, mais pas pour longtemps. Et
finalement, au lendemain de la Première Guerre mondiale, il
se met à voyager, puis, encouragé très vite par M. Franz Hel-
lens et par M. Jean Paulhan, à écrire, puis à peindre. Il ne
s'arrêtera plus. Parce que le voyage, l'écriture, la peinture, ce
sont d'abord pour lui des formes, du mouvement : « J'écris
pour me parcourir. Peindre, composer, écrire, me parcourir.
Là est l'aventure d'être en vie. » Il n'y a pas intérêt dans son
cas à distinguer les voyages à la surface de la planète terrestre
et les voyages dans les pays imaginaires : ce sont dans les deux
cas des moyens d'exploration de l'espace du dedans. Parce qu'il
n'y a pas d'espace plus lointain et plus mystérieux.

L'extrême discrétion de M. Henri Michaux sur sa personne
et sur sa vie privée n'est pas seulement une saine mesure de
protestation contre ce que M. Gracq appelait « la littérature à
l'estomac ». C'est aussi la conséquence d'une incertitude métaphysique. Son premier livre, en dehors de deux plaquettes publiées en Belgique, c'est *Qui-je-fus*, et c'est déjà un témoignage
de division intérieure : « Je suis habité ; je parle à qui-je-fus
et qui-je-fus me parlent. » C'est-à-dire que nous sommes à la fois
une succession et une pluralité de « moi » : la tâche de l'explorateur, de l'homme pour qui l'aventure d'être en vie, c'est de se parcourir, est de s'approcher si possible du noyau, du « moi-de-
moi ». Et ce n'est pas une tâche facile parce que dans notre
vision du monde et même dans notre connaissance de notre
corps le mélange du moi et du non-moi est presque inextricable. A un examen attentif, fragment par fragment, que de régions
insoumises, que de pouvoirs insoupçonnés en nous : notre main
droite ignore ce que fait et surtout ce que peut faire notre
main gauche. Telle douleur semble vivre, dans un coin de notre
corps, d'une vie autonome. Et notre connaissance du monde,
que nous appelons à la légère extérieur, est conditionnée par
le plus ou moins d'étendue et de précision de nos organes des
sens et de nos mécanismes intellectuels : le chien Howwrah
étudiant l'espèce humaine en 2004 énumère plusieurs catégories d'odeurs bien distinctes et par lui bien distinguées :

odeurs d'hommes, de femmes, d'enfants, de bébés nus, de bébés langés, de bébé malpropre (neuf sortes), d'adultes à jeun,
après repas copieux, après repas modéré, etc. : l'ethnographie
future prépare des surprises et des humiliations, note ironiquement M. Michaux. En tout cas, se parcourir, c'est accomplir en quelque sorte un grand nombre de missions de reconnaissance —parfois dangereuses. Notre moi est à la fois envahi
et envahisseur et de même les œuvres où nous chercherons à
le mieux connaître obéiront, *itus et reditus,* à des mouvements de pulsion et de ré-pulsion, d'expansion vers le monde
et de retour vers le saint des saints.

La poésie est l'instrument de prédilection de ce discernement spirituel : elle cerne ce qui m'est propre, elle expulse
ce qui m'est vraiment étranger. Pour définir cette condition
d'envahi-envahisseur de l'esprit, M. Michaux ne parle pas de
possession ou de possédé, me semble-t-il ; mais il parle volontiers de la poésie comme exorcisme. Bien mieux, de tous ses
voyages, celui qui a presque seul compté pour lui, c'est le
voyage des Indes, et ce qui a presque uniquement compté aux
Indes, c'est la découverte de la religion comme une sorte de magie : « Celui qui prie bien fait tomber des pierres, parfume les
eaux. Il *force* Dieu. Une prière est un rapt. » Ainsi la poésie
fait violence à la « nature » du monde spirituel, elle est magie,
et une magie dont M. Michaux ne met pas en doute l'efficacité
réelle, qu'il s'agisse de malédictions ou de cantiques de bien-
veillance (« Agir, je viens »).

Cette puissance de la poésie, elle est dans les mots, mais elle
est bien entendu aussi dans la musique dont M. Michaux parle
dans *Passages* avec cette merveilleuse connaissance intuitive
qui est bien coïncidence par le dedans, et dans le dessin et la
peinture qui depuis quelques années semblent prendre la première place parmi ses activités. Il ne faut d'ailleurs pas considérer la peinture de M. Michaux comme une peinture de poète.
Elle est bien plus que cela, à égalité avec la poésie de mots,
une autre activité de la main indépendante et exploratrice. Elle
a ses constantes et ses découvertes, et les deux sont ses preuves,
les preuves ontologiques de ce lointain intérieur, toujours traqué et toujours jaillissant. Quand M. Michaux définit sa vocation en disant : « Je voulais dessiner la conscience d'exister
et l'écoulement du temps », est-ce de sa vocation de peintre, de
musicien ou de poète qu'il parle ?

Cette perspective spatiale (mais d'un espace à *n* dimensions) permet de mieux situer aussi l'expérience des drogues
hallucinogènes consignées dans quatre volumes, de *Misérable
Miracle* à *Connaissance par les gouffres,* dont nous avons parlé.
Ses rencontres avec la mescaline et avec le haschich M. Mi-

chaux nous les a racontées avec des mots, avec des dessins et des peintures et même récemment en réalisant un film avec l'aide de M. Eric Duvivier : film d'une térébrante beauté qui redonne le mouvement, la plasticité, la possibilité magique des métamorphoses à des images qui s'efforçaient déjà de fixer sans l'interrompre un paradis de remplacement, elle est une auxiliaire de la connaissance poétique ou de la connaissance scientifique (c'est tout un) de soi-même. Pour l'homme qui continue à se parcourir, elle joue en quelque sorte le rôle d'une boîte de vitesses.

Il est évident que les expériences que la drogue permet de réaliser prolongent les expériences qui ont toujours été celles de M. Henri Michaux : les drogues aussi modifient la conscience du corps, et remettent en question les frontières intérieures en les rendant fluides ou perméables, elles aussi nous donnent l'impression d'être envahis, ou au contraire d'être dilatés. Mais M. Henri Michaux a bien marqué les différences entre les deux stades de son œuvre : à part une expérience de l'éther, il est, dit-il, du type du buveur d'eau, et son œuvre antérieure ne doit rien aux excitants. En fait, M. Bertelé a là-dessus quelques pages très pénétrantes et très fines, les relations de l'écrivain avec le haschich et la mescaline sont ambiguës. Il se soumet à leur influence pour mieux les dominer. Il s'en sert comme d'un moyen d'exploration, et il les explore. L'homme de la poésie comme exorcisme spirituel a un trop bon discernement des esprits pour ne pas se rendre compte que la drogue ne réalise pas une possession, mais une aliénation — une aliénation contrôlée qui est comme une approche vers les régions dangereuses de l'esprit, vers les aliénations incontrôlables qui sont les gouffres. En tant que moyen de connaissance et en particulier en tant que moyen de connaissance non du merveilleux, mais du normal. Quand M. Henri Michaux dans un texte des *Lettres nouvelles* annonce l'intention d'écrire un livre sur le « merveilleux normal » il précise bien en effet qu'il faut entendre par là tout ce qu'il y a de merveilleux dans ce qui nous paraît simple et banal. En perturbant artificiellement et momentanément le jeu normal de nos facultés, la drogue nous en fait découvrir la richesse et la complexité insoupçonnées. Si bien que l'expérience de la drogue apporte peut-être à M. Henri Michaux, ne disons pas une guérison, mais du moins un commencement de réponse à sa question fondamentale, celle des rapports du moi et du non-moi...

Ce que sera cette réponse, il est encore impossible de le dire. Ce qui fait la singularité de la démarche de M. Michaux, me semble-t-il, c'est qu'il a voulu parvenir à la connaissance de l'homme beaucoup plus par la méthode des sciences naturelles que par la méthode des sciences humaines, peut-être parce que pour lui la notion même de sciences humaines suppose déjà une idée préconçue de l'humanité. Il n'est donc pas surprenant qu'il arrive à une image de notre être et de nos pouvoirs assez différente de celle à laquelle nous sommes habitués, du moins en Occident. C'est un voyageur perpétuellement à la recherche de son centre. L'adolescent qui songeait à entrer chez les bénédictins a sans doute définitivement disparu, et ce centre, ce ne sera pas la croix. Mais ce sera peut-être, alors qu'Henri Michaux a écrit toute son œuvre en marge du grand mouvement poétique dont il est le contemporain, le point suprême du surréalisme, celui d'où « la vie et la mort, le réel et l'imaginaire, le passé et le futur, le communicable et l'incommunicable, le haut et le bas cessent d'être perçus contradictoirement... », point suprême dont la recherche est d'ailleurs peut-être aussi une des plus vieilles préoccupations de l'humanité.

JULIEN GREEN

Comme François Mauriac et comme quelques autres, celui-ci m'a accompagné presque tout au long de ma vie de lecteur, et il en va sans doute ainsi pour beaucoup d'hommes et de femmes de certaines générations. C'est pourquoi j'essaierai de réunir des articles ou des fragments d'articles d'époques différentes, comme pour constituer un journal de lecture et de réflexion sur une œuvre. Lui-même chemine, revient sur ses pas, corrige, dissimule quelque chose ou dévoile un peu plus, essaie d'interpréter d'une manière toujours plus attentive les gestes, les incidents qui sont les signes d'une destinée chrétienne. Il a reçu et approfondi une certaine idée de la perfection de Dieu, donc de sa propre perfectibilité, puisque le salut est de redevenir à l'image et à la ressemblance du Créateur : chaque roman, chaque pièce, chaque page de journal est le compte rendu de cet effort toujours à recommencer pour restituer la ressemblance fondamentale. Problème redoublé pour le romancier qui est lui aussi un créateur qui doit laisser leur liberté à ses créatures. De temps en temps sans doute la lumière du petit salon où il prend le thé est comme soufflée par les grands éclats des flammes de l'enfer...

Julien Green par lui-même.

Nul n'illustre mieux le mot fameux de Baudelaire : « Il y a dans tout homme, à toute heure, deux postulations simultanées, l'une vers Dieu, l'autre vers Satan. » Cela vaut pour chacun, comme le dit Baudelaire, mais ce mot M. Julien Green l'a incarné d'une façon que l'on pourrait dire exemplaire, dans son cœur, dans sa vie, dans son œuvre. Il ne s'agit pas seulement d'un conflit classique entre l'esprit et la chair, le bien et le mal : ce gentleman que l'on rencontre parfois dans les rues les plus paisibles du faubourg Saint-Germain, comme le beau jeune homme sombre qui traverse tous ses romans et dont il est l'héritier, porte en lui la guerre de deux mondes. Chacun de ses livres est le fruit d'un armistice conclu presque à son insu et dont, en tout cas, il ne dicte pas lui-même les conditions, et son journal, même tronqué comme nous le connaissons de manière à donner l'avantage au monde de la culture et peut-être de la grâce, est la chronique de cette paix menacée, de cette lutte d'un juste pour sa justice.

Or, tout cela, ce n'est pas seulement ce qu'il a écrit, c'est ce qu'il a vécu et ce qu'il vit. Impossible de prendre une vue cavalière de cette œuvre qui, depuis le pamphlet contre les catholiques de France du 15 octobre 1924, s'étend sur plus de quarante ans, en suivant le fil chronologique. M. Julien Green, qui disposait depuis longtemps de deux registres parallèles, celui des romans, des nouvelles et du théâtre, et celui du journal intime, vient de s'en donner un troisième, celui de l'autobiographie

avec *Partir avant le jour* et *Mille chemins ouverts* [1]. Et ces trois
modes d'exposition sont comme trois manières de dire avec
le plus d'exactitude possible la même vie intérieure, la fiction
des ouvrages anciens n'étant pas nécessairement moins révéla-
trice et moins fidèle que la nudité des livres plus récents. Ainsi,
tel incident qu'il nous raconte dans *Mille chemins ouverts* est la
source d'un des épisodes les plus terribles et les plus mystérieux
de *Moïra*, cette bataille de deux garçons qui ne semblent pas
savoir distinguer en eux ce qui est de la colère et ce qui est de
l'amour charnel, ou plutôt qui semblent porter en eux, chacun, à
la fois l'ange et Jacob. La source vécue n'explique pas l'épisode
romanesque. Mais les deux récits en se recouvrant marquent avec
plus de précision un certain point extrême dans une incons-
cience de soi qui n'était cependant déjà plus tout à fait une
ignorance. Ce sont bien les deux postulations *simultanées* de
Baudelaire que M. Green saisit ainsi en lui-même, sur le vif. Il
faudrait pouvoir opérer, non ces recoupements, mais ces recou-
vrements sur tous les points pour parler de l'œuvre de M.
Green selon ses dimensions esthétiques, mais aussi selon la
dimension morale et religieuse sans laquelle même sa composition esthétique est inexplicable. Parce qu'elle n'est qu'une longue confidence, pressée, pressante, poussée jusqu'à la limite,
cette œuvre nous permet peut-être de pressentir ce point
suprême qui est en chacun de nous et dont nous ne pouvons pas
faire la confidence, même à nous-même, comme s'il était celui
où d'une manière inintelligible, nos deux postulations semblent
n'en plus faire qu'une.

Des écrivains de sa génération, des grands romanciers de
l'entre-deux-guerres pour parler d'une façon un peu plus générale,
M. Julien Green est le plus fidèle à lui-même, le seul fidèle à
lui-même en un sens. Les uns ont disparu comme Bernanos, ou
Giraudoux, d'autres ont radicalement changé de manière comme
Giono, d'autres encore ont donné le meilleur d'eux-mêmes à
d'autres activités que le roman, comme François Mauriac, André
Malraux, Henry de Montherlant. M. Green a continué à publier
des romans (ou à faire jouer des pièces qui sont assez exactement chez lui du roman continué par d'autres moyens) — et surtout ses créatures sont restées fidèles au même monde romanesque, comme son métier de romancier est resté très classique.
Il y a des livres de lui qui sont moins bons que d'autres, sans
doute, mais pas nécessairement parmi les plus récents. Il a pu
mettre, ou remettre en circulation des œuvres longtemps gardées dans une demi-clandestinité, comme *l'Autre Sommeil* ou
le Malfaiteur, sans que l'on sente un trop vif décalage ou un man-

1. Grasset.

146

que d'homogénéité : c'est une œuvre taillée dans une même étoffe.

Impression encore renforcée du fait que c'est une œuvre qui n'est pas datée et qui ne cherche nullement à marcher du même pas que l'histoire de notre temps. A ne considérer que les romans, on peut presque dire que les idées de M. Green sur la guerre de Sécession ont plus d'importance que ses idées sur la dernière guerre mondiale. Cela n'est pas un signe d'indifférence : le journal est là pour montrer quel sentiment d'horreur glaciale la guerre et l'exil lui ont inspiré, avec quel courage il y a fait face, avec quelle obstination il s'est maintenu dans le camp de l'espérance. Mais les grands problèmes politiques ne le retiennent pas en tant que politiques. « Quelle solution vois-tu au problème nègre ? » lui demandait un jour sa cousine. « One and one only : Brazil » (c'est-à-dire le métissage), répondit-il (27 mai 1944). C'est peut-être encore sa solution aujourd'hui. En fait, les grands problèmes politiques le retiennent en tant que grands problèmes moraux. La guerre a été ressentie par lui d'abord comme la menace d'une nuit de la civilisation. Les choix sur des questions particulières regardent le citoyen, et non l'artiste : celui-ci fait assez clairement comprendre de quel côté il se range et agit avec assez de force quand il a défini son idée de la vie humaine et de ce qui en fait le prix.

Caractère anachronique, ou mieux intemporel (ou mieux encore : classique) qui marque aussi son art du roman. On se dépêche généralement un peu pour le renvoyer à ses Américains et à ses Anglo-Saxons, à Poe, à Hawthorne et à Dickens. Il y a parfois dans ses romans de la province française quelque chose de légèrement factice qui pourrait tenir à un côté post-balzacien. Et si le groupe des œuvres plus récentes, les deux romans, *Moïra,* et *Chaque homme dans sa nuit,* et deux des pièces, *Sud* et *l'Ombre,* marquent une prédilection pour la peinture d'une société à l'anglaise ou à l'américaine (dont la découverte est sans doute liée pour M. Green au souvenir d'une grande crise de jeunesse dont il nous parlera dans le troisième volume de son autobiographie), c'est une société qui a, en effet, on ne sait quoi de provincial ou de constant. En fait la règle de l'art romanesque est sans doute pour M. Green de peindre son monde comme il le voit, c'est-à-dire comme il existe. M. Gabriel Marcel avait probablement raison de dire à propos de *Mont-Cinère* que les pièges où s'embarrassent les jeunes romanciers français sont pour notre auteur « non seulement évitables, mais à la lettre inexistants ». Romancier de vision, romancier d'instinct, ce qui ne veut pas dire romancier au travail facile, parce que la difficulté est de rester fidèle ligne après ligne à ce qu'on voit, à ce que dicte l'instinct, sans jamais rien inventer en l'air.

Mais, bien entendu, il ne faut rien exagérer et pour intemporelle qu'elle soit l'œuvre de M. Julien Green ne risque pas d'être confondue avec celle d'un moine bouddhique du moyen âge, ou même avec elle d'un écrivain victorien. Ce monde fidèle aux traditions morales qu'il semble peindre, il le secoue de l'intérieur, il l'ébranle du dedans avec une audace et une violence qui sont d'un homme d'aujourd'hui. Les conventions encore rigides de ce monde accentuent le caractère dramatique des conflits : mais nous sentons bien qu'il y a des conflits dont l'accent, et peut-être même l'idée, ne seraient pas venus à une autre époque. C'est M. de Saint-Cyran, je crois, qui déconseillait les voyages en disant que voyager, c'est voir le diable sous des habits différents. Il en va de même dans le temps que dans l'espace, chaque époque habille à sa manière le conflit du diable et du bon Dieu, et ce conflit chez M. Green porte nos couleurs.

Romancier catholique, voilà encore qui est vite dit. La famille Green, au début de ce siècle, était anglicane, la marraine de Julien fut une Irlandaise catholique, et si nous en croyons *Partir avant le jour,* on emmenait l'enfant à l'église anglicane, au temple protestant, voire à l'église catholique, un peu au hasard des déplacements. Le 29 avril 1916, l'adolescent abjure et rejoint dans l'Eglise catholique son père converti depuis quelques mois déjà. Sur l'intensité, et peut-être aussi la précarité, de sa vie religieuse dans les années qui suivirent immédiatement, les deux premier volumes de l'autobiographie spirituelle nous renseignent abondamment. Puis... M. Green s'est converti une seconde fois, vingt ans plus tard, en 1939. Dans l'intervalle, il s'était donc éloigné du catholicisme, et cet intervalle, notons-le, correspond à toute la grande période créatrice d'avant-guerre. Eloigné ? Mais est-ce à dire qu'il n'était plus sensible à l'esprit du christianisme ? Il me semble qu'il y a dans ses romans un sens de l'esprit, et avec sa double polarisation. « Nous avions parlé du démon dont j'ai plusieurs fois senti la présence depuis 1923 », note dans son journal, à la date du 2 mars 1934, ce curieux incroyant. Il n'a jamais été un romancier édifiant, et il est d'ailleurs persuadé à juste raison que les romans édifiants sont écrits avec la collaboration du diable et font beaucoup de mal. Mais il n'a peut-être jamais cessé d'être un romancier catholique, c'est-à-dire un romancier qui a le sens des dimensions spirituelles de la vie humaine et les projette spontanément en croix. Tout au long d'une vie en somme assez douillette et assez soucieuse de son confort bourgeois, il n'a cessé d'être habité par l'inquiétude et de refuser, révolte ou résignation, un confort spirituel trop bon marché.

L'œuvre romanesque a été une tentative de réconciliation intérieure, et rien d'autre. Romans écrits d'instinct disions-nous :

il faut y revenir un petit peu. Il dit ce qu'il voit, ce qu'il sait, mais sans jamais se raconter lui-même selon la pente de tant d'écrivains de notre temps. Il l'a dit souvent, ses personnages s'imposent à lui, il ne sait pas ce qu'ils font, au moment où il écrit, ni ce qu'ils vont faire, encore bien moins peut-il leur faire faire ce qu'il veut. Mais c'est par fidélité à la dictée de la vérité intérieure : « Le vrai romancier n'invente rien. Par une espèce de seconde vue, il découvre ce qui se cache derrière les apparences et ses dons lui permettent de vivre une vie qui n'est pas la sienne. » Oui, et en même temps, voire : car cette vie qui n'est pas la sienne, c'est de la sienne qu'il la nourrit, et il lui faut bien la reconnaître comme semblable, même si c'est semblable à la manière dont la doublure est coupée comme l'étoffe.

Or, le monde romanesque de M. Julien Green nous donne toujours l'impression d'être à la fois très proche et très lointain. Il est réel, mais frappé d'un coefficient d'étrangeté. Tout y est comme dans notre monde, avec la plus scrupuleuse précision, avec même une présence presque contraignante que notre réalité n'a pas toujours. Mais il y a un décalage, dont l'éloignement dans le temps ou dans l'espace n'est que l'indice, et qui tient en vérité à ce que tout semble perçu à travers le désir et la souffrance.

Mais ces héros, ces héroïnes, ils ne le savent pas clairement Ils désirent, et ils souffrent, et ils ne comprennent pas tout de suite, ils ne comprennent parfois jamais que par une loi qui semble aller contre la nature du monde et encore bien plus contre la nature de la bonté divine, leur désir et leur souffrance sont implacablement solidaires. Leur créateur — c'est M. Julien Green que je veux dire — semble ne pas comprendre mieux qu'eux : et il les décrit fidèlement, il les suit, il les voit emportés par des bouffées d'amour ou de violence qui semblent ne venir de nulle part, il les abandonne enfin comme à la folie à une passion souvent meurtrière et presque toujours mortelle.

Mais c'est cela qui empêche M. Julien Green de devenir fou : ces enfants de son tourment miment des drames qui ne sont pas les siens, et qui sont le sien, et la solution qu'il donne à leurs conflits joue le rôle d'un exorcisme imaginaire. Exorcisme durable parce qu'il s'inscrit dans une forme, dans une œuvre : dans cette prose admirable qui sait à la fois retenir et apaiser le tremblement de l'âme, dans ces personnages qui reconnaissent un temps l'ordre de l'art, dans cette réussite esthétique qui est comme le signe que Dieu a accepté l'holocauste des créatures imaginaires qui avaient été mises au monde avec la participation de Satan. Mais exorcisme qui ne peut cependant durer toujours, parce qu'il n'est pas du même ordre de réalité que le mal auquel il s'attaque, parce que le désir renaît, et la souffrance. Le progrès, il n'est pas de livre en livre, il est dans une recherche plus serrée des significations dans la vie intérieure, et pour M. Green dans un approfondissement de son catholicisme. C'est peut-être ce qu'il veut dire quand il note : « L'Enfer. A mesure que je vieillis, il se dépeuple à mes yeux » (24 juillet 1951).

Les romans et les pièces de théâtre ont à peu près joué le rôle du rêve éveillé dans une psychothérapie à la manière du docteur Desoille. Les deux premiers volumes de ce qu'on appelle une autobiographie spirituelle, faute d'un meilleur mot, vont jouer le rôle d'une psychanalyse. Car le problème n'est pas résolu, des deux postulations simultanées. M. Green n'en a doué ses personnages que parce qu'il les a vues, de ses yeux vues, en lui-même. Comment en expliquer la simultanéité ? C'est se moquer de dire que la postulation vers Dieu est inscrite dans l'esprit et la postulation vers Satan dans la chair puisque l'esprit n'a pas pu ne pas la vouloir. Il vaut mieux y regarder : « Je me propose, dit M. Green dans *Partir avant le jour,* de regarder là où je n'ai jamais tourné les yeux que par hasard, je veux tâcher de voir clair dans cette partie de la conscience qui demeure si souvent obscure à mesure que nous nous éloignons de notre enfance. Le bon grain jeté à pleine main par Dieu et le mauvais par le démon, comment tout cela poussait-il ? »

Le caractère strictement analytique de ce premier volume, M. Marcel Eck, analyste lui-même, l'a souligné dans un chapitre de son livre *l'Homme et l'angoisse.* Angoisse de la nuit, situation oedipienne vis-à-vis de la mère qui ne trouve rien de mieux que de lui fabriquer un complexe de castration de ses mains, à la lettre. Rêve d'être la femme et l'assassin qui la menace (« la femme est celle qu'on ne touche pas sans la tuer, et la toucher c'est un crime »). Terreur de la mère castratrice, et terreur devant la sexualité mâle du père, et idée terrifiante de la pureté, obsession qui le faisait se rétracter au moindre contact physique même fortuit, et l'isolait ainsi de tous les autres (« Le péché brisa ce cercle magique beaucoup plus tard. Ce fut par le péché que je retrouvai l'humanité »). Il découvrira d'une part l'amour pour un garçon, mais sans se rendre compte que c'est l'amour, et d'autre part le plaisir solitaire, seul et à deux si j'ose dire. Selon le schéma le plus classique de la psychanalyse, une idée trop angélique de la pureté le prépare à ne connaître l'amour physique qu'avec des garçons. Celui qui veut faire l'ange, la bête le tire sur le chemin de Sodome comme si c'était un moindre mal avant même qu'il se rende compte qu'il est en marche vers un mal bien pire. Mais ce n'est encore qu'une image, ou une amère ironie, non une explication ou une réconciliation.

Le second volume semble d'abord d'un moindre intérêt. Sans doute l'art parfait de l'écrivain et surtout sa pathétique volonté

de vérité assurent à l'ouvrage une place à côté de ces grandes
confessions qui vont désormais de celles de Jean-Jacques à
celles de Jean-Paul. Mais nous le savons bien, les jeux sont faits
maintenant, les signes et les rencontres vont se multiplier pour
le très pur, le très naïf et le très orgueileux adolescent mais
c'est pour jalonner un chemin dont il ne peut plus s'écarter.
Mille chemins ouverts, dit le titre, peut-être par dérision, peut-
être parce que en effet, en achevant le vers d'Œnone, ils conduisent toujours où l'homme doit aller. Le lecteur goûte le
charme d'un souvenir, d'une évocation de ce monde qui muait
entre 1917 à 1919, et certes il n'attend pas une grande révélation d'une chute qu'il sait désormais inéluctable et dont M. Julien
Green évoquera certainement les circonstances avec un art
incomparable de la litote — et il aura raison. Mais dans la
mesure même où nous, nous savons, comment ne serions-nous
pas amusés et même parfois un peu agacés par le superbe aveuglement du béjaune complaisamment étalé ? Ce ne sont que
beaux garçons et occasions perdues, oscillations qui ne sont pas
tout à fait pathétiques parce que nous savons qu'elles doivent
plus à l'ignorance qu'à la vertu. Pour un peu, nous finirions par
ne plus croire au diable...

Mais le livre a aussi un autre sujet, et d'un plus grand intérêt :
c'est que si les positions du diable ne sont pas bien fortes, celles
de Dieu vont s'affaiblissant. Le conflit dont nous avons vu
qu'il a occupé toute sa vie et toute son œuvre, dans sa superbe
de jeune converti le jeune Julien avait d'abord essayé de le
nier en voulant devenir moine. Poussé par un prêtre « ardent
mais peu perspicace » comme dit M. Eck, le père Crété, il choisit la postulation vers Dieu alors qu'il ne fait encore que pressentir la postulation vers Satan : il renonce à résoudre son conflit intérieur naissant, il le supprime par le coup de force de la
foi. Mais il a dix-sept ans, et l'ardeur du sang va faire cause commune avec l'ardeur de l'esprit. Ce que nous voyons dans *Mille
chemins ouverts,* c'est le fléchissement d'une fausse vocation
religieuse. Il accepte bientôt de n'être pas moine, mais seulement prêtre, puis de se soumettre à une période de probation en
allant passer quelque temps dans une université américaine. Nous
avons l'impression qu'il en est secrètement soulagé. Parce que
depuis sa conversion et sa décision première, il a connu plus de
choses et plus de gens, à la guerre et en occupation en Allemagne ? Parce que sa foi était animée par une véritable piété mais
manquait un peu trop d'armature intellectuelle? Parce qu'il
entrait encore plus d'orgueil que de crainte dans le défi qu'il
lançait ainsi au monde ? Parce que les yeux baissés, les oreilles
bouchées, la bouche cousue, les mains jointes, le garçon devi-
nait malgré tout cette formidable ardeur qui est dans l'usage déli-

cieux et criminel de tout notre corps ? Ce ne sont pas les mœurs qui faiblissent mais la désagrégation de la foi prépare les voies au Prince de ce monde.

Et la solution viendra beaucoup plus tard, s'il y en a une, quand la foi de l'homme après sa seconde conversion essaiera d'intégrer ce que la foi de l'enfant niait hâtivement. Le sursis, c'est le temps de l'œuvre : et le fait même que l'œuvre continue devant nous atteste que ni dans la vie ni dans la conscience de M. Julien Green le drame n'est tout à fait terminé. Au moment où s'arrête le récit de *Mille chemins ouverts*, le jeune Julien, perclus de timidité, n'est plus tout à fait pur, à la fois parce qu'il a fait et refait l'expérience du plaisir dans la solitude, et parce qu'il a fait aussi l'espérience d'un certain effroi sacré en présence de quelques garçons. Il lui manque de savoir que ces garçons peuvent devenir, pour lui, des partenaires dans le plaisir sexuel. Mais il lui manque plus encore de savoir que ce chemin entre mille est pour lui le chemin de la tendresse et de l'amour, et de tout ce qu'il pourra jamais connaître de la chaleur et aussi de la sainteté de l'amour humain. Or, à peine s'y est-il engagé que le voilà perdu. Toute cette œuvre est peut-être un effort pour revenir sur ses pas sans se renier. « N'y eût-il, dans la Cité maudite, que dix justes, et elle serait sauvée », écrivait Louis Massignon. « Cette prière d'Abraham plane toujours au-dessus des sociétés de perdition, pour y susciter ces dix justes afin de les sauver malgré elles. Et il faut croire qu'elle les y trouve, de temps en temps, pour que le feu du ciel, comme pour Capharnaüm, les épargne » (*Parole donnée*, p. 265). Peut-être est-ce cet effort humble et tenace pour trouver un juste au seul endroit qui importe, dans la cité ravagée de notre cœur, qui fait le prix de ces quelques livres. Un Marcel Jouhandeau met souvent un peu trop de coquetterie à se faire passer pour un paroissien, voire pour un marguillier, de l'enfer. Un Julien Green essaie sans jamais désespérer de rendre à Satan ce qui est à Satan, et à Dieu ce qui est à Dieu, — mais est-ce que Satan possède quelque chose en propre ?

Le goût des garçons laisse une sensation de brûlure sur certaines âmes. Mais on aurait tort de ramener toute l'œuvre de M. Green à une contestation qui ne concernerait que Sodome. C'est une contestation qui concerne la justice. Les cités qui appellent le feu du ciel ne sont pas seulement les cités du désert : mais il n'y a qu'un ciel. Et les livres de M. Julien Green touchent tout le monde parce qu'un grand écrivain y trouve constamment des images qui à partir de son débat le plus intime évoquent avec une force pressante le cheminement de tout le monde parce qu'un grand écrivain y trouve constamment des images qui à partir de son débat le plus intime évoquent avec une force pressante le cheminement de tout voyageur sur la terre.

Les souffrances du jeune Julien.

Il y a dans notre adolescence, un point mystérieux et voilé où nous avons choisi notre vie — ou bien où nous avons été choisi par elle. Jusque-là, tout semblait possible, après tout est décidé. Par nous, d'un mouvement volontaire et délibéré ? Ou, à mieux y regarder, bien des forces dont nous avions plus ou moins négligé les annonces et les pressentiments conspiraient-elles déjà pour rendre notre décision inéluctable ? Tous les livres où un homme se raconte sont la recherche de ce point-là, ce qui explique que dans presque toutes les confessions ou les autobiographies, ce sont les premières parties qui nous intéressent le plus, celles où l'auteur revient comme à tâtons vers ses commencements : après, les jeux sont faits et souvent même le sort de la partie déjà décidé. Les trois volumes de l'autobiographie de M. Julien Green, le dernier étant *Terre lointaine* [1], constituent la plus minutieuse, la plus pathétique, la plus courageuse des enquêtes de ce genre depuis *Si le grain ne meurt*. Point de vaine minutie toutefois, point de détails oiseux : ce sont des indices que, coiffé de la casquette d'un Sherlock Holmes idéal, le Julien Green d'aujourd'hui interroge patiemment pour établir sa culpabilité ou son innocence.

Ce garçon de dix-neuf ans qui, au début de l'automne 1919, met pour la première fois le pied sur la terre américaine, nous avons appris à le connaître ou à le deviner en lisant les deux volumes précédents. Il est né à Paris, d'une famille américaine du Sud qui avait émigré après la guerre de Sécession. Il a été élevé comme un jeune Français, et il n'aime pas l'Amrique : ou plutôt il a une sorte de peur de l'Amérique actuelle et une sorte de nostalgie de la vieille Amérique sudiste. Converti au catholicisme, il est résolu à aller jusqu'au bout de sa foi, à se faire prêtre ou moine : c'est sans doute un peu pour mettre cette vocation à l'épreuve que son père a décidé de l'envoyer continuer ses études pendant trois ou quatre ans à l'Université de Virginie, en terre familiale, mais aussi en terre protestante. Enfin, il sent monter et gronder en lui les exigences d'une sensualité forte, trouble, encore aveugle, déjà effrayante. Bref, tout et

1. Grasset.

d'abord sa timidité, le porte à se raidir dans une série de refus, dans une réserve farouche où il entre de l'orgueil, mais plus encore de la peur des autres et de la peur de soi.

Ce qu'il va trouver dans les grandes maisons de famille de Virginie ou de Géorgie, c'est une Amérique selon son cœur, et ce que nous allons trouver, nous, dans le livre c'est une merveilleuse évocation de ce Sud patriarcal, traditionnel, délicieusement anachronique, comme un petit monde du XIX° siècle dont le parfum n'est pas encore tout à fait évanoui, comme une société vaincue par la force mais dont l'âme feint de ne pas encore s'avouer sa défaite. C'est vers ce monde que M. Julien Green revient de plus en plus volontiers dans ses derniers romans, *Moïra, Chaque homme dans sa nuit,* dans son théâtre aussi avec *Sud,* peut-être parce que en même temps qu'une terre lointaine, c'est sa plus proche patrie intérieure, peut-être parce que c'est là qu'il vécut les années décisives qu'il nous raconte ici, ces mois, ces années où une main implacable semble nous contraindre à nous approcher plus près, toujours plus près du cœur de notre cœur. En quelques mots, en quelques phrases, par la seule force du souvenir, il ressuscite pour nous décors et mœurs de ce monde qui fut son dernier refuge contre les barbares et peut-être aussi contre la « défaite » intérieure qui allait le transformer.

L'autre décor, c'est celui de l'Université de Charlottesville, décor de blanches colonnes, de portiques et presque de temples, dressé en Virginie par des hommes imprégnés des souvenirs de Rome et de la Grèce parce qu'ils avaient pensé que nul n'était plus favorable pour y élever l'âme de jeunes hommes beaux comme des jeunes dieux. Cette splendeur, M. Julien Green l'évoque aussi avec tendresse : il y a souffert, c'est-à-dire qu'il s'y est senti vivre avec cette chaleur de la jeunesse, dont à distance, dans le souvenir de l'homme de soixante ans, la brûlure est malgré tout plus délicieuse que cruelle.

Entouré par les jeunes gens de Platon, notre jeune homme de l'Evangile, celui qui s'éloigne avec tristesse car il sait tout de suite qu'il ne renoncera jamais aux biens et aux plaisirs de ce monde, notre jeune homme vierge et affamé comprend de moins en moins le mal dont il souffre. En expliquant Virgile, un professeur a évoqué un jour, au milieu d'un silence terrible, cette honte d'une antiquité que l'on voulait pourtant toujours présente, l'amour des garçons, et le jeune Julien Green a saisi dans un éclair qu'il était dans le monde d'aujourd'hui comme un survivant, comme le seul survivant probablement, de ces époques lointaines. Mais c'est se sentir deux fois damné.

Comment se méprendre à tous ces désordres involontaires, ces rougeurs, ces pâleurs, cette gorge qui se serre, ce cœur qui bat, n'est-ce pas l'amour — mais alors comment et pourquoi

ai-je été choisi pour cet amour-là ? Si la progression de M.
Julien Green peut sembler lente et minutieuse c'est qu'il veut rassembler tous les signes de la passion qui grandissait en lui non
seulement sans son consentement, mais encore à son insu. La
vue d'un étudiant, surtout, Mark, le frappe d'un coup de foudre,
pendant des mois et des mois, il n'osera ni l'approcher, ni lui
parler, et il souffrira jusqu'à se tordre de désespoir, impuissant,
condamné, condamné à l'avance par le sentiment même de sa
condamnation. Ce qu'il désire, c'est la confiance, la tendresse,
les longues conversations, les heures partagées, cet amour ne
rêve que des chastes plaisirs de l'amitié, mais il en rêve au bord
d'un gouffre parce qu'il est l'amour. Aux lecteurs que nous entraî-
nons ainsi vers des terres maudites et qui peuvent leur inspirer
une insurmontable répugnance, disons tout de suite que M. Green
montre beaucoup plus que du tact, une véritable chasteté de
l'écriture et, bravons les sourires, une véritable circoncision du
cœur qui mettent la dignité de son côté et les airs scandalisés
du côté des pharisiens. Rarement on a parlé avec autant de
dignité de ces erreurs qui sont de moins en moins étranges mais
qui restent tristes. Les cités de la plaine ne sont pas les cités de
la nuit qu'un jeune romancier américain récemment traduit,
M. John Rechy, décrit justement comme des cités orgueilleuse-
ment et misérablement sans amour.

Pourtant quelque chose grouille autour du jeune étudiant puri-
tain et torturé. L'innocence chancelante a une sorte de parfum
qui attire ceux dont l'innocence a déjà basculé. M. Green a
raconté le trouble profond où, encore tout enfant, il était plongé
par les corps des porteurs de mauvaises nouvelles allongés sur
une mauvaise toile célèbre. A Charlottesville, les porteurs de
mauvaises nouvelles viennent à lui, ceux qui veulent l'entraîner
sur la terre des loups, ceux qui n'ont plus de honte. Nous les
voyons, il les voit, aujourd'hui mieux qu'il ne les voyait alors,
protégé par une candeur qui nous paraît à peine vraisemblable
(mais jusqu'à vingt ans, Gide, Proust ont peut-être ignoré jusqu'à l'existence de la forme d'amour qui allait orienter leurs destinées, note M. Painter dans sa biographie déjà classique), et
parfois même nous agace comme dans l'histoire des médailles
pieuses perdues en se baignant avec « un joli protestant ». Mais
enfin ces rencontres, ces lectures comme celles des études de
psychologie sexuelle d'Havelock Ellis, que l'on vient de rééditer,
révélaient peu à peu au jeune homme qu'il n'était point seul berger en Arcadie depuis l'antiquité. C'est-à-dire qu'elle favorisait la
montée d'un désir obscur jusqu'à la conscience, et bientôt
son acceptation.

Ainsi s'achevait aussi ironiquement la mise à l'épreuve de sa
vocation religieuse. La sincère ferveur du jeune catholique avait

sans doute quelque chose d'un peu gonflé, elle tendait à la sainteté sans mesurer ses forces, ni celles du monde. Mais peu à peu les ombres du monde s'allongent, et sans avoir rien renié, il en arrive au moment où il refuse de savoir ce qu'il sait parfaitement : qu'il n'entrera jamais dans les ordres. Le jeune homme triste s'éloigne. Encore un peu de temps et il pourrait devenir un jeune homme gai. Cette lente substitution d'un visage humain à la ressemblance de Dieu, c'est cela pour M. Julien Green le point du choix sans retour. Mais pourquoi la cire qui nous est donnée pour modeler cette ressemblance divine semble-t-elle porter déjà la fatalité d'un autre amour et d'un amour condamné ? Le jeune homme qui rentre en France à la fin du livre, en juillet 1922, est encore un jeune homme chargé de chaînes, mais bientôt ses chaînes ne lui pèseront plus : encore deux ans, ou un peu plus, et le bonheur viendrait à moi, dit-il à la dernière ligne. Quel bonheur, nous nous en doutons sans le demander. Et pourtant, encore deux ans, ou un peu moins, et sous le nom de Théophile Delaporte M. Julien Green publiera son premier livre, un pamphlet contre les catholiques de France aux accents pascaliens : « Je vis au centre de l'amour de mon Créateur, et je vis comme si je n'en savais rien... » Dix ans, vingt ans, quarante ans plus tard la lutte n'est point tout à fait finie : à peine une voix apaisante souffle-t-elle que ce qui était déjà inscrit dans notre chair et notre âme était déjà à la ressemblance de notre vérité. « Nous changeons, lui dit gravement une vieille parente, mais il y a en nous quelque chose qui ne change jamais, c'est la personne qui dit je, et c'est à cette personne que Dieu parle en secret. » Oui, tante Lucy, mais c'est le diable pour trouver ce *je* là [1].

Le romancier

« Courage, Green ! Votre œuvre est bonne », s'écriait Georges Bernanos, en août 1926, après avoir salué la première œuvre du romancier dont il ne savait rien, sinon qu'il était jeune, et y avoir reconnu « une attention puissante, le mépris de la facilité, et par-dessus tout l'amour intrépide du vrai ». L'amour intrépide du vrai : c'est la grande règle et la grande loi de tous

1. Dans son excellent livre *l'Arbre jusqu'aux racines*, M. Dominique Fernandez a présenté une bonne analyse de l'homosexualité et de la conception de l'homosexualité chez M. Julien Green, en particulier dans le premier volume de l'autobiographie.

les livres qui ont suivi, le mot qu'il faut garder en tête quand on
veut en parler.

L'unité de la douzaine de volumes qui constituent l'œuvre
romanesque est d'ailleurs évidente. Du titre d'un roman avorté
des années 30, les *Pays lointains*, dont le journal a sauvé une
quarantaine de pages, au titre du dernier volume de l'autobiographie, *Terre lointaine,* il y a une visible correspondance d'inspiration sur laquelle il sera profitable de s'interroger, mais l'unité
du ton n'est guère moins manifeste. On a souvent remarqué que
ces romans se déroulaient en dehors de la grande histoire, dans
un temps psychologique réel mais qui n'était guère marqué par les
grands événements des deux premiers tiers de ce siècle. Mais on
pourrait dire également qu'ils se situent en dehors de l'histoire du
roman contemporain. Aucune œuvre ne dément avec autant de
clarté ce lieu commun d'une certaine critique avide de nouveauté :
« Après Tel, ou Tel, on ne peut plus écrire comme avant. »
Quand on est écrivain, on écrit toujours comme on peut, sans repères de manuel. James Joyce et Proust bouleversent la conception du roman vers le temps des débuts de M. Julien Green,
M. Alain Robbe-Grillet et quelques autres essaient de la remettre
en question trente ans plus tard. Le roman de M. Julien Green
n'accuse ni changement, ni vieillissement. Qu'on relise ce *Mont-
Cinère* qui soulevait l'admiration de Bernanos et le dernier
roman paru, *Chaque homme dans sa nuit.* Quelle différence?
L'écriture s'est faite un peu plus ferme peut-être, un peu
plus précise. Mais quelqu'un parle, et quelqu'un écoute, avec un
scrupuleux amour de la vérité, et c'est presque tout ce qu'on peut
dire de la technique romanesque de notre auteur.

Une telle œuvre ne se construit pas, bien sûr, et dans un
temps comme le nôtre, sans que l'artiste réfléchisse sur son art.
Tout n'est pas conduit par un instinct infaillible, et on pourrait
sans doute tirer du *Journal* (et peut-être de quelques pages de
Varouna) les éléments d'un art poétique du romancier. Pourtant,
ce qui est le plus apparent, ce n'est pas un ambitieux projet de
constructeur, mais un humble travail d'artisan pour vaincre une
résistance. Tout se passe comme si M. Julien Green n'éprouvait
pas le besoin de remettre en question la forme traditionnelle du
roman (ou, au théâtre, avec *Sud,* la forme traditionnelle de la
pièce) qui est aussi la forme classique et naturelle, ou, si l'on
veut, la forme courante de la narration. Mais cette narration,
forme et contenu, il ne peut l'inventer qu'au sens où on le dit
pour un trésor, quelque chose qui existe déjà. Ce romancier est
de l'école du regard : pour un peu, je dirais même qu'il est le
seul, ceux qui se réclament de cette technique ne confiant le plus
souvent au papier que des vues de l'esprit, alors que pour M.
Green, comme pour chacun d'entre nous, l'esprit n'existe qu'en

transparence brouillée, à travers le monde des sens. Il a beaucoup fréquenté les musées, un temps au moins il a beaucoup dessiné. Son art de romancier est un art de dessinateur, de dessinateur tout classique et qui cherche passionnément cette forme du relief qui naît de la parfaite exactitude. La première ligne est un trait, la notation concrète d'un geste ou d'une attitude : puis, de cette première ligne à la dernière, tout se tient, l'auteur ne se permet pas le flou d'un commentaire ou d'une réflexion générale sans support. La question, si importante pour les écrivains et les critiques d'aujourd'hui, des rapports entre la réalité et les moyens mis en œuvre par le romancier pour la faire parler, c'est-à-dire le plus souvent la question des temps et des personnes du verbe, n'a pas lieu de se poser pour tout lecteur de bonne foi. Disons que l'œuvre de M. Julien Green est l'appréhension naïve d'une réalité qui ne l'est pas.

Cette réalité comprend en effet presque exactement de la même manière le quotidien, le rêve endormi et le rêve éveillé. Il y a sans doute dans cette œuvre des romans qui font la part plus grande au réalisme et d'autres à ce que l'on peut appeler le fantastique. Mais je me demande si on n'a pas souvent tendance à exagérer cette distinction. De la petite Emily de *Mont-Cinère* au Wilfred de *Chaque homme dans sa nuit,* tous les personnages greeniens sont nettement de la même famille, qui est la famille des visionnaires. Ils ont parfois, assez rarement en somme, des visions, mais ils ont tous *la* vision. Non la vision d'un autre monde, mais la vision de l'envers de celui-ci. Le rêve est un chemin naturel moins entre la réalité et le fantastique qu'entre deux degrés de réalité. Il n'a pas, me semble-t-il, une fonction fabulatrice ou créatrice de mythes comme dans le romantisme allemand, ou peut-être chez Poe, il a une fonction de dévoilement. Et une fonction de dévoilement qui se garde de l'accent psychanalytique trop prononcé parce qu'elle cherche à se référer au-delà de l'histoire personnelle du rêveur à une sorte d'histoire générale du rêvé, qui est peut-être la véritable histoire « sainte » de l'humanité. La continuité artistique de l'œuvre sur laquelle nous insistions tient de la manière la plus simple à la continuité de la conception, de la vision de la vie. Réalité et fantastique ne sont que des nuances secondaires, un peu au sens où Pascal essayait d'effacer les frontières entre le sommeil et l'autre sommeil. A tel point que cet auteur que l'on dit fantastique n'est même jamais très à l'aise quand il essaie de l'être tout à fait. Par exemple le Diable de Bernanos existe puissamment : en refermant *Sous le soleil de Satan,* impossible de douter, nous l'avons rencontré, alors que le Diable de *Si j'étais vous...,* nous savons avec la même force que ce n'est pas le vrai. Ce n'est pas le soleil de Satan qui éclaire l'enfer selon

M. Julien Green, c'est un soleil de minuit. Son Diable existe
avec force, mais avec une immanence qui se prête mal à la per-
sonnalisation. Parce que c'est le Mal. Non que cette œuvre
romanesque tende à être abstraite : elle est charnelle et brûlante des orages de la chair. Mais peut-être parce que l'œuvre
de chair telle qu'il la conçoit ne peut en aucun cas être orientée
vers un bien et une fécondité, mais ne peut-être qu'une œuvre de
mal, à tel point qu'il est juste et savoureux pour les personnages
de M. Green qu'à l'intérieur de l'acte même la souffrance se
mêle au plaisir. Pourquoi donc le jeune Joseph Day de *Moïra*
bat-il de toutes ses forces un jeune sycomore ?

Joseph ne le sait certainement pas. En fait, la patiente, l'incessante description du monde chez M. Green est une interrogation, une interrogation sur le monde et sur lui-même, une
recherche de la ligne de partage des eaux entre le bien et le mal.
La variété des décors et des intrigues est grande, mais elle est
plus apparente que réelle. Certes il y a là des lieux et des figures
qui s'imposent puissamment, qui peuvent prendre le poids de
créations balzaciennes, bref qui sont d'un grand romancier.
Mais l'essentiel, c'est le théâtre d'une action intérieure souvent
recommencée. C'est un lieu, appartement, maison, université :
celui qui est choisi avec le plus de ferveur peut-être, c'est la
grande maison coloniale d'une petite ville du Sud, c'est-à-dire, si
nous suivons l'autobiographie, moins le décor de l'enfance de M.
Julien Green (il a été élevé au village de Passy, et il y reste très
attaché) que celui de la seconde et douloureuse naissance à la vie
d'homme, au sortir de l'adolescence. Dans le décor, des femmes
et des hommes dont on a envie de dire qu'ils vont ou qu'ils
vaquent à leur passion dominante comme on le dit des occupa-
tions. Des femmes âgées dont souvent cette passion quotidienne
a fait des sortes de monstres, des figures terribles parce qu'elles
semblent animées par un appétit qui fait peur à leur créateur
même. Des jeunes femmes, moins belles qu'attirantes, et dont
le visage souvent, comme celui de Moïra à sa première apparition à Joseph fait penser à un masque plus qu'à un visage véritable. Des hommes dont la plupart s'effacent assez vite dans
notre souvenir, sauf quelques-uns qui tournent ou qui flairent,
pour de bons ou pour de mauvais motifs, autour de la figure
principale. De livre en livre, celle-ci se détache de plus en plus
clairement. C'est celle d'un jeune homme, beau et aveugle.

C'est à la fois le ressort et le paradoxe de ces romans du
regard de tourner autour d'une figure centrale qui ne se voit pas
elle-même, d'un être dont l'appétit charnel n'est pas moins
fort que celui des autres personnages, mais qui ne le sait pas.
Chacun des grands livres reprend l'histoire de cet être qui se
délivre de ses bandelettes, qui est conduit à laisser tomber l'une

après l'autre les pièces de son armure, qui se dépouille de ses vêtements un à un, non avec une complaisance vénale comme dans ces spectacles qu'il faut éviter même de nommer, mais avec un mélange de désir et de peur.

En face de lui, de plus en plus, M. Green dresse l'objet et l'instrument de sa passion. C'est un jeune homme ou c'est un jeune Dieu. C'est Moïra que Joseph étouffe de ses mains, pour effacer la souillure de la chair, mais c'est Bruce Praileau que tout son corps appelait : et il mourrait de le savoir clairement. Instrument et objet de la passion, qui est aussi un double du héros lui-même — double figure de l'amour qui ne connaît pas encore son nom, et du même amour installé, semble-t-il, dans une sorte de paix, rassuré, rassurant si on prenait sur soi de le rejoindre... Mais n'est-ce pas impossible ? L'âme noire et blanche se déchire jusqu'au sang.

On aime comme ailleurs on se drogue : pour aller jusqu'à l'extrême bord de quelque chose. Le plaisir est le signe que cette passion est naturelle, mais il contient en même temps une menace, un avertissement : ce n'est pas le bonheur, c'est sa misérable banlieue. De l'âme aveugle, qui ne connaît pas les chemins de la terre, mais qui est fermement persuadée de savoir où elle va, et de ce beau corps rayonnant du jeune homme dressé sur cette terre, ne pourrons-nous jamais faire une harmonie ? La grande maison coloniale, c'est peut-être la mère selon les psychanalystes, mais pas tout à fait : elle est l'aspect nostalgique, haï et bien-aimé d'un état du passé. Mais celui vers lequel on voudrait revenir, terre ou pays, c'est le lointain, le vert, le lointain paradis dont la palestre ou le campus ont donné une idée, l'innocent, oui, l'innocent paradis où les jeunes hommes sont beaux et purs comme des demi-dieux. Un paradis juste avant *Genèse* II, 21-22, qui sont les versets de la création de la femme. Les romans de M. Julien Green décrivent le long pèlerinage de l'homme vers cette réintégration, ou plutôt ils décrivent la surprise, et souvent la terreur et le désespoir de l'homme qui découvre que ce pèlerinage est le sien, mais qui soupçonne en même temps que les autres ne sont pas plus aisés, et que pour tous finalement la difficulté est la même, c'est de mettre son amour dans le sens de son salut.

L'art du romancier, et cette fois ne refusons pas le mot « strip-tease » en pensant au vers où Claudel met sur le même plan « l'homme de lettres, l'assassin et la fille de bordel », est l'art de différer dramatiquement cette découverte. De roman en roman, il est allé un peu plus loin, de *Mont-Cinère,* qui peut passer pour un roman de l'avarice, de la possession des choses (mais Bernanos avait bien vu qu'il s'agissait là d'un redoutable cancer de l'âme, et que c'est cela qui importait au chirurgien) aux dernières œuvres qui sont ouvertement des romans de la possession charnelle d'un être. Mais en même temps, cette œuvre romanesque a été doublée par la publication progressive d'un *Journal,* journal de lectures, de rencontres, de voyages, journal d'impressions personnelles et journal de dévoilement. Tout n'est pas dit, tout n'est pas publié surtout, un certain ordre de confidences semble délibérément écarté, — ou retenu, si bien que là aussi nous avons l'impression d'une recherche progressive, d'un mouvement d'approche surveillé. Enfin si la première pièce de théâtre mettait en scène avec l'audace du néophyte, au pays des esclaves, le secret douloureux qui le fait languir, une troisième série de livres, les trois volumes de l'autobiographie, a repris la même confidence différée en remontant cette fois aux origines et en livrant au passage bien des sources et bien des clefs de la création romanesque. Chemins ouverts, chemins vers le mystère d'un être.

« Nous avons l'impression curieuse que Green ne parvient jamais à la connaissance de soi-même — écrivait récemment un brave critique — à travers sa création et, qui plus est, ne désire aucunement y parvenir : c'est la part de mystère essentielle à son activité artistique. » En effet. Et même à toute activité artistique : sans cette retenue consciente, qui n'est pas dissimulation volontaire, il ne pourrait y avoir qu'un aveu grossier et sans art comme on dit, mais aussi sans intérêt. Mais il y a peut-être davantage : c'est que l'écrivain le plus vigilant et le plus décidé à tout dire ne sait peut-être jamais tout. Nos pensées et nos actions nous dévoilent parfois brusquement une terre intérieure lointaine au point de nous être restée inconnue jusqu'à ce moment. Terre du Diable, ou terre de grâce, — terre d'un combat des grandes profondeurs qui nous dépasse peut-être infiniment et que nous ne saisissons peut-être que de la manière la plus fragmentaire, Fabrice endormi dans le coin du tableau où se déroule une immense bataille.

A cette seule bataille, à cette seule question de vie ou de mort, s'attache toute cette œuvre romanesque intemporelle, indifférente en apparence aux luttes et aux souffrances des hommes parce qu'elle ne s'intéresse qu'à la souffrance, singulière et générale. C'est par là qu'elle nous atteint comme nulle autre. Elle parle la langue des âmes intrépides parce qu'elle est constamment restée fidèle à cet amour intrépide du vrai que reconnaissait un de ses premiers lecteurs, et à rien d'autre...

ANDRÉ MALRAUX

Qu'a-t-il manqué à ce génie ? Pas le génie, en tout cas, la merveilleuse promptitude et la merveilleuse lucidité dans l'action ou dans l'étude, ce qui lui permet d'aller au cœur d'un problème ou d'un être, puis d'en tirer un élément du diagnostic de notre temps, de la place de l'homme dans notre histoire, ce qui a toujours été sa préoccupation dominante. Il faut prendre ses romans, ses livres, ses activités de combattant et de ministre comme des moments d'une action qui nous semble parfois discontinue même si elle est soumise à un seul souci. Ecrivain, peut-être a-t-il eu le sentiment qu'il arrivait trop tard, à un moment où la littérature était devenue trop friable pour qu'un homme de sa race puisse encore y tailler sa statue...

Antimémoires.

Jamais la pâte même de notre vie n'a été pétrie avec plus d'intelligente impatience, jamais on n'a essayé de dire avec autant de lucidité et de bonheur la difficulté d'être un homme de notre temps, ce rebelle XX° siècle, jamais à la seule humble lumière de la fraternité on n'a évoqué aussi justement le mystère de la condition humaine promise à la mort. Aventurier auquel il semble parfois donné, comme dans une seconde vie, de revenir comme ministre du Pharaon sur le théâtre de ses aventures, écrivain qu'un trop long silence risquait de reléguer pour les plus jeunes sur les rayons de quelque bibliothèque du souvenir, M. André Malraux revient avec le gros volume grouillant de ces *Antimémoires* [1] et remonte les chemins de sa double, de sa multiple vie comme s'il était à la recherche de ce secret unique qui est au point de départ de toute grande existence et de toute grande œuvre, et qui est au point d'arrivée, le même, et même s'il reste un secret, une question plus qu'une réponse. Disons que si M. André Malraux n'existait pas, il faudrait l'inventer pour l'honneur des hommes de ce temps et le service des hommes de demain parce qu'il est l'interrogateur le plus passionné et le plus lucide de cette carte secrète de l'histoire contemporaine qui est souvent pour d'autres regards comme le plan d'un métro sans lumières et sans stations.

Notre chance, c'est que ce témoin et ce guide soit un écrivain. Impossible de lâcher le fil de ce discours, qu'il double parfois

1. Gallimard.

d'une rhétorique trop voyante quand il s'agit de discours réellement prononcés, mais qui reste ici l'enchantement d'une voix. On ne peut guère juger encore de l'ordre ou du désordre de ces antimémoires dont nous sommes avertis que nous n'avons qu'un volume sur quatre, et encore, avec des coupures « d'ordre historique », la publication intégrale devant être posthume. *Anti*-mémoires par méfiance à l'égard des confessions trop orgueilleuses et trop personnelles, et par souci de relier sans cesse l'aventure individuelle à l'aventure humaine la plus contemporaine, et au-delà la plus générale. Des pans entiers manquent en effet : il n'est guère question de l'Espagne, pas du tout des femmes. Parfois on reprend d'une certaine manière ce qu'il y avait d'autobiographique dans un roman (*les Noyers de l'Altenburg*), et parfois au contraire on semble doubler le roman d'un récit encore moins direct (*la Voie royale*) ; parfois on évoque dans de longs récits pleins de mouvements et d'allure des épisodes de l'aventure personnelle et guerrière, parfois on rapporte de longues conversations visiblement « posées », comme des interviews pour le musée imaginaire du journalisme, avec le général de Gaulle, avec Nehru, avec Mao Tsé-toung, tout cela presque dans le désordre, et pourtant avec une ruse qui permet à l'auteur de l'oraison funèbre de Jean Moulin de commencer par le suicide et de finir par une méditation sur les camps de concentration et à celui de *la Condition humaine* de consacrer l'ultime page du livre à la première de l'aventure, à Lascaux. Et partout l'homme parle avec l'admirable précision, l'admirable chaleur d'une mémoire rétroactive dont il indique quelque part le mécanisme, parce qu'il lui suffit de vivre un instant avec force dans un décor pour l'enregistrer jusqu'au moindre détail concret et nous l'imposer comme s'il entrait désormais dans nos propres souvenirs. Voici l'image, voici le visage, voici le raccourci, et la flamme de la réflexion qui semble s'allumer naturellement et s'élever de cette prose qui garde l'évidence de la vie. Ni Chateaubriand, ni Proust, pour prendre les grands explorateurs modernes du temps à rebours, ni leur contraire, mais leur égal, avec son tempo propre.

Ce que cet écrivain a vécu, c'est l'aventure de la politique et l'aventure de l'art, cherchant dans l'une et dans l'autre la plus grande libération de l'homme, puis son plus grand accomplissement. Libération concrète, libération sociale d'abord, besoin impérieux pour le jeune homme que le souci de s'accomplir dans l'action, et presque n'importe quelle action, a jeté sur les routes du monde et d'abord au sein des foules plus misérables encore que pittoresques de l'Orient. Les vieilles valeurs bourgeoises décapées dans le laboratoire bien propre des littérateurs, de Gide que l'on voit reparaître au coin des pages de Valéry,

annonciateur de ce monde « fini » dont Malraux est le premier
témoin peut-être, d'Alain sans doute du surréalisme (et derrière
tous ceux-là, de Nietzsche) vont bouillonner maintenant dans la
marmite bien sale des révolutionnaires (et derrière eux, il y a
Marx, puis Lénine). Dégager de la lutte du peuple indochinois, du
peuple chinois, du peuple espagnol ce qui est favorable à
l'accroissement de la dignité de la condition humaine dans le
monde (et ce n'est pas une question de nombre), Malraux court
d'abord à cela comme au plus pressé. Mais il y a la guerre et,
depuis la guerre, le changement de signe de l'idée de nation. Si
l'Internationale reste un idéal lointain et même qui recule, il y
a un nationalisme qui passe de droite à gauche, qui devient le
drapeau de l'action révolutionnaire. Malraux est quelqu'un qui a
quitté l'Indochine et qui retrouve le Vietnam, qui doit reconnaître le prolétariat révolutionnaire sous la nation en armes. Disons
qu'aux grands entretiens rapportés dans ces *Antimémoires,* il en
manque au moins un, capital, c'est l'entretien avec Trotski. Et
que dans son entretien avec M. André Malraux, c'est le général
de Gaulle qui marque avec force que la défense et l'illustration
d'une nation est inséparable d'une exaltation de l'Etat, sans
que M. Malraux nous dise vraiment s'il est convaincu, s'il est intimement persuadé que de vieux nationalistes barrésiens comme le
Général et peut-être comme lui ont des bâtonnets assez longs
pour manger le riz avec Mao... Le brassage des idées politiques
n'est d'ailleurs pas fini, il n'est qu'un aspect d'un brassage infiniment plus profond, il a été donné à l'auteur de *la Tentation
de l'Occident* de vivre l'époque de la tentation réciproque de
l'Occident et de l'Orient, du réveil de l'Asie par la tentation
nationaliste, un peu trop tôt et un peu trop fort, à l'heure où
l'Occident, jusqu'à l'Extrême-Occident américain n'est pas
encore mûr pour laisser rayonner sans recourir à la force meurtrière la fleur d'une civilisation enfin humaine.

Que faut-il entendre par là, pour éviter de retomber dans un
humanisme gâteux, ou du moins purement verbal, un humanisme de discours radical de la III° République dont un Herriot
évoqué au passage semble avoir été le dernier porte-parole ? Il
faudrait reprendre d'abord ici la longue interrogation de l'art,
difficilement séparable de la longue interrogation religieuse. Le
grand fait pour notre culture esthétique, mais dont le retentissement est incalculable encore sur notre culture éthique et métaphysique, c'est la mise à jour, côte à côte, de toutes les formes
de l'art de tous les temps et de tous les peuples, dégagés des
sables comme le sphinx, propres comme des sous neufs ou
comme Paris ravalé. Voilà le musée imaginaire des héros et des
dieux, le langage universel de l'homme quand il se pique d'être
grand et même plus grand que lui. Mais à quoi bon, et cette gran-

deur pouvons-nous la rejoindre à travers la vitre qui protège les pièces les plus précieuses des collections ? La grandeur de notre temps, c'est de pouvoir constituer ce musée, sa misère, c'est que ce musée ne soit plus un temple. Les dieux alignés, toutes métamorphoses percées à jour, peuvent être atteints par la connaissance, non plus par la prière. Ce que M. André Malraux exprime encore en disant à plusieurs reprises que ce qu'il a recherché d'abord c'est la Vérité, et Pascal lui répond à l'avance : « On se fait une idole de la vérité même... »

Mais si les dieux, l'auréole du sacré perdue, ne peuvent plus rien pour l'homme, l'homme ne peut-il plus rien pour les dieux qu'il a faits à sa ressemblance ? Et d'abord, mort où est ta victoire ? La fièvre de vivre habite tellement les livres de M. Malraux qu'en en parlant on ne marque pas assez à quel point ils sont hantés par la mort. Ces grands récits de guerre ou ce grand retour après la visite à la reine de Saba comme jadis les grandes scènes de *la Condition humaine* ou de *l'Espoir,* ce sont toujours des mises à l'épreuve par le danger, des scènes de la vie à la mort et dans cette approche presque ultime (mais dans ce presque est peut-être toute la différence) la mort perd ses terreurs et ses prestiges. Et voici à la fin la preuve par l'absurde et par le dégoût : la torture sans raison policière, l'humiliation systématisée des camps de concentration ne s'expliquent que par une volonté de sacrilège, une tentative d'anéantissement de la dernière valeur sacrée de l'homme, et qui était en effet un soutien pour les responsables au milieu de l'épouvante, la valeur de l'idée que l'homme a pu se faire de la condition de l'homme, en Orient comme en Occident, hier sous le masque ou sous le fétiche, aujourd'hui à visage découvert.

Tout cela qui semble redevenir abstrait et général ne l'est pas dans la gangue de l'expérience vécue des *Antimémoires.* Ce n'est pas une philosophie, comme pourrait en élaborer une, par exemple, l'auteur des *Mots*, et on serait mal venu de le reprocher à M. Malraux qui ne se pique de rien sur ce plan-là. C'est encore bien moins une religion, comme celle de l'auteur des *Mémoires intérieurs* : le malheur de l'homme aujourd'hui n'est pas de mourir, mais de naître, sans les secours de la religion. C'est un témoignage sur la manière dont un homme peut vivre ce qui lui est donné à vivre et rester vivant. Ce n'est pas si simple, il y faut vaincre déjà, dès cette vie, beaucoup de ténèbres et de désespoir, pour les autres et pour soi, il y faut dépasser aussi, souvent, une sorte d'ironie saugrenue sans bien savoir si c'est Dieu, la vie ou l'homme qui se moque. Et puis il faut dire : « Continuons... »

NATHALIE SARRAUTE

L'œuvre mince et tardive d'une des doyennes de notre lit-
térature actuelle occupe une situation un peu ambiguë : ces petits
romans mondains peuvent être pris comme une suite non négli-
geable de l'œuvre de Marcel Proust ou de celle de Virginia
Woolf, mais ils sont plus souvent considérés comme un com-
mencement presque absolu d'une certaine littérature moderne,
cautionnée par M. Jean-Paul Sartre, mais rapidement détournée,
désengagée, du côté du nouveau roman. Peut-être est-ce elle qui
tiendra un jour la place d'une Mme de Duras de notre temps...

« Les Fruits d'or ».

C'est dans *les Fruits d'or* [1] de Mme Nathalie Sarraute qu'on trouvera les exemples les plus beaux et les plus complets de dialogue intérieur. Le seul centre d'intérêt de ce livre, ce n'est pas un personnage ou une action, c'est un roman intitulé *les Fruits d'or* et dont nous apprendrons presque incidemment qu'il est l'œuvre d'un certain Bréhier. Ni de Bréhier, ni de ses *Fruits d'or* nous n'apprendrons grand-chose : nous en apprendrons ce qu'on en dit, ce qu'on en écrit dans certains cénacles dont les membres nous resteront d'ailleurs presque aussi inconnus. Filant les images, maniant et commentant le dialogue presque en auteur de boulevard, Mme Sarraute écrit l'histoire d'un roman aussi invisible que *l'Arlésienne*. Mais elle boucle le sien.

Au premier degré, celui de la satire. Elle a merveilleussement attrapé les tours et les tics de toute une école de critiques et de commentateurs de la littérature, et elle n'épargne pas pour cela ceux qui appartiennent à des écoles différentes. Le galimatias mondain ou prétentieux est reproduit avec autant de fidélité que de drôlerie et nous avons là un bon échantillonnage de ces jugements qui se portent tous les jours sans jugement, de ces mouvements d'opinion qui bouleversent le vase clos des sociétés d'admiration mutuelle. C'est la part des *Femmes savantes*, excellente mais un peu limitée.

Mais en même temps au second degré, Mme Sarraute suit ces manifestations et ces remous en profondeur, elle les amplifie

1. Gallimard.

par des effets de rhétorique, et c'est ici qu'intervient le dialogue intérieur, l'art des choses tues et des échanges muets. Au-delà de la satire vient une analyse très poussée des mécanismes d'admission et d'exclusion dans les petites sociétés intellectuelles, le jeu des tabous et des convenances à la Verdurin, mais aussi le jeu de la sympathie, de la chaleur cherchée ou refusée, du réconfort ou de la blessure, de tout ce qui joue dans le petit monde de la culture pour faire le bonheur ou le malheur des hommes d'une manière qui est encore ridicule, mais qui est aussi émouvante.

Enfin, au troisième degré en quelque sorte, Mme Nathalie Sarraute traite un autre aspect de son sujet, qui est la vie d'une œuvre d'art considérée comme un être vraiment vivant. Au milieu de tout ce petit monde souvent factice, le roman de Bréhier apparaît comme un être réel, admiré, aimé, puis dénigré, délaissé, porté, puis emporté par la mode : mais bien plus que cela l'œuvre semble modifiée par les sentiments qui l'éclairent et elle entre dans la vie des autres pour la modifier profondément en fonction des sentiments qu'elle inspire. Elle éveille, elle nourrit, elle conclut, un grand nombre de dialogues intérieurs plus encore qu'elle ne rapproche ou qu'elle ne désunit sur le plan social ou mondain : et tandis que les personnages anonymes ou invisibles s'effacent, c'est la substance indivise d'une sorte d'âme collective que nous voyons se cristalliser autour du roman imaginaire et qui devient l'essentiel du roman réel. Le talent d'écrivain de Mme Sarraute enfin est de circuler sans cesse entre les trois étages que nous venons d'essayer de distinguer, si bien que tout cela semble non point abstrait mais fait d'après nature. Avec une discrétion bien compréhensible le lecteur s'éloigne généralement de ces œuvres où les écrivains mettent en scène des écrivains pour traiter des problèmes d'écriture : il faut laisser ces messieurs à la cuisine, sans les déranger. Mais il aurait tort de se détourner du roman de Mme Nathalie Sarraute : même les gens de lettres sont des êtres humains et ce livre le fait sentir avec force.

« Entre la vie et la mort ».

A bien y regarder, ce n'est pas tellement par la forme et par la recherche de technique romanesque que se distingue Mme Nathalie Sarraute qui a publié *Entre la vie et la mort*. Par la nature de sa psychologie, on peut aisément la rattacher, et on l'a fait souvent, à Proust ou à Virginia Woolf. Elle n'a pas la grande

vague de vie intérieure qui soulève l'œuvre proustienne ou la
moindre nouvelle de Virginia Woolf. Mais elle a un œil à
facettes, de l'obstination, du discernement, un certain sens sati-
rique (qui ne se retourne jamais sur elle-même) et un grand don
d'écrivain.

Elle réfléchit sur son métier de romancière comme un potier
qui réfléchirait sur la poterie en se gardant de faire un pot,
comme un tailleur qui réfléchirait sur les habits du roi et enver-
rait ensuite le roi à la parade, allez savoir s'il est nu, comme le
disent les enfants, ou superbement habillé. Dans *les Fruits d'or*
Mme Sarraute racontait la vie mondaine d'un roman qui portait
le même titre que le sien, sa découverte par les lecteurs et la critique, sa vogue, et puis sa descente dans l'oubli avec les change-
ments de la mode. Dans *Entre la vie et la mort*, il s'agit de la
naissance d'un livre, peut-être d'un roman, de la lutte du créateur avec les mots et aussi avec l'informe, du travail de nous ne
savons qui et des réactions de personnages ou d'entités aussi mal
précisées. Ce qui intéresse Mme Sarraute, elle l'a dit dès son premier livre, elle le répète dans la notice de celui-ci, ce sont les
tropismes, c'est-à-dire ces mouvements, ces associations que
seule une infra-psychologie peut déceler, qui n'appartiennent pas
à une personnalité tranchée, à peine à une conscience. Le presque inconscient, mais bien entendu, aseptisé, débarrassé de
toutes les inconvenances psychanalytiques, de tous les traits qui
pourraient renvoyer à une histoire personnelle. Ce que nous
lisons, qui est finement observé et finement décrit, correspond
à une sorte de bouillie très claire de l'esprit, de pensée presque
antérieure aux mots, et en tout cas où il ne peut être question
d'idées ou de sentiments. Pendant deux cents pages, nous touil-
lons et retouillons cette légère purée verbale qui n'appartient à
personne et ne raconte rien, sans jamais trop savoir qui parle
ou de quoi il est question. Mme Sarraute est un cordon-bleu qui
nourrit ses lecteurs de fumées et de fumets...

Le thème posé, c'est celui de la création littéraire, le « il »,
c'est l'écrivain. Lisons la première page : « Il hoche la tête, il
plisse les paupières, les lèvres... » Non, décidément, non, ça ne
va pas. « Il étend le bras, il le replie... » J'arrache la page.
« Il serre le poing, puis son bras s'abaisse, sa main s'ouvre... »
Je jette, je prends une autre feuille. Je tape. A la machine.
Toujours. Je n'écris jamais à la main. Je relis... « Sa tête
oscille de côté et d'autre. Ses lèvres font la moue... » Non et
non, encore une fois. J'arrache, je froisse. Je jette. Ainsi
trois, quatre, dix fois je recommence... « Il plisse les lèvres, il
fronce les sourcils, il étend le bras, le replie, l'abaisse, il serre
le poing. »

Que cet écrivain reste sans nom, qu'il s'appelle Alain, ou

Claude ou Simon, peu importe. La page ne manque pas de drôlerie et d'un certain mouvement. Mais où sont les tropismes ? Nous sommes ici dans le domaine d'un art un peu extérieur ou même un peu gros. C'est un portrait, à la manière de La Bruyère, genre aimé des Précieuses, et le livre de Mme Sarraute est en deux cent cinquante pages, ce qui est beaucoup pour le genre, un portrait de l'amateur de mots, comme l'autre croquait en cent fois moins d'espace l'amateur de tulipes. Ou plus exactement encore, c'est un gros plan de cinéma ou de télévision, c'est une caricature de l'écrivain, comme quelques pages plus loin les renseignements que quelqu'un donne sur son enfance et ses grands-parents sont la parodie des interviews que certains donnent dans la presse ou à la radio. Voilà qui est bon, mais le talent ne serait-il pas aussi de remplir l'intervalle entre les tropismes de l'écrivain et les caricatures ou les affiches ?

Voici d'une part l'écrivain-guignol travaillant à sa machine, et d'autre part les plus ténues variations sémantiques ou phoniques sur héraut, héros, Hérault, R. O. Le métier de l'écrivain est d'abord de jouer et de travailler avec des mots, soit, avant les émotions, les idées et les purs sanglots. Mais il ne peut se borner à cela. Dans la conscience, sous le regard de l'écrivain au travail, il y a les pages du dictionnaire, mais aussi des souvenirs incongrus ou nécessaires, des sensations viscérales, des préoccupations, de l'amour pour tel ou telle ou pour saint Antoine de Padoue ou pour la classe ouvrière. L'écrivain de Mme Sarraute enfante bien entre la vie et la mort, comme dit le titre, sauf que vie et mort ont peu de sens pour lui puisque sa réflexion sémantique est très peu différente de celle d'un ordinateur. Plus loin, Mme Sarraute revenant un peu sur le terrain de ses *Fruits d'or* nous montre l'œuvre à l'état naissant présentée aux témoins, la page lue aux amis et quelques sentiments presque humains, la peur, l'humiliation, la vanité, la rosserie affleurent, et je sais bien que ces sentiments, ces tropismes mettent en jeu les ressources profondes de l'individu. Mais l'exercice ne reste-t-il pas un peu factice ?

Ce qui importe, bien sûr, c'est que le livre soit réussi, et je crois qu'il l'est, si le volume ne vous tombe pas des mains (mais c'est un risque sérieux) vous goûterez assurément le talent de Mme Sarraute. Elle a chassé jusqu'aux noms de Clélie et d'Artamène, et pourtant elle est bien la plus directe héritière de Mlle de Scudéry qui raffinait déjà sur le détail de l'analyse. Cela ne va pas sans quelque ironie parce que Mme Sarraute ne pense probablement elle-même porter des fruits de ce genre, parce qu'elle semble d'abord la plus novatrice par rapport aux lignées de la littérature féminine que nous évoquions d'abord. Mais je ne vois pas que ce parentage ait rien de désobligeant.

MARGUERITE YOURCENAR

Elle a tout eu tout de suite, il y a quarante ans, les suffrages des happy few, elle n'a touché le grand public que beaucoup plus tard avec les Mémoires d'Hadrien, et son seul livre très important depuis, l'Œuvre au noir est en train de se faire progressivement une grande place. C'est-à-dire que toute l'œuvre, avec ou sans succès immédiat, va au pas de sa créatrice. Une intelligence précise, et pour ainsi dire virile, lui permet de choisir et de retenir ce qui est significatif et un talent d'écrivain classique, et surtout nourri de lettres classiques, met tout en relief. Tournée vers l'Antiquité ou vers la Renaissance, vers la Grèce ou vers les Noirs des Etats-Unis, c'est d'abord une œuvre d'humanisme : et d'un humanisme qui, bien entendu, ne s'arrête pas en chemin, ne s'attarde pas dans l'imitation ou le culte du passé et garde le regard aussi clair quand il s'agit de la conscience de l'homme d'aujourd'hui.

L'amateur de critiques.

La critique professionnelle a toujours beaucoup à apprendre de la critique des maîtres. Quand un auteur que nous aimons donne son avis sur un autre écrivain, ou sur un peintre, ou sur n'importe quoi, nous avons le plus souvent deux raisons de nous instruire : d'abord l'œuvre étudiée est souvent placée dans un éclairage nouveau par quelqu'un qui est du bâtiment, bien mieux : qui a un secrète connivence avec son objet. Ensuite, alors que le professionnel est plus ou moins obligé de brouter les pâturages parfois maigres de l'actualité en librairie, l'écrivain choisit librement son thème, et il se trouve, quand il réunit en volume quelques-uns de ces essais, comme Mme Marguerite Yourcenar fait dans *Sous bénéfice d'inventaire* [1], que cet ensemble forme une sorte de constellation, un signe que nous pourrions dessiner sans beaucoup plus d'arbitraire qu'on n'en a mis à dessiner les signes du Zodiaque et qui est au moins aussi instructif. Mme Yourcenar nous parle de l'*Histoire Auguste*, d'Agrippa d'Aubigné, des châtelains de Chenonceaux, de Piranèse, de Constantin Cavafy et de Thomas Mann ; et pour nous, le livre parle aussi de l'auteur des *Mémoires d'Hadrien*.

Le domaine de Mme Marguerite Yourcenar, c'est l'histoire, ou plutôt la méditation du passé : à tel point qu'elle s'intéresse volontiers à ceux qui eurent eux-mêmes la curiosité et presque la hantise des choses révolues. Ainsi Piranèse qui en plein XVIII° siècle consacre toute son œuvre de graveur aux vues et aux anti-

1. Gallimard.

quités de Rome. Ainsi Constantin Cavafy, petit fonctionnaire d'Alexandrie mort il y a trente ans, grand poète de la Grèce moderne, qui voit pour ainsi dire en transparence à travers les paysages et les garçons de son époque les paysages et les éphèbes de la Grèce antique. Même dans l'œuvre de Thomas Mann, ce qui retient Mme Yourcenar, c'est sa signification lointaine en quelque sorte, la signification initiatique qui se rattache peut-être à une tradition hermétique.

Mais cette recherche du passé n'est jamais simple curiosité ou goût du pittoresque : d'une part Mme Yourcenar essaie de comprendre comment le sentiment de la vie passée peut s'insérer dans une vie vivante (ainsi pour Cavafy) ; d'autre part elle s'intéresse particulièrement aux époques tournantes de l'histoire, le Bas Empire de l'*Histoire Auguste,* le XVIᵉ siècle d'Agrippa d'Aubigné, c'est-à-dire aux moments où le problème de la continuité ou de la rupture avec le passé a été un problème existentiel pour tout le monde. Après avoir montré les insuffisances, les incertitudes et les platitudes de l'*Histoire Auguste,* elle écrit avec délices : « Une effroyable odeur d'humanité monte de cette œuvre », et nous voilà à l'essentiel. Que l'histoire soit un réservoir prodigieux d'expérience humaine, tout le monde le sait : mais presque personne n'y puise sans passion autre que celle de la vérité humaine, avec sagesse et pour augmenter la sagesse. En ce sens *Sous bénéfice d'inventaire,* ce sont des *Essais,* l'entreprise de Mme Yourcenar continue à sa manière celle de Montaigne : une manière en quelque sorte plus virile.

Ce souci de déterminer exactement les constantes et les variables de la nature humaine qui, à chaque époque, entrent dans l'équation de la sagesse conduit Mme Yourcenar à tracer d'une main ferme quelques « leçons » de l'histoire générale. A la fin du siècle dernier, on voyait volontiers dans la corruption la cause de la décadence de Rome : « Nous sommes mieux renseignés sur la manière dont une civilisation finit par finir. Ce n'est pas par des abus, des vices ou des crimes qui sont de tous les temps... Mais nous avons appris à reconnaître ce gigantisme qui n'est que la contrefaçon malsaine d'une croissance, ce gaspillage qui fait croire à l'existence de richesses qu'on n'a déjà plus, cette pléthore si vite remplacée par la disette à la moindre crise, ces divertissements ménagés d'en haut, cette atmosphère d'inertie et de panique, d'autoritarisme et d'anarchie, ces réaffirmations pompeuses d'un grand passé au milieu de l'actuelle médiocrité et du présent désordre, ces réformes qui ne sont que des palliatifs... »

Mais la méditation du passé serait de peu de conséquence si elle se bornait à nous enseigner comment nous allons périr : elle doit aussi nous aider à vivre même si c'est dans un monde condamné. Entre les équilibres de la sagesse réalisés au cours des siècles, c'est à l'instinct de ressemblance d'opérer un premier choix. Mais c'est à la réflexion personnelle la plus patiente d'opérer le choix définitif, celui de la règle qui permettra le mieux d'exprimer le suc de l'expérience vivante dans la conduite et, pour l'artiste, dans l'œuvre. Point de livre moins passéiste que ce recueil d'essais, et si l'un des meilleurs est consacré à Piranèse, c'est peut-être parce que cette œuvre géniale propose une conciliation d'un lieu dans le passé et d'une formule dans le présent. En appelant l'œuvre gravé du Vénitien « le plus beau poème que Rome ait inspiré », M. Maurice Andrieux dans son excellente *Vie quotidienne dans la Rome pontificale* avait déjà marqué l'intime familiarité de Piranèse avec les *Antichità Romane* et la manière dont il les poussait au-delà du réalisme le plus minutieux vers un lyrisme fantastique. En s'attachant surtout aux grandes planches des *Prisons,* Mme Yourcenar essaie d'entrer plus avant dans l'ombre de ce « cerveau noir », de trouver le passage secret entre les architectures du passé ressuscité et celles de l'imagination, du rêve, de l'obsession intime. Celui-ci, dans une œuvre inscrite dans la marge étroite de l'histoire, a trouvé le moyen de dire sa sagesse et aussi sa folie. Ainsi vers le milieu du XX° siècle une romancière française d'une cinquantaine d'années a dit le meilleur d'elle-même en faisant parler un empereur romain des années 100 qui fut un administrateur modèle et voulut faire un dieu d'un jeune favori trop tôt perdu.

Denier du rêve, monnaie flottante.

Il faut que le thème du *Denier du rêve* [1] tienne bien au cœur de Mme Marguerite Yourcenar : une première version de ce roman a été publiée en 1934 ; une seconde, considérablement remaniée en 1959, dont celle-ci n'est guère que la reprise. Mais en même temps que cette version définitive, Mme Yourcenar donne dans le premier volume de son théâtre une longue pièce, *Rendons à César,* qui est l'adaptation pour la scène du *Denier.* Rarement un écrivain s'obstine pendant tant d'années et de tant de manières à interroger les enfants de son imagination, à prolonger leur vie en se demandant ce qu'ils ont pu devenir, comme une note d'état civil à la fin de la pièce nous le montre, à s'interroger lui-même enfin sur le sens de sa création.

1. Gallimard.

Que les lecteurs qui connaissent surtout Mme Yourcenar par ses deux grands livres fameux, les *Mémoires d'Hadrien* et l'*Œuvre au noir* ne s'y méprennent donc pas : *Denier du rêve* n'est pas une œuvre de jeunesse exhumée à la faveur du succès d'œuvres suivantes : d'ailleurs, il suffit de lire quelques pages de ce livre singulier pour se rendre compte que le vigoureux écrivain que nous aimons était déjà là, avec son art de susciter et de ressusciter en quelques mots une situation, une pensée qui nous atteignent comme si elles étaient vivantes.

La singularité de la composition du roman rend l'analyse difficile. Chaque chapitre, parfois court, parfois très long colle à un personnage dont le nom nous est donné tout de suite. L'unité est celle du lieu : Rome, et celle du moment : le 20 avril 1933. L'unité d'action est moins immédiatement perceptible, mais elle se retrouve sur deux plans, celui de l'action proprement dite, une tentative de meurtre contre le Dictateur, et sur le plan de la signification, le denier du rêve proprement dit.

Ces personnages qui marchent, soliloquent, ruminent devant nous sont très divers et pourraient être d'une grande banalité : Paolo Farina, un peu rustre, la cinquantaine, abandonné par sa femme Angiola et qui vient le lundi à Rome chercher quelque consolation auprès de Lina Chiari, qui n'est plus très jeune, qui s'inquiète de se sentir une grosseur indolore sous le sein : elle ira voir un médecin, Alessandro Sarti, qui décidera de l'opérer d'urgence de ce qui est sans doute une tumeur cancéreuse ; Lina ne peut se confier à son jeune ami, le très beau Massimo qu'elle ne verra pas ce soir, qui n'aime pas les femmes d'ailleurs et est un peu trouble ; elle achètera un tube de rouge à lèvres à Giulio Lovisi, petit parfumeur qui a des soucis à cause de sa femme acariâtre, et à cause de sa fille Giovanna, épouse du grand écrivain Carlo Stevo, actuellement déporté aux îles Lipari ; le parfumeur achètera un cierge à Rosalia Di Credo, qui se trouve être la sœur de cette Angiola qui a fui Paolo ; et Marcella, voisine de Rosario, qui veut tirer sur le Dictateur le soir même, et qui est la femme séparée du docteur Sarti, et l'amie de Massimo. Mais la schématisation du roman serait vite fastidieuse, alors que la lecture ne l'est pas parce que chaque projet est habillé de chair, vivante et souffrante. Presque dans chaque chapitre, un personnage donne de l'argent à un autre, la même pièce peut-être va de main en main : Paolo achète les faveurs de Lina, Lina achète le tube de rouge qui change l'apparence de son visage de malade épuisée ; Giulio Lovisi achète un cierge pour la Bonne Mère ; Rosalia Di Credo achètera un peu de charbon de bois pour allumer l'incendie où elle espère mourir asphyxiée et brûlée. Plus tard, Sarti achètera une place de cinéma, puis des fleurs pour la femme qui lui a donné un peu de plaisir dans l'ombre ; la fleuriste donnera la pièce à un vieux peintre plus qu'à demi clochard, qui finira par la jeter dans une fontaine de Rome, propice aux espérances... Ainsi chacun achète son rêve : les gestes de l'amour, ou le cierge, la beauté factice du maquillage ou le moyen court de mourir... De Carlo Stevo, le grand écrivain déporté, on a extorqué une rétractation, et il est mort tout de suite après. Marcella va jusqu'au bout de son projet d'attentat, elle tire sur la voiture du Dictateur, elle ne l'atteint pas, elle est abattue par les policiers. Faut-il mettre le rêve politique à la suite des autres ? Toutes les espérances, tous les rêves sont peut-être vains, sauf l'espérance, et le rêve, l'effort de l'homme, invincible, indéracinable, pour aller au-delà de sa condition...

En changeant de titre pour passer au théâtre, Mme Yourcenar a-t-elle voulu changer d'éclairage ? Tout denier a deux faces, l'une à l'effigie de César, l'autre où chacun de nous peut deviner l'effigie imaginaire de son rêve, cierge ou tube de gardénal. Mme Marguerite Yourcenar a redistribué thèmes et personnages de son livre, en conservant le plus souvent la lettre même du texte, en trois actes divisés en nombreuses scènes et en scènes parfois morcelées par des effets d'éclairage. Le regroupement, bien nécessaire étant donné le caractère de sarabande du roman, est fait avec intelligence. Il y a peu à ajouter à l'examen plein de sagacité que Mme Yourcenar a placé en tête de sa pièce. Pourtant, il me semble que le thème symbolique du denier du rêve risque de paraître plus estompé pour les spectateurs que pour les lecteurs et qu'en revanche le thème de l'attentat politique a plus de place. Peut-être le changement de titre est-il une indication dans ce sens.

En lisant coup sur coup roman et pièce, on a quelque peine à bien juger la seconde forme. A la lecture, la représentation semble devoir souffrir du grand nombre des monologues, des discours que les personnages se font à eux-mêmes, alors que la progression de l'action est plus psychologique que visuelle. Pièce qui n'est point faite pour plaire à ces hommes de théâtre qui placent avant tout l'utilisation des machines et des machinistes. Mais il y a heureusement quelques indices d'un retour à un théâtre qui fait sa place au texte, qui s'efforce de faire entendre au-delà de la sonorisation la pureté et la gravité des voix intérieures que l'on vient d'arracher au silence. La pièce de Mme Yourcenar appartient au théâtre de chambre, comme disait Strindberg, tout en traitant un thème général de grande symphonie. Ce sont les acteurs qui devront trouver le ton juste pour cette belle parole. Mais si techniquement le passage à la scène est possible, qui ne se féliciterait d'entendre ce grand texte noble au lieu de tant de balivernes qui font le vide dans les salles ? Nous sommes encore assez nombreux, me semble-t-il, à conserver dans quelque poche secrète un denier du rêve pour une musique, une pièce un livre...

« *L'Œuvre* » *de Marguerite Yourcenar.*

Un maître livre. Une de ces œuvres très rares où lorsqu'on y est entré, on a l'impression d'être dépassé, comme dans une grande forêt ou dans un temple. On a honte d'en proposer un compte rendu incomplet après une première lecture hâtive : mais on a aussi la joie de se dire qu'on reviendra souvent en esprit interroger ce texte que par esprit de modestie et par pensée de vérité Mme Marguerite Yourcenar a intitulé *l'Œuvre au noir* [1]. C'est un roman et c'est une somme, et l'un de ces aspects ne nuit pas à l'autre. Dans ces trois cents grandes pages de texte serré, il n'y a pas une phrase inutile, peut-être pas un mot de trop. Et en même temps, tout est composé pour former un tableau des passions de la chair, des passions du cœur et aussi, ce qui est plus rare, des passions de l'intelligence. C'est un roman historique tout à fait conforme aux habitudes traditionnelles du genre, qui, visiblement, ne veut rien devoir aux modes ou aux tics de telle ou telle époque littéraire, même la nôtre. Inutile en particulier de se demander s'il faut placer Mme Yourcenar à côté ou au-dessus de nos plus aimables bas-bleus, Mme Duras, Mme Sarraute, Mme de Beauvoir, etc. C'est autre chose, et sans doute le chef-d'œuvre viril de notre littérature féminine.

C'est un roman historique dont l'action se déroule au XVIᵉ siècle, un peu partout en Europe, et même au-delà, et en particulier à Bruges. Deux garçons se rencontrent sur le grand chemin de Bruges à Paris, aux premières pages, Henri-Maximilien Ligre et Zénon, ils vont vers leur aventure, l'armée et la guerre pour le premier, l'Eglise et la science pour le second, le rouge et le noir. Nous les suivrons, ou bien nous les retrouverons périodiquement et dans des positions fort diverses pendant toute la première moitié du siècle. Autour d'eux, les grands et les petits, les événements importants et la vie de tous les jours, les guerres, les fêtes, les massacres, les pestes, les ambitions moyennes, les passions avouées ou sournoises, le monde et son train, le diable et le sien. Le personnage principal est celui de Zénon, figure imaginaire, médecin et chirurgien ambulant, frotté de théologie et d'alchimie dans cette Europe des guerres de religion et de la

1. Gallimard.

chasse aux sorciers, et qui fait penser, Mme Yourcenar le sait, à
Ambroise Paré et à Paracelse, parfois à Léonard, ou à André
Vésale, à Bruno ou à Copernic, voire Rabelais ou Nostrada-
mus. Non point un type, ou une figure composite, mais une
figure romanesque originale, conforme aux habitudes itinérantes
de savants du temps, appuyée sur des traits anecdotiques connus
à propos de celui-ci ou de celui-là. Mme Yourcenar semble vouloir le tirer un peu du côté d'Erasme, je le vois beaucoup plus,
anachronisme mis à part et *mutatis mutandis,* du côté du docteur
Faust au point de me demander si Mme Yourcenar qui a consacré une belle étude à l'humanisme et à l'hermétisme chez
Thomas Mann n'a pas réussi mieux que lui son *Docteur
Faustus.*

Ce n'est pas tout à fait assez de dire que ce roman historique riche en péripéties et en scènes de genre est grouillant de
science et de vie. Tout y est, et tout y est présent. Quand l'auteur
dit quelque chose, c'est parce qu'elle le sait, et elle le sait parce
qu'elle l'a vu. On la surprend de temps en temps en train de
guetter d'un œil qui ne laisse rien échapper à travers tel ou tel
tableau. Une première esquisse de Zénon se trouve dans un
texte publié il y a plus de trente ans et intitulé alors *D'après
Dürer,* en songeant à la *Melencholia,* cette tristesse d'un Faust
femelle. Mais il y a dans *l'Œuvre au noir* bien d'autres Dürer,
bien d'autres petits réalistes italiens ou hollandais et jusqu'à un
souvenir du cher Piranèse ou à un pressentiment de Vermeer.
Jamais de pittoresque conventionnel, toujours une vision directe
des choses et des hommes, voilà pourquoi le trait est si juste
et si frappant.

Ce qui nous est donné à voir et à penser, c'est l'époque de la
Renaissance et de la Réforme, c'est-à-dire le plus prodigieux
bouillonnement dans les mœurs et dans les idées que notre civilisation ait connu avant le nôtre. Pour beaucoup de lecteurs Mme
Marguerite Yourcenar est d'abord l'auteur des *Mémoires
d'Hadrien* et ils devront sans doute combattre un petit regret à
l'idée que l'auteur n'a pas recommencé ce qu'elle avait si bien
réussi. Mais à mieux y regarder elle a recommencé, elle a repris
pour la ressusciter dans un grand tableau une époque de l'histoire intéressante de la même manière, une époque où l'homme
se trouve mis en demeure de choisir pratiquement, dans sa conduite, entre plusieurs images proposées de lui-même et des dieux.
Hadrien est le héros d'une époque où l'homme a de la peine à
devenir dieu, Zénon celui d'une époque où l'homme a de la
peine à devenir homme. Modèles et structures de la civilisation changeant en même temps, et c'est pour cela que le roman
historique pittoresque dont nous avons parlé jusqu'ici n'est pas
oiseux, les banquiers Fugger comptent autant que les réforma-

teurs et les capitaines pour comprendre la nouvelle image que l'homme essaie de se proposer.

C'est ici que l'on sent que la romancière a mené une enquête immense dont les résultats ne se marquent parfois que dans trois mots au détour d'une phrase. La Renaissance souffre un peu dans notre esprit du classicisme qu'elle a engendré : nous avons tendance à nous en faire une image simplifiée et ordonnée, soumise à l'ordre de l'Antiquité en particulier avec une dominante apollinienne. Mais elle a été beaucoup plus riche et plus tumultueuse, semblable à ces forêts vierges d'Amérique qui n'étaient pas découvertes depuis si longtemps, avec leurs prodigieux enlacements d'arbres, de lianes, leurs plantes bizarres et leurs animaux imprévus comme dit Michelet dans un passage que M. André Chastel a eu raison de mettre en tête de son grand livre sur *la Crise de la Renaissance* [1]. Crise des valeurs plastiques, mais aussi crise des valeurs économiques et sociales, crise de la religion et crise de la science. Et tout cela, non point dans la paix d'un cabinet, mais sur les routes, dans les villes, dans le tumulte sanglant d'une époque où Dieu donnait aux soudards leur Oradour quotidien. Fièvre où le rouge et le noir se confondent. Crise de croissance de l'Occident soudain élargi aux dimensions de la planète, forgeant ses nouvelles techniques matérielles et économiques, ébauchant un premier capitalisme international vite plus effectivement puissant que les princes et les empereurs, et finalement faisant craquer de partout la tunique sans couture. La médecine reste pour Zénon une technique familière et ordonnatrice car elle a au moins une valeur constante et un objectif précis dans la lutte contre la souffrance de l'animal humain. Mais comment ne pas voir que cette animalité n'est pas le fin mot alors que justement la science et la philosophie gonflent les voiles de l'esprit ? Mais pour quel voyage ? C'est ici que la Renaissance multiplie les hypothèses et les tentatives dans toutes les directions, cultive sciences vraies et fausses sciences et cherchant à rectifier son idée de la divinité s'égare vers les cimes ou les abîmes.

Ainsi Zénon est alchimiste et cela nous amène au-delà du récit pittoresque et de la réflexion historique à un troisième plan du roman. Il faut entendre l'alchimie, bien sûr, non comme une recherche de l'or, mais comme une purification de la matière et de l'esprit, peut-être par une seule opération qui prolonge la

---

1. *La Crise de la Renaissance* d'André Chastel est un grand Skira de la collection « Art, Idées, Histoire ». On rêvera et on méditera aussi sur l'iconographie du riche ouvrage de M. Jean Delumeau *la Civilisation de la Renaissance* (Arthaud) et bien entendu sur les publications alchimiques de Fulcanelli, de Canseliet et sur les planches du *Mutus Liber* (Pauvert).

médecine ou dont la médecine est le prolongement selon que l'on cherche à guérir la matière minérale ou à tirer de la matière purifiée des remèdes pour la matière vivante. Mais du moment que l'on retouche la création, l'homme lui-même n'est-il pas une créature qui doit être rectifiée et surmontée ? L'alchimie a établi ainsi une symbolique précise et compliquée, qui est beaucoup plus qu'une symbolique ordinaire, une règle de conduite et peut-être une doctrine de sagesse. Ainsi Zénon soigne et se soigne, se cherche et cherche. Au-delà des expériences chimiques sur le soufre ou le mercure, il vit auprès des filles et des garçons, à travers les souffrances des corps et les déchirements des esprits, une expérience intérieure qu'il entend mener en pleine liberté malgré la sauvage violence du siècle. Ainsi le monde est peut-être la forge d'une expérience alchimique à laquelle, si nous le voulons, nous pouvons nous soumettre corps et âme, matière et esprit (« Call the world if you please The vale of Soul-making », dira Keats). Mais nous n'en sommes encore qu'à l'œuvre « au noir » et Zénon devra mettre fin de sa main à cette expérience : le dernier chapitre, écrit par Mme Yourcenar avec un scrupule extrême, est comme le *Phédon* de ce Socrate solitaire.

Ainsi le constant souci de fidélité et de vérité de l'écrivain porte ses fruits et le roman participe d'une modeste mais efficace « alchimie du verbe ». *L'Œuvre au noir* fait partie de ce très petit nombre de livres qui peuvent devenir pour le lecteur attentif le vaisseau d'une alchimie intérieure, sentimentale et intellectuelle, et cela c'est un succès littéraire. L'homme de cendres que nous multiplions à plaisir au soleil de la fission atomique a beaucoup à retenir de la méditation sur le feu du vieil homme de cendres alchimique.

RAYMOND QUENEAU

Il a gardé pendant longtemps une réputation de plai-santin, d'un encyclopédiste qui se changerait de temps en temps, comme dans les histoires de dédoublement de la per-sonnalité, en vieux gamin aux inventions énormes et cocas-ses. Il est bien l'un et l'autre, pas plus satisfait d'être l'autre que l'un, bien déterminé à maintenir la coexistence pacifique entre le philosophe et le burlesque... Toute critique qui dirait : Queneau au fond c'est... est déjouée par le fond, le double fond, le triple fond, le sans fond... On dirait qu'il n'a jamais envie de construire un monument ou une maison que pour avoir après le plaisir de faire des graffiti sur les murs. Mais c'est une manière de critiquer la manière dont nous nous croyons édificateurs, ou édifiants.

Exercices de critique

Zazie est une fillette de quatorze ans, élevée en province, que sa mère confie pour deux nuits et un jour à son oncle Gabriel. Elle arrive à Paris animée d'un grand désir de voir le métro. Mais celui-ci est en grève ; elle devra se contenter de visiter quelques monuments et de faire quelques rencontres d'un pittoresque d'autant plus poussé que, lui-même de mœurs irréprochables, l'oncle Gabriel est cependant danseuse de charme dans une boîte de « tantes ». Lorsque, à l'aube du deuxième jour, recrue de fatigue, Zazie emprunte enfin le métro pour rejoindre sa mère, elle dort et ne s'aperçoit de rien.

C'est un véritable roman initiatique que le savant auteur de la *Petite Cosmogonie portative*, le professeur Raymond Queneau, nous donne avec *Zazie dans le métro* [1]. A quatorze ans (le double septénaire) Zazie nous apparaît comme une figure de Perséphone, à cause de ses origines agraires d'abord (on pense aussi à Eire, Fodhal et Banbha dans la mythologie irlandaise chère au biographe de Sally Mara), à cause de son attrait pour les divinités chthoniennes ensuite. La suite des aventures parisiennes de Zazie devra donc être interprétée comme autant d'épreuves traversées par l'âme. Gabriel-Gaby qui devrait être son protecteur et son guide est un person-

1. Gallimard.

nage essentiellement ambigu qui tente d'abord de la décevoir en lui faisant voir le métro de l'extérieur, sous l'apparence décevante d'un de ses tronçons aériens. Mais Zazie sait se défendre, notamment par une sorte de prière jaculatoire à son fondement, qu'elle prononce toujours dans les circonstances difficiles et qui désarme ses adversaires.

Un instant, nous pouvons croire que Zazie a trouvé son véritable « gourou » en la personne du Gardien de la Paix Trouscaillon. Ce personnage que nous connaîtrons aussi sous les noms de Pedro-surplus et de Bertin Poirée (6 + 6) est-ce Hermès, guide d'Orphée ? Zazie semble bien près de le croire. Mais elle déjoue les tentations : transportée au sommet de la tour Eiffel (dont le symbolisme phallique n'échappe pas à Gabriel-Gaby quand il s'interroge sur la féminité de Paris) Zazie s'instruit aussi bien sur le néant de la gloire (le Panthéon et les Invalides se confondent) que sur les indécisions de la sexualité.

La signification religieuse de l'ouvrage se précise de chapitre en chapitre : Zazie arrivera trop tard pour visiter la *Sainte Chapelle* ; mais le soir elle sera admise dans la boîte où son oncle fait son numéro de danseuse et qui porte le nom significatif de Mont-de-*Piété*. C'est ici sans doute que se situe la faute de Zazie : elle oblige bien le faux Hermès, Trouscaillon, à se démasquer (c'est Aroun Arachide, *id est* le Prince de ce monde) mais elle doute encore de Gabriel dans lequel elle n'a pas su reconnaître la figure relative de l'androgyne primitif. Aussi lorsque les forces du mal (deux divisions blindées de veilleurs de nuit et un escadron de spahis jurassiens) livrent leur dernier assaut, elle leur échappe emportée dans les bras de Gabriel, et dans le monte-charge des Nyctalopes (c'est-à-dire des enfants de lumière) elle voyage enfin dans le monde inférieur, mais pour la punir, elle ne le *sait* pas. Elle a traversé inconsciente le monde sub-terrestre sacralisé, mais le fruit initiatique de son périple n'en est pas perdu pour autant : « J'ai vieilli » peut-elle dire gravement au moment du retour à la Mère.

Notre camarade Raymond Queneau, dont on n'a pas oublié les quatre-vingt-dix-neuf variations sur la plate-forme d'un autobus, aborde aujourd'hui la branche-maîtresse de ses études sur la T.C.R.P. : le métro. A vrai dire le métro dans son dernier roman, c'est l'Arlésienne, invisible et partout présente. Courageusement Queneau a choisi en effet d'étudier le monde du métro au moment où les problèmes de son instrumentalité se posent de la manière la plus urgente c'est à dire au moment d'une grève.

Humble fille de la campagne au grand cœur et au vert langage, Zazie se trouve jetée en présence des réalités du prolétariat. On n'oubliera plus la figure de son oncle Gaby, le travailleur dont l'aliénation, factice mais contraignante, frise la modification sexuelle. Dès sa première sortie seule dans Paris, Zazie connaît les plus graves périls : pour se procurer l'humble vêtement qu'elle convoite en toute naïveté (des bloudjinnzes qui proviennent, suprême ironie, des surplus capitalistes et américains) il lui faut écarter, à force d'intelligence et de courage, les honteuses propositions d'un ennemi de classe.

Au Paris en grève s'oppose tout au long du roman le Paris xénophile et corrompu du monde où l'on s'amuse. Et le personnage ambigu de Trouscaillon pose un des problèmes de l'action révolutionnaire dans les grandes villes : les forces de l'ordre sont-elles, et pour toujours, du côté de l'ordre bourgeois ? Pour Zazie, ce Paris sans métro, c'est finalement le Paris d'une véritable éducation civique au grand jour ; la prise de conscience est complète et dans la dernière bagarre que livre le monde du travail, elle sait où est sa place (« elle hurla : courage Tonton ! et s'emparant d'une carafe la jeta au hasard dans la mêlée. Tant l'esprit militaire est grand chez les filles de France »). Aux dernières pages, le métro se remet en marche sans que nous sachions si les grévistes ont eu gain de cause. Peu importe : Zazie ne s'en aperçoit même pas ; pour elle, le combat continue.

Depuis longtemps, nous n'avions eu l'occasion de lire une étude aussi riche d'exemples sur la morphologie et la phonétique du français parlé vers le milieu du XX° siècle. « Doukipudonktan... Lagoçamilébou... les hanvélos... » que de précieuses trouvailles notées par M. Queneau ! Zazie, c'est le génie de la langue que son subtil biographe étudie sous mille avatars...

Il y a un moment où la libido doit se fixer définitivement. Si déterminantes que soient les motivations subconscientes de la première enfance, la fillette doit choisir : le retour au sein de la mère ou l'abandon consenti aux puissances viriles ? le métro ou la tour Eiffel ? Zazie-Hercule est au carrefour.

Mais son choix n'est-il pas déjà fait : le métro, c'est le sein maternel, mais parcouru par une sorte de serpent lumineux, dont le psychanalyste Raymond Queneau...

Queneau comme Icare avance et raille

Non seulement cette œuvre de M. Raymond Queneau propose une forme nouvelle de rapports entre le romancier et ses personnages, mais elle tend à faire de ce rapport la matière même du livre. Dès les premières pages du roman, nous faisons la connaissance du romancier Hubert ou Lhubert qui en est aux premières pages du sien, en manuscrit. Et cet Hubert est bouleversé parce qu'un des personnages de son œuvre à peine ébauchée, un certain Icare, a disparu. Il a beau tourner et retourner les feuilles de son manuscrit, point d'Icare. Sa première idée est de penser que le personnage lui a été volé par un de ses confrère auxquel il avait fait une lecture, un certain Surget que nous verrons surgir souvent dans le livre, peut-être quand un point de surjet sera nécessaire. Mais un bref examen du manuscrit surgetien montre que ce soupçon est injustifié, on y trouve un Etienne, une Victorine, un Georges, point d'Icare. Le vol d'Icare est un mystère, il va falloir faire appel aux services d'un détective privé pour le retrouver. Mais nous, lecteurs du Raymond et non de l'Hubert, nous sommes bientôt mis dans le secret, nous retrouvons Icare buvant sa première absinthe à la taverne du Globe et des Deux-Mondes, et à peine aura-t-il appris à poser convenablement le sucre sur la cuiller spéciale qu'il y rencontrera une charmante jeune femme, de lettres, elle aussi, mais d'humble origine : c'est LN dont on a déjà compris qu'elle s'était échappée d'une grille cruciverbiste.

Voilà posés situation et problème : des personnages de roman échappés à leur créateur vont vivre leur vie dans le même monde que lui. Le romancier est-il un dieu tout-puissant ? mais alors comment ses créatures pourraient-elles sortir de sa création ? Le romancier inspiré obéit-il à ses personnages qui, une fois mis au monde, jouissent d'un caractère ou d'une autogestion ? Mais s'ils se mettent à voler vraiment de leurs propres ailes, comment le roman serait-il encore possible ? Ces grandes questions alimentent la critique depuis dix, vingt ou trente ans (la critique s'alimente de peu), on pressent ce que les Ricardeau, les Thibaudou et les pensifs de

Quels tels, ou un monteur en l'air de M. Jean-Pierre Phaye (né lui-même d'un personnage de ce nom dans le *Saint-Glinglin* de M. Queneau) pourraient tirer de là. Saint Cuistre soit béni, M. Raymond Queneau en tire un roman dialogué et presque une opérette, son *Vol d'Icare* [1] cousine avec *la Belle LN.*

Nous sommes à Paris vers 1895, et la couleur locale est répandue avec esprit et abondance : cette absinthe déjà, mais on soigne ses bosses à l'arnica, et quand en partie fine au Café Anglais on sable le champagne, il crisse sous vos dents, l'abondance et la rapidité des fiacres et des voitures rend la circulation presque impossible dans les rues de Paris, comme Boileau l'avait pressenti, et déjà le règne de la petite reine incline les élégantes comme Mme de Champvaux alias de Prébeuf au port de la culotte. Echappée à son tour d'un roman où on ne lui avait appris que les arts d'agrément, la douce Adélaïde sera contrainte par le malheur des temps à se faire culottière (pour dames heureusement et pour ne pas lui donner de vilaines pensées).

Ce qui se reconstitue de soi-même, on le devine à ces traits, c'est le petit monde de Raymond Queneau, le petit monde de *Pierrot mon ami,* du *Dimanche de la vie* et de *Zazie :* les personnages ont beau prendre la clé de la cambrousse, le romancier singe de Dieu n'est pas un singe libre, ses enfants de papier sont toujours pétris du même limon. On lira donc *le Vol d'Icare* avec un plaisir extrême si on est sensible aux couleurs, aux calembredaines et aux calembours (comme le bon vieux que j'ai repris en titre) de M. Queneau. Puisque nous sommes à peu près à l'époque où des romanciers de toutes les couleurs, les Leroux, les Leblanc popularisaient un type de « privé » on ne s'étonnera pas de voir Hubert ou Surget recourir aux services de Morcol, qui a plus de zèle que de finesse et qui poursuit dans le dédale de Paris Icare et LN, puis quelques autres qui ont quitté d'autres romanciers, Jean ou Jacques spécialistes de l'adultère fin de siècle, ou du symbolisme mauve ou légèrement décoloré. Icare et LN, qui fait vivre le ménage en pratiquant un métier fort ancien, rencontrent au Café Anglais un certain Chamissac-Piéplu qui leur cherche une mauvaise querelle parce qu'ils mangent des huîtres d'Ostende, lesquelles font un insupportable bruit de vaguelettes, et Icare a presque un duel avec ce Chamissac échappé d'un roman de Jacques. Puis il aura quasiment une aventure — à demi incestueuse? il ne faut pas s'y fier! — avec Mme de Champvaux qui est la maîtresse de son père-créateur. Mais c'est un piège, Mme de

1. Gallimard.

Champvaux, de mèche avec le détective Morcol, ramènera Icare chez l'Hubert où il sera obligé de réintégrer le manuscrit. Mais des gendarmes viendront le chercher pour lui faire faire son service militaire à la caserne de Reuilly. De faux gendarmes, qui sont les confrères jaloux d'Hubert : mais Icare leur échappera et retrouvera sa vie libre.

Tout cela est raconté en courts chapitres dialogués comme au théâtre. M. Queneau suit sa fantaisie, mais on sait que cette fantaisie ne donne jamais l'impression d'être débridée : elle obéit à des lois secrètes, qui sont peut-être celles de l'analyse matricielle, ou les combinaisons du tarot ou les maximes du mandarin chinois Ouli-Po. Au passage, on n'arrête pas le progrès, nous voyons les personnages pressentir des idées qui vers 1895 n'existaient encore qu'assez discrètement dans la tête du dottore Pirandello ou du docteur Freud, le médecin hésiter entre un remède miracle, le bicarbonate de soude, et une méthode non moins miraculeuse, la proto-analyse des rêves et des actes manqués (et quel aria pour faire comprendre à un auteur dramatique vaniteux que lui aussi peut avoir des actes manqués...). Rien d'étonnant si Icare lui-même s'intéresse à la bicyclette, à la voiture automobile qui marche à l'électricité ou à l'essence, enfin, vous l'avez deviné, à l'envol du cerf-volant et du plus lourd que l'air. De nouveaux personnages surgissent comme Surget : ainsi Dion-Bouton qui fait : « Vrrrt ! Vroom ! Vrrt ! »...

M. Raymond Queneau est en bonne forme, et puisque, comme le dit un personnage, Goncourt a légué sa fortune (considérable) pour fonder un prix destiné à récompenser le meilleur ouvrage d'imagination de l'année, il me semble qu'on pourrait lui attribuer rétrospectivement le prix Goncourt pour 1896. Le livre est plein de verve, avec des plaisanteries faciles, innocentes ou pédantes, qui font rire les lecteurs avertis et les autres. Les romanciers imaginaires et les personnages imaginaires au second degré entretiennent les rapports les plus naturels et les plus cocasses à la fois, jusqu'au moment où Icare s'élève dans les airs, monte, monte et tombe : *le Vol d'Icare* est fini, mon roman est terminé, dit Hubert et c'est le dernier mot du roman de M. Queneau. Qu'est-ce que tout cela veut dire finalement ? Rien, bien sûr, — mais encore...

La réussite, c'est que nous acceptons une fiction aussi intellectuelle (bien plus savante que celle d'une pièce de M. Louis Ducreux, je crois, où l'on voyait des personnages s'échapper des différentes pages d'un journal) parce que le brassage des personnages des deux ordres est d'un naturel parfait. Mine de rien, M. Queneau nous livre une réflexion au passage sur les adaptations qui volent déjà des personnages pour les faire passer dans des œuvres différentes, Manon, de l'abbé Prévost à Masse-net, ou les héros de *Loin de Rueil* de Queneau à Maurice Jarre ; ou bien il feint de prévoir une époque, loin de 1895, où les romanciers, dépouillés de leurs créatures, en seront réduits à écrire des romans sans personnages...

Mais Icare lui-même dans quel ciel vole-t-il ? Il a pris son vol, il a échappé à Hubert, il vit sa vie, mais sa vie comme si elle obéissait aux lois d'une mécanique rationnelle qu'il ne peut comprendre, le porte vers le cerf volant, vers les ailes artificielles, vers la chute. C'est-à-dire que le roman d'Icare libre ne peut que suivre la même courbe que le roman d'Icare personnage du romancier. Le romancier Hubert ou le romancier Queneau ? ou, à la manière du langage maçonnique, le Grand Romancier de l'Univers ? Le romancier, singe de Dieu, disions-nous reprenant une expression de M. François Mauriac. Mais si Dieu était le singe du romancier ? Ou plutôt, assez de singe-ries, est-ce que les créatures de Dieu et les créatures du roman-cier ne doivent pas obéir aux lois d'une pesanteur sous peine de n'être plus des créations du tout ? Est-ce que *le Vol d'Icare* dans sa légèreté farfelue ne serait pas le roman de cette pesan-teur-là ? Mais puisque nous avons l'occasion de parler d'un livre riche et drôle à la fois, ne l'alourdissons pas par esprit de sérieux. A vous de lire le récit des aventures d'Icare et d'LN sans mettre les mots en croix, ni les cheveux en quatre : et vous vous trouverez avoir fait par la joie une méditation sur l'art du roman en compagnie d'un écrivain qui n'est pas toujours scrupuleux sur le choix de ses bons mots, nous n'allons pas le chamailler pour des questions de signifiants, mais qui est un écrivain bien doué pour faire sauter, rissoler, croustiller les mots de tous les jours, multiplier les dénotations et les que-notations à l'infini, sachant bien que le plaisir ne nuit pas nécessairement au sérieux.

GEORGES SIMENON

Trois cents romans au moins, des milliers de personnages,
comme chez les plus grands créateurs. C'est son métier de
faire vivre des livres, comme de faire des horloges, et ses ro-
mans sont toujours à l'heure, à la minute de la vérité, il peut
rendre jaloux ses voisins, les horlogers suisses. Mais en même
temps aucun écrivain de cette qualité, de cette trempe ne nous
laisse le sentiment que la lecture, ce vice impuni, est un vice
rival malheureux de la vertu.

L'anti-Balzac

« J'écris à la lueur de deux Vérités éternelles, la Religion, la Monarchie... » lit-on en tête de *la Comédie humaine*. Nul écrivain, depuis un quart de siècle, n'a été plus souvent comparé à Balzac que M. Georges Simenon, nul ne le mérite plus par l'abondance et la variété de la création, mais aussi par l'intensité de cette création, par ce pouvoir vraiment démiurgique, qu'il partage avec Balzac et un très petit nombre d'autres, de conférer à ce qu'il invente une force, une présence, contre lesquelles la réalité elle-même perd ses droits. Mais quels sont donc les flambeaux, les Vérités éternelles qui éclairent cette œuvre, ou quelle est la nuit qu'elle déchire de sa plainte ? Il ne s'agit pas, bien entendu, de lui faire un procès de tendance, politique ou religieuse ; il s'agit moins encore de contester la vitalité et l'importance d'un créateur, qui laisse loin derrière lui les bâtisseurs d'H.L.M. de la société romanesque comme M. Jules Romains, et qui pourrait être aussi fier d'écrire vingt-quatre romans par an que le brave Montherlant de mettre vingt-quatre ans à en écrire un. Mais c'est peut-être en l'opposant à Blazac qu'on peut aujourd'hui essayer de le mieux comprendre : « Je ne me sens aucun point de contact avec Balzac... Mon œuvre est exactement à l'opposé de celle de Balzac », disait-il lui-même un jour à M. Roger Stéphane qui lui avait demandé de parler de l'auteur de *la Comédie humaine* à la télévision. En quel sens est-ce vrai ? et par exemple, en quoi son roman, *les Anneaux de Bicêtre* [1] qui semble

1. Presses de la Cité. Le livre de M. Roger Stéphane, *le Dossier Simenon*, a paru chez Robert Laffont en 1961.

tout contenir pour être un roman balzacien est-il un roman simenonien par excellence ?

Un homme revient à la conscience. Il voit des sortes d'animaux mouvants, il entend des cloches. Il récupère ses propriétés, il est René Maugras, cinquante-quatre ans, grand directeur de journal, un des rois de Paris, il est couché sur un lit d'hôpital à Bicêtre, dans une chambre privée, immobile, sans parole : il a été frappé d'une attaque d'hémiplégie tandis qu'il se reboutonnait dans les toilettes du Grand Véfour après un de ces déjeuners mensuels où il retrouvait douze amis, grands médecins, grands avocats, académiciens, hommes arrivés comme lui. Du fond de sa maladie, tandis que s'instaure autour de lui la routine de l'hôpital, René Maugras va revoir ce qu'il a vécu et s'interroger sur ce qu'il est. Nous le suivons patiemment pendant les huit premiers jours, puis d'un peu moins près, à mesure qu'il va mieux et que par conséquent le monde extérieur l'arrache à nouveau à sa recherche fondamentale.

Schéma et sujet tout à fait classiques. Avec ces treize convives du Grand Véfour, Simenon-Balzac tenait son *Histoire des Treize*, son tableau de ceux qui dans l'ombre ou dans la pénombre manipulent les ressorts de l'opinion et d'une société parisienne. Et il y a bien de cela dans *les Anneaux de Bicêtre*, mais par échappées seulement. Car le sujet, M. François Mauriac le marquait admirablement dans son *Bloc-Notes*, ce n'est pas le monde, c'est la solitude. Ce qui intéresse Simenon-Simenon, ce n'est pas la possession du monde, c'est la dépossession de l'individu.

Quand à la faveur des souvenirs et des visites, René Maugras essaie d'établir son bilan, ce qu'il ressent d'abord c'est un désintéressement à peu près total. La place que nous occupons ne nous occupe pas. A part les imbéciles et les médiocres, ce que nous cherchons par un travail acharné en réussissant dans les journaux, à la radio, un peu partout, ce n'est pas une satisfaction de vanité et encore moins une satisfaction d'argent : c'est un divertissement, une impossibilité factice de penser à notre solitude et à notre pauvreté. Voici René Maugras ramené au souvenir de ses femmes successives, depuis les premières, en maison, à Fécamp, jusqu'à la figurante de télévision qui est devenue sa femme et une femme du monde, et qui n'est pas heureuse, et qui boit, frivole et pitoyable Galatée dont il est le dérisoire Pygmalion, en passant par des tas d'autres camarades de lit ou maîtresses de hasard. Si ce ne sont pas tout à fait des échecs, ce ne sont pas des réussites bien que sa puissance sexuelle soit normale : et les femmes s'en doutent qui l'appellent « mon petit » et le traitent avec une

tendresse un peu condescendante. Que lui reste-t-il donc ? Cet
aphasique s'aperçoit à demi qu'il n'a au fond jamais su parler,
qu'il n'avait rien à dire le plus souvent à sa fille (une infirme
qu'il voit très peu), à ses femmes. Que lui reste-t-il donc ? Deux
ou trois minutes peut-être, au bord de la Loire, au bord de la
Méditerranée, où il a été envahi sans savoir pourquoi par le
sentiment de la plénitude de la vie, deux ou trois minutes et
c'est tout.

Ce travail d'épouillement et de dépouillement, si j'ose dire,
M. Georges Simenon le mène avec une tranquille et terrible
maîtrise, et c'est en cela qu'il est admirable. C'est d'ailleurs
l'essence de sa méthode et de son génie. Le commissaire Mai-
gret, notre ami, et son double, ne travaille pas autrement :
il ne découvre pas les coupables, il les déshabille, mieux
encore, il sonde leurs reins et leur cœur, et d'ailleurs, une fois
que c'est fait, il n'a bien souvent qu'une seule envie, celle de
les renvoyer innocentés. D'une manière plus générale dans toute
l'œuvre de M. Georges Simenon, policiers et médecins se relaient
patiemment pour démontrer, sans cruauté mais aussi sans
espérance, que l'homme n'est que pauvreté, ordure et pitoyable contentement de soi-même. Cela est vrai pour les humbles,
les petits, les sans-grades qui occupent une place importante
dans tant de scènes de cette comédie, mais c'est vrai aussi, et
même d'une vérité plus amère, pour les grands hommes d'affaires, les grands politiques, les grands avocats, les grands
médecins, les grands du journalisme comme Maugras. Le moment capital que le romancier choisit ou provoque est celui
où les yeux s'ouvrent par la force des choses. Mais dès lors,
au-delà de toutes les similitudes superficielles, l'opposition
profonde de Balzac et de M. Simenon est évidente. En gros,
Balzac est le romancier de l'homme qui se fait, M. Simenon
celui de l'homme qui se défait. « Il n'y a pas chez Simenon un
seul Rastignac, dans la mesure où Rastignac accomplit ses ambitions », notait très bien M. Roger Stéphane. Le cas échéant,
le chef-d'œuvre de M. Simenon ne s'appellerait pas les *Illusions
perdues*, il s'appellerait les *Humiliations gagnées*. Le jeune
Balzac écrit un *Traité de la Prière* et prête à son Louis Lambert
un *Traité de la Volonté* : M. Simenon est paisiblement sourd
au sentiment de la prière et tous ses personnages sont des
héros du non-vouloir. On pourrait même expliquer par là
pourquoi M. Simenon ne pouvait guère avoir recours au procédé balzacien du retour des personnages, et pourquoi à la
longue son œuvre donne l'impression de se répéter et de s'approfondir mais non de s'organiser : c'est que chaque roman
chez lui défait un personnage dont à la fin il ne reste rien
qu'on puisse encore utiliser. Le modèle de l'œuvre balzacienne,

c'est l'architecture où chaque vie est une pierre qui trouve sa place dans un immense édifice. Le modèle de l'œuvre simeno-nienne, c'est la mer où chaque vague vient mourir à peu près à l'endroit où, depuis des millénaires, des milliers de vagues sont mortes.

Monde de l'inefficacité et du non-vouloir qui est aussi le monde du non-amour. On ne connaît pas l'amour dans les romans de M. Simenon, on le fait. On le fait et on le refait avec une obstination presque maniaque et l'érotisme de l'homme vieillissant en arrive à tenir dans plusieurs des dernières œuvres et jusque dans les *Anneaux de Bicêtre* une place pres-que obsessionnelle. René Maugras et ses amis du Grand Véfour font l'amour pour prouver leur être plus encore que leur viri-lité : je..., donc je suis. Mais ce que Maugras aperçoit très clairement c'est que cela ne change rien à la solitude parce que dans ces conditions l'acte prouve peut-être que je suis, mais non que l'autre est. M. Simenon, qui se livre peu, a raconté et laissé raconter par sa femme que dès qu'il a fini un roman, il va chez les filles : signe sans doute qu'une confi-dence de ce genre relève pour lui de l'ordre de l'hygiène plus que de l'ordre du sentiment. Chez Maugras, comme pres-que partout dans son œuvre, comme chez lui, l'érotisme et l'amour sont nettement séparés (ce qui explique peut-être son amitié avec André Gide qui, *mutatis mutandis,* était dans le même cas). Mais en amour comme en économie politique, la mauvaise monnaie chasse la bonne. L'amour-mécanique fait oublier l'amour-passion. Il y a loin entre le geste de Félix de Vandenesse se jetant au bal sur les épaules de Mme de Mort-sauf qu'il ne connaît pas encore, « premier aspect charnel de la grande fièvre du cœur », et le geste de Maugras s'emparant du sein de son infirmière, presque aussi loin qu'entre quel-qu'un qui veut devenir un homme et un homme qui est près de redevenir une bête.

Enfin au-dessus de ce monde sans volonté et sans amour, il est naturel qu'il y ait un ciel vide, ou presque. L'élément reli-gieux, il ne faut pas le chercher dans les quelques souvenirs de catéchisme de Maugras, ni dans le sentiment d'un vide qui appellerait invinciblement une présence. Il est dans ces deux ou trois instants de brève illumination, de communion pres-que panthéistique avec la vie dont Maugras conserve le sou-venir comme on regarde deux ou trois piécettes d'or restées au creux de votre main. Ainsi l'enfant Ramakhrisna connut l'extase en voyant passer un vol d'oiseaux dans le ciel. Le dépouillement existentialiste n'est sans doute pas, comme on l'a cru parfois, le dernier mot de M. Simenon : à l'homme dépouillé, humilié, l'existentialisme, peut-être par une survi-

vance du moralisme laïque de l'Université française, assigne
encore des tâches de solidarité et de politique. L'homme de
Simenon, nous venons de le voir, est un homme qui ne peut rien
vouloir et qui ne peut rien aimer : mais tout au fond de son
dépouillement, il peut recevoir comme une visitation, sans le
vouloir et sans le mériter, le passage d'un moment de lumière.
Maugras découvre que les petits vieux de Bicêtre *vivent*, alors
qu'ils lui paraissent avoir à peine dépassé le stade végétatif,
il découvre que dans sa vie à lui rien ne lui appartient, rien
ne compte. Et M. Simenon à M. Roger Stéphane : « Je ne suis
pas sûr qu'un des rêves de ma vie ne soit pas de finir sous les
ponts, de vivre comme un clochard. » Il y a un ascète hindou
qui sommeille dans le cœur du châtelain d'Echaudens.

« J'écris dans un monde où la lueur des vérités que l'on
croyait éternelles ne parvient plus... » pourrait dire M. Simenon, et c'est pour cela qu'il est l'anti-Balzac, sans que nous
ayons à prendre parti pour l'un ou pour l'autre. Ce n'est pas
son œuvre qui est méchante, c'est nous. Ce n'est pas un beau
livre, comme celui-ci, qui est oppressant, c'est le sentiment que
nous avons de notre vie. Et s'il faut laisser le dernier mot à
l'espoir, disons qu'il a sans doute écrit *les Anneaux de Bicêtre*
à partir d'une expérience personnelle. Vers 1941, un radiolo-
gue de Fontenay-le-Comte lui annonça un jour qu'il n'en avait
plus que pour deux ans à vivre, au maximum. Et Georges
Simenon acheta trois cahiers reliés de carton marbré, et il se
mit à se raconter, à se dire, pour son fils, pour nous...

Troisième partie

LES GÉNÉRATIONS
AUX AFFAIRES

1

20 ANS AVANT 39

JEAN-PAUL SARTRE

Un maître qui a tout tenté, du roman et de la pièce de théâtre au traité philosophique, et pas toujours avec un égal bonheur : mais il a réussi à être un maître, non à la manière d'un pape, mais à la manière d'un homme placé au confluent de tous les courants de son époque et qui essaie de montrer toujours la direction de ce qui lui paraît juste et raisonnable. Une rigoureuse bonne foi peut être mieux qu'une foi sans rigueur.

Il a donné le meilleur de ses forces au projet de l'action politique, sans réussir à s'insérer directement dans l'action elle-même, faute de trouver une place dans la stratégie des puissants. Il a élaboré une philosophie de la liberté moins destructrice de l'ordre qu'on n'a feint de le croire, et peut-être qu'il ne l'a cru. Ses œuvres littéraires, les seules dont nous retiendrons quelques exemplaires ici, cherchent d'abord à illustrer ses idées sur tous les fronts. Il est peut-être l'homme dont la pensée a la plus grande volonté d'universalité tout en restant la plus étroitement prisonnière de ses fantasmes. Mais ce qu'on en a déjà retenu, ce qu'on en retiendra sans doute de plus en plus, c'est son rigoureux attachement à la vérité, sa conviction et sa force de conviction. Vraie ou fausse, ma vérité, c'est peut-être la devise de ce pays-là.

Moi, dis-je, et c'est assez.

Pour avoir aperçu un jour Verlaine saoul comme un cochon, Charles Schweitzer, le grand-père de M. Jean-Paul Sartre, s'était ancré, nous dit son petit-fils, « dans le mépris des écrivains professionnels, thaumaturges dérisoires qui demandent un louis d'or pour faire voir la lune et finissent par montrer, pour cent sous, leur derrière ».

Grand-Père avait-il raison ? On pourrait le penser à voir combien notre ciel littéraire est peuplé par ces satellites artificiels d'un genre un peu particulier. Journal, autobiographie, mémoires, connaissent une vogue sans pareille. Cela va de tel pauvre diable de plumitif, dont les romans n'ont pas eu cent lecteurs et qui tient le journal de ses amertumes et de ses mécomptes sur la place publique à M. Marcel Jouhandeau qui déroule depuis des années, tous les trois mois, plaquette par plaquette, sa majestueuse confession générale. Il s'est même trouvé des écrivains pour fonder un prix du journal intime, et des écrivains pour le recevoir. Plus significatif encore est le mouvement de nombre de romanciers qui interrompent ou terminent leur œuvre pour essayer de se dire sans le voile de la fiction : il y a bien longtemps déjà que M. François Mauriac a publié *Commencement d'une vie,* un livre frère de celui que publie son vieil adversaire Jean-Paul Sartre, il y a quelque temps que M. Julien Green à son tour scrutait ses jeunes années dans *Partir avant le jour.* Mieux encore, les philosophes suivent les écrivains : nous avons pu lire en français l'autobiographie de M. Karl Jaspers, et voici, après les trois forts vo-

lumes de Mme Simone de Beauvoir, des *Mots* de M. Sartre [1].
Il n'est pas question de confondre, même en intention, des
œuvres très différentes : mais leur coexistence même n'est-elle
pas significative ?

Le retour sur soi-même n'est pas une invention de notre
temps : Rousseau, Goethe, Gide, pour nous en tenir à la plus
haute tradition ont utilisé depuis longtemps cette technique
de recherche de la vérité. Ce qui plaît d'abord à notre curiosité, c'est d'être introduit dans l'intimité d'un grand homme,
de mieux connaître le détail même infime de sa vie, de surprendre peut-être certains de ses secrets de fabrication, et
plus encore d'approcher de son secret le plus important, qui
n'est pas celui de la fabrication de ses œuvres mais celui de la
formation de sa personne. Ce qui retient ensuite notre esprit,
c'est le sentiment (romantique) que la vérité vécue est la plus
vraie des vérités, que l'expérience faite personnellement est
comme la preuve par le vif de n'importe quelle théorie ou de
n'importe quelle assertion : et chaque vie est une expérience,
et d'innombrables détectives de l'érudition, comme M. Henri
Guillemin, travaillent chaque jour à contraindre Rousseau, ou
Chateaubriand, ou Gide à passer des aveux toujours plus précis et toujours plus complets. Mais si tout cela reste vrai, il
me semble qu'il y a quelque chose en plus, ou quelque chose
de plus accentué, c'est une tendance à privilégier cette vérité
découverte par l'expérience de la vie d'une manière presque
absolue. Que le romancier écartant un instant ses personnages,
nous montre son jeu et le dessous des cartes, c'est une démarche qui peut se comprendre en ce siècle critique, alors que Flaubert disant : « Madame Bovary, c'est moi », estimait sans doute
s'être pleinement exprimé dans son œuvre et ne songeait
pas à publier, après la biographie d'Emma, celle de Gustave.
Qu'un philosophe pour mieux se faire entendre éprouve le
besoin de raconter d'abord les premières démarches de sa
pensée, c'est ce que fait Descartes au début du *Discours*. Mais
n'y a-t-il pas aujourd'hui une tendance presque universelle à
préférer la confession du créateur à l'œuvre qu'il a créée ? Et
l'écrivain lui-même ne semble-t-il pas assez souvent faire peu
de cas de son œuvre au prix de cette vérité toute nue qu'il
arrache à la gangue de ses années passées ? Quand M. Karl
Jaspers écrit son autobiographie il nous raconte une vie consacrée à la philosophie et même à l'enseignement de la philosophie : et il est logique avec lui-même puisque sa philosophie
personnelle est imprégnée d'un sentiment du devenir de la vérité,
puisque le passé philosophique lui apparaît moins comme un

1. Gallimard.

enchaînement dialectique que comme une succession de grandes
expériences, de grandes prises individuelles. Mais ailleurs on
trouve un sentiment un peu analogue : ni l'œuvre, ni la doctrine ne vont plus sans éveiller quelque méfiance, même chez
le romancier, même chez le philosophe. Alors, il essaie de se
dire. L'homme qui tient un journal intime est comme un perpétuel moissonneur de lui-même, disait un essayiste anglais.
Cela est vrai aussi pour les auteurs d'autobiographie. Ils
moissonnent devant leur porte leur petit champ, parce que,
plus loin, l'insécurité règne dans les vastes terres de la connaissance et de l'action. Le « qui je suis » tend à primer le
« ce que je pense ». Dans un champ étroit, nous pouvons mettre
à l'épreuve un sentiment, un geste, une parole, prendre des
précautions pour ne pas leur faire dire plus qu'ils ne veulent
dire. Sans orgueil d'ailleurs : ce n'est pas l'homme qui est donné
en exemple, c'est la méthode, ce n'est pas le portrait d'un héros
qui est proposé, c'est l'image tâtonnante d'une conduite, avec
ses écarts et ses succès. Chacun fournit ses recettes personnelles pour survivre pendant le grand hiver de la vérité.

Le petit livre où M. Jean-Paul Sartre raconte son commencement nous donne bien cette impression. C'est l'amorce
d'une autobiographie plus complète et cela risque d'en être
une des meilleures parties parce qu'ici au bon grain des souvenirs vécus ne se mêle que très peu l'ivraie des opinions pro-
fessées. L'écrivain a trouvé les mots, oui, mais aussi le style,
le mouvement, pour évoquer avec une fraîcheur toute classique ses huit ou dix premières années. Enfance rêveuse et
bourgeoise de la première-avant-guerre de ce siècle (M. Sartre
est né le 21 juin 1905 et son récit n'empiète guère que sur
les premières années de la guerre de 1914), dont M. Sartre
nous fait sentir ce qu'elle avait de charmant et encore plus ce
qu'elle avait de haïssable grâce à un ton dont l'ironie contenue
ne chasse pas tout à fait de rares bribes de tendresse. Malgré
quelques gros mots familiers, c'est un ouvrage dont on pourra
tirer beaucoup de dictées pour faire sentir aux enfants comment
on était enfant avant eux.

M. Jean-Paul Sartre est né de Jean-Baptiste Sartre et d'Anne-Marie Schweitzer. Son père, officier de marine, descendait
lui-même d'un médecin de Thiviers. Sa mère venait d'une
famille alsacienne : elle est la cousine du docteur Schweitzer,
le bienfaiteur bien connu de Lambaréné. Le père mourut
quand Jean-Paul avait à peine deux ans. Anne-Marie regagna la
maison paternelle. Toute l'enfance qui nous est racontée ici
se déroule donc à Paris, rue Le Goff, chez les Charles
Schweitzer. Charles était professeur d'allemand, auteur d'une
méthode le *Deutsches Lesebuch,* directeur d'un Institut de

langues vivantes. Sa femme Louise, intelligente, assez entière, ne prenait pas tout à fait au sérieux un mari volontiers pontifiant. Anne-Marie, revenue au foyer familial après un mariage si court qu'il en prenait des airs d'escapade, devait jouer discrètement la fée du logis. Charles était protestant, de l'espèce qui se gausse bêtement des momeries papistes ; les deux femmes étaient catholiques, mais d'un catholicisme décoratif dont le caractère superficiel et hypocrite inspire à M. Sartre une page d'une amère, d'une corrosive ironie : « Naturellement tout le monde croyait chez nous : par discrétion. Sept ou huit ans après le ministère Combes, l'incroyance déclarée gardait la violence et le débraillé de la passion ; un athée, c'était un original, un furieux qu'on n'invitait pas à dîner de peur qu'il ne « fît une sortie », un fanatique encombré de tabous qui se refusait le droit de s'agenouiller dans les églises, d'y marier ses filles, et d'y pleurer délicieusement, qui s'imposait de prouver la vérité de sa doctrine par la pureté de ses mœurs, qui s'acharnait contre lui-même et contre son bonheur au point de s'ôter le moyen de mourir consolé, un maniaque de Dieu qui voyait partout son absence et qui ne pouvait ouvrir la bouche sans prononcer son nom, bref un Monsieur qui avait des convictions religieuses. Le croyant n'en avait point : depuis deux mille ans les certitudes chrétiennes avaient eu le temps de faire leurs preuves... La bonne Société croyait en Dieu pour ne pas parler de Lui. Comme la religion semblait tolérante ! Comme elle était commode : le chrétien pouvait déserter la Messe et marier religieusement ses enfants, sourire des « bondieuseries » de Saint-Sulpice et verser des larmes en écoutant la Marche Nuptiale de *Lohengrin* : il n'était tenu ni de mener une vie exemplaire, ni de mourir dans le désespoir, pas même de se faire crémer. » On a baptisé le petit Jean-Paul pour qu'il soit normal, en pensant que plus tard il fera ce qu'il voudra. Et le couplet s'achève par cette phrase curieuse : « On jugeait alors beaucoup plus difficile de gagner la foi que de la perdre. » N'en est-il donc pas toujours ainsi ? même et surtout dans les milieux où l'on prend la foi tout à fait au sérieux ?

On voit par cette citation un peu longue le ton de l'écrivain, qui est un grand ton, et la manière du mémorialiste qui sait appliquer son intelligence-scapel d'adulte aux plaies parfois insoupçonnées de son enfance. Presque tout le livre est de cette veine. Ce qu'il raconte a quelque chose de désuet et de banal dans les faits, c'est l'enfance douillette, un peu bêtement douillette de tous les petits bourgeois de cette époque : petits bonheurs, petits malheurs, petites maladies, etc. Jean-Paul n'a même pas été un bon petit diable, semble-t-il, parce qu'il n'a pas été diable du tout. L'autobiographie avec laquelle le rapprochement s'impose avec le plus de force, c'est *Si le grain ne meurt*. Fils unique lui aussi, Gide a perdu son père un peu plus tard, à onze ans (l'autobiographie de M. Mauriac, orphelin de père à vingt mois pourrait presque servir de relais entre ces générations d'écrivains), mais l'impression générale est la même d'une enfance dominée par les femmes, parfumée de protestantisme, entourée des us et coutumes d'une société à peu près identique : les similitudes sont même tellement frappantes qu'elles nous donnent une idée de la stabilité de la moyenne bourgeoisie française dans ses mœurs et en particulier dans son système d'éducation de l'une à l'autre guerre, puisque l'enfance de Gide se déroule au lendemain de la guerre de 1870 et celle de M. Sartre à la veille de celle de 1914. Le seul trait qui annonce un prodigieux changement, et M. Sartre en parle longuement et très bien, c'est l'avènement du cinéma à la fois comme distraction égalitaire qui abolit la hiérarchie sociale de l'orchestre, des balcons et du poulailler, et comme machine à peupler et à multiplier les rêves.

Pour en revenir au rapprochement avec Gide, d'ailleurs, je ne suis pas sûr qu'il étaie sur un autre plan certaines thèses de M. Sartre. Mon père « m'eût-il laissé du bien, écrit-il, mon enfance eût été changée ; je n'écrirais pas puique je serais un autre. Les champs et la maison renvoient au jeune héritier une image stable de lui-même ; il se touche sur *son* gravier, sur les vitres losangées de *sa* véranda et fait de leur inertie la substance immortelle de son âme... Au propriétaire, les biens de ce monde reflètent ce qu'il est ; ils m'enseignaient ce que je n'étais pas : *je n'étais pas* consistant ni permanent ; *je n'étais pas* le continuateur futur de l'œuvre paternelle, *je n'étais pas* nécessaire à la production de l'acier : en un mot je n'avais pas d'âme. » Est-ce que le caractère et l'existence du riche petit André Gide ne sont pas un démenti cinglant à ces lignes où M. Sartre cède à la tentation trop fréquente chez lui de croire expliquer le particulier par un général conçu *a priori* spécialement pour la circonstance ? Les 425 hectares de la Roque-Baignard, où il devait bien y avoir un peu de gravier, ont-ils empêchés Gide d'être le moins stable, le moins consistant, le mois permanent des êtres, l'ont-ils empêché, en un sens, de n'être pas ? Le thème de l'absence du père, qui tient une assez grande place dans *les Mots,* est d'ailleurs loin d'être élucidé en raison même des limites fixées par M. Sartre à son entreprise, comme nous allons voir.

L'ennui quand on essaie de faire un compte rendu critique de l'ouvrage d'un esprit aussi délié que celui de M. Sartre, c'est que bien souvent, il est passé avant vous. Ainsi parlet-il avec une juste malice de la manière de lire un volume sur *l'Enfance des hommes illustres,* ce qui doit nous garder de lui appliquer le même traitement. Nous connaissons en effet ces livres roublards où on nous raconte les aventures en apparence anodines de petits garçons qui s'appellent Jean-Sébastien, Jean-Jacques ou Jean-Baptiste mais où l'auteur nous fait un clin d'œil pour que nous ayons la fierté de reconnaître les signes bien évidents de la vocation du petit Bach, du petit Rousseau ou du petit Molière. Evitons de tomber dans ce travers pour le jeune Jean-Paul, de nous dire qu'en griffonnant vers huit ou neuf ans une vie de Goetz von Berlichingen, il annonçait l'auteur du *Diable est le Bon Dieu,* ou bien qu'il annonçait, en mettant une complaisance un peu sadique à écraser une mouche, l'auteur des *Mouches.* Mais nous n'éviterons pas tout à fait cette attitude, et d'ailleurs en écrivant *les Mots,* est-ce que M. Sartre n'a pas voulu se ménager le plaisir de lire l'enfance de Jean-Paul ? Je veux dire que dans notre goût pour l'autobiographie, il entre pour une grande part le désir de savoir comment les idées et les œuvres se sont articulées sur une vie — ou, si l'on préfère une comparaison plus « naturelle », comme elles ont germé sur le terrain d'une vie. Et c'est ici que le petit livre de M. Sartre nous laisse un peu sur notre faim. En choisissant le titre de ce volume, M. Sartre en a très bien fixé l'objet : il raconte ses rapports avec les mots. Mais est-ce que les livres sont écrits avec des mots ?

Nous sommes peut-être au cœur du problème : l'œuvre de M. Jean-Paul Sartre est souvent l'œuvre d'un homme qui n'arrive pas à combler un certain fossé, à éviter un certain jeu entre les sons et les sens, les mots et leurs contenus et qui parfois même, dans ses plus mauvais moments, joue avec les mots en croyant qu'il joue avec des contenus vrais et poursuit un discours extraordinairement cohérent, brillant et même intelligent, mais qui depuis un moment a sournoisement décollé et perdu contact avec la réalité : ce qui n'est sans doute pas étranger à l'inefficacité relative d'une certaine pensée politique.

Or, il est bien vrai que dans cette enfance la place des mots est exceptionnelle. Avant même de savoir lire, l'enfant vit au milieu des livres de son grand-père et bientôt il mime la lecture, suivant des yeux les lignes noires sans en sauter une seule et se racontant une histoire à haute voix en prenant soin de prononcer toutes les syllabes. Des traits analogues ne se retrouvent, vous l'avouerez, que dans la vie des futurs prêtres qui jouent à dire la messe bien avant d'avoir la plus petite idée de ce qu'elle est. On lui enseigne ensuite l'alphabet et il

s'apprend à lire presque tout seul, dans Hector Malot. Et c'est
le commencement d'une inimaginable débauche, tous les
grands auteurs de la bibliothèque passant entre les mains et
sous les yeux du glouton, a peu près en toute liberté. Lectures
ou fausses lectures très au-dessus de son âge, mais qui ne l'en
imprègnent pas moins d'une façon confuse et auxquelles viendront s'ajouter bientôt les lectures vraies de *Cri Cri*, de
l'Epatant, de Jules Verne, de Paul d'Ivoi, de Louis Bousse-
nard, d'Arnould Galopin, de Jean de La Hire. Puis, c'est le
processus habituel, l'enfant se raconte les histoires qu'il a lues,
il y introduit de subtiles variations et surtout il s'introduit
dans ses fables en même temps qu'il introduit ces fables
dans sa vie, et enfin il se met à écrire, en plagiant et en combi-
nant d'abord ses lectures, puis en essayant de trouver sa voie
propre, quelque part entre Michel Strogoff et Pardaillan, l'influence de Michel Zévaco sur la formation de la pensée démocratique de M. Sartre ne pouvant sans doute être sous-
estimée.

Tout cela tient la première place dans ce volume, et les analyses de M. Sartre sont admirables de justesse et de drôlerie
contenue. Mais ce qui n'est pas moins important, bien au contraire, c'est le premier usage que l'enfant fait de ce langage.
Et c'est un usage de mensonge et d'imposture. Charles
Schweitzer, peut-être sous l'influence de son métier de professeur d'allemand, de dictionnaire vivant, était lui aussi un
être de mots. Il aimait parler et s'écouter parler, il aimait jouer
ses sentiments et se regarder les jouer. Or, très vite son sentiment le plus important (le plus encombrant, a-t-on envie de
dire) c'est le sentiment d'être grand-père, qu'il cultive soigneusement dans l'exaltation et dans l'indulgence, selon les principes enseignés dans *l'Art* de Victor Hugo. Dès lors, la vie de
l'enfant devient une immense comédie de l'amour grand-pater-
nel, et on sait à quel point tout enfant est prompt à répondre
à toute invitation à mimer et à jouer une attitude. C'est le
petit Jean-Paul qui sert la soupe à son grand-père, pour parler
comme les comédiens, c'est lui le partenaire élu, le faire-valoir
de sentiments si confortables et si honorables. Enfant trop
précoce, enfant trop admiré, il comprend d'instinct le parti
qu'il peut tirer de son babil, il se prépare à devenir une
machine à faire des livres, selon le mot de Chateaubriand cité
au passage, en étant une machine à faire des mots d'enfant.
Le grand-père Schweitzer a été très fier de l'étendue et de la
précocité des curiosités intellectuelles du jeune liseur, puis
agacé et déçu quand le liseur est revenu à des lectures plus
naturelles, celles des *Cinq Sous de Lavarède* ou du *Tour du
monde en hydravion ;* il n'a pas été mécontent quand la voix de

la famille et des amies de la famille a prophétisé que l'enfant deviendrait un écrivain, mais il a été un peu inquiet pour les raisons que nous citions tout au début de cet article, et il a pensé trouver une solution de compromis en aiguillant l'enfant vers l'enseignement : tu seras écrivain, mais d'abord professeur *et* écrivain, enseignant et taquinant les muses tour à tour. Et l'enfant a accepté docilement la suggestion. La sagesse de Jean-Paul a quelque chose de désespérant : pas l'ombre d'une vocation contrariée.

Malgré lui, M. Jean-Paul Sartre en veut encore à Charles Schweitzer, ou plutôt il en veut à sa propre enfance telle que Charles Schweitzer l'a inclinée : parce cette enfance lui apparaît comme pleine de contrefaçons et d'outrances, de menues et de grandes impostures dont les mots ont été les dociles et puissants serviteurs. En se racontant des histoires avec des mots ou bien en les mimant, après sa découverte du cinéma, s'est-il joué son enfance au lieu de la vivre — ou bien a-t-il été joué par son grand-père, par son milieu, par une idée artificielle de lui-même ? On dirait qu'il a appris le pouvoir de mensonge de la parole avant son pouvoir de vérité : et qu'il ne s'en est jamais consolé. Enfant comédien et martyr, pour reprendre ce qu'il dira de Saint-Genet, martyr parce que comédien.

Mais derrière cette comédie, quelle était la vérité ? Bien sûr on pense à cette première page de *Si le grain ne meurt* où, non sans bravade, Gide soulève le tapis de la table de la salle à manger pour nous permettre de surprendre ses jeux interdits à côté du fils de la concierge. Rien de pareil ici. Il est évident que M. Jean-Paul Sartre a délibérément voulu supprimer toute matière pour une psychanalyse. M. Francis Jeanson dont le petit livre sur Sartre paru en 1955 contient en quelques endroits une sorte de pré-compte rendu des *Mots,* mettait en garde dans sa préface « Lucien, Jean-Paul et la psychanalyse » contre les tentatives de ce genre et contre les assimilations dont la tentation devient de plus en plus forte entre la fameuse nouvelle *l'Enfance d'un chef* et l'enfance du philosophe. Racontant son enfance, M. Sartre s'arrange pour couper court à des méprises de ce genre et à des « explications » incomplètes et trop faciles, et il a raison. Mais si l'on échappe aux explications doctrinales freudiennes, on n'échappe plus et on n'échappera sans doute jamais plus à l'investigation psychanalytique. Et psychanalyse ou non, dans le domaine du sexe ou dans celui des sentiments, nous voudrions en savoir davantage pour mieux cerner les commencements de M. Sartre. Nous n'en savons pas tout à fait assez sur ses sentiments à l'égard du père disparu, bien que ce soit un des thèmes intellectuels du livre, et comme le grand-père Schweitzer, vieux comédien, se pousse sur le

devant de la scène, nous voyons mal la grand-mère et surtout
la mère. Pourquoi M. Sartre l'appelle-t-il de temps en temps
« ma mère » et de temps en temps Anne-Marie, avec une familiarité qui me semble très étrangère aux habitudes de cette
moyenne bourgeoisie d'avant 1914 ? N'y a-t-il pas entre ces
deux appellations une coupure ? le souvenir d'une blessure ?
Nous pourrions épiloguer sur le seul petit fragment qu'il
laisse passer : « Je n'aimais pas souffrir et mes premiers
désirs furent cruels ; le défenseur de tant de princesses ne se
gênait pas pour fesser en esprit sa petite voisine de palier »,
mais nous pourrions aussi chercher la coloration des rêves
éveillés que l'enfant romancier se raconte, ou bien nous attarder
sur ce rêve-image du voyageur sans billet qui revient une ou
deux fois, ou encore, passant d'Eros à Thanatos, réfléchir sur la
précoce intuition de la mort chez cet enfant : « Je vis la mort.
A cinq ans : elle me guettait ; le soir elle rôdait sur le balcon,
collait son mufle au carreau, je la voyais, mais je n'osais
rien dire. » Il y a là quelques thèmes que notre autobiographie
esquisse ou esquive alors qu'elle s'étend longuement sur
les premiers écrits, les premières comédies, les premières mi-
miques de l'aventure chevaleresque qui me paraissent beaucoup moins rares, sinon moins remarquables, que M. Sartre
n'a l'air de le croire (peut-être parce que j'ai le souvenir de
jeux analogues). Enfin, le livre est court, alors que le péché
mignon de M. Sartre est de ne pas savoir s'arrêter, et il s'in-
terrompt ou se censure à la veille de graves événements pour
l'enfant, comme le remariage de Mme Sartre, ou encore, puisqu'il y fait quelques allusions, la découverte d'une certaine
disgrâce physique.

Il ne s'agit pas de chercher les taches sur les draps, ou
d'espérer ramener les vraies clés en plongeant dans les grandes
profondeurs. Mais puisque M. Sartre dit : « Voilà mon commencement » on ne peut s'empêcher de penser que les commencements d'une sensibilité font aussi partie des commencements d'une vie et d'une vie d'écrivain. En s'expliquant avec
une merveilleuse perspicacité sur ses premiers rapports avec
les mots, M. Sartre ne peut pas tout à fait nous satisfaire parce
qu'il sait bien que ce n'est pas avec les mots qu'il a fait ses
livres, c'est avec son « âme ». Ou bien il faut considérer ce
fragment d'autobiographie comme la confirmation et le lointain prolongement de ce qu'elle raconte : avec des mots, l'écrivain vieillissant continue à se fuir, il fait l'enfant et refait son
enfance. On a presque envie de retourner le mot fameux de
Jean Cocteau, de se demander si Jean-Paul Sartre, ce n'est pas
une vérité qui dit toujours des mensonges. Parce que c'est un
homme de vérité, et c'est pour cela que nous l'aimons et l'esti-

mons, et ce que nous regretterons dans ce petit volume, beaucoup plus que de ne pas lire des confidences plus ou moins révélatrices, c'est de ne pas assister à la naissance de cet homme de vérité, de cette exigence de vérité qui écartèle depuis un demi-siècle le petit-fils de Karl Schweitzer. Attendons la suite. Mais M. Sartre a voulu que nous entrevoyions déjà le terme actuel du voyage. Il pense avoir mené jusqu'au bout, dit-il, cette entreprise cruelle et de longue haleine, l'athéisme. « Je vois clair, écrit le Sartre de 1963, je suis désabusé, je connais mes vraies tâches, je mérite sûrement un prix de civisme ; depuis à peu près dix ans je suis un homme qui s'éveille, guéri d'une longue, amère et douce folie et qui n'en revient pas, et qui ne peut se rappeler sans rire ses anciens errements, et qui ne sait plus que faire de sa vie... » Les mots ne trahissent pas l'homme qui a écrit une telle phrase, même si on feint d'apercevoir quelque contradiction entre connaître ses vraies tâches et ne pas savoir que faire de sa vie. C'est qu'il rejette la folie de son enfance et conserve l'enfant fou (« on se défait d'une névrose, on ne se guérit pas de soi »). Il n'y a pas ici découragement ou résignation, ou amertume, parce que le souhait du vieux Goethe mourant, qu'il entre dans le monde plus de vérité, est toujours là. C'est ici qu'il faut reprendre le dernier volume des Mémoires de Mme Simone de Beauvoir, la compagne de route de M. Sartre et beaucoup plus que cela. Elle aussi réfléchit sur sa vie, sur la culture et sur l'action. « Je revois, dit-elle, la haie de noisetiers que le vent bousculait et les promesses dont j'affolais mon cœur quand je contemplais cette mine d'or à mes pieds, toute une vie à vivre. Elles ont été tenues. Cependant, tournant un regard incrédule vers cette crédule adolescente, je mesure avec stupeur à quel point j'ai été flouée. » N'est-ce pas à peu près le même réveil, le même sentiment ? Gide, pour l'évoquer une dernière fois, souhaitait mourir « complètement désespéré » c'est-à-dire ayant épuisé tous les espoirs. Il me semble entendre Sartre, floué trop longtemps, souhaiter de mourir « complètement désabusé ». Ce n'est pas si mal : c'est peut-être même la seule manière d'essayer de sauver à la fois la lucidité et l'optimisme.

« *Le Diable et le Bon Dieu* ».

C'est une grande pièce, et qui serait encore plus grande si elle était un peu moins longue : mais quel plaisir, au milieu de notre

théâtre de nains balbutiants, d'assister à ce combat de géants
orchestré par un homme, philosophe et auteur dramatique, à la
fois véritablement intelligent et véritablement malin. Dix-
sept ans après la création, grâce à M. Wilson, à M. François
Périer et au T.N.P., Diable et Bon Dieu ressuscitent ensemble,
couple de forces éternel.

M. Francis Jeanson a essayé de faire sortir le thème et l'ironie de la pièce en quelques lignes : « Fatigué de jouer les durs, un
chef de gang décide, sur un coup de tête, de faire le bonheur des
déshérités. Les dégâts sont considérables. Aux dernières nouvelles, il semble que l'insensé ait abandonné son sinistre projet et
consenti à reprendre l'exercice de sa profession. » Mais c'est
aussi un grand drame historique situé en Allemagne au temps
de la Réforme et de la révolte des paysans, un drame historique
à la Zévaco puisque nous savons depuis *les Mots* que c'était un
auteur favori du jeune Sartre, avec clé du passage secret livrée
par un traître, spadassin sous le lit, bâtard au grand cœur et
putain illuminée par l'amour. Mais c'est aussi une longue discussion dialectique et théologique sur l'incarnation du bien et du
mal dans la condition humaine. Bref, il y a tout pour faire un
monstre, enfant de Zévaco et de saint Thomas d'Aquin.

Et cela va à peu près, avec des variations de ton, de l'humour
et de l'horreur, du pittoresque et du profond, du langage de sémi-
naire et du langage de caserne. Goetz parie pour le mal, pour le
bien, entraînant avec lui Catherine ou Hilda ; Heinrich son
compagnon, son adversaire et son témoin est parié à l'avance
en quelque sorte. A la scène, malgré les précautions du texte, on
a l'impression que le bien, le mal sont des choses toutes rondes,
toutes tranchées, que l'on peut faire par décret et non que l'on
vit ou que l'on est dans l'indivision, comme nous en avons l'impression dans la réalité. Et de même, sans doute parce qu'il n'y
a pas de pièce dans tout le répertoire où il y ait autant de lignes,
de répliques que l'acteur doit prononcer, l'œil fixé sur la ligne
bleue du ciel en défi à Dieu, ce Dieu finit par prendre la réalité
d'un adversaire invisible, il finit par exister, au moins comme
machine de théâtre, comme Jupiter dans *les Mouches* ou les
Crabes dans *les Séquestrés*.

Et puis les éléments se fondent, le mélodrame, la satire
sociale dont les traits tombent dru sur les bourgeois et les possé-
dants, et le poème philosophique, les mots se pressent pour former non le plus beau poème de la mort de Dieu, qui appartient
à Nietzsche, mais le blasphème le plus passionné et la plus vive
action de grâces pour la naissance de l'homme.

Voilà comment la pièce me semble sortir de sa nouvelle présentation. Le Goetz de M. François Périer fait peur d'abord
pour le succès du comédien, parce qu'il ne fait pas assez peur

comme diable. Il est desservi par son apparence, juvénile et ronde, et par sa relative simplicité : il y a du comédien dans le caractère de Goetz et cela convenait à un cabot énorme comme M. Pierre Brasseur. Au premier acte, M. Périer joue Méphisto (de Gounod) et même un Méphisto un peu fluet, on ne croit pas au mal, peut-être parce qu'il l'interprète comme s'il connaissait déjà la fin relativiste de la pièce. Mais on croit à l'homme qu'il devient, à son Goetz réconcilié, divisé et bafoué, puis à son Goetz prophète de l'homme existentiel, et il termine en force et en beauté, en grand comédien.

Auprès de lui, M. Alain Mottet fait une re-création tout à fait originale et remarquable, à peine parfois un peu trop pathétique, un peu trop dostoïevskienne de l'Heinrich créé par M. Vilar, Mme Judith Magre donne une terrible présence à Catherine, MM. Georges Wilson, François Maistre, Jean Saudray, etc., ont trouvé la bonne hauteur pour faire vivre les divers aspects du bien et du mal. La mise en scène de Jouvet était, me semble-t-il, figurative, historique et pittoresque, et cela ne convenait pas mal au théâtre de M. Sartre qui n'est pas un dramaturge nova-teur. C'est un bon signe pour l'œuvre de la voir s'accommoder aujourd'hui de la sobriété et de l'ascèse relative du T.N.P.

SAMUEL BECKETT

Seul le silence est grand ? Ou le ricanement ? Une œuvre qui n'est occupée que de la misère de l'homme sans Dieu, — sans Dieu, au point de n'y plus faire allusion, de ne plus renvoyer vers lui que par un ricanement amer. Cela est suggéré avec trop d'insistance pesante et maniaque dans les romans, mais cela a trouvé une force d'expression considérable dans quelques pièces privilégiées, sommet baroque du théâtre sacré d'aujourd'hui.

« En attendant la fin... »

(*Fin de partie. Acte sans paroles,* de Samuel Beckett au Studio des Champs-Elysées.)

Au début de la pièce, au milieu de la salle nue d'une sorte de tour, éclairée par deux petites fenêtres haut perchées, un homme vêtu d'une robe de chambre rouge se tient sur un fauteuil-trône, la tête couverte d'un linge où l'on distingue vaguement la trace sanglante d'un visage, comme sur le voile de Véronique, le front sanglant aussi comme s'il y restait les stigmates d'une sueur de sang ou d'une couronne d'épines. Il va répéter pendant plus d'une heure sur le mode de l'ironie, sur le mode du blasphème et sur le mode du désespoir le cri : « Mon Dieu, mon Dieu, pourquoi m'avez-vous abandonné ? », et ce sera toute l'action de cette pièce que l'on pourrait appeler un « mystère ».

L'homme, c'est Hamm. Il reste seul sur la terre avec un serviteur difforme et haineux, Clov, et ses père et mère, culs-de-jatte et quasiment gâteux qui croupissent sur le sable dans deux poubelles dont ils soulèvent de temps en temps le couvercle pour balbutier ou pour se faire injurier par leur fils. Tout autour, il n'y a rien : « Hors d'ici, c'est la mort... La nature nous a oubliés... Les graines, si elles devaient germer, elles auraient germé. Elles ne germeront jamais. » C'est la terre maudite, frappée de stérilité, le « waste land » qu'un autre écrivain anglo-saxon, T.S. Eliot, évoquait déjà il y a trente-cinq ans. Aveugle, paralytique, abandonné, Hamm est une nouvelle figure du roi pécheur, du roi « méhaigné » au centre de la terre gaste selon le conte du Graal.

A partir de là, la pièce est un minutieux traité du désespoir.
Haine de la chair et du sexe : « Maudit progéniteur, maudit forni-
cateur » dira Hamm à son père, et quand Clov croit apercevoir
un enfant par la fenêtre, c'est un sujet d'horreur parce que c'est
« un procréateur en puissance ». Haine et dérision de l'amour et
de l'amitié : « Allez-vous-en et aimez-vous ! Léchez-vous les uns
les autres ! » Haine et dérision de la prière : « Prions Dieu...
Notre Père qui êtes aux... — Le salaud ! il n'existe pas ! — Pas
encore ». Haine et dérision de la poésie dans le monologue final
de Hamm qui essaie entre deux hoquets de couvrir de sarcasmes
les vers de Baudelaire : « Tu réclamais le soir ; il descend, le
voici... » Marche au désespoir et au néant ponctuée par des dialogues dignes d'une *Saison en enfer* : « Tu crois à la vie future?
— La mienne l'a toujours été. » Ou encore : « Il pleure. — Donc
il vit. »

C'est d'ailleurs la qualité de ce dialogue, la vigueur horrible des
situations et des formules qui rendent supportable ce long acte
où il ne se passe rien, où il ne peut rien se passer, où avec des
personnages immobiles (deux culs-de-jatte, un paralytique, une
sorte d'ataxique) nous attendons que ça finisse. *En attendant
Godot*, c'était le dialogue de deux larrons au pied d'un arbre,
arbre de la croix sur lequel dans notre monde plus personne ne
vient se crucifier. *Fin de partie*, c'est le tableau du monde désert,
abandonné, de la terre maudite qui désespère de voir arriver le
chevalier, Parsifal ou Galaad, qui opérera la réconciliation. Les
deux œuvres résonnent comme les cris de Nietzsche, de Rimbaud ou, à cause de leur côté baroque, comme *A rebours* de
Huysmans. Depuis la mort de Paul Claudel, M. Samuel Beckett
est probablement notre seul grand dramaturge sacré.

Je n'exagère pas : le texte est farci de blasphèmes intention-
nels, de réminiscences bibliques (« Et qu'est-ce que tu y vois
sur ton mur ? Mané, mané ? »). Et si la volonté affirmée avec
arrogance de l'auteur est de nous peindre un monde, notre
monde, où l'on ne peut vivre que sans espérance, il n'en est
que plus important de remarquer que comme malgré lui, quelque
chose subsiste : d'une poubelle à l'autre, la vieille cul-de-jatte
pourrait gratter l'autre dans le dos pour le soulager ; quand Clov
décide de quitter Hamm, il ne le quitte pas et il reste immobile,
retenant son souffle, auprès de l'aveugle paralysé dont le désespoir atteint son comble parce qu'il se croit définitivement seul,
mais nous, nous voyons qu'il ne l'est pas ; et dehors, sur la terre
maudite, il y a peut-être « un môme »... Ah ! qu'il est donc difficile de mourir « complètement désespéré ».

Mais la réussite théâtrale de M. Beckett ne me paraît pas
moins grande avec cette pièce qu'avec *Godot*. On écoute avec
attention, avec émotion, cette tragédie métaphysique du déses-

poir portée à la perfection. La mise en scène de M. Roger Blin est une merveille de rigueur et d'intelligence. Elle recrée le texte, comme l'interprétation de M. Blin et de M. Jean Martin. Le spectacle s'achève par une pantomime interprétée par M. Deryk Mendel, autre image du désespoir et de l'absurdité, où il serait facile de montrer, en termes jansénistes, les conflits de l'homme et de la Grâce, mais qui, en fait, semble une illustration animée pour les travaux de Köhler sur l'intelligence des singes supérieurs.

JEAN GENET

Les premiers romans qui l'ont fait connaître, Notre-Dame des Fleurs, Miracle de la rose, *paraissaient tout dire de ses obsessions sexuelles avec une sorte de naïve obscénité. Mais les mots d'un poète étaient déjà là, trouvés par miracle, chantés d'une voix juste et pure. Puis le théâtre lui a imposé de bien autres transpositions : non point des jeux de symboles, mais des jeux de masques et de miroirs orientés pour recueillir la lumière intérieure la plus profonde et la faire brûler. Les pièces politiques ne sont qu'un aspect entre autres d'un théâtre qui est un théâtre d'amour. Et comme ce jeu de miroirs et de paravents, disposés avec des mots, est sans doute ce qui peut le mieux renouveler le théâtre actuel, arracher la scène à sa platitude, il est devenu l'un des plus grands auteurs dramatiques vivants.*

« Les Paravents ».

Roger Blin manipule avec une dextérité admirable les grands paravents de M. André Acquart qui constituent les éléments des décors. Pendant plus de trois heures, nous passons de la plaine à la prison, du bivouac au cimetière, de la terre où travaillent les hommes à la « maison » où travaillent les femmes. Avant d'être une évocation de la guerre d'Algérie vue de l'autre côté, parce que M. Jean Genet a toujours été de l'autre côté par rapport aux forces de l'ordre, sa pièce est un long et lent déroulement de scènes de la vie populaire en Afrique du Nord, avec ses misères qui serrent le cœur, et sa crasse qui le soulève. Cela demande une certaine patience, c'est long comme la messe, ou comme une contre-messe : mais dans presque chaque scène, presque à chaque instant, il y a un cri admirable, composé avec des mots ou avec des gestes d'une sombre beauté, comme si M. Genet voulait au-delà du psychologique ou du social rejoindre la racine mythique de la révolte. C'est le cri de M. Genet lui-même, aujourd'hui.

Ce cri, l'un des plus vrais et des plus terribles de la littérature de ce temps, il l'a poussé d'abord il y a un peu plus de vingt ans. Né en 1910 de père inconnu et de mère aussitôt disparue, il naît à la littérature en prison, vers 1942. Bientôt ses textes commencent à circuler, une belle revue, *l'Arbalète,* les publie à côté de *Huis clos* et de bien d'autres merveilles. Cocteau le défend jusque devant les tribunaux, Jouvet lui commande une pièce (ce sera *les Bonnes*), Sartre entreprend de le préfacer et lui consacre 570 pages serrées qui sont encore aujourd'hui le meilleur exposé de sa morale. Les pâles voyous imaginaires de Carco deviennent encore plus pâles, et Villon lui-même paraît, en comparaison, d'une soumission suspecte.

Que disent ces longs romans orduriers et érotiques, *Notre-Dame des Fleurs, Miracle de la rose,* plus tard *Pompes funèbres, Querelle de Brest* ? Ils disent tout, et crûment, ils oscillent entre les mémoires et les mémoires imaginaires sans jamais cesser d'être vrais. Enfant de l'Assistance, élevé par des paysans, surpris un jour à voler, Genet a vécu son adolescence à la colonie pénitentiaire de Mettray, où la seule forme de la tendresse, c'est l'amour des garçons, la seule grandeur admirée, celle des grands criminels beaux et virils. Puis il a traîné pendant dix ans ou plus dans l'Europe des quartiers réservés et des bars spécialisés, vivant de prostitution, d'entôlages et de vols, puisqu'il ne se sent pas l'étoffe d'une idole du crime. Europe des prisons aussi, bien entendu, et c'est là qu'un jour il se met à revivre sa vie en l'écrivant, et s'aperçoit avec étonnement que les mots lui obéissent comme à un grand virtuose.

Pour M. Jean-Paul Sartre, le cas de Jean Genet est exemplaire : c'est le regard des autres qui, à dix ans, constitue Genet en « voleur », et la seule réplique possible de l'enfant, c'est de relever le défi, de se vouloir glorieusement Voleur comme nous le voyons (mais de quel poids a pesé sur l'homme et sur l'œuvre le regard longuement appuyé du philosophe ?). En glorifiant ensuite le Mal, les romans l'aident à s'en purger.

De fait ces romans, dont certains sont restés dans une demi-clandestinité ou bien ont connu des rééditions expurgées sont de longs hymnes aux trois vertus théologales, la trahison, le vol et l'homosexualité. Genet raconte ses souvenirs de Mettray ou de la pègre de Montmartre, il dit et redit les amours des prostituées ou des mauvais garçons, Divine, Mignon, Notre-Dame, il passe et repasse sur le trait, avec les précisions les plus crues, il s'excite, comme si l'écriture était pour lui l'onanisme continué par d'autres moyens.

L'évocation de ce monde dominé, pour citer un vers qui a une petite allure de José-Maria de Heredia, par « le spectre d'un tueur à la lourde braguette » (la mort, le crime, le sexe), pourrait être odieuse ou ridicule si Genet ne la traitait pas avec toute son âme, comme « une parcelle de sa vie intérieure », et s'il ne réussissait pas, bon gré, mal gré à nous faire subir l'envoûtement de ces grandes figures dominatrices. Miracle de la précision, de la densité, de la poésie qui font de chaque phrase la forme durable d'un geste, tendre ou obscène, et du livre tout entier une sorte de rituel de l'amour physique entre garçons, seule conjuration obsessionnelle contre la solitude et le vide du cœur.

La purgation à laquelle pensait Sartre a-t-elle réussi ? Depuis près de quinze ans, M. Jean Genet n'a pas écrit de romans, ou du moins n'a pas jugé utile d'en publier. C'est le théâtre qui l'a retenu. Ses deux premières pièces, *Haute Surveillance* puis *les Bonnes* (qu'il faudrait avoir l'audace de faire jouer par des travestis) restaient très proches des romans. Les trois autres, *le Balcon* (1956), *les Nègres* (1958) et enfin *les Paravents* (1961) se présentent d'une autre manière, dans un cadre qui se veut plus large pour dénoncer les hypocrisies de la société, le racisme, la guerre. Mais il est clair qu'elles constituent moins un « théâtre de la révolution », comme disait le brave Romain Rolland, qu'un théâtre de la révolte généralisée.

Pas plus que les deux pièces précédentes, celle-ci n'est véritablement construite. Chaque tableau agit pour ainsi dire sur le spectateur, parfois faiblement, parfois trop lentement, pour le faire entrer dans une cérémonie rituelle, un peu comme dans le vaudou. Les colons, les curés, les soldats, les salauds sont rejetés, parfois d'une manière un peu facile, parfois d'une manière volontairement odieuse. A la différence de Cocteau, M. Genet a toujours compensé la tentation de l'angélisme par une copieuse scatologie. Dans le passage (lourdement accentué par la mise en scène, cf. le texte p. 199) où sous prétexte de faire respirer au cadavre de leur lieutenant l'air du pays, les cadets de Gascogne lui lâchent leurs vents dans les narines, on ne s'y trompera pas, c'est de l'Edmond Rostand...

Mais le héros Saïd (fort bien joué par M. Amidou) est un voleur et un traître, s'il n'a pas la troisième vertu, qui semble tenir désormais une place moins ostentatoire dans l'œuvre de M. Genet (mais la femme de Saïd est laide au point d'être intouchable et de porter cagoule). Les partisans sont victorieux, les révolutionnaires triomphent, mais pas plus que dans *le Balcon* ou dans *les Nègres* on ne peut parler d'une exaltation d'un ordre nouveau, au contraire, et Warda, la vieille prostituée hiératique (superbe Madeleine Renaud), le sait et le dit mieux que personne.

La vraie victoire, c'est celle de la mort, et la pièce est comme un fragment d'une immense et dérisoire danse macabre. Quelques scènes de la seconde partie se passent dans un au-delà, quelque chose comme les limbes, où les morts passent quelques jours avant de se fondre en absence, et où soldats français et partisans algériens se réconcilient ou du moins partagent le même sort et rient à grand bruit de la farce sinistre qu'est la vie. Mais même dans les autres scènes, c'est la mort qui conduit le bal, avec le cynisme éraillé de trois grandes comédiennes, Germaine Kerjean, Marcelle Ranson et Maria Casarès. Saïd, l'homme, tous les hommes jouent à qui perd gagne, à qui gagne perd. Dans l'œuvre de M. Genet, si nous ne parvenons pas à la grande classe des criminels, nous sommes cependant tous des condamnés à mort au petit pied. Il le dit fort, il le dit bien, et toute la représentation est ordonnée admirablement pour que nous n'ayons pas d'excuse si nous ne reconnaissons pas que la mort triomphe dans cette voix étrange...

JULES ROY

Un soldat, de la race de Vauvenargues et de Vigny, qui a continué par la plume les combats auxquels il ne participait plus par l'épée. Un aviateur qui s'est forgé, en participant aux vols de bombardement de la dernière guerre, un humanisme un peu moins bêlant que celui de son prédécesseur Saint-Exupéry. Et puisque on avait fait de lui un croisé au service d'une civilisation, il n'a pas voulu déposer la croix une fois le gros œuvre terminé, il a essayé de comprendre pourquoi et comment cette civilisation continuait de se débattre dans les séquelles coloniales du grand conflit. Toute une œuvre, variée et abondante, raconte avec une sûreté classique les tribulations amères ou anachroniques de l'honneur chevaleresque dans notre siècle de fer.

« La Mort de Mao ».

Un mince volume qui n'est pas un petit livre, ne doit pas vous échapper dans l'avalanche habituelle des papiers imprimés : *la Mort de Mao* [1] par M. Jules Roy. C'était son chien, un teckel noir et fauve, et cette plaquette c'est la stèle dressée, comme jadis le fit M. Jean Grenier, ne disons pas pour un chien littéraire (les chiens échappent à cette épithète injurieuse) mais pour un ami d'un écrivain.

Ce n'est rien que le récit par un bourru et par un tendre de ses relations pendant cinq ou six saisons avec un chien qu'il finit par trouver écrasé un jour à son retour à la campagne. Mais c'est un livre très juste sur les relations d'un chien et d'un homme, et aussi sur l'amour.

On pense bien que notre colonel, notre chevalier retour de bien des croisades (il note au passage qu'il comprend la pratique des chevaliers qui cadenassaient les reins de leurs femmes) ne tombe pas dans l'attendrissement bébête ou dans les bavardes conversations imaginaires, les chiens ne parlent pas plus du temps de la linguistique de Noam Chomsky que du temps de Descartes. Mais justement l'amour réciproque chien-homme c'est la chaleur, le sentiment sans langage analytique, la réciprocité sans réserve et sans contestation possible. Que de fois, hommes à la tête lourde, nous avons plus besoin de cette chaleur muette que de paroles. Et par une mystérieuse osmose, c'est cette chaleur humaine que le chien nous emprunte, qu'il nous rend

1. Christian **Bourgois**.

réchauffée. C'est cela, je crois, que M. Jules Roy a voulu célébrer, c'est cela d'abord qu'il dit très bien.

Et puis ce petit livre nous renseigne aussi sur la façon d'aimer de l'écrivain, sa façon d'aimer ses amis, son frère, sa belle-sœur, d'aimer les femmes. La forme de notre cœur nous est donnée, me semble-t-il plus impérieusement encore que la forme de notre sexualité, ou plutôt elle est vite déterminée par les questions et les réponses, par ce que nous demandons à la vie et ce que nous nous attendons à en recevoir. M. Jules Roy parle ici de sa façon d'aimer plus ingénument que dans *la Femme infidèle* ou dans ses grands romans, il laisse voir ses exigences, ses illusions et ses concessions aussi parfois, rusé bourru que nous regardons un peu avec des yeux de teckel...

« *Les Chevaux du Soleil* [1] ».

Le baron Denniée, intendant en chef de l'expédition envoyée par Charles X contre le dey d'Alger, avait emmené avec lui toute une cohorte de peintres et regrettait de n'avoir pu fréter un navire pour les étoiles de la littérature, M. de Chateaubriand, M. de Vigny, M. Victor Hugo qui seraient devenus ainsi tout naturellement les chantres de cette page d'histoire. Son vœu est accompli : il avait emmené avec lui sans le savoir M. Jules Roy, qui entreprend sous le titre *les Chevaux du Soleil* [1] l'épopée de la conquête. Le premier gros volume est comme le porche de cette œuvre monumentale. L'ensemble couvrira sans doute toute la période, du coup de chasse-mouches aux accords d'Evian.

Homme de guerre, homme de la terre d'Afrique, écrivain prestigieux, moraliste de l'action militaire, M. Jules Roy semble tout désigné pour entreprendre cette tâche immense qui lui donnera l'occasion de chanter toutes ses amours, et en particulier ses amours souffrantes. Dès *la Vallée heureuse* il est entré dans le monde des lettres l'arme à la main et des paroles fraternelles dans la bouche, avec une telle hauteur et une si noble sincérité qu'on ne pouvait le soupçonner ni d'un patriotisme béat, ni d'un pacifisme bêlant. Fidèle au métier des armes, il l'est aussi à la fraternité humaine, il connaît l'exaltation et le poids du courage, il voudrait dans notre monde de violence sans honneur préserver l'honneur aux mains sanglantes du guerrier. Tout croisé baigne dans le sang jusqu'aux genoux, comme déjà ceux

1. Grasset.

de la première croisade à Jérusalem, le sang infidèle, mais infidèle à qui ? à quoi ? Le malheur a fait de M. Jules Roy le témoin des hideuses fausses croisades de notre temps, en Indochine, en Algérie. Vers le même temps il s'essayait dans quelques courts récits à l'art romanesque tel qu'on le pratique couramment aujourd'hui, mais ce n'était manifestement pas sa meilleure veine. Il ne pouvait, ni ne voulait se séparer en pensée de la fraternité des combats ; et il lui fallait aussi ruminer les souffrances de l'honneur déchiré ou blessé au cours de sa carrière d'homme et d'officier. Pour redire le naufrage du maréchal Pétain ou le désastre de Dien-Bien-Phu, il s'est transformé en historien, passant au crible une documentation énorme, comme il avait déjà essayé de dire la tragédie des Templiers dans sa pièce *Beau Sang*. On pouvait craindre de le voir devenir un chroniqueur, même s'il était cette chose si rare, un chroniqueur avec un cœur et une conscience. On est heureux de le voir revenir au roman, ou passer à l'épopée avec les moyens littéraires de romancier et d'historien qu'il s'est forgés en plus de vingt volumes.

Ce qu'il aborde, c'est un sujet épique, le plus grand affrontement de l'Islam et de l'Occident au XIX° siècle, leur longue cohabitation et, enfin, le sanglant bouillonnement qui la termine. Il n'est ni juste, ni possible de porter un jugement après la lecture de ce premier volume seulement, mais on peut bien dire qu'on a une impression de parfaite maîtrise aussi bien dans la connaissance des événements, des hommes et des motifs qui les font agir que dans le déploiement d'un récit pittoresque et vivant. Ce sera le geste du bourgeois conquérant, louis-philippard à quelques jours près, du bourgeois occidental du XIX° siècle qui a asservi le monde même si aujourd'hui nous en avons honte. Nous sommes très près de l'épopée des marchands anglais se soumettant les Indes, et pas si loin des croisades si on veut bien admettre qu'il entrait dans leur démarche beaucoup d'intérêts économiques à côté de l'idéalisme chrétien, comme il entrait à côté des intérêts économiques et politiques un peu de panache dans le mouvement des soldats de Charles X allant libérer les pauvres Arabes de la tyrannie des Turcs.

Nous quittons donc Toulon en mai 1830 avec la flotte royale, au cri d'Alger ! Alger ! Chateaubriand n'était point sur le bateau du baron Denniée, mais il a cependant évoqué la scène : « La rade était couverte de navires qui saluaient la terre en s'éloignant. Des bateaux à vapeur, nouvelle découverte du génie de l'homme, allaient et venaient portant des ordres d'une division à l'autre, comme des sirènes ou comme les aides de camp de l'amiral... » Et que Chateaubriand me fournisse aussi l'étonnante apostrophe prophétique de Bossuet dans l'oraison funèbre de Marie-Thérèse, reine de France : « Tu céderas ou tu tomberas sous ce vainqueur, Alger, riche des dépouilles de la Chrétienté... » Même si le départ peut sembler un peu lent et d'une minutie excessive à un lecteur qui comme moi n'a pas, même au plus petit degré, l'âme militaire, la narration de M. Jules Roy est d'une grande adresse, passant avec une habileté sans défaut du plan de l'historien à celui du romancier. L'historien, qui l'emporte dans ce volume, nous introduit dans les conseils et dans les délibérations des chefs, éclaire et pèse les causes lointaines, coup d'éventail, manœuvres de la finance juive internationale, besoin de prestige pour une armée qui se souvient et qui s'ennuie, fixe les grandes lignes de la conduite de la guerre et des batailles. Le romancier suit deux ou trois personnages, le soldat Antoine Bouychou, originaire de Montségur, son camarade Passebois et le lieutenant de Roailles : ceux-là nous introduisent dans la vie familière des bateaux puis des camps, ils se font l'écho des bobards, mettent à l'épreuve leurs idées préconçues sur les Turcs et sur les Arabes, et sur les femmes d'Alger, même s'ils n'y touchent guère, réagissent devant les corps mutilés de leurs camarades, essaient de comprendre ce qu'on leur fait faire et ce qu'ils font. La méthode de M. Jules Roy est connue et son souci scrupuleux de documentation. Nous passons de l'un à l'autre camp (cela manque un peu d'Arabes me semble-t-il pour l'instant), nous voyons la démoralisation, la peur et la maladresse s'installer chez les Turcs, l'étonnement, la confiance, l'ivresse de la victoire à portée de la main gagner les Français. Nous connaissons les ambitions des chefs et les difficultés de l'intendance. Tout cela replacé dans le mouvement général des esprits (il n'y a pas dix ans que Napoléon est mort et dans dix ans on ramènera ses cendres; la révolution de Juillet gronde et triomphe à Paris, et sur Alger conquise, est-ce le drapeau blanc ou le drapeau tricolore qui doit flotter ?) et tout cela fourmillant d'anecdotes et de traits d'humour. A côté du point de vue de Don Quichotte, nous avons celui de Sancho, derrière l'envol des Chevaux du Soleil, « haletants, qui font jaillir le feu de leurs sabots » dit une épigraphe empruntée à la centième sourate du Coran, voici le point de vue de la mule. La fonction de Bouychou et de Passebois dans le livre est aussi de nous faire apercevoir derrière l'apparat de la guerre, ses souffrances et sa vanité. Bouychou, qui s'est engagé parce qu'une fille de son pays lui mettait un peu trop le sang en feu, rentrera chez lui son temps fini, sans avoir touché à une femme d'Alger et avec sa part des trésors du dey — un sac de café moulu et une poignée de fèves. Et, ironie du sort, est-ce que le commandant en chef, M. de Bourmont, a beaucoup mieux réussi ? L'armée de la Restauration s'aperçoit avec un sens assez vif de l'ironie qu'elle flotte dans les bottes de la Grande Armée, qu'on flotte peut-être toujours dans les bottes des grands conquérants et des grands libérateurs....

Quand l'Algérie était la Terre promise
(« *Les Chevaux du Soleil* », II).

C'est la même œuvre et c'est un tout autre livre. *Une femme au nom d'étoile* [1] nous fait vivre quelques épisodes de la vie des colons entre 1860 et 1871. Le soldat Bouychou est revenu en Algérie, attiré par les promesses du gouvernement français qui facilite l'installation sur les terres enlevées aux Arabes, il a sa ferme près de Boufarik, dans la Mitidja, il y vit avec sa femme Marie Aldabram (c'est elle, par une sorte d'étymologie tirée d'Aldébaran, la femme au nom d'étoile) et ses enfants déjà grands, c'est là que nous allons vivre aussi. Les hommes et les femmes, leurs passions, leurs craintes et leurs audaces, mais aussi les bêtes, les arbres et les plantes, et la terre elle-même, c'est tout cela qui est irrigué par le talent paysan du romancier, sur tout cela que passe son souffle de créateur. Bouychou vieillissant, bon cœur et mauvais caractère, règne sur sa famille, discrètement doublé et corrigé par la fine figure de sa femme ; deux grands garçons l'ont quitté pour aller vivre à la ville, il lui en reste un troisième, encore enfant et ses filles, dont la très belle Marguerite. Bouychou a ses souvenirs, de France dans la région de Montségur, de l'expédition et de son lieutenant d'alors, M. de Roailles, devenu général dans l'intervalle, et il a surtout ses problèmes d'adaptation à la vie concrète du paysan sur une terre dont il découvre au fur et à mesure les possibilités et les exigences, les habitants aussi, les Arabes proches et lointains. Le bonheur de M. Jules Roy, c'est de savoir inventer ces traits dont on jugerait qu'ils ne s'inventent pas, cette fumée, cette odeur, ce balancement d'un grand arbre, ce cri de bête ou cet aboi, tout le détail figuratif dont on se dit en lisant un grand romancier que pour y penser, il fallait y être et qui fait que par magie, nous croyons à notre tour y être vraiment. Vous vivrez avec les Bouychou de leur vie à la fois familière de gens de la terre, et déconcertante et déconcertée, parce que cette terre garde quelque chose d'étranger. Vous préparerez avec Marie Aldabram la réception de M. de Roailles qui vient en visite chez son ancien soldat, vous le verrez arriver avec son ordonnance, le lieute-

---

1. Grasset.

nant Hector Griès, sympathique ou pas si sympathique que cela, mais Marguerite ne saura pas résister à un sentiment manifesté à la hussarde. Vous connaîtrez les Paris, d'autres colons et d'autres caractères (des Burgondes), vous regarderez le père Paris (pardon : M. Paris) avec le préjugé agacé de Bouychou, et le fils, Jean-Pierre, avec l'œil tendre de Marie Bouychou, et vous vivrez la grande aventure, l'escapade de la petite Hortense. Vous regagnerez Alger avec ce hâbleur de Griès, mais aussi avec le scrupuleux général de Roailles, pressé de rejoindre sa femme. Vous connaîtrez les lieutenants de la popote, et les gendarmes, et quelques Arabes qui aident aux travaux, et les chevaux, les bœufs, les chiens. Roman paysan et roman d'amour, mais cette paysannerie doit au danger jamais tout à fait écarté quelque chose d'héroïque. « Le fusil entre les jambes, alors que Jean-Pierre avait couché le sien derrière lui dans les replis de la capote du deux-roues, M. Paris admirait l'ordonnancement de la plaine, suivait des yeux les canaux d'assèchement », etc : vous avez reconnu l'image, c'est celle d'un western au soleil d'Afrique, et l'analogie sera encore plus sensible, bien que M. Roy ne l'ait pas poussée, plus loin dans l'épisode des bestiaux volés par les salopards. Tout grouille dans ce gros livre plein de couleurs où le dépaysement dans l'espace et le dépaysement dans le temps se recouvrent.

Dans la seconde moitié du volume, nous nous éloignons un peu plus souvent de Bouychou et de sa ferme, et je ne suis pas sans le regretter parce que ce que le récit gagne en généralité, il le perd parfois en épaisseur concrète. C'est que si M. Jules Roy s'inspire de l'histoire de sa famille selon la chair, il veut faire place aussi à l'histoire de ce qui a toujours été sa famille selon l'esprit, l'armée, avec ses tourments et ses déchirements selon les tâches qu'on lui assigne. Et d'autre part, son but n'est pas seulement de nous raconter des histoires, mais de faire l'histoire et le procès d'un couple, le couple France-Algérie.

Le drame de l'armée, ce n'est pas Hector Griès, devenu Hector le Terrible, grand massacreur d'insoumis, qui le vit consciemment, mais le général de Roailles. M. Jules Roy en a fait une belle figure, un homme de sens droit en même temps qu'un homme de culture, il lit le Vigny de *Servitude et Grandeur* et déjà Baudelaire, il aime Schubert et Mozart (lui pardonnera-t-on de sembler préférer la petite musique de nuit à la symphonie n° 40?), il utilise des mots modernes comme « fonctionnel » ou « inconditionnel », il est sensible à la vérité et à la justice plus qu'il ne convient à un militaire peut-être dans l'intérêt de sa carrière, et il renoncera à sa troisième étoile en refusant de commander une expédition de pacification dont il prévoit les abominables horreurs. Les Bouychou, les Paris ont facilement le fusil

à la main : mais surtout ils sont fermiers à l'ombre des massacres et ils ne peuvent pas ne pas le savoir. M. Jules Roy rappelle incidemment nombre d'épisodes abominables de la colo-
nisation qui résonnent d'autant plus en nous que nous avons
encore dans les oreilles les cris atroces de la décolonisation forcée. Nous voyons l'armée semer non la paix, mais la haine
dont nous avons récolté les fruits, nous voyons se déchaîner
l'atroce, la sanglante violence dont notre temps hélas n'a pas
le privilège, nous mesurons à quel point l'homme a presque toujours été un loup, ou un chacal, pour l'homme, un animal féroce,
aveugle et borné, avec des décorations et des chamarrures...
Vigny, Roailles, que pouvons-nous faire ?
    Mais d'une manière plus précise, l'affrontement est ici entre
deux peuples, l'arabe et le français. Un seul homme peut-être a
deviné et compris le danger et essayé d'y parer, malgré l'hostilité et les injures de la droite et de la gauche, c'est Napoléon III
lui-même, qui se voulait Empereur des Français et Roi des
Arabes...
    Nous voyons au long des pages de M. Jules Roy, Boufarik et
Alger grandir, les premières Mc Cormick entrer en service, les
locomotives siffler et traverser la Mitidja, le télégraphe concurrencer le « téléphone » arabe (victorieusement ?). Mais est-ce que
tout cela est quelque chose sans l'amitié ? Y avait-il une autre
voie, une autre chance ? On sent tout au long de ces deux gros
volumes la volonté d'équité de notre Julius, conquérant malgré
lui. Mais on n'entend peut-être pas encore assez bien la voix de
l'autre bord, celle de l'Arabe refoulé et diminué.

Le temps des cerises de sang
(« *Les Chevaux du Soleil* », III).

    Livre de guerre. Nous sommes en 1871, et le sujet c'est la
répression de l'insurrection de la Kabylie. Après Sedan, après
la chute de l'Empire, pendant et après la Commune, après la
défaite de la France enfin, l'Algérie ou du moins la Kabylie
croit le moment bien choisi pour rejeter les conquérants. Mais
l'armée est forte, implacable parfois, et elle écrase le soulèvement comme elle en avait déjà écrasé un en 1857. Nous vivons
ces événements avec les principaux personnages de M. Jules
Roy que nous avons appris à connaître et à aimer en particulier
dans *Une femme au nom d'étoile*. Nous suivons surtout le capitaine Hector Griès à son poste, avec ses camarades et ses soldats, et dans les fermes et les propriétés de la Mitidja avec les

siens : le roman est celui de l'insurrection, mais il est aussi et surtout le roman de l'homme parvenu dans la forêt obscure qui est vers le milieu du chemin de la vie.

Salut à la guerre ! Je ne le dis pas de gaieté de cœur, ni même avec la sombre exaltation des prophètes de la Bible ou des enfants du Prophète, je répugne à dire que la première et la troisième et dernière partie de ce roman sont pleines de vie alors que l'homme de plume y est plus qu'ailleurs au service de l'homme d'épée. L'excellent conteur, clair, précis et en même temps passionné qu'est M. Jules Roy nous fait faire campagne avec le bel Hector et les autres autour d'Icherridène d'abord : assaut d'un village, attaque, contre-attaque, comparaison des armements, rivalités des officiers, blessures, massacres, nous sommes dans le coup. L'auteur ne se permet pas bien entendu la moindre allusion à ce qui viendra plus tard, mais comment le lecteur ne ferait-il pas des rapprochements avec une guerre bien plus proche, aussi cruelle, aussi atroce, aussi pesante pour la chair et pour la conscience des hommes ? Il y a un aspect de « répétition générale » dans cette répression de l'insurrection kabyle, et cela nous rappelle avec force qu'il ne s'agit pas seulement d'un roman historique, qu'en un sens il n'y a d'ailleurs pas de roman historique puisque notre conscience n'est jamais engagée au passé. Pourtant certains lecteurs de romans risquent de trouver ce long enchaînement de péripéties militaires un peu plus froid que le roman proprement dit, avec ses grandes et vivantes figures de femmes que nous retrouvons ici surtout dans la seconde partie.

Ce qui préoccupe le capitaine et ses camarades mais aussi les colons et par exemple ce charpentier rencontré par hasard à un enterrement, c'est le problème de la coexistence durable des deux communautés. Faut-il pousser à l'amalgame, et est-ce possible ? Ou faut-il, comme un journaliste de l'époque, envisager la solution définitive, l'extermination des Arabes, comme il y a eu aux Etats-Unis extermination des Peaux-Rouges, comme il y a encore au Brésil aujourd'hui, dit-on, extermination des Indiens ? Ou faut-il essayer de trouver un système de coexistence pacifique ? Mais ne risque-t-on pas d'être entraîné dans le cycle infernal et imbécile des rébellions et des répressions, des attentats et des représailles, des châtiments et des vengeances ?

Et dans ce choix, se demande Hector, quel est le rôle, quelle est la responsabilité de l'armée ? M. Jules Roy est un soldat pensant, qui descend d'Alfred de Vigny par Saint-Exupéry. A un moment de sa vie, en Afrique du Nord en 1942, il a eu à faire face à la situation la plus difficile pour un militaire : inventer son devoir, inventer sa fidélité, choisir, et cela a marqué toute son œuvre, cela explique par exemple qu'il y a deux ou trois ans il ait été contraint de rouvrir le procès du maréchal Pétain. Aux premières pages des *Cerises d'Icherridène* [1], on célèbre cette vertu majeure du combattant : ne pas penser, et pour avoir pensé aux dernières pages le capitaine Griès se trouve au bord de l'insubordination et de la catastrophe. L'homme à l'épée n'est pas un robot, il a besoin d'avoir des idées ou, ne soyons pas trop exigeants, d'en avoir au moins une : une idée de la justice. Faire massacrer quelques enfants capturés parce que l'ordre est de ne pas faire de prisonniers, est-ce si simple ?

Mais alors, passons encore à un plan supérieur, le soldat se trouve au cœur du combat humain. Il apporte la mort au nom d'une certaine idée de la vie, et surtout, ce qui est plus important, il apporte la mort et il sent bouillonner la vie en lui, il est Eros et Thanatos. M. Jules Roy a imaginé une scène très forte pour représenter cela aux dépens de la hiérarchie : redescendant à travers la débâcle de 70 du front de l'Est vers Alger, le capitaine Griès s'arrête une nuit dans le Rouergue pour voir son ancien chef maintenant à la retraite, le général de Roailles. Mais le général est mort le matin même. Et tandis qu'il se recueille auprès du cadavre, Griès sent gronder le désir charnel le plus impérieux, entre la veuve qui prie à ses pieds et lui, il prend à peine le temps de l'entraîner dans la chambre voisine, et c'est presque en lui faisant l'amour qu'il recommande à la générale de disposer les décorations du défunt sur un coussin au pied du lit mortuaire. Eros et Thanatos, l'amour et la mort s'exaltant par leur proximité. Il y a comme une course de vitesse engagée dans notre vie entre nos œuvres de mort et nos œuvres de vie et c'est de cela qu'à ce moment de sa carrière et de son existence le capitaine Griès prend une conscience particulièrement aiguë. Y a-t-il quelque chose de commun entre Sabine de Roailles dans ses bras, ou Marguerite, sa femme, et les femmes violées d'Icherridène misérablement renvoyées nues plus qu'à moitié ? Qu'il est difficile le repos du guerrier...

Le maître de justice
(« *Les Chevaux du Soleil* », *IV*).

Avec ce quatrième volume, qui se situe en avril 1901, *les Chevaux du Soleil* de M. Jules Roy sont sensiblement au milieu de la course qu'il s'est fixée, de 1830 à 1962. Et cette fois, le récit est à la première personne, il est mis dans la bouche d'Henri

1. Grasset.

Dematons, l'instituteur de Rovigo, dans la Mitidja, c'est-à-dire du village où à peine quelques années plus tard naîtra le petit Jules Roy. L'expression *le Maître de la Mitidja* [1] est appliquée deux ou trois fois au cours du récit à un affreux, un tyranneau prévaricateur de la colonie, mais elle peut s'appliquer aussi à Henri Dematons lui-même, le maître d'école de la Mitidja et cette équivoque voulue est déjà significative des intentions de l'auteur.

Notre instituteur écrit donc. Il écrit beaucoup : du 4 au 29 avril 1901, il est censé couvrir vingt-trois cahiers, la matière de ces 380 grandes pages. Il écrit bien, avec élégance, avec couleur, avec un peu de complaisance bavarde aussi, et avec ruse : il excelle à poser une phrase qui pique notre curiosité et notre intérêt, puis à nous tenir en suspens en parlant d'autre chose pendant dix, vingt, cent lignes. Innocent procédé de feuilletoniste dont il abuse peut-être un peu. Mais il faut accepter la convention en faveur du personnage créé par M. Jules Roy et que nous retrouverons peut-être vu par d'autres yeux que les siens dans les volumes suivants. C'est le personnage du maître d'école de la IIIe République, un grand personnage.

Henri Dematons n'est pas un petit saint. Il a le sang chaud, il a eu une première femme un peu trop paisible, dont il lui reste un fils, Robert, qui l'accompagne, une seconde femme un peu trop tête en l'air, Eugénie, et ces cahiers de Rovigo retentissent avec un lyrisme un peu insistant de son amour de l'heure, Mathilde. Il est venu du département de l'Aube, où sa famille était peut-être arrivée jadis de la lointaine Russie (il y a peut-être dans la vie de M. Jules Roy une femme au nom d'étoile-qui-se-lève-à-l'Orient). En Algérie il a fui ses désordres passés. Il ne pourra les oublier tout à fait, parce qu'il a près de lui son fils Robert pour les lui rappeler sur le mode grave, et pour les lui rappeler sur le mode plaisant parce qu'il est poursuivi par un absurde piano dont personne ne sait jouer, acheté par Eugénie par pur besoin de paraître, et dont l'accompagnement fait pour les quartiers aisés, comme disait Laforgue qui a fourni l'épigraphe du volume, est aussi incongru dans la maison d'école de Rovigo que dans une maison d'école de l'Aube. Tout cela est fait pour donner de la chair et de la vie au personnage de Dematons. Mais l'essentiel, c'est sa fonction et la très haute idée qu'il s'en fait. Pendant quelques dizaines d'années, le dépôt du capital de l'humanisme occidental, qui venait d'échapper aux mains des prêtres, a reposé entre les mains des instituteurs, qui l'ont vraiment considéré comme un dépôt sacré. La classe est une sorte de temple des vertus civiques, qui peuvent paraître un peu étriquées,

1. Grasset.

mais qui ne demandent qu'à être la présentation la plus accessible, la plus pédagogique de vertus plus complètes et plus hautes.
Comment ne pas être sensible à la poésie violente de ces lieux
où les petits d'hommes ont appris dans la contrainte, dans la
camaraderie et dans l'amour à devenir ce qu'ils sont devenus et
à rêver d'être davantage ? Je suis de ceux qui du *Grand Meaul-
nes* ont retenu davantage dans leur cœur les images de la classe
de M. Seurel que celles de la fête fantastique. L'autre jour à la
Foire du Livre de Nice, rien ne m'a paru plus beau que la classe
reconstituée au stand du « livre et l'écolier au XIXᵉ siècle ».
Tout cela pour souligner la vérité et la grandeur morale de cet
Henri Dematons, instituteur à Rovigo, évangéliste de la Déclaration des droits de l'homme aux frontières d'un autre monde,
d'Henri Dematons qui, à la première page, une nuit en rentrant
chez lui, y trouve M. Bacri, un petit Juif qui est venu chercher
un refuge, un abri...

Pourquoi ? Parce qu'Edouard Drumont vient d'arriver à Alger
dont il est député, et parce qu'il a promis de présider à une
« youpinade » à Blida. Les maîtres de la Mitidja ce sont aussi le
sinistre Drumont et son complice Max Régis, apôtres puants
d'un antisémitisme imbécile et sanguinaire. Et le drame de
notre maître, à nous, de l'instituteur Dematons, c'est d'une
manière concrète celui du petit Juif caché à la maison d'école
pour échapper aux pillards et aux brutes excités par les cris haineux de Drumont, et d'une manière plus générale celui de faire
entendre son enseignement sur une terre divisée en trois communautés, l'arabe, la juive, et celle d'origine européenne.

L'Algérie est apparue aux yeux de Dematons comme une terre
de beauté et de bonheur, les colons lui ont semblé avoir une tout
autre classe que les paysans de l'Aube. Mais il lui faut petit à
petit se rendre compte que cette société d'origine européenne
(française, italienne, espagnole, maltaise) tire son éclat de ce
qu'elle est presque une société esclavagiste : parce qu'elle
enferme les Arabes dans une réglementation tatillonne, parce
qu'elle les accable par une fiscalité digne du temps du servage,
et surtout parce qu'elle les méprise, parce qu'elle est nourrie d'un
racisme aux prétentions imbéciles, parce qu'elle tend à refuser
les droits de l'homme précisément : Belkacem, le petit Kabyle,
qui est le seul élève indigène de l'instituteur de Rovigo, semble
éclipser à bon droit son fils Robert. Ajouter à cela l'antisémitisme au moins latent des Arabes et l'antisémitisme borné des
Européens excités par l'affaire Dreyfus.

M. Jules Roy procède par petites touches et par tableaux particuliers, Dematons rencontre des gens de toutes sortes dans son
village de Rovigo et à Alger, et nous nous faisons une idée des
sentiments à l'égard des Arabes et des Juifs dans les milieux les

plus divers. Sentiments variés, commandés par des souvenirs, des intérêts, des préjugés, des propagandes criminelles : même un autre instituteur ne semble pas comprendre grand-chose aux problèmes de la coexistence...

Terre de beauté et de bonheur où l'égoïsme d'une classe dominante incapable d'être une classe dirigeante ne sème que des fleurs de haine et prépare finalement sa propre ruine. Au cours du roman, qui ne cesse pas d'être un roman vivant, centré sur des personnages concrets, chansons, sornettes, arguments dans un sens et dans l'autre passent et repassent devant nos yeux. Le drame de l'Algérie commence à prendre forme, mais nous pensons aussi au drame de la France de la même époque, au drame du Proche-Orient et de l'Afrique du Nord aujourd'hui où la présence juive ne cesse de faire problème. Nous sentons grandir notre répulsion pour Drumont : vainement essaierait-on de réhabiliter en invoquant d'autres aspects l'homme qui a employé certaines formules et certains arguments pour pousser au massacre de l'homme par l'homme. Nous nous demandons si Jaurès peut-être, qui finira victime de la condition des abjects, ne pouvait pas être la grande figure morale de ce temps-là.

JEAN-JACQUES GAUTIER

Le plus important critique théâtral d'aujourd'hui et il le mérite par sa constante bonne foi, un critique qui ne voit pas toujours tout, mais dit tout ce qu'il voit et mène le combat des spectateurs et des auteurs contre ces technocrates du bricolage que sont devenus les metteurs en scène. Le romancier, malgré la sécurité que pourrait lui conférer un prix Goncourt de jeunesse, fait lui aussi un effort pour mieux voir, plus librement, plus complètement la scène intérieure.

Le Spectacle de la vie

Il est presque impossible dans le cas de M. Jean-Jacques Gautier de séparer tout à fait dans notre esprit le romancier et le chroniqueur dramatique. Le romancier a eu ses succès, et presque au début de sa carrière, la récompense suprême en librairie, le prix Goncourt. Mais la redoutable autorité du critique dramatique vient d'abord à l'esprit de tout le monde. Il est l'homme le plus haï à la maison de la Culture de Saint-Cucufa ou de Beautiran, il n'y a pas de comédienne ratée ou de maigre bateleur traînant derrière lui sa jeune compagnie qui ne parlent de leur carrière brisée par un article comme les anciens chrétiens parlaient des empereurs qui les condamnaient aux bêtes et qui ne pensent que si le nez de Jean-Jacques Gautier avait été plus long... Un bélître un jour lui reprochait de n'avoir pas de ligne de conduite, ce qui est rare en effet à une époque comme la nôtre de critique extrêmement conformiste et qui semble suivre des rails. Il est vrai qu'il est indépendant, loyal vis-à-vis de ses lecteurs, qu'il ne parle que selon son goût, dont on peut parfois regretter les limites, et selon son amour du théâtre. Raison de plus pour ne pas séparer le critique du romancier qui essaie de dire comment il voit le monde, le spectacle de la vie. « Si seulement il existait une profession où on n'ait qu'à regarder », soupire quelque part le héros de *la Chambre du fond*[1], qui ne deviendra pas critique dramatique pour autant, mais exprime peut-être ainsi une aspiration profonde de M. Gautier, celle de spec-

1. Julliard.

tateur, au sens d'Addison et de Marivaux, et sans référence, ne vous déplaise, au mot plus précis tiré du verbe voir et qui implique qu'on a choisi des spectacles d'un certain ordre.

La Chambre du fond est la biographie presque banale d'un homme de la génération née vers 1910, d'un bourgeois de province et pour ainsi dire d'un brave homme auquel il n'arrive rien de bien extraordinaire, si on n'y regarde pas d'un peu près et de l'intérieur. Cet André Quesnel, M. Gautier le fait parler. Le roman est écrit en forme de monologue intérieur simplifié et légèrement stylisé, ce qui ne semble pas une convention plus inacceptable que celle du pseudo-réalisme du monologue intérieur glougloutant des mots inachevés et des borborygmes chez les post-faulknériens. Il y a même ici, dans les cent premières pages, une prouesse assez remarquable : M. Gautier va du bébé à l'adolescent en marquant l'évolution de ce langage intérieur, de sa syntaxe et de son vocabulaire. Le temps s'y inscrit dans le langage pour l'auditeur attentif et nous avons plaisir à entendre ainsi presque à son insu un enfant sauvage devenir un petit d'homme.

Car la prouesse n'est pas gratuite. André Quesnel est un très jeune enfant dont la difficulté d'être se traduit d'abord par une difficulté de parler. Il se laisse conduire par ses goûts, par ses préférences profondes, il refuse ce qui est conventionnel et même ce qu'on présente comme sacré, il aime mieux son chien Break que sa mère, bien vite il sent se creuser le fossé entre son monde à lui et le monde des adultes, si large et si profond que le langage n'y peut rien. Alors il se renferme, il ne communique plus guère avec ses parents que par l'intermédiaire de son grand frère Robert auquel il est uni par une sorte de complicité plus que de confiance, et à l'école, il refuse de répondre, il assiste aux leçons, il apprend, il comprend, mais il ne dit rien et passe bientôt pour une sorte de demeuré. Quand enfin, un jour, on ne sait pourquoi, il acceptera d'entrer dans la danse, il répondra au professeur, montrera qu'il est intelligent et bon élève, et on l'accablera de réprobation pour s'être conduit d'une manière sournoise.

Cette partie du roman, celle qui me touche le plus peut-être, fait un tableau très juste d'une enfance non point malheureuse, au sens des faits divers, mais froissée jusque dans la chair de son esprit, meurtrie dans son besoin de plus de tendresse, bientôt paralysée par le désespoir de n'être pas assez comprise et aimée et par la timidité. L'éducation familiale bourgeoise de cette époque n'avait pas sa pareille pour mettre au ban de la société avec une cruauté inconsciente toute une race d'enfants au cœur sensible. Ainsi déjà dans la génération précédente, les jeunes héros de Mauriac, ou Jacques Thibault chez Martin du

Gard, Jean Hermelin chez Lacretelle. Une réforme de l'éducation était ici plus urgente qu'une réforme de l'enseignement,
mais je ne crois pas que le libéralisme presque intégral l'ait
réussie.

André Quesnel est ainsi formé et déformé. Une fois la bar-
rière de son mutisme tombée, ses inhibitions apprivoisées, il
entre dans le jeu, ou fait comme si. La famille Quesnel est une
famille d'industriels, installée dans une petite ville au bord de la
mer, sans doute la Manche, sans qu'on nous précise très bien la
nature de cette industrie, probablement textile et André Quesnel
est ainsi un petit cousin du Bernard Quesnay de Maurois. Robert,
le grand frère, deviendra l'associé puis le successeur du père à
l'usine. André n'a pas de vocation bien déterminée, il n'ose pas
encore choisir son sentier dans la jungle des hommes, puis il se
décide : il sera chirurgien. Il est étudiant à Paris pendant quelques mois, la brasserie Balzar, le cinéma Danton. Mais Robert
tombe malade, doit faire un long séjour en sana, et c'est à
André, le petit canard, que la charge de l'usine doit revenir. Ça
ne se discute pas dans la tradition de la dynastie bourgeoise des
Quesnel. Nous retrouvons André, soumis, bon directeur de l'usine,
bon époux de la charmante Marie-Hélène qui est parfaite pour
l'organisation de la vie familiale et mondaine. Robert guéri,
fixé à Nice, marié, vient en visite avec sa femme Paule. Et c'est
le coup de foudre, André comprend que Paule est la femme de
sa vie et qu'il n'y a rien à faire, rien à dire. La guerre vient,
l'occupation, la tentative de débarquement de troupes cana-
diennes, les difficultés, à l'usine et à la maison, les communications précaires, le ravitaillement hasardeux.

Tout cela, nous l'apprenons toujours à travers les monologues
successifs d'André. Nous le voyons se soumettre au jeu social, et
nous sentons qu'il n'a pas entièrement renoncé à lui-même.
Cette partie du roman est un peu longue, malgré la verve avec
laquelle M. Gautier essaie de la soutenir, mais elle est nécessaire
par rapport au sujet même du livre. Pourquoi ce roman s'appelle-
t-il *la Chambre du fond* ? A mesure que les restrictions de confort, de chauffage se font plus pressantes, André diminue son
train de vie, il envoie sa femme à la campagne, il reste seul
avec une domestique monstrueuse de laideur, il s'installe entre un
lit-cage, un lavabo, un vieux Godin, un réchaud à alcool solidifié,
dans la chambre du fond. Il est heureux. Il vit enfin hors du
superflu, de la représentation sociale, il caresse encore un peu ses
rêves avortés, la chirurgie, Paule, il lit, il écoute ses disques, il ne
se ferme pas égoïstement à la vie du monde mais il a enfin
trouvé le moyen de s'être fidèle à lui-même. L'enfant maladroit,
timide, secret, impropre à la communication, découvre par la
force des choses le style de vie qui lui convient le mieux. A la

fin de la guerre, la réadaptation au bonheur conjugal ne se fera pas facilement.

Sainte Séquestrée de Poitiers, êtes-vous l'ange précurseur du refus de la société de consommation ? En un sens, le personnage de M. Jean-Jacques Gautier correspond bien à un mouvement actuel, à notre désir d'une société qui donnerait à chacun selon ses vrais besoins plutôt que d'une société qui crée et donne des besoins pour satisfaire son propre gigantisme. Mais le dessein de M. Gautier me semble plus général encore et plus classique. Ce qui est pour lui un sujet de perpétuel étonnement et peut-être d'angoisse, c'est la ligne presque invisible entre ce que nous sommes et ce que la vie fit de nous. M. Gautier aime bien, des livres le montrent et pas seulement son prix Goncourt, le fait divers, la situation juridique ou judiciaire curieuse, ce qui sort du train-train et met l'homme, grand ou petit, en demeure de révéler un peu plus de lui-même. Mais lui-même, est-ce autre chose que la succession des faits divers de sa vie, une institutrice maladroite qui l'a inhibé en lui faisant honte de sa maladresse, une difficulté vaincue, une vocation manquée, un amour venu trop tard, que sais-je ? Et s'il y a un fond secret, une chambre de fond de l'âme, qui l'habite ? André Quesnel en voit surgir un jour, un seul jour, une impulsion qui le pousse à un acte obscène et dégoûtant. Une chambre du fond de l'âme ? André Quesnel est un Pelléas, ou un Golaud qui a depuis longtemps étranglé Mélisande, ou qui ne l'a jamais rencontrée. Ou bien on pourrait montrer ce que M. Gautier, qui comprend si mal M. Sartre, doit à l'existentialisme. Notre vie est-elle égale ou supérieure à la somme des instants de notre vie ? Mais comment faire cette somme ? *La chambre du fond*, c'est le lieu du recueillement aux deux sens du terme. Jean-Jacques Gautier, est-ce l'homme qui va tous les soirs au théâtre et dans le monde, en sachant que le malheur de l'homme est de ne pouvoir rester dans une chambre du fond ?

ANDRÉ PIEYRE DE MANDIARGUES

Un précieux, un érotique, un descendant du surréalisme. Tout cela est vrai, et parfois même un peu trop vrai, jusqu'à favoriser une complaisance pour un ornement baroque, un détail superflu. Mais tout cela est vrai aussi en un sens profond, tout cela vient de son naturel, de sa curiosité d'esprit, de son goût du presque fantastique, de son sens de la beauté plastique. Un homme vivant, et le contraire d'un gardien de musée, un homme dont sont vivants aussi les goûts et les idées.

Des trésors

Un jeune homme de vingt ans et sa cousine Julie qui en a seize décident de faire une longue promenade et un pique-nique. Les bicyclettes posées, ils iront à pied le long de la plage normande. Mais la marée qui monte leur permettra-t-elle d'aller jusqu'au bout ? Ou bien seront-ils obligés de s'arrêter dans quelque anfractuosité surélevée ? Et alors... C'est le thème désuet à souhait de *la Marée,* le premier récit de *Mascarets*[1]. N'est-ce pas charmant comme un conte bleu, une nouvelle d'André Theuriet ou de quelque écrivain d'avant 14 ? Mais ne vous y fiez pas. Il y a de quoi faire rougir le bon Theuriet et ses émules. La froide et obscène détermination du jeune homme qui est aussi le narrateur ne tardera pas à faire connaître à la cousine qu'il y a des marées d'une autre sorte que celles de l'océan, et à sa bouche qu'il est d'autres saveurs que celle de l'onde amère.

Ne vous récriez pas dans l'autre sens, ne dites pas « quelle horreur! » On connaît le talent du lauréat du prix Goncourt 1967, on sait la place qu'il fait à un érotisme intelligent et raffiné, et on goûtera les trois livres qu'il a publiés presque d'un seul coup, ce recueil de huit récits, un grand rassemblement de notes, de préfaces et d'articles : *Troisième Belvédère*[1] (parce que deux recueils du même ordre ont été publiés précédemment chez Grasset) et enfin *Bona, l'amour et la peinture*[2].

1. Gallimard.
2. Skira, « les Sentiers de la création ».

Bona, c'est la femme de l'auteur, une peintresse comme il dit,
et fidèle au titre de la collection « les Sentiers de la création »,
qui reste fidèle elle-même à une haute qualité du texte et de
l'illustration, il retrace la carrière, ou plutôt l'évolution de celle
qu'il aime. Cela pourrait être un exercice conjugal odieux, et cela
ne l'est pas un seul instant parce que M. de Mandiargues possède
cette vertu simple et difficile : l'honnêteté de l'intelligence et
du cœur.

Il n'y a sans doute pas dans l'œuvre de M. de Mandiargues
de livre de conception plus simple : après une assez longue
introduction consacrée à la défense et à l'illustration du rôle
créateur de la femme dans les beaux-arts et notamment dans la
peinture, il décrit dans l'ordre chronologique les différentes
périodes que l'on peut distinguer dans l'évolution du peintre,
depuis ses débuts en Italie sous l'influence de son oncle Filippo
de Pisis et de Chirico jusqu'à l'époque des collages de matières
très diverses. M. de Mandiargues caractérise les périodes, décrit
quelques œuvres, donne les dates des expositions, les noms des
préfaciers des catalogues (Ungaretti, Octavio Paz), bref apporte
beaucoup de précisions tout en ménageant de discrètes impréci-
sions quant à la vie très privée. C'est Bona et sa peinture, se
dit-on, mais l'amour, le troisième terme du titre inspiré par un
titre du Titien, *Vénus, l'amour et la musique* dont la toile inspire à M. de Mandiargues une exquise évocation? Il faut repen-
ser alors à l'introduction, éloge de la peintresse, mais aussi
méditation sur ce que peut être l'objet de l'amour quand la
femme aimée, bien loin d'être un objet, est une créatrice, une
créatrice complète en communication avec les forces et les lois
de la création extérieure, mais aussi avec les forces de son être
vital. Ainsi entre l'amour de la peinture et l'amour de la peintresse, une circulation incessante est rétablie.

Je ne me permettrai pas de porter un jugement sur la peinture de Bona. Un soir à Venise, M. de Mandiargues m'exhorta
vivement à aller voir une exposition de Bona, près de la
Fenice. J'y allai le lendemain, c'était une exposition de boutons
de culottes. De boutons de culottes, de toiles de tailleur découpées
et collées de manière à figurer un étrange monde presque animal. Mais lisez les pages de M. de Mandiargues, et à ma honte,
vous comprendrez le dessein de l'artiste. Ce qui me semble
manifeste à regarder les images de ce livre, c'est l'authenticité
de Bona, si on peut encore employer ce mot galvaudé et pour
un artiste qui vit à Paris : c'est-à-dire son constant effort pour
aller plus loin et plus profond dans le monde intérieur. En
même temps Bona, dans sa beauté, est la vie même. Je la
regardais l'autre jour dans une réunion d'écrivains : à côté de
Bona, rayonnante et riante, toutes les femmes avaient l'air de

bobonnes, même celle qui pose pour les photos obscènes qui illustrent les livres de son mari.

Vingt ans de vie conjugale avec la peintresse ont sans doute confirmé M. de Mandiargues dans une méthode de travail de descente dans les profondeurs puis de brusque jaillissement créateur. Certains récits de *Mascarets* comme de bien des recueils précédents semblent décrits autant qu'écrits. Il faut les prendre comme on prend des tableaux dans l'œuvre d'un peintre, œuvres données à l'artiste autant que créées par lui. Bien sûr le point de départ de *la Marée* fait penser à un conte bleu, comme nous le disions : mais ce n'est pas l'irruption de l'érostisme qui fait la différence avec André Theuriet : c'est la qualité du dessin, l'art de filer la phrase, de retenir et de suggérer, de cerner et d'éclairer, l'art de la phrase classique et moderne. Le bref récit *Armoire de lune* me semble un des plus réussis, un de ceux dont les images et les correspondances s'inscrivent le mieux dans la mémoire. A côté de la réalité quotidienne, une auberge d'un petit village du Sud, ouverte aux errants d'aujourd'hui, un monde se construit dans le fantastique ou dans le rêve. La forme interrogative-dubitative pourrait devenir lassante (« lui a-t-elle répondu... », etc.) et pourtant le récit court comme une seule phrase, grimpe avec les deux jeunes gens vêtus de blanc vers le cimetière à l'étrange armoire à glace de granit noir où le sacrifice charnel doit s'accomplir. Le pouvoir de M. de Mandiargues est de convoquer autour de son histoire les voix, les formes et les mystères de telle manière que nous sommes plongés sans le savoir dans la secrète intimité des dieux cachés.

Il faut lire aussi, pour mieux connaître notre auteur, ce gros recueil d'essais généralement très courts sur des peintres, des écrivains et vingt sujets comme l'astrologie qui lui inspire une confiante et enrichissante méditation. Ce sont les constellations terrestres de la peinture et de la littérature que, du haut de son belvédère, M. de Mandiargues dessine d'une manière magistrale. Je ne vous dirai pas que je partage toujours ses goûts ou ses opinions. Mais souvent il trouve les mots nécessaires pour nous faire comprendre ce qui l'attache dans telle œuvre ou dans telle personnalité, comme nous l'avons vu tout à l'heure pour Bona. L'opposition de la nature et de la culture est ici de peu d'usage : c'est une immense et précieuse culture qui lui sert à mieux pénétrer la nature la plus secrète et l'esprit et de l'univers. C'est une constante clarté dans l'expression qui lui permet de nous guider dans les régions les moins claires de la connaissance. Mais d'une connaissance vraie, prouvée par l'œuvre d'art et qui se méfie de beaucoup des grossières vessies contemporaines. Le surréalisme cesse d'être une étiquette littéraire distribuée un peu au hasard pour redevenir ce qu'il est, une voie d'accès à une sur-

réalité. Si bien qu'alors que tant de signes nous font craindre
la décadence et la dégradation de la culture, M. de Mandiargues
apparaît comme un prince païen ou un encyclopédiste de la
Renaissance.

Mort en suspens

En vingt ans, M. André Pieyre de Mandiargues a fait son
œuvre et laissé se faire sa réputation. Il est aujourd'hui, après
plus de vingt livres, un écrivain très estimé, dont le nom est
bien connu, même en dehors des cercles strictement littéraires, mais dont l'œuvre n'est pas encore connue et reconnue
par un public assez étendu. *La Marge* n'est que son deuxième
roman [1], après *la Motocyclette*. Mais il a mené avec dignité,
avec talent, et surtout toujours au gré de l'amour, une œuvre triple de poète (plusieurs recueils chez de grands éditeurs), de conteur (un de ses recueils a obtenu le prix des Critiques) et de critique littéraire et picturale. Avec dignité, parce qu'il est un des
rares écrivains qui ne recherchent pas avec avidité le picotin
journalistique dont sont bourrées tant de bourriques du monde
littéraire. Avec talent, parce que tout le monde s'incline devant
les beautés de l'imagination du poète (au sens large) et devant la
beauté, le grain, d'une prose exacte et savoureuse : il n'a que les
adversaires que l'on est heureux et fier d'avoir, les bourriques justement. Au gré de l'amour enfin, parce qu'il n'est pas des ces littérateurs qui lèvent la plume comme les chiens la patte, il ne
parle que de ce qu'il aime dans le spectacle du monde ou dans
l'œuvre des artistes, c'est-à-dire de ce qui le trouble profondément, et il le fait avec un feu intérieur dont le lecteur perçoit la
chaleur. Si malgré tout cela, il garde cependant la réputation
d'être un écrivain pour *happy few* (mais justement, voyez
Stendhal aujourd'hui...) c'est d'abord parce qu'il en est un, bien
entendu, c'est ensuite parce que l'on s'inquiète vaguement de ce
que l'on croit savoir de l'obscurité de sa langue et de l'impureté
des mœurs qu'il aime observer. On lui fait un procès d'intention, on le soupçonne d'essayer d'animer et de nourrir la prose
la plus pure avec une dose un peu trop forte de surréalisme, et on
devine derrière cette pureté, derrière le fantastique apparent de
ses récits, un grouillement d'ombres qui puisent dans un érotisme latent une vitalité insistante et terrible. Et cela n'est pas

1. Gallimard.

faux, mais il faut bien comprendre que fidèle au mouvement profond du surréalisme, M. de Mandiargues ne s'enferme pas dans
le fantastique ou dans l'érotisme : il s'en sert comme de clés
pour ouvrir le monde et aller plus loin, avec nous si nous le voulons.

C'est à une promenade en compagnie de son héros, Sigismond Pons, que ce deuxième roman nous invite et presque à rien
d'autre puisque Sigismond ne fait guère rien d'autre qu'arpenter
les rues de la ville. Mais honnêtement il faut dire tout de suite
que cette promenade peut ne pas être du goût de tous les lecteurs. Je crois que c'est Henri Lavedan, vieux marcheur repenti
qui, lorsque on lui demandait ce qu'on peut lire, répondait :
« Tout ce qu'on peut lire à haute voix devant sa mère ou sa
femme. » Eh bien, il ne faut lire la Marge que si vous êtes dis-
posé à accompagner M. de Mandiargues et son Sigismond, les
yeux ouverts et bien ouverts, dans les ruelles du quartier de la
prostitution de Barcelone. Vous n'y trouverez guère de scènes
choquantes, de descriptions techniques, ni même de gros mots,
à part ceux qui désignent les activités commerciales d'un tel
quartier. Mais enfin vous marcherez sans cesse et sans cesse
dans des rues où l'air et chargé d'un érotisme pourri : et que
cela vous prenne au nez et à la gorge montre bien la puissance
du talent de M. de Mandiargues.

Sigismond qui marche et pense devant nous est un bourgeois
languedocien d'une quarantaine d'années qui presque par hasard
remplace un de ses cousins dans sa tournée de représentant en
vins et spiritueux. Il va faire une pause à Barcelone, et cette idée
le séduit. Il est marié depuis huit ans à une femme qu'il aime profondément, Sergine, qui est restée au mas avec leur petit garçon,
Elie. Le cousin Antonin qu'il remplace lui a parlé de Barcelone,
de la vie à peine secrète des rues chaudes. Au passage à Perpi-
gnan il a acheté dans deux pharmacies différentes des préser-
vatifs et de la poudre insecticide à usage humain. Il fait chaud,
il range sa voiture, il prend une chambre à l'hôtel Tibidabo
(mais que lui a-t-on donné, que lui donne-t-on, se demandera-
t-il cent fois...). Il fait la sieste, il écoute les bruits et les cris de
la rue, il songe qu'il y a peut-être une lettre de Sergine à la poste
restante, il s'y rend à pied, attentif à tous les visages, à tous les
mouvements de la foule, à toutes les enseignes et aux premiers
monuments de Barcelone qu'il identifie rapidement grâce à une
carte ou à un guide. Nous sommes avec Sigismond, nous marchons dans les rues, nous partageons son courant de conscience,
nous recueillons d'une manière très détaillée toutes ses impressions de voyageur solitaire lâché dans une ville nouvelle, et presque toutes ses réflexions et ses réminiscences. M. de Mandiargues entre pour chaque visage, pour chaque enseigne de magasin

ou de bar dans un détail qui pourrait être lassant, mais à la différence des nouveaux romanciers des années 50, il met en jeu
non seulement le regard, mais tous les sens et particulièrement
le sens olfactif, et il multiplie les indications de valeur affective. Nous avons ainsi très vite l'impression de pénétrer dans
une vie intérieure à trois ou quatre, ou *n* dimensions, nous ne
connaissons pas Sigismond Pons, nous apprenons à le sentir
comme il se sent et presque avec sa cénesthésie.

Le voici à la poste. On lui tend une lettre. Ce n'est pas l'écriture de Sergine, mais celle de Féline, la vieille bonne, il décolle
un peu l'enveloppe, lit une phrase : « Elle a couru à la tour des
vents. Elle a monté la spirale. Elle s'est jetée du haut. Elle a
expiré tout de suite. » Il remet la lettre dans l'enveloppe. Il la
recollera, il ne la lira pas. Nous sommes à la page 34 sur 250.

Cela aussi, pour continuer à errer dans les rues de Barcelone
avec Sigismond, il faut l'accepter pour vraisemblable, le tenir
pour vrai. Il continue à faire le touriste, il visite un monument à
Colomb, il en achète la reproduction sous forme de bouteille
d'allure phallique, il pose la lettre refermée sur la table de sa
chambre et le phallus par-dessus. Il a supprimé la lettre. Disons
qu'il la supprime dans sa curiosité et dans sa conduite. Il ne cherche pas à connaître le détail de son malheur, il ne refait pas sa
valise et ne se précipite pas pour rentrer. Il s'accorde un blanc,
une marge de vie comme si la lettre ne lui était pas encore par-
venue. Il est dans la rue, avec ses visages, ses enseignes, ses tentations ou moins que cela, ses propositions. Il va.

Hypothèse de travail romanesque si éloignée d'un comportement réaliste qu'on peut la rejeter, qu'on peut craindre aussi
qu'elle ne fausse tout. Et voici Barcelone, le quartier de la prostitution « by night ». Par la force des choses et par la force de
son talent, M. de Mandiargues a peut-être échoué : cet énorme
grouillement saisi dans toute sa force animale tient tant de
place et nous entoure avec tant de puissance envoûtante qu'il risque d'oblitérer un peu dans notre souvenir l'aventure de Sigismond Pons. Aventure banale, les rues, les bars, la petite prostituée, la boîte de strip-tease, les invertis, les maigres plaisirs du
dimanche. Mais la lettre est sur la table sous la bouteille en
forme de phallus. Elle n'est pas oubliée, elle bafouille, elle fait
lever des souvenirs de voyage et d'amour, elle corrode, elle corrompt. A côté de Sigismond, l'ombre de Sergine, et derrière lui
l'ombre de son père, Gédéon, qui aimait peut-être un peu trop les
garçons. Avec la plus extrême discrétion, par allusions, sans
jamais insister, sans jamais détailler, M. de Mandiargues nous
fait suivre son héros à travers d'autres chemins que les rues de
Barcelone. Sergine, comment l'a-t-il aimée physiquement, à travers les invertis qui lui font des propositions ou des grimaces,

que doit-il oser savoir de son propre père, et la virilité dérisoire de la bouteille dressée sur la lettre-tombeau n'est-elle pas beaucoup plus symbolique qu'il ne le sait ? Le roman de description, riche, coloré, savoureux est soutenu, puis détruit par le roman non d'amour, mais du malheur de l'amour. Avec la complicité tacite de Sigismond ou malgré lui, la lettre refermée a laissé se répandre sur Barcelone le pus comme les parfums les plus doux et les plus secrets de son existence. Sergine écartée comme morte est devenue compagne vivante. Le musée, le monde de l'art ne peuvent rien contre le monde de la chair. L'agitation des passants, des rues, devient comme une image des convulsions de l'amour, — ou de l'agonie. Si la semence de l'homme a perdu sa fécondité, qui la lui rendra ? Ici, c'est le roman d'un homme qui laisse mûrir au plus secret de son âme la pensée de la mort, puis la mort elle-même.

Du moins est-ce ainsi que j'ai lu ce beau livre, mais il n'est que juste d'ajouter non seulement que j'ai dû négliger bien des thèmes secondaires intéressants, mais encore que M. de Mandiargues lui-même semble en proposer une lecture un peu différente. D'abord, il insiste sur l'opposition entre la peinture d'un personnage et celle, trop négligée, du monde extérieur en marge duquel le héros va vers son destin. Ensuite il insiste sur l'importance du facteur politique et sur la manière dont son héros prend de plus en plus conscience de la situation tragique du peuple catalan. Sur ce point encore, on peut se demander s'il a tout à fait réussi : nous ne mettons pas en doute la sincérité et la profondeur des sentiments de Sigismond contre le maître actuel de l'Espagne, que M. de Mandiargues couvre d'épais sarcasmes à chaque instant, mais j'ai quelque peine à croire que dans un esprit aussi libre que le sien le sentiment politique l'empêche d'aller à la corrida, stupidement considérée comme une soupape de la violence, et se situe aux abords du point suprême, celui où nous sera peut-être révélée l'ambivalence secrète de nos rapports avec l'amour et avec la mort...

MICHEL MOHRT

*Ce Breton croit encore que c'est un métier de faire un livre,
comme de faire un bateau. Bon connaisseur de notre littérature
et des littératures anglo-saxonnes, bon observateur des mœurs
de ce temps dans leurs orientations générales comme dans leurs
dispositions particulières, homme de sens et de tempérament,
on ne le met pas toujours à sa place parmi les romanciers de
sa génération.*

« La Prison maritime ».

C'est pour simplifier qu'on parle du roman français contemporain : en réalité plusieurs âges, plusieurs époques du roman semblent coexister sous nos yeux ; par tempérament, ou de propos délibéré, bien des écrivains cultivent des modes de narration qui nous paraissent plus ou moins caractéristiques d'un autre temps. Cela n'implique d'ailleurs aucun reproche : si la sensibilité se trouve naturellement accordée à telle ou telle forme du récit, pourquoi ne l'utiliserait-on pas, en la réinventant d'ailleurs à mesure ? Cela est plus discutable si le choix sent un peu la préméditation parce que dans ce cas, il y a de fortes chances pour que l'œuvre sente un peu le pastiche. Voici par exemple un ouvrage, d'ailleurs très estimable, d'un écrivain déjà bien connu M. Michel Mohrt, qui a écrit *la Prison maritime* à la manière de ces grands romans d'aventures, surtout anglais dont la tradition est presque ininterrompue du XVII° siècle à Conrad.

M. Michel Mohrt n'a rien épargné pour notre plaisir. Tous ceux qui aiment *l'Ile au trésor* (et qui ne l'aime pas ?) se forgeront déjà une félicité à la lecture de la table des matières : « le Cotre à tape-cul... le Grand Foc... la Nuit des charpentiers... le Combat... Ballinajoy... les Mystères de Londres... la Tempête... la Plage des Sables d'Or... ». Et les épigraphes empruntées malicieusement à Dana, à Daniel De Foe, à Stevenson, et ce vocabulaire merveilleux et mystérieux de la voile et de la navigation. Un vieil homme se souvient de sa jeunesse, et surtout de cet été de 1923 où, engagé comme matelot à bord du *Roi-Arthur,* il quitta sa Bretagne pour une mystérieuse destination au sud de l'Irlande. Il s'agissait, il l'apprit petit à petit, d'aller chercher des armes chez les anciens sinn-feiners et de les débarquer clandestinement sur une plage isolée où des autonomistes bretons en mal de complot viendraient les chercher... Expédition farfelue et qui se termine d'ailleurs par un échec : mais qu'importe, un jeune homme a découvert la mer, et l'amour et l'aventure... Si ces prestiges agissent sur vous à tous les coups, n'hésitez pas : embarquez-vous dans le grand roman de M. Michel Mohrt et vous vivrez des heures heureuses toutes parfumées d'exaltation romantique. Le livre est à la fois conduit d'une main ferme et emporté par son propre mouvement, et la langue, élégante et sûre, s'efforce de restituer les couleurs éclatantes de la jeunesse et de l'aventure sous la patine adroitement dosée dans le récit du vieil homme.

Ni la qualité, ni l'agrément de cette lecture ne peuvent toutefois nous empêcher de faire quelques réflexions. La tradition maritime dans notre littérature n'est pas très riche : nous avons les romans injustement négligés de M. Pierre Humbourg, les livres un peu trop bien faits de Vercel ou de M. Peisson, les chroniques rusées de M. Pierre Mac Orlan, les témoignages de la Bretagne maritime de M. Queffellec. Mais en littérature, avouons-le, l'Angleterre règne encore sur les mers (avec ses anciens colons, Melville et Hemingway) ; seul peut-être Pierre Loti pourrait rivaliser avec Stevenson et Conrad, et je ne suis pas sûr que M. Michel Mohrt, nourri pourtant de la tradition anglo-saxonne, change le rapport des forces.

Pour aller du plus superficiel au plus profond, ce que l'on regrette d'abord de ne pas trouver dans son roman, c'est l'exotisme : cet aller-retour entre la Bretagne et l'Irlande nous laisse à peine le temps de respirer l'air du large, cette expédition manquée fait pauvre figure à côté du voyage raté lui aussi mais baigné de toutes les lumières de l'Orient dont Conrad a fait la matière des pages admirables de *Jeunesse*. Cela fait partie de la règle du jeu, et d'ailleurs le monde s'était rétréci en 1923, direz-vous.

Oui, mais ce qui m'inquiète un peu plus, c'est le caractère même du héros de M. Mohrt : quand il dit « rien ne me plaît tant que le cabotage avec ses surprises, son allure modeste et paresseuse, ses longs loisirs », il me semble qu'il définit un idéal de la navigation qui ne peut pas le conduire bien loin, et nous non plus. Ce n'est pas l'océan et ses terres lointaines qui manquent ici, mais une certaine flamme de jeunesse. Et on s'interroge alors sur le titre que M. Michel Mohrt a choisi pour son roman d'aventures. M. Louis Brauquier a intitulé un recueil de poèmes *Liberté des mers*. M. Mohrt parle de *la Prison maritime*. Ce voyage, suggère l'épigraphe, est fait pour illustrer la vie même et servir de symbole à l'existence. Quoi ? Une prison ? Le vieux nar-

rateur semble bien nous raconter en effet la seule évasion de sa
longue vie. Mais on se demande alors si, presque sans le vouloir, au lieu d'un roman d'aventures, M. Michel Mohrt n'a pas
écrit un pendant un peu morose, et qui pourrait s'appeler *Vieillesse*, au *Jeunesse* de Conrad, une réplique et finalement une
réplique de terrien, au grand cri : « Homme libre, toujours tu
chériras la mer... ».

En fait la légère inquiétude qui vient à la lecture tient non au
talent de M. Michel Mohrt qui est très grand, mais à l'adéquation entre ce talent et le genre littéraire qu'il a choisi de cultiver.
Sa tentative est exactement parallèle à celle de M. Jean Giono:
il a voulu faire, mettons, pour *l'Ile au trésor*, ce que M. Giono a
fait pour *la Chartreuse* dans *le Hussard sur le toit*. Et de même
que M. Giono, qui est pourtant un écrivain de tempérament, ne
réussit pas à tous les coups à nous faire oublier ce qu'il y a
d'apprêté dans son stendhalisme, M. Michel Mohrt, qui est un
écrivain de réflexion, ne nous permet pas toujours de nous
embarquer sans bagage littéraire.

Amica America

On peut bien reprendre ce titre d'un livre de Jean Giraudoux
pour parler de ce roman français qui se passe de nos jours aux
Etats-Unis et n'en fait pas une basse peinture imprégnée de propagande et de haine, *l'Ours des Adirondacks* de M. Michel
Mohrt. Exploités par le nationalisme gouvernemental comme
par les diverses familles du gauchisme, les traits excessifs de la
civilisation américaine finissent par risquer de nous cacher que
c'est une civilisation, et qui a sans doute de l'avenir sur cette planète, si une civilisation en a encore un.

Mais n'écrasons pas par des considérations générales le
roman de M. Michel Mohrt, plein de légèreté et de vivacité,
mené dans un allegro qui ne se ralentit presque jamais. Ces termes étonneront peut-être ceux qui connaissent la physionomie
de l'auteur, qui semble inspirée par les militaires anglo-saxons
de Maurois ou de M. Pierre Daninos, et ceux qui ont lu certains
de ses romans précédents : mais il est de fait qu'il y a ici comme
une libération du talent de M. Mohrt si bien qu'il ne s'agit en
apparence que d'une grande fantaisie.

Six personnages vont passer dix jours sur les bords d'un grand
lac sauvage de la région des Adirondacks, entre New York et
le Canada : trois Américains, la riche Mrs. Fiori-Wood qui a

invité tout le monde, son neveu Bill, un professeur d'un grand collège, Anthony Blake ; et trois Français, Jean-Yves de Biendire et sa femme Antoinette et le jeune professeur Justin Plantegenet. Au cours de leur séjour — il s'agit de pêche à la truite et de camping très confortable — ils se lieront avec le couple qui occupe un chalet sur l'autre bord du lac, Cristopher Curfew, un écrivain qui demande au bourbon de lui faire oublier l'éclipse de son talent, et sa maîtresse Ruth Sichel, qui dirige une galerie de tableaux à New York.

Huit personnages donc, enfermés pour dix jours et pour deux cent cinquante pages : c'est un schéma classique, presque banal, sur lequel M. Mohrt exécute des variations d'une savoureuse virtuosité. Le livre est à peu près entièrement écrit en dialogues, en brefs dialogues de quelques pages chacun, mais je crois qu'il faut se garder de penser au théâtre ou au cinéma : c'est du dialogue de romancier, écrit et encadré de manière à nous suggérer beaucoup plus que ce qui est dit et aussi à nous faire saisir sur le vif, rien que par les intonations, les progrès d'une situation, d'une intrigue, d'un flirt. Il faut penser à la musique aussi, parce que notre auteur aime faire paraître et réapparaître des thèmes, celui du lac lui-même, « œil de la terre » où le spectateur peut sonder sa propre nature selon la phrase de Thoreau mise en épigraphe ; celui des oiseaux et celui des poissons ; et celui de l'ours enfin, l'ours d'une nouvelle de Faulkner qu'on lit à haute voix, l'ours improbable de ces montagnes relativement civilisées, l'ours qui inquiète ou qui fait peur. Et sur cette musique, s'organise le ballet dont Mrs. Fiori-Wood ou Anthony Blake voudraient être les maîtres. Le ménage des Biendire est un peu fatigué par des années de vie commune et d'instabilité sociale dont le caractère de Jean-Yves est souvent responsable : jusqu'où ira Antoinette avec le jeune Justin Plantequelquechose qui s'est institué son sigisbée ? Jusqu'où ira Jean-Yves avec la belle et sensuelle Ruth, qui est lasse de son écrivain ivrogne ? La truite, le canoë, la guitare de Bill, la pluie, le feu de camp, ce sont les ingrédients qui accompagnent ces jeux du désir et de la complicité.

En même temps, à travers réflexions et conversations, les deux groupes, français et américains, cherchent leurs différences et leurs points d'accord. Il y a dans l'enseignement une race un peu particulière de Français établis aux Etats-Unis, et qui vivent parfois dans une double nostalgie, celle de la France et celle de la liberté qu'ils sont venus chercher au Nouveau-Monde. Et il y a dans les milieux proches des collèges et des universités américains des hommes et des femmes qui déconcertent un peu les vieux civilisés d'Europe parce qu'ils sont à la fois très enracinés, très typiquement locaux, et assez conscients d'être par l'esprit des citoyens du monde civilisé de demain : la première

Américaine qui mettra le pied sur la Lune sera peut-être aussi une « dame-au-chapeau-vert » de là-bas. Et dans l'autre sens, nous connaissons tous des universitaires français, peu satisfaits du vent de contestation, qui savent déjà que les grands laboratoires, les grandes bibliothèques, les grands séminaires où s'élaborent éditions critiques et réflexions sont là-bas. Ce sont ces échanges effectifs ou virtuels que Jean-Yves, Justin, Anthony pèsent dans leurs entretiens : le couple France-Amérique est discrètement mis à l'épreuve, comme sur l'autre plan le couple de Jean-Yves et d'Antoinette.

Enfin le cadre même de cette robinsonnade mondaine permet à M. Mohrt d'évoquer un autre aspect important de la vie américaine, un goût ingénu pour la vie naturelle même s'il faut en recréer artificiellement les conditions : l'Amérique, fille du XVIII° siècle, est fille de Jean-Jacques. Son projet le plus sérieux est peut-être même de réconcilier l'univers des encyclopédistes et l'univers de Rousseau. J'ai connu non loin des Adirondacks un collège où le pique-nique était une institution sacrée, au point d'en faire au besoin sur le campus, à la porte des cuisines et des salles à manger. Les personnages de M. Mohrt ne manquent pas à la tradition du pique-nique, ou bien ils jouent volontiers aux Indiens, en parlant de squaw et d'eau-de-feu. Cela se retrouve dans le goût du western et du folk-song, dans les costumes de *Hair* quand il y en a, cela essaie de trouver une floraison dans le mouvement hippie. La fleur au tracteur, à la machine, à l'ordinateur, est-ce que cela ne vaut pas la fleur au fusil?

L'Ours des Adirondacks est ainsi une vive comédie, un livre animé où les idées et les réflexions sérieuses elles-mêmes ont de l'animation. Il y circule un air vif jusqu'à la fin où le mouvement s'apaise, comme si le thème de l'ours cédait la place au thème du lac, qui est lui-même après tout comme la résurgence d'un thème rousseauiste. Bonnes vacances dans les Adirondacks, même si vous n'allez que dans la forêt de Fontainebleau ou dans le Cantal.

JULIEN GRACQ

Il a retrouvé le passage secret entre le surréalisme et le roman noir. Mais c'est aussi le passage secret de ce monde et des autres, et il montre dans ses récits comme dans ses réflexions critiques sur la littérature, les arts et les mœurs d'aujourd'hui, la même acuité de l'œil et du jugement. Du point où il se place l'honnêteté, la dignité et quelques autres vertus dont beaucoup se moquent comme d'une guigne retrouvent tout leur sens. Et parce que cela est vrai à la fois au niveau du style et au niveau de la pensée, avec quelques minces volumes il est l'homme d'une œuvre considérable.

La soirée avec M. Gracq

Ces *Lettrines* [1], c'est d'abord la possibilité de cent conversations à coups de bâtons rompus, comme dit quelqu'un, avec un des très bons esprits de ce temps, homme intelligent de bonne culture et de bonnes manières, esprit à la fois ingénu et fertile, qui provoque ou invite à le suivre, mais en aucun cas ne peut nous laisser indifférent. Dix ou vingt lignes, parfois une page ou deux sur une rencontre, un livre, un souvenir, une idée, et on passe à autre chose, mais le mouvement est donné. Ce n'est ni un journal en ordre avec la chronologie, ni un recueil d'aphorismes en règle avec un système, mais un ouvrage apparemment ouvert où chacun peut entrer, au risque de se heurter bientôt à une opinion qui lui paraîtra rude, un ouvrage aussi dont l'unité tient au tempérament et à la remarquable hygiène d'une pensée. Dix, vingt, cent soirées avec M. Gracq, selon que vous économiserez le texte, plus fécondes que des soirées avec M. Teste : ceux qui ont aimé ses romans se sentiront à l'aise, et ceux qui ne les connaissent pas encore seront peut-être conduits à les lire. C'est un livre rare pour quelques-uns, et pour beaucoup un code personnel et combien profitable du commerce des idées.

Quatre courts volumes qui relèvent du roman ou du récit, dont un a mérité sans le faire exprès le prix Goncourt, une belle pièce, wagnérienne mais en quel sens ? qui a échoué, quelques poèmes et quelques textes critiques, l'œuvre de M. Gracq ne compte pas par son volume, mais elle compte par son isolement naturel ou prémédité, et par sa situation. Ce château est habité, sur ce balcon il y a un veilleur attentif à la nuit et à toutes les formes de la vie comme à toutes les chances du salut de l'esprit, alors que tant de livres qui se réclament bruyamment de l'aujourd'hui de la

1. José Corti.

littérature ne sont que sépulcres blanchis. *Lettrines,* c'est en un sens le cahier de ce veilleur des lettres.

Ce qui frappe d'abord dans l'aspect critique de l'ouvrage, c'est une certaine méthode d'approche, de connaissance et je dirais plus volontiers encore de gustation. Rarement M. Gracq mène une discussion doctrinale, mais il éprouve une idée ou une théorie et il nous donne le résultat de cette épreuve dans un langage où les images discrètes font souvent appel à une sorte de sensibilité diffuse et peu intellectualisée : il goûte, il retient un parfum, il éprouve une résistance ou une mollesse, il estime au jugé la zone d'infra-rouge ou d'ultra-violet qui influence notre jugement sur ce que nous percevons d'un livre ou d'un auteur. C'est dans la mesure où elles font appel à d'autres moyens de communication que la parole que les œuvres se constituent pour lui en paysages parlants. Il y a des auteurs qui ont ce pouvoir vraiment démiurgiques à un très haut degré : Balzac, Claudel, et d'autres qui en sont dépourvus à un point désolant : Goethe, Hemingway, M. Robbe-Grillet... Ce que M. Gracq retient d'abord dans son jugement, ou plutôt dans son appréciation d'une œuvre, ce sont des qualités de mouvement ou de chaleur : écrivains, Marx, Trotsky sont du côté du mouvement, Staline du côté qui se fige, *les Faux Monnayeurs* est un roman froid, Hugo chauffe, Chateaubriand et Flaubert connaissent avec plus ou moins de bonheur de grands écarts de température. Il y a là une méthode critique presque viscérale qui est aux antipodes de la critique, et c'est en cela, parce que nous en sentons aussi la justesse, la nécessité, qu'elle doit nous retenir.

M. Gracq parle souvent avec une certaine acrimonie de la critique et des institutions du monde littéraire contemporain, prix, académies, presse de potins etc. Si bien que le critique qui parle de M. Gracq doit évidemment se garder de tout mouvement d'humeur puéril. Ce qui a été une blessure pour M. Gracq, c'est moins l'accueil réservé à ses livres, que celui réservé en 1948 à sa pièce, *le Roi Pêcheur,* accueil fort injuste en effet parce qu'il y avait dans ce texte une grâce et une puissance très rare qui enchantait la scène. Je me demande cependant en lisant *Lettrines* s'il n'y a pas dans la nature même de M. Gracq et de son talent quelque chose qui est rebelle au théâtre : j'en vois un signe dans son hostilité à Jean Cocteau dont le génie était si largement théâtral (et de fait, sur des thèmes analogues, *le Roi Pêcheur* est enchantement, et *les Chevaliers de la Table Ronde* prestidigitation) ou bien dans ce qu'il nous confie de la panique qui le prit en voyant la première répétition en costumes et dans les décors de sa propre pièce. C'est à ce qu'il y a de dérisoire dans l'incarnation de pacotille du théâtre que M. Gracq est intimement hostile, on le verrait encore dans la critique qu'il fait ici de ce Wagner qu'il a tant fréquenté et dont le nom figure déjà comme une indication à la clé dans l'avis au lecteur de son premier livre, *Au château d'Argol,* critique dont il finit par convenir qu'elle porte beaucoup plus sur Bayreuth que sur Wagner lui-même. Pour en revenir à la critique littéraire en général, il me semble que le grand reproche que lui fait M. Gracq est de prendre l'œuvre à froid, et non dans le mouvement et la chaleur de sa création. Il compare le critique qui comprend les œuvres de l'intérieur aux femmes amoureuses qui comprennent tout de l'homme sauf l'érection. Disons que sa critique à lui est une critique de femme enceinte ou qui garde la mémoire de sa grossesse et de son accouchement.

Position attentive d'abord à ce que l'œuvre enferme de vie permanente et de poésie au sens large. Hostile à la littérature déshydratée si chère à tant d'écrivains et de cuistres d'aujourd'hui (on regrette de le voir tenté de mettre Proust de ce côté-là). Mais il faut aller plus loin. En notant d'abord que cette critique est extrêmement attentive au style, à la modulation du langage, puisque c'est par là que le lecteur est mis en relation avec la vie secrète et profonde de l'œuvre, comme nous sentons la chaleur et la qualité de chaleur d'un être en caressant sa peau. C'est à travers et à l'aide de la peau des mots que nous devons voir, que nous devons lire, au risque de passer pour des hallucinés au jugement de la littérature à sang froid et sans nous borner aux préliminaires de quelque dermatologie linguistique. M. Gracq, me semble-t-il, est de ceux qui croient que la parole parle, et qui l'écoutent en ravivant en eux le souvenir de la parole passée, c'est-à-dire de la poésie, et dans son cas spécialement de la poésie surréaliste et de la poésie romantique allemande.

Faisons encore un pas : cette recherche de la parole vivante dans les œuvres est aussi une attitude devant la vie. Les notes que l'on trouve dans *Lettrines* sur des visages ou des paysages sont prises de la même manière, et elles sont une lecture du monde comme on pourrait le dire des poèmes et des romans de M. Gracq. Attitude critique, en enlevant au mot de ce qu'il a de trop intellectuel, attitude de consommateur plutôt ou de consentement. L'auteur de *Lettrines* est un homme exceptionnellement attentif au goût de la vie, tel que nous pouvons le connaître dans la vie elle-même et dans les œuvres où l'art essaie de le consigner et de le préserver.

Bien entendu, quand nous parlons de vie ici, il faut entendre aussi la vie de l'esprit, et rien n'est plus éloigné de M. Gracq qu'une sorte de grossier paganisme biologique. L'être vivant par excellence, c'est l'homme avec la culture et avec l'inquiétude qui le font homme : ou, si l'on préfère, l'être vivant par excellence, c'est la parole. C'est peut-être encore parce que chez lui la lecture est le mouvement naturel de l'esprit devant la vie et devant les livres que M. Gracq comprend mal et refuse toute critique qui reste lecture morte, ou lecture superficielle au lieu d'être exploration en profondeur, connaissance des mots et de l'arrière-pays des mots. Il y a dans ce volume beaucoup de tableaux et de paysages de Bretagne ou des Landes, beaucoup de paysages rétrospectifs de Pornichet ou de Dunkerque au moment de Dunkerque. Il s'y trouve aussi beaucoup de paysages d'âmes traités avec la même sorte d'attention, mais non point dans un esprit de géographie littéraire. L'intéressant, c'est la possibilité d'aller d'un point à l'autre, c'est l'ouverture de compas de l'esprit et ce qu'elle peut suggérer. Si nous montons à la plus haute tour, le dessin général de ce paysage prendra-t-il un sens? M. Gracq ne laisse pas de se le demander semble-t-il parfois, mais il n'entend pas se satisfaire de quelque réponse prédigérée. C'est l'activité même de l'esprit de vivre dans l'espoir de ce point suprême dont parlait André Breton, rejoignant une longue tradition.

Ainsi va ce livre, avec humour souvent, avec humeur aussi, avec de saines colères d'un esprit qui vise droit et bien, avec la détermination d'un homme qui entend se tenir à l'écart des modes de l'esprit même nouvelles, si elles lui paraissent nuisibles à l'approche de la vérité, avec des formules heureuses pour enfermer ce qu'il n'aime pas, et des formules fécondes pour dire ce qu'il aime. Moins une lecture qu'une conversation, ou qu'une longue promenade, un long entretien au bord de la mer, avec un homme attentif à toute parole d'homme et à la parole de la mer...

La géographie des profondeurs

Vingt ans déjà depuis qu'en 1951, donnant un exemple presque unique dans nos lettres de cohérence et de caractère, M. Julien Gracq refusa le prix Goncourt après avoir dénoncé les complaisances et les bassesses de notre système littéraire. Le système a continué, chaque automne la littérature se fait toujours à l'estomac. Et M. Julien Gracq a continué son chemin, entouré de l'estime générale même parmi ceux dont il avait dénoncé les mœurs de babouins, avec la même modestie, la même rigueur, le même souci d'écrire des livres justes. Œuvre discrète d'ailleurs au cours de ces vingt ans : un livre de critique, *Préférences,* une sorte de journal sans date, *Lettrines,* c'est-à-dire deux ouvrages « de littérature et de morale », un récit *Un balcon en forêt* (1958) et les trois textes réunis sous le titre de l'un d'entre eux, *la Presqu'île* [1]. Et pourtant, sans jouer sur le fait que le premier de ces textes est intitulé *la Route,* on peut dire que discrètement, sans ameuter les chiens au carrefour, par l'approfondissement de son travail, M. Julien Gracq a fait du chemin.

Difficilement, en effet, sauf peut-être pour le troisième texte, *le Roi Cophetua,* qui me semble avoir fait l'objet d'une publication antérieure, pourra-t-on parler ici de surréalisme, de romantisme allemand et de roman noir comme on le fait d'habitude pour situer M. Gracq : il y a une mue très nette que peut-être le *Balcon en forêt* annonçait déjà. Dans *la Route,* un homme parle dont nous ne saurons pas grand-chose, dont nous croyons comprendre par allusions qu'il est un militaire qui a fait partie d'une expédition jusqu'aux limites du Royaume, aux frontières de la barbarie. Cela donne un climat que l'on peut rapprocher, si l'on veut de celui du *Rivage des Syrtes.* Mais le personnage principal, c'est la route, l'important, c'est la route. Une vieille route de civilisation, souvent perdue, engloutie par la végétation, et cependant encore repérable. Nous la suivons à travers des campagnes dont l'aspect change, sur des sols différents qui commandent des paysages variés. M. Julien Gracq, dans la vie, est professeur d'histoire et de géographie. C'est le géographe qui semble l'emporter ici, tant les notations semblent minutieuses et précises, déduites en fonction de la connaissance des sols, des pentes, des écoulements d'eaux, des plantes et des arbres, des formes de l'habitat aussi. Et ce n'est que peu à peu que cette description prend pour nous sa quatrième dimension, celle du temps : nous comprenons qu'elle nous conduit non seulement dans l'espace vers la frontière du Royaume, mais dans le passé vers le temps d'un autre équilibre de la barbarie et de la civilisation. Si bien que nous avons l'impression que les espèces d'amazones déchues que le traducteur de *Penthésilée* jette sur les bords de sa route ne sont pas là seulement pour le repos du guerrier, mais pour le guider vers une région profonde, peut-être celle des Mères, ou de quelque force tellurique. Ce qu'on semble vouloir nous suggérer gravement, c'est une sorte de symbiose (ou, au contraire, de correspondance minérale) entre l'homme et le vitrage, l'ombre de la marquise ajourée, une frise inégale de terre.

On a un petit moment d'inquiétude en commençant *la Presqu'île,* le plus long des trois textes du volume. C'est une description de gare : sur la droite, projetée sur le quai et contre les

1. José Corti.

wagons de marchandises fermant la vue de ce côté, entre les
rails et sur les traverses, le cacao grillé et granuleux du ballast,
une seconde marquise reléguée sur son haut-fond d'asphalte dans
l'exil des rails enchevêtrés, etc., etc. Serions-nous revenus en
arrière, il y a quelques années, à l'époque où M. Robbe-Grillet et
ses maigres disciples nous faisaient objectivement périr
d'ennui ? M. Julien Gracq donnerait-il à son tour dans la littérature comme assomption du réverbère, de la lampe Pigeon et
du bouton de guêtre qu'il dénonçait avec humour ? Ou, au mieux,
le décor ferroviaire lui imposait-il la manière de M. Michel Butor
dans *la Modification* ?

Mais Simon quitte bientôt la gare : son amie Irmgard n'est
pas arrivée, elle arrivera seulement au train du soir, il reprend le
volant de sa voiture ; sous prétexte d'aller retenir leur chambre,
il va passer tout l'après-midi à parcourir la presqu'île, à la limite
du Marais et de la Bretagne, où il est venu souvent en vacances
enfant et adolescent et qu'il veut faire connaître à sa maîtresse.
Comme la route tout à l'heure, c'est la presqu'île qui devient le
personnage principal. Et c'est de nouveau le géographe qui semble un peu minutieux et insistant. C'est presque un rapport sur la
presqu'île, ses chemins, ses carrefours, ses villages. Et une fois
de plus, peu à peu nous croyons saisir le dessein de M. Gracq.
En devançant Irmgard qu'il conduira là ce soir, Simon est en
reconnaissance, aux deux sens du terme : il reconnaît le terrain
et il se reconnaît lui-même. Il retrouve les souvenirs de vacances déjà lointaines, mais il retrouve aussi dans sa mémoire des
souvenirs plus proches de sa vie avec Irmgard et de son amour.
Et son amour se modifie, un peu comme celui du voyageur de
M. Butor entre Paris et Rome. De parcourir cette terre, d'observer ses paysages et ses hommes, cela change quelque chose à sa
densité intérieure. Ce n'est pas du tout le classique « un paysage,
c'est un état d'âme », c'est quelque chose de beaucoup plus fort,
une sorte d'osmose entre le paysage et la presqu'île et le paysage
intérieur de Simon.

Mieux encore : ce ne sont pas les pensées et les sentiments
de Simon qui changent, c'est son être pensant. Pas les dessins
sur l'étoffe, l'étoffe elle-même. Cette expérience simultanée du
souvenir et de l'attente fait de l'errance de Simon un voyage
dans le temps. Cela change moins son rapport avec Irmgard
ou avec lui-même que son rapport avec la vie et avec celle qui
n'est pas nommée, qui est le contraire de la vie, et dont le poids
se fait également sentir dans l'histoire d'attente qu'est le troisième récit. Peut-être toute l'œuvre de M. Julien Gracq est-elle
un chant métaphysique de l'attente comme ressort de la condition humaine, attente sans objet, attente d'un départ sans destination.

Ce troisième récit, le plus attachant pour le lecteur, le plus admirable pour l'art de la composition du lieu, pour la montée progressive du sens du mystère aussi, est sans doute celui qui se rapproche le plus du Gracq des œuvres précédentes, celui qui permettrait encore de parler de surréalisme ou d'évoquer l'ombre d'un conteur romantique allemand. Mais Simon n'est pas un héros de roman noir, un beau ténébreux, il n'y a pas de surréalisme dans le récit de ses pérégrinations à travers la presqu'île. L'écrivain chez M. Julien Gracq a gardé son muscle et son nerf, son sens admirable de la prose française, parfois son goût du mot un peu rare ou simplement inattendu. Mais il me semble qu'il cherche autre chose par un dépouillement plus grand.

On est libre de préférer son ancienne manière, d'y trouver plus de richesse ou de poésie. Mais on ne peut pas lui reprocher d'avoir changé, ni encore moins parler d'une baisse de talent, puisque c'est délibérément qu'il a dépouillé ses bijoux. La phrase garde par sa construction cette vibration intérieure qui la distingue heureusement de la phrase d'un géographe ou d'un écrivain de l'école du réverbère. Mais l'écrivain semble tendre vers autre chose que ce qu'il cherchait à l'époque d'*Argol* ou des *Syrtes*.

Ce qu'il cherche maintenant, ce n'est ni le surréalisme, ni le réalisme. C'est une manière de mettre en évidence que la réalité et la surréalité coïncident. L'âme est inscrite dans le visage, le visage de l'homme est inscrit aussi dans le visage de la terre, et ces formes sont comme les jeux de miroir d'un unique objet. Il ne s'agit plus d'image surréaliste, ni de symbolisme, mais d'une sorte de correspondance minérale, un peu à la manière de M. Ernst Jünger auquel M. Gracq a accordé une de ses *Préférences*. L'homme est un guerrier de pierre de passage dans cette vallée qu'il est bien indigne et surtout bien inutile d'appeler une vallée de larmes. Le peu de chaleur qu'il lui arrive de recueillir vient sans doute, passagèrement du corps de la femme et, d'une manière plus durable, de la sympathie qui l'unit, au-delà de sa conscience, avec le monde des rochers et des arbres.

Je m'écarte peut-être aventureusement en proposant cette esquisse de l'œuvre de M. Julien Gracq. Je crois que celui-ci se ferait volontiers gloire d'écrire des livres où on n'y a pas une idée, autre singularité qui le met à part du monde des cuistres. S'il fallait citer des noms de philosophes à son propos, peut-être pourrait-on hasarder Spinoza, ou Heidegger ? Mais c'est un expérimental, et la littérature est pour lui une des faces de l'expérience de l'existence. Lisez ces récits comme on cède de bon gré et lentement à un envoûtement. Vous verrez bien, après, ce que cela vous aura apporté. Mais à coup sûr cela vous aura apporté quelque chose. Ce n'est pas une lecture difficile, c'est simplement une lecture qui doit être patiente, et qui est d'ailleurs récompensée chemin faisant par de grands bonheurs d'évocation, de la Bretagne par exemple, et aussi par le sentiment qu'on marche aux côtés d'un homme discret qui est l'honneur vrai des lettres de ce temps.

JEAN CAYROL

Un poète. Et un homme de douleur. La masse de ses recueils de poèmes n'est pas assez connue aujourd'hui, alors qu'on pourrait y saisir à la source le chant profond qui porte toute l'œuvre, mais qui est parfois ralenti ou dévié pour les besoins de l'anecdote dans ces mythes toujours inachevés et toujours repris qu'il appelle des romans. Ce qui soutient sa poésie, c'est un besoin infini de liberté et d'amour. Ce qui fait sa douleur, c'est la déception de ce besoin, le déchirement de l'être que le poids de la terre et de la vie arrache à son angélisme pour les réincarcérer dans sa solitude. Comme pour les plus grands, tous les événements de sa vie, même la déportation, semblent des signes nécessaires de sa destinée. Dans une production romanesque, ou mieux narrative, peut-être trop abondante, la fièvre le fait parfois délirer, mais écoutez-le avec sympathie, vous vous apercevrez qu'il ne parle pas en vain, et que sans souci de consolation théorique ou de remède, on entend ici, sans relâche la plainte du siècle.

Présentation

L'œuvre de M. Jean Cayrol, une des plus émouvantes, une
des plus sérieuses de la littérature contemporaine, une de celles
où la sensibilité d'une génération s'exprime et se reconnaît
avec le plus d'exactitude, est d'abord une œuvre où la parole
cherche son chemin entre une solitude et une prière. Son premier roman, puis, près de quinze ans plus tard son premier
court-métrage, portent le même titre : *On vous parle*, et il est
aisé d'entendre dans tout ce qui vient de lui quelque chose
de parlé, et de parlé d'une voix pressante, angoissée, impé-
rieuse : c'est une parole d'âme en péril. Mais il est au moins
aussi important de remarquer que cette œuvre parlée est aussi
une œuvre écoutée : ce que M. Jean Cayrol nous dit, il le tient
lui-même d'une parole ou d'un silence qui est au centre de
l'univers et de la vie et dont il est le scrupuleux interprète.
Il est presque aussi vrai de dire que M. Jean Cayrol n'existe pas
en dehors de son œuvre qui parle, parce qu'elle a d'abord écouté
ce que dit la bouche d'ombre.

La première poésie de M. Jean Cayrol, celle de *Ce n'est pas
la mer, le Hollandais volant, les Poèmes du pasteur Grimm,
les Phénomènes célestes*, est déjà une poésie d'homme qui n'est
pas d'ici. Quelqu'un y parle, moins de la terre, que de la
mer et du ciel, ces autres éléments dont on peut entretenir
l'illusion qu'ils sont les éléments d'une autre vie. L'art du
jeune écrivain y est parfois encore un peu maladroit, il se souvient de Supervielle, de Francis Jammes, d'Apollinaire, il apporte encore un peu de fétichisme dans l'évocation de certains

accessoires évocateurs eux-mêmes de la vie du marin ou de la vie du prêtre. Mais qu'il s'agisse d'évocations imaginaires ou au contraire d'évocations très précises, très réalistes, prises à même la vie de tous les jours dans cette douce province enfermée entre le sable, la vigne et la forêt, il me semble à distance que le chant poignant qui monte de cette œuvre est déjà un chant d'exilé. Les biens de la terre manquent à cette main maladroite à les étreindre, et les biens du ciel gardent quelque chose de douteux, comme s'ils sondaient une existence précaire et pour ainsi dire ironique sur l'espérance beaucoup plus que sur la foi. Le poète sort lentement de l'adolescence où il était naturel de ne rien posséder, pour entrer dans un monde dont la possession lui échappe, mais cette fois douloureusement. Il feint de toute sa bonne volonté de croire en cette vie et en l'autre, mais il n'y croit peut-être déjà plus : ou peut-être est-ce lui-même qu'il n'arrive pas à toucher, en lui-même qu'il n'arrive pas à croire. Le monde est un ailleurs, n'est qu'une autre manière de dire que je est un autre.

A cette âme naturellement exilée, la vie allait offrir la plus effroyable expérience de l'exil : celle de la déportation, de la déportation « nuit et brouillard », jolie expression poétique pour désigner ce régime terrible où les hommes aux semelles de vent s'évanouissaient à jamais en même temps que beaucoup d'autres. C'est l'homme aux semelles de vent qui est revenu. Sur la place de cette expérience vécue de l'épouvante dans son œuvre, M. Jean Cayrol s'est expliqué avec autant de netteté que de discrétion : sur le moment, il ne s'est pas attardé à des récits anecdotiques, après coup, il n'a pas voulu être un ancien-déporté-d'honneur. Ce n'est pas l'horreur physique de la déportation qu'il lui fallait décrire, mais son horreur psychologique presque inconcevable qu'il lui fallait explorer, et pendant des années, ses livres n'ont été que de longues et tâtonnantes recherches dans les ruines de l'homme démoli, de longs et patients efforts pour arrêter cette hémorragie d'une sensibilité saignée à blanc. Le poème ne suffit plus toujours à tout dire de cette longue misère, l'écrivain se fait romancier : ou plutôt, la poésie devient la lampe qui va éclairer ces longs et tremblants récits d'une voix qui voudrait bien s'affirmer dans la nuit, que sont tous les romans de M. Jean Cayrol.

Cette attitude devant la matière première de l'expérience intérieure vécue, et cet emploi exploratoire du seul instrument possible, le langage, sont absolument indispensables à la compréhension de cette œuvre : « J'écris sans coup férir, sans prendre de précautions qui puissent me rassurer sur des cheminements imprévus, pour une meilleure équivoque, dit-il, j'écris sur un coup de tête, c'est beaucoup plus tard que je me fais du souci...

j'approche le plus près possible de ce que je ne comprends
pas, je l'enserre, j'essaie de l'intimider, les mots campent et je
n'ai de cesse de perdre de vue ce qui m'appartient, de me perdre, car je voudrais être avec ce qui ne me convient pas, me
rebute ou me déçoit... j'avance avec tout ce que je suis, tout ce
que j'ai, je quitte sans fin, je ne laisse rien derrière, je pars
en entier... » Et un peu plus loin : « L'existence se présentait
comme un gouffre, oui, j'étais à pic sur le monde. Je ne sais si
je me fais comprendre car cette manière dangereuse d'être soi-
même sa propre frontière et en même temps la seule avancée
vers autrui, c'est obscurément que je la ressentais... » On
reconnaît l'univers, ou la manière d'être devant l'univers dont
nous parlions à propos des premiers poèmes.

Lire un roman de M. Jean Cayrol est donc à la fois très simple, et assez difficile. Il ne s'agit nullement de la difficulté
qu'on peut avoir à lire certaines grandes œuvres modernes ou
certains romans d'une école récente, c'est-à-dire de la difficulté de retrouver la clé d'une transposition savante ou le
plan d'une structure soigneusement préméditée. Mais il ne faut
pas non plus compter sur les secours classiques d'une architecture sans surprise qui fait que dans nombre de vieux romans,
à voir comment l'œuvre est aménagée, on peut déjà savoir qui
l'habitera. Le lecteur a besoin d'une initiative, mais c'est une
initiative du cœur en quelque sorte, il doit se soumettre dès les
premières lignes, comme il se soumet en lisant un poème dont
les modes d'action ne sont efficaces que dans un certain suspens intérieur. Il faut mettre les pas dans les pas de l'auteur ou
du personnage principal qui généralement soliloque tout au
long du livre, il faut pour ainsi dire se mettre le texte mot
après mot dans la bouche. On vous parle, il faut écouter.

A cette condition, on entre dans un monde profondément
émouvant. Monde social entre chien et loup, entre le dénuement absolu et la médiocrité, qui va du clochard plus ou moins
volontaire aux petites gens qui gagnent mal une petite vie.
L'inadaptation à la société est l'image encore plus que le corol-
laire de l'inadaptation intérieure. Et si ce monde, souvent décrit
de la manière la plus concrète, la plus touchante est un monde
pauvre (avec ses petites joies pourtant), c'est aussi parce que
c'est un monde préoccupé de l'être beaucoup plus que de l'avoir.
La question lancinante n'est pas celle de la réussite mondaine,
ni même celle de l'action politique réussie ou non (pas de littérature plus désengagée), ni même finalement celle de la
réussite sentimentale, celle de l'amour et du bonheur : c'est la
question de l'être même, c'est le « qui suis-je ? » ou même le
« qu'est-ce que je suis ? »

Dès lors, il ne faut pas s'attendre à une action proprement

romanesque. Le point de départ, c'est l'extrême solitude de l'homme étranger aux autres et à lui-même ; le point d'arrivée, c'est la mort le plus souvent. Et entre les deux, qu'il s'agisse d'Armand, de Gaspard, de Bernard, rien qu'une sorte de quête titubante, à la fois au physique (ce sont des personnages qui marchent beaucoup, ou qui roulent comme le voyageur de commerce du *Froid du soleil*) et au figuré. Nous marchons non point dans un désert, mais dans un monde où quelque chose nous empêche de cueillir les fruits qui sont à la portée de notre main, ou bien, si nous arrivons à les cueillir, où les fruits se changent en absence avant que nous ayons commencé à rassasier notre faim. Les petites joies dont la vie est avare n'en sont que plus précieuses : la mémoire les thésaurise, et elles deviennent, parce qu'elles n'existent plus que dans la mémoire, de petites déchirures. Les objets sont évoqués, caressés, comme s'ils avaient une réponse à faire non sur ce qu'ils sont, mais sur ce que je suis. Et les êtres n'existent pas très différemment : il y a toujours autour de l'Orphée aveugle qui remonte des enfers, dans les romans de M. Cayrol, un essaim d'Eurydices impuissantes à nourrir son chant profond. Le monde de M. Jean Cayrol n'est pas un monde sans amour, certes, mais c'est un monde où l'amour est presque impossible à monnayer : reste à vivre l'amour des autres, comme disait le titre de la première grande œuvre romanesque.

Cet homme brisé, incapable en quelque sorte de récupérer son propre centre, ne se lasse jamais de se chercher, et le grand moyen de cette quête, c'est la parole. Il parle pour dire, pour rêver et aussi pour dissimuler : mais la dissimulation même est encore un moyen d'approche, puisque la volonté de dissimuler quelque chose est une manière d'en dénoncer l'importance. Hâbleur, menteur, mythomane, le héros de M. Cayrol est le poète dégradé, humilié, dont la faculté de fabulation est devenue bonne à tout faire. La vie parlée, c'est la vie vécue et c'est la vie rêvée. Mais d'une part ces rêves correspondent aux creux du réellement vécu, ils continuent l'expérience réelle sur un autre plan. D'autre part, ils sont des demi-aveux de quelque chose qui ne se traduit pas dans la conduite en apparence banale du personnage. C'est-à-dire que le discours tout entier est un aveu différé. Mais de quel secret ou de quelle culpabilité, c'est ce que nous ne savons pas, c'est ce que nous avons l'impression que le coupable lui-même ignore — c'est ce qu'il cherche en parlant.

En un sens, on peut dire que le monde de M. Jean Cayrol est une version banale, quotidienne du monde de Kafka. Où Kafka se croit obligé d'inventer une administration minutieuse et démente, de construire un inaccessible château, de se

tenir au bord du fantastique, M. Jean Cayrol n'a besoin de
rien : la chambre d'hôtel, le petit restaurant, le rond de vi-
nasse que la bouteille reposée fait sur la toile cirée, la mar-
chande de quatre-saisons, l'aide-pharmacien, l'enfant qui
joue, la mégère qui braille, tout ce qui est dans la vie, sans
devoir être affecté d'un coefficient d'étrangeté, tout est instrument des hautes œuvres. Et l'homme n'est pas un légaliste
qui cherche en fonction de quel texte il est inculpé : il est un
homme de bonne volonté qui n'a pas trouvé de paix sur la terre,
il ne cherche pas un texte, il cherche une faute. Qu'on ne s'y
trompe pas d'ailleurs : Kafka est un terme de comparaison
beaucoup plus qu'une influence directe, et l'œuvre de M. Cayrol
garde toute son originalité sur tous les plans.

Et d'abord sur le plan religieux, si ce mot n'est pas déjà
trop précis. Les premiers poèmes de M. Cayrol, nous l'avons
dit, ses premiers romans aussi, faisaient une place au christianisme comme espérance sinon au christianisme comme foi
historiquement fondée. Pour un garçon de bonne race, de ce
milieu et de cette province, le christianisme était beaucoup
plus qu'un souffle de tout l'esprit : c'était, comme pour tant
de jeunes Européens, un langage commode à la fois patiné par
les siècles et toujours ravivé par les plus pures comme par
les plus hautes émotions de l'enfance. C'est la religion qui a le
mieux connu l'homme, on le sait depuis Pascal, et il lui en reste
quelque chose. Mais à mesure que l'expérience intérieure de
M. Jean Cayrol s'est étendue et tant bien que mal précisée, je
ne dis pas qu'elle a cessé d'être chrétienne, mais elle a cessé
d'avoir naturellement recours au vocabulaire chrétien. De ce
monde où il se cherche, où il cherche sa culpabilité, où il cherche sa joie, M. Cayrol ne veut rien dire dont il ne soit sûr,
et il lui semble sans doute qu'en parlant de la croix, il en dirait
un peu plus qu'il n'en sait. C'est un monde religieux, parce
qu'il ne fait point de doute qu'il ait un sens, mais ce sens
reste caché ; c'est un monde religieux aussi parce qu'il vit
sur une obscure fraternité des êtres et des choses, que la
tâche de l'écrivain est précisément de rendre un peu moins
obscure : et c'est en ce sens que l'œuvre ne va jamais de la
damnation au blasphème, mais de la pauvre lumière froide de
la solitude à la petite flamme pauvre d'une prière. La parole
naturelle, quoi qu'en disent ceux qui connaissent une parole
révélée, ne peut peut-être pas aller plus loin. Mais cela, est-ce
la conclusion de l'aventure spirituelle singulière de M. Jean
Cayrol ? Ou bien une conclusion qui vaut pour beaucoup, et
beaucoup d'entre nous, à tel point que l'œuvre s'en trouve fondée en raison — en raison du cœur ? Peut-être lentement avec
l'âge, le poète parviendra-t-il à remonter le cours du temps, à

découvrir que la parole n'a pas été donnée à l'homme pour avouer sa culpabilité, mais pour nommer la création et se baptiser d'innocence avec elle. On vous parle ? Nous parlons...

Le journal d'un poète (1968).

Toute l'œuvre de M. Jean Cayrol, en vers, en prose, en images de cinéma est une œuvre poétique, ou plutôt c'est pour le poète qu'il réclame le droit de regard sur les choses de ce monde, si on peut reprendre le titre d'un de ses livres. Et voici que ce droit de regard, il l'exerce directement, ou presque, sur les événements au fur et à mesure qu'ils se présentent dans l'actualité. Son recueil, ou mieux ce long enchaînement de poèmes pendant plus de deux cents pages, *Poésie-Journal* [1], nous permet de suivre au jour le jour pendant six mois sa vie professionnelle, mais aussi la vie des grands et des petits de ce monde telle que nous pouvons en saisir le reflet aux pages d'un quotidien du matin ou du soir. Journal d'un poète, non point tourné vers lui-même, vers sa vie et vers sa solitude, comme celui de Vigny, mais tourné vers le monde et renvoyant des échos sonores au rythme régulier ou irrégulier de son cœur. Expérience souvent amusante d'ailleurs, parce que M. Cayrol ne manque pas d'humour ou de malice, et vous pouvez presque lire ce poème avec autant de facilité qu'une gazette mise en vers : mais vous y gagnerez de sentir cent fois pour une ce petit déclic de l'esprit auquel un raccourci, un bonheur d'expression viennent de faire voir les choses dans un meilleur éclairage.

La période choisie est celle de juin ou juillet 1968 à décembre de la même année. Non point un journal de la révolution de mai et du mois des barricades, bien que M. Cayrol en ait été un chaud partisan au point d'être pendant un temps de ces écrivains qui ont cru bon de parodier les luttes ouvrières en occupant sans danger, sans mérite et sans gloire l'hôtel de Massa : mais un journal imprégné par le souvenir de mai jusqu'à l'obsession et retentissant du roulement des derniers échos d'une espérance qui retombe — au moins pour un temps : « On remettra les pieds dans le lit asséché du mois de mai. »

Mais il faut donner une idée de l'entreprise si neuve de

1. Le Seuil.

Poésie-Journal en faisant beaucoup de citations. Voici, 17 juillet, le commencement de la saison :

> *On approche de l'été avec des ruses de Sioux,*
> *blanchi, lavé par les nuits blanches,*
> *dans l'écarquillement des vagues,*
> *les graffiti sur le sable mouillé.*

Une promenade au bord de la mer, quelque part entre Soulac et Pontaillac ou les pays du Nord ?

> *J'offre la gaufre et le cornet*
> *et les patins*
> *pour rouler le long de la promenade*
> *dans la zone permise :*
> *les badauds pourraient avoir peur*
> *encore étourdis par le poids des valises*
> *et faire gronder leur chien.*

> *J'offre le brouillard et sa vieille sirène bovine*
> *tandis que le port s'efface,*
> *qu'on le devine*
> *comme un reflet dans une glace...*

Le poète retient en deux ou trois lignes la poussière de l'actualité, un coureur dans une côte, la morte du boeing 727 « dont on retrouva les souliers dans un verger d'Essonne » et il ne feint pas d'ignorer le plus grave malheur de la conscience pendant ces mois de 1968 :

> *Ils se frottent doucement le ventre*
> *les enfants vieux du Biafra.*

> *Leur peau noire tourne à la cendre*
> *les enfants du Biafra qui vont gâcher les vacances...*
> *...*
> *Antilopes décharnées en transhumance.*

Un souvenir remonte de la guerre d'Algérie, une odeur de brûlé vient du Viêt-nam, et l'Eglise en Amérique latine :

> *Comment vivre dans cet état,*
> *la guérilla en chapelle Sixtine*
> *promettre Dieu à Bogota,*
> *et réviser les droits à la famine ?*

C'est le monde, froid et masqué, « avec son goutte à goutte de larmes ». Une nouvelle du 26 août :

> *Avoir vingt ans à Prague,*
> *ce matin,*
> *ce n'est pas facile,*
> *l'inexorable armée drague*
> *les enfants qui n'ont pas voulu poignarder*
> *Avril*
> *menacé de mort.*

Et le 1ᵉʳ septembre, à la rentrée :

> *On découvrait un gisement d'hommes libres*
> *du côté de la Russie,*
> *mais le mammouth écrasa leurs libres insomnies.*

Et voici la campagne, Saint-Chéron peut-être :

> *paroles de jardinier, patois d'automne,*
> *l'heure est à la compote,*
> *au couteau,*
> *à l'alambic.*

> *J'ai besoin de parler avec des mots*
> *pour l'usage domestique et le marché,*
> *j'ai besoin de ne pas croire que je suis vu de dos.*

Ou bien un coin de Paris, la grande ville, vers Saint-Germain :

> *On trouve des trouvères un peu partout*
> *et des guitares hébétées*
> *se couchent tard*
> *entre l'amour et l'amitié.*

Pas la politique, mais sa banlieue :

> *Tandis que Couve de Murville*
> *a pris son premier bain de foule,*
> *l'eau était froide et la petite houle*
> *ne faisait pas tomber les barrières inutiles.*

Jeux Olympiques à Mexico, les mille-pattes envahissent les voies ferrées au Japon, les trains patinent, Apollo 7, et vers le 25 octobre un bruyant mariage :

Car
que restera-t-il de ce port gelé de Cythère,
de ses mille façons de cour et de coulisse,
d'un écrin retrouvé sur son embarcadère,
que restera-t-il d'Aristote Onassis ?

Et elle :

.. Il est facile de devenir une Pénélope un peu grasse
et qui rêvasse
devant ses sujets mythologiques et ses carrosses.

Je te vois encore comme une rose
devenue soudain rouge sang.

...
Tu vas changer de page dans les journaux
et passer du Tiers-Monde à la mondanité.

J'attendais M. Cayrol à la crise monétaire de novembre, mais il continue à parler d'or :

Banques suisses, à ras bord
transformées en cliniques pour les monnaies
sous tentes à oxygène,
greffes clandestines de l'or.

Au risque d'être un peu long, il valait mieux aujourd'hui jouer le jeu avec l'auteur au lieu d'essayer d'en dégager les règles. Dans un article à propos de Saussure et de M. Staro-binski, M. Michel Deguy employait une belle image. De même, disait-il, à peu près, que lorsque nous approchons un coquillage de notre oreille nous avons dans l'écho de notre sang la perception distincte de la rumeur marine « fantôme incontes-table de l'océan incrusté dans l'oreille minérale », ainsi lors-que nous collons notre oreille contre un poème, nous croyons entendre l'indistincte rumeur de l'océan du langage. Je vou-drais détourner l'image de son sens, d'autant que je ne fais pas ici de critique poétique au sens universitaire de M. Deguy, j'essaie de montrer de la poésie : ainsi le poème de M. Cayrol est comme un grand coquillage où la rumeur du sang du poète se confond avec la rumeur du monde. A la longue, le procédé pourrait devenir fastidieux, M. Cayrol s'en aperçoit lui-même (« Soudain le poème s'essouffle, tout étourdi par tant de faits divers »), mais l'ensemble opère une sorte de rassemblement de la diversité ; nous revivons ce que nous avons connu par la voix (la voie ?) artificielle des journaux, mais nous le revivons avec une voix vraie. On voit facilement comment c'est fait : en détraquant légèrement les clichés et les slogans de la presse contemporaine on détraque aussi ces jouets et ces gadgets de la pensée qui ne pense à rien : et d'ailleurs l'auteur a mis au milieu de son livre une sorte d'art poétique ironique et subtil en forme de « faites votre poème vous-même » à partir des mots en prêt-à-porter de la presse (« Ne commencez le poème que froidement ; l'émotion lui coupe les jambes et le *saignement de mots* n'est pas tolérable »). En soumettant ainsi les mots à l'action détergente de l'esprit, on reviendrait aisément à cet art de décaper le langage, de chercher les mots sous les mots qui a été la folie de Saussure et qui est la préoccupation de M. Michel Deguy, même si l'art de M. Jean Cayrol doit paraître naïvement réaliste à la critique nominaliste des linguistes.

Ainsi va donc le monde pour notre auteur : il ne demande pas au temps de suspendre son vol, il essaie en tenant ce journal de retenir un peu mieux la vie qui coule et nous baigne, jamais deux fois dans la même eau. Seul au fond, comme un petit garçon qui essaie de pêcher avec un dérisoire petit filet. « De qui suis-je l'aubépine et le tocsin ? » demande-t-il soudain. Les événements du printemps 1968 ont eu pour lui une extrême importance parce qu'ils ont été un bain, non de foule, mais de jeunesse. Par « l'écorchure de mai » comme il le dit, c'est cette jeunesse qui lui est revenue, du moins il l'espère. La politique ici, et peut-être même dans sa douloureuse épreuve de la Résistance et de la déportation, compte moins pour M. Cayrol comme *une* politique que comme une fuite en avant. Je sais bien que *Poésie-Journal* n'est systématiquement pas un journal intime : mais comment ne pas voir qu'il n'y a pas un couplet, peut-être pas une ligne dans ce volume pour ce que l'on appelle communément l'amour ou l'amitié. Comme le cœur, le poète est ici un chasseur solitaire, sa fuite en avant vers le monde et ses misères est comme une fuite vers la fraternité et, quand seront dépensés les capitaux inutilisés de la tendresse, vers le dépouillement. Ainsi dans les romans de M. Cayrol, un peu comme dans les vieux films de Charlot, un long dénuement intérieur ne reconnaît finalement sa vraie place et sa vraie expression que dans une sorte de clochardisation. Mais ici le poème ne veut être qu'un fait divers parmi tant d'autres fables ironiques ou macabres qui sont comme le pain quotidien que l'histoire nous donne à mâchonner. *Poésie-Journal,* c'est votre quotidien, c'est votre journal et c'est quelque chose de plus...

MARCEL SCHNEIDER

Il a ajouté quelques gravures, quelques belles images au musée imaginaire de l'art fantastique. Parce que cela convenait à sa nature et à sa culture, à son goût le plus profond, à son éloignement pour cette époque où la boue est faite de nos pleurs, à sa recherche d'une forme d'art où se concilient la confidence et la discrétion. Peut-être est-ce la culture qui l'a emporté, la connaissance des délicats modèles de ce genre, une certaine recherche de la mondanité, comme si l'ascétisme pouvait avoir des heures de relâche, au détriment d'une descente de plus en plus profonde dans les abîmes intérieurs. Mais c'est déjà une œuvre de qualité, et c'est encore une œuvre ouverte.

Pour un portrait

Avec une vingtaine de livres discrets, M. Marcel Schneider a élaboré une œuvre qui a beaucoup plus que de l'importance : elle a du rayonnement, elle crée autour d'elle un cercle d'amitié autant que d'admiration, et qui doit gagner de proche en proche. Comme toute amitié, celle-là n'est pas ouverte à tout le monde. Il faut pour y entrer quelque sympathie, quelque résonance intime avec le cœur du poète. Mais ce n'est pas pour cela une œuvre hermétique, encore bien moins une œuvre fermée. La parfaite élégance de la plume, la secrère harmonie et pour ainsi dire la sainteté du langage, la franchise de la démarche, la pureté du cœur, ce sont là des qualités très aimables qui séduisent dès les premières lignes : tout dans cette œuvre respire dès l'abord un charme sérieux qui force l'estime. Si vous n'allez pas plus avant, si vous ne vous voyez pas dans le miroir que ces livres vous tendent, peut-être faut-il vous en prendre à vous-même.

Voilà déjà, me direz-vous, de vos manières de parler, par miroir et par énigme. Essayons donc d'être simple, et essayez de ne pas vous laisser égarer par le mot « fantastique ». La littérature que l'on appelle à la légère fantastique est une littérature réaliste, nécessaire et vraie. Elle est réaliste parce qu'elle s'applique à décrire et à faire connaître des choses hors du commun qui n'ont pas pour cela moins de réalité que les choses communes. Elle est nécessaire parce que dans un récit fantastique bien fait, pas même une ligne, pas même une virgule ne peuvent être changées sans compromettre l'exact équilibre de l'ensemble. Elle est vraie parce que cette scrupu-

leuse adéquation à une réalité hors de l'ordinaire lui permet
de nous faire toucher aussi comme du doigt des vérités qui
semblaient hors de notre atteinte sensible. L'instrument de
cette conquête, instrument par excellence de la poésie, c'est
l'imagination dont Baudelaire déjà avait bien analysé les pouvoirs : « L'imagination n'est pas la fantaisie ; elle n'est pas
non plus la sensibilité bien qu'il soit difficile de concevoir
un homme imaginaire qui ne serait pas sensible. L'imagination
est une faculté quasi divine qui perçoit tout d'abord, en dehors
des méthodes philosophiques, les rapports intimes et secrets
des choses, les correspondances et les analogies. » La littérature de M. Marcel Schneider et une littérature de l'imagination, non de la fantaisie, et cela suppose une orientation particulière de la sensibilité du lecteur. Quand vous lisez un roman
d'aventures, ou de cape et d'épée, on vous demande de croire
beaucoup de choses, parce que vous êtes avec l'auteur dans
le domaine de la fantaisie. Quand vous lisez un roman fantastique, on ne vous demande pas de rien croire, on vous
permet de savoir quelque chose, avec autant de certitude
dans la vérité que dans les sciences dites exactes. Il
y a dans une petit conte de M. Schneider une fillette qui cherche un invisible bigoudi rose sur les dalles d'un cloître d'Aix-
en-Provence. Si vous, vous ne voyez pas ce bigoudi rose, s'il
ne devient pas pour vous une évidence, le signe d'une correspondance et d'une analogie, peut-être n'est-ce pas la peine
d'insister...

Cette conversation de l'œil, c'est la condition nécessaire et
suffisante pour entrer dans le monde de l'écrivain. Il nous la
demande lui-même : « Il n'y a pas de différence entre ce qu'on
est convenu d'appeler la réalité et ce qu'on appelle le fantastique, car il n'est pas à proprement parler de monde fantastique : c'est celui-là même où nous vivons qu'il suffit de voir
avec d'autres yeux... » Et sur l'intérêt de cette conversation,
sur ce qui nous récompensera si nous acceptons de la faire,
il s'est expliqué au moins deux fois. « Le conte fantastique,
dit-il dans la préface d'*Aux couleurs de la nuit,* me paraît un
moyen efficace pour exprimer de façon particulière des sentiments et des idées générales que sans doute la théologie et
la morale analyseraient fort bien à leur manière ; mais ces
disciplines ne ressortissent pas à la littérature. »

Et dans le *Jeu de l'Oie :* « Le fantastique nous permet
d'explorer l'autre côté de nous-même, l'envers des choses, la
face sombre du soleil : c'est le sixième sens des prophètes,
des sibylles, des voyantes... Seul le fantastique donne à l'écrivain le moyen de décrire en termes concrets, en images sensibles les problèmes qui nous touchent : le temps, la destinée, la

survie de l'âme, le visage de Dieu. Il reste lié à notre sort : le fantastique, c'est l'homme. »

Il s'agit bien de bigoudi, vous le voyez ! Ce que toute cette œuvre cherche, comme toutes les plus grandes, c'est à jeter un peu de lumière sur la place de l'homme dans la création, c'est à comprendre le sens profond de cet irrépressible et cruel mouvement de l'âme que nous appelons Dieu quand nous le projetons dans l'univers et l'amour quand nous le vivons dans notre cœur. Un bigoudi, mais dans la chevelure de Bérénice.

Les héros de *la Première Ile,* par exemple, sont deux jumeaux, Pix et Laurence, et bien plus que des jumeaux, ils communient si étroitement dans toutes leurs expériences, et même celles de l'amour charnel, que leur joies et leurs douleurs physiques retentissent immédiatement dans leurs deux corps — bref, ils ne font qu'un, et le thème de l'androgyne divisé que M. Schneider propose ainsi à notre méditation, c'est celui des rapports entre le sexe et l'amour. La première île du titre est une figure du premier jardin, celui où d'abord l'homme fut seul, puis où il fut avec Eve, tirée par Dieu de son flanc. D'abord ils furent nus sans pudeur. La sexualité prend tout son sens, tout son poids après le bannissement de la première île. Mais maintenant, ce poids est sur nous, et nous n'en finissons pas d'essayer de démêler les liens de la chair et les liens de l'amour, les mouvements du désir et les mouvements de l'âme... Dans son oratoire, le père des jumeaux, Conrad, prie devant une singulière Madone dont il croit comprendre que son mystère est un mystère de stérilité. C'est-à-dire que la Madone qui n'est pas la mère de Dieu ne peut pas davantage être la mère des hommes. Mais le mystère de l'androgyne est lui aussi un mystère de stérilité, alors que la sexualité est liée à l'amour fécond. En nous proposant cette double image de l'amour, n'est-ce pas l'amour et la vie surtout que M. Schneider condamne? Ainsi aux dernières pages du livre, Conrad accepte la vie et le mal comme inséparables ; il renonce à la révolte, parce qu'il croit parvenir au-delà du bien et du mal, deviner que Lucifer est l'autre visage de Dieu, la destruction, l'autre visage de l'amour...

Et ce n'est pas une pensée de hasard puisque, comme pour y faire écho, le héros des *Deux Miroirs,* livre publié cinq ans plus tard, médite dans le même sens : « Nous avons perdu, avec le paradis la justice et l'Amour. Adam ne faisait qu'un avec le Seigneur. L'exil sur la terre l'a condamné à trois châtiments : la pensée la solitude et le désespoir... » Ou bien encore : « Quel miroir faut-il contempler pour qu'apparaissent la vérité et la vie ? Les deux miroirs posés devant nous, Dieu et le Diable, le bien et le mal, le vice et la vertu, reflètent les mêmes énigmes, les mêmes visions à la fois célestes et infernales. Peut-être n'en font-ils qu'un ? Il arrive aussi, quand nous nous penchons sur eux qu'ils nous renvoient notre propre image et nous n'en sommes pas plus avancés... »

Ces deux exemples suffisent peut-être pour indiquer le sens et la couleur de cette théologie. C'est bien, comme il nous l'avait annoncé, une théologie de la face sombre du soleil, celle qui ne favorise pas le développement de la vie. L'amour d'abord se flétrit, comme si le poète secrètement « méhaigné » ne pouvait qu'approfondir une solitude un peu hautaine : des *Trésors de Troie* à *l'Escurial et l'Amour,* l'attitude ne change pas tellement, et c'est dans l'approfondissement de la solitude reconquise que l'amour trouve sa seule fécondité spirituelle, s'il doit en avoir une. L'érotisme du feu qui anime par exemple les contes d'un autre grand auteur fantastique de notre temps, M. André Pieyre de Mandiargues, est totalement opposé à l'ascétisme du froid qui est bien davantage le climat de M. Schneider. Mais cette condamnation de l'amour n'est d'ailleurs pas une condamnation morale, puisque les deux miroirs reflètent les mêmes énigmes, puisqu'il ne nous appartient pas de privilégier une direction du destin humain, de dire cela est bon, cela est mauvais. En fait, c'est la vie elle-même qui risque bien d'être condamnée sous le soleil noir. Les « problèmes qui nous touchent » dont M. Marcel Schneider assignait l'élucidation comme but à son art : le temps, la destinée, la survie de l'âme, le visage de Dieu, sont, sous cette forme, bien plus des problèmes métaphysiques que des problèmes moraux. Et la voie du salut pour l'esprit, c'est celle qui se tient le plus loin de l'incarnation et le plus près de la connaissance.

Œuvre austère, et qui par ses problèmes comme par ses solutions est une des œuvres les plus sérieuses, disons mieux : une des œuvres les plus graves de la littérature de ce temps. Mais c'est aussi une œuvre variée, pleine d'humeurs et d'inventions, et je ne voudrais pas, pour avoir essayé d'en indiquer la ligne générale, en avoir assombri les abords. Vous pouvez l'aborder à votre gré, par les ouvrages qu'il range lui-même dans la catégorie « romanesque », comme *le Chasseur vert* ou *l'Enfant du dimanche,* ou bien par les brefs contes fantastiques d'*Aux couleurs de la nuit.* Vous pouvez essayer d'en prendre une vue panoramique avec un livre de réflexion et de mise au point comme *le jeu de l'Oie.* Et vous pouvez même la prendre d'abord par le côté de la musique en lisant son *Schubert* ou son *Wagner,* surtout son *Schubert,* me semble-t-il, parce qu'il est plus fraternel : mais de ces livres-là d'autres vous parlent mieux que moi.

Œuvre qui a aussi sa courbe : les premiers livres *les Tré-*
sors de Troie, le Granit et l'absence (quel titre déjà, et
quelle image, celle de la dalle de granit sur le tombeau désert,
pour un monde dans lequel l'amour se condamne s'il ne se
sublimise pas par l'absence) indiquent les grandes directions
d'une manière parfois encore un peu confuse ; *La Première*
Ile, le Sang léger et *les Deux Miroirs* me paraissent ensuite les
sommets du massif (jusqu'à présent) parce que c'est là que
les grands thèmes sont orchestrés de la manière la plus riche
et la plus personnelle, avec un bonheur complet qui ne se
retrouve pas tout à fait dans les livres plus récents. Mais il
serait bien entendu ridicule d'en rien conclure pour l'avenir
d'un écrivain qui a tant de ressources et qui est au milieu du
chemin de la vie, à l'endroit où il faut encore une fois choisir
entre vivre pour le monde, et s'enfoncer plus avant dans la
forêt obscure. Soyons impitoyable : son droit chemin, c'est
celui de la forêt, et n'est-ce pas son programme qu'il établit dans
le Jeu de l'Oie en écrivant : « Il faut créer des œuvres, non pas
seulement meilleures, mais singulières, mais excellentes, su-
blimes, des œuvres qui échappent aux poids et aux mesures en
cours, aux moules habituels de la pensée. » Nous pouvons les
attendre de lui.

Visite à des terres insolites

Un matin, à la porte de la ville, on trouve le cadavre de
Kuno, le grand chasseur, écrasé sous le pied d'un guerrier de
pierre. C'est l'ouverture, à la fois dramatique et fantastique
de ce roman de M. Marcel Schneider [1]. Tout le livre va être
une enquête, presque policière, non sur les circonstances,
mais sur le sens de cette mort : contre le meurtrier mobile,
ce sont les chiens policiers du ciel qu'il faut découpler.

Nous sommes dans une ville d'un Moyen Age à la fois traditionnel et légendaire. Depuis une nuit de longtemps si on ose
reprendre un autre titre du même auteur, une armée de guerriers de pierre se dresse aux portes. Ils sont venus on ne sait
trop d'où, ni quand : de même ils pourraient un jour reprendre
leur marche et donner l'assaut. Ils forment une masse de pierre
dont on ne s'approche pas, sauf pour une cérémonie d'exécra-
tion, qu'on ne regarde pas, même en pensée, mais dont on ne

1. Grasset.

peut oublier la menace. Parfois dans le passé, rarement, un imprudent (ou un impudent ?) a subi le même sort que Kuno. Nous allons faire plus ample connaissance avec ce Kuno, avec sa femme Giva, avec les habitants et avec les mœurs de la petite ville-forteresse grâce au narrateur, greffier ou archiviste de la communauté. Ce narrateur se dépeint lui-même comme un homme physiquement disgracié, une sorte de Quasimodo. Il a grandi près de Kuno qui le traitait comme son esclave et son ami, comme une sorte de souffre-douleur bien aimé. Puis le narrateur a fait des études, il est devenu un clerc, tandis que Kuno, le beau guerrier de chair, épousait Giva, la mystérieuse, peut-être la maudite. L'enquête remonte sur ce passé, on convoque des témoins, on essaie vainement de faire parler Giva, tandis que, là-bas, le corps de Kuno reste prisonnier du pied qui l'écrase. Ce que nous apprendrons par bribres, c'est qu'en face de la cité chrétienne, l'armée de pierre représente et pour ainsi dire incarne, comme si cette pierre était une chair d'une autre espèce, une autre puissance, infernale ou divine. Le guerrier est là comme la menace ou comme l'appel des vieux dieux de la terre, et celui qui cède à l'appel reçoit sans doute avec la mort une sorte d'immortalité de la non-vie, il est pétrifié à jamais. Kuno a sans doute été partagé entre ses deux amours, son amitié pour notre narrateur, le clerc, son amour pour Giva la sorcière. Et quand Giva semble céder maintenant et apporter une clé au narrateur, c'est la clé de la porte de corne ou d'ivoire, de la porte des songes : Kuno la franchit pour venir parler à son ami, le prier de l'aider à parfaire sa transformation en guerrier de pierre. Et l'ami franchira le seuil lui aussi, il ira aux heures d'avant le petit jour vers la pierre, vers l'autre monde...

Voilà bien imparfaitement dégagés le schéma et le sens de la légende inventée par M. Marcel Schneider : mais la magie d'un livre de ce genre, on le sait, ne s'exerce pleinement qu'à condition d'y ménager d'irréductibles franges d'ombre. Dire que c'est un beau roman qui nous laisse un peu insatisfaits, ce n'est pas faire une réserve mais redoubler le compliment. Les œuvres de M. Marcel Schneider ne se livrent pas entièrement tout de suite, elles sont de celles dont les résonances s'amortissent lentement dans notre esprit. On pense à la musique, parce que le *Guerrier de pierre* ferait un bon titre pour un opéra traditionnel, parce que le récit lui-même pourrait fournir la trame d'un livret. A quel musicien idéal, il est difficile de le dire. Sans doute par cousinage dans la mémoire avec le convive de pierre de don Juan, on pense à Mozart. Mais à mesure que nous saisissons mieux l'opposition des vieux dieux, des forces telluriques pétrifiantes et du dieu de la croix et de l'arbre de vie, point de doute c'est vers Wagner qu'il faut se tourner. Ce qui risque de gêner un peu, c'est l'impression d'entendre dans la prose châtiée de M. Schneider des thèmes wagnériens repris dans le registre de Mozart.

L'atmosphère du livre est aussi celle d'un Moyen Age de mise en scène traditionnelle. Les accessoires et les figurants, qui sont là pour situer et « distancier » le conte, viennent d'un vieux fonds romantique, gothique, qui a été souvent exploité par la littérature et par l'opéra-comique. Nous ne sommes peut-être pas très loin du nouveau roman « noir » américain qui renoue avec le roman noir de Walpole ou d'Anne Radcliffe : ainsi verra-t-on bientôt que l'avenir du roman de « science-fiction », c'est le roman de « magic-fiction », le progrès même de la science rejetant l'imaginaire dans un ailleurs. Mais bien entendu, l'imagination de M. Marcel Schneider reste mieux contrôlée que celle des auteurs populaires américains.

Et son récit est plus lourd de sens et plus profond. Il s'agit bien d'une guerre des dieux qui se disputent l'orientation de notre vie. Et plus immédiatement d'une lutte entre deux idées de l'amour, l'amour qui est amour de la vie et l'amour qui est amour de la mort. Le mythe « germanique » du guerrier de pierre n'est pas si loin de la fascination cathare que M. Schneider connaît bien. Peut-être le christianisme reste-t-il ici un peu trop décoratif (on voit mal le révérend père du Moyen Age qui annonce les difficultés futures de l'Eglise et pense qu'un jour « c'en sera fini de Jésus-Christ et du royaume de Dieu »), mais cela tient à une sorte de foi plus profonde qui s'attache à un dieu de la magie, des origines, dont le Dieu chrétien ne serait qu'un avatar peut-être malheureux. La foi noire de M. Schneider à travers les livres qu'il a publiés semble aller vers un amour qui n'est pas amour de la vie ou source de vie. *Le Guerrier de pierre* nous intéresse parce que c'est une légende et que nous avons besoin de légendes (tous les pays qui n'ont plus de légende sont condamnés à mourir de froid, disait M. Patrice de la Tour du Pin) et aussi parce que c'est une légende vraie. M. Schneider aime répartir ses œuvres entre différentes catégories : fantastique, romanesque, intime, musicale. Ce livre-ci me semble pouvoir entrer dans toutes les catégories à la fois, et s'il tient de l'opéra, il tient aussi de la confession.

EUGÈNE IONESCO

Une œuvre abondante et relativement brève, un théâtre qui atteint ses points les plus hauts en quelques années, puis semble hésiter sur la direction à prendre, un journal, des souvenirs qui nous ouvrent les coulisses de la création. Dans ce théâtre, presque tout ce qui est dérision corrosive est admirablement réussi et nous met en joie. En se défendant, il nous a délivrés aussi. Ce qui est essai de projection personnelle par la projection de mythes emporte moins pleinement la conviction, sauf peut-être Rhinocéros *qui gagne par son simplisme imagé. L'homme de théâtre et l'homme de journal intime coïncident enfin dans* Le roi se meurt. *Comment entrer dans l'immortalité, dont nous avons faim et soif, et quelle immortalité? Ce sont des questions jusqu'à présent sans réponse.*

I.O.N.E.S.C.O.

Le 11 mai 1950, on créait *la Cantatrice chauve* au milieu
de quelques sarcasmes et de beaucoup d'indifférence. Deux ans
plus tard, on jouait *les Chaises* devant des fauteuils. Le voici
à l'affiche de la Comédie-Française avec *la Soif et la faim* et
du Théâtre de France avec deux petits actes. En quinze ans.
il s'est rangé, embourgeoisé, dit-on, il est devenu un auteur
officiel. Oui, mais à condition d'ajouter que le public « officiel » de ce temps a fait la moitié du chemin, que nous
sommes entrés dans les habitudes de penser et de parler
d'Ionesco au moins autant qu'il est entré dans les nôtres.

D'ailleurs tous les soirs, depuis plus de dix ans, cent
jeunes Parisiens pénètrent dans la petite salle de la Huchette
pour y recevoir le baptême du théâtre moderne des mains de
la Cantatrice chauve. Bienheureuse a-calvitie, comme dirait
M. Claude Mauriac : le choc de ces deux mots pour désigner une pièce où il n'est pas question ni de l'art du chant, ni
de l'art du cheveu provoque une réaction salutaire. Le spectateur rit beaucoup, mais il est aussi obligé de se demander
ce qu'il voit et ce qu'il entend. Des fantoches disent des banalités qui, déplacées de leur cadre habituel, de leurs enchaîne-
ments ordinaires, deviennent des insanités. Et nous alors ?
Le dialogue dit réaliste au théâtre, chez Bernstein comme
chez Sartre, est un dialogue conventionnellement resserré, stylisé. Pour dénoncer cette convention, M. Ionesco au lieu de tirer
le dialogue vers le plus, le tire vers le moins. C'est de
l'anti-théâtre, de la farce tragique, du drame comique, du

pseudo-drame, disait-il. Il déglingue subtilement le langage, les gestes, les réflexes verbaux et psychologiques, et il obtient une caricature énorme qui nous fait rire, mais une caricature criante de vérité qui nous inquiète un peu.

C'est à cela que le public (et une partie de la critique) a le plus résisté, et finalement c'est cela aussi qu'il a le plus facilement assimilé : au cinéma, en littérature, au théâtre, mais aussi dans la conversation, dans la publicité, l'humour absurde a fait depuis quinze ans de grands progrès. *La Cantatrice, la Leçon, les Chaises, Victimes du devoir, Amédée ou comment s'en débarrasser,* toutes ces pièces ont été souvent reprises, traduites et jouées sur presque toutes les scènes du monde, l'Ionesco est devenue sinon une institution, du moins un mécanisme international, un espéranto de l'homme moderne en situation. Encouragé, l'auteur a perfectionné ses procédés, introduit des machines, grossi ses effets jusqu'au fantastique comme les pieds géants du cadavre sans cesse grandissant dans *Amédée.* Comme toujours au théâtre, ce n'est pas ce qui est vivant, c'est ce qui est mécanique qui risque de vieillir, et certaines de ces machines pourraient à la longue perdre de leur efficacité. Mais apparaît alors un autre Ionesco, un Ionesco philosophe, et philosophe du naturel. C'est lui qui parle dans les très intéressants entretiens avec M. Claude Bonnefoy, et il n'y considère plus du tout l'anti-théâtre comme il y a douze ou quinze ans [1].

Un autre Ionesco, cependant, ce n'est pas sûr. Il a souvent insisté sur la simplicité, la sincérité totale de l'auteur qui porte une situation à la scène. Les pièces de la récente manière, *Tueur sans gages, Rhinocéros, le Piéton de l'air,* ne sont pas des pièces à idées : « le théâtre n'est pas le langage des idées... Tout théâtre d'idéologie risque de n'être que théâtre de patronage », a-t-il écrit. Ce sont des fables dont la moralité est la fable même en quelque sorte, la situation exposée et mise à jour. « L'art pour moi, dit-il encore, consiste en la révélation de certaines choses que la raison, la mentalité quotidienne me cachent. » Et tout spécialement le théâtre : « Le théâtre, c'est pour moi l'exposition de quelque chose d'assez rare, d'assez étrange, d'assez monstrueux... Tout d'un coup quelque chose se défait, se déchire, et le caractère monstrueux des hommes apparaît ou bien le décor devient d'une étrangeté inconnue et les hommes et le décor révèlent peut-être ainsi leur véritable nature. » C'est ce que l'on verra sans doute dans *la Soif et la faim,* comme dans les trois aventures de Bérenger que nous citions tout à l'heure.

1. Claude Bonnefoy, *Entretiens avec Eugène Ionesco,* Pierre Belfond.

Et ce qu'il y a d'étrange, de monstrueux dans la condition humaine, c'est la mort. Elle ricane derrière tous les fantoches, elle pousse un long cri de désespoir dans *Le roi se meurt*. La formule de tout ce théâtre pourrait être la pesanteur et la grâce. Les hommes sont absurdes quand le langage se dessèche se momifie, laisse aller les mots à leur poids, quand ils laissent peser sur eux un cadavre géant, quand ils consentent à tomber dans la masse du rhinocéros. Mais en même temps ils aspirent de toute leur âme à échapper à ce poids : l'homme est un piéton, mais fait pour se déplacer dans les airs. Décrivant à M. Bonnefoy un rêve de bonheur et de lumière qui est à l'origine de *Tueurs sans gages*, M. Ionesco dit : « J'avais l'impression qu'il n'y avait plus de pesanteur. Je marchais à grands pas, à grands bonds, sans fatigue. » Le mal, c'est la boue, c'est la vase, comme dans la nouvelle qui porte ce titre, comme au début de *la Soif et la faim*. Le bien, c'est l'élan vers le ciel et la lumière. Il ne s'agit pas de convertir M. Ionesco, son monde de tueurs sans gages est aussi un monde de victimes sans culpabilité, et la pesanteur se borne chez lui à créer un appel d'air pour la grâce. Il récuse théologie et philosophie, mais en même temps il écrit dans un article-confession publié par la grave *Revue de métaphysique et de morale* : « Je ne me sens pas tout à fait appartenir au monde... Si je me sens même un peu d'ici, c'est simplement parce que, à force d'exister, j'en ai pris l'habitude. J'ai plutôt l'impression que je suis d'ailleurs... Le fait d'être habité par une nostalgie incompréhensible serait tout de même le signe qu'il y a un ailleurs. » Quel chemin parcouru ! Quand la pendule de *la Cantatrice chauve* frappait les dix-sept coups anglais de neuf heures, elle sonnait l'heure de l'éternité...

M. Ionesco s'est rapproché de Shakespeare. Mais quand Peter Brook est venu présenter *le Roi Lear* on s'est aperçu que Shakespeare s'était rapproché d'Ionesco. Il y a dans son œuvre de petites saynètes sur l'absurdité du langage, comme celles qu'il a pratiquement substituées à une conférence, qui ne valent guère mieux que de l'Alphonse Allais ou du Cami. Mais le diable, c'est qu'il occupe tout l'espace de Cami à Bossuet, du calembour à la philocalie, la prière du cœur.

Parce qu'il a été critiqué, attaqué, on en a fait un auteur d'avant-garde par excellence ; parce qu'il sapait les personnages et les situations on l'a rapproché des auteurs du nouveau roman. Mais c'est cela qui était vraiment absurde, on le voit à mesure que l'œuvre se développe. Avec un gros et vigoureux bon sens, il refuse aujourd'hui de se laisser englober dans ces *intéressants* petits bataillons d'une avant-garde qui marque le pas devant son miroir tout en coupant en quatre les cheveux que la cantatrice porte à l'intérieur. Et il rejette « le bricolage du nouveau roman », le vide solennel de ses personnages et de ses dialogues. Et il a raison pour lui, parce qu'il a choisi non de bavarder indéfiniment sur l'incommunicabilité, mais d'éprouver et de faire éprouver le sentiment de la solitude avec ses souffrances et ses richesses parce qu'il a choisi le parti de la vie vécue, absurde, mais qui a horreur de ce vide de la raison ; parce que, en somme, il a choisi d'écrire non pour apaiser notre soif et notre faim, mais pour les exciter toujours davantage...

La scène la plus secrète

Nos auteurs dramatiques aiment se confesser. Après l'œuvre de H. R. Lenormand qui s'appelle précisément *Confession d'un auteur dramatique,* et qui est un témoignage lucide sur l'homme et son époque intellectuelle, les volumes de souvenirs et de mémoires de M. Marcel Pagnol sont venus prendre la relève d'une œuvre théâtrale trop longtemps interrompue. Puis il y a eu les émouvants souvenirs de M. Félicien Marceau, *les Années courtes,* et ceux de M. Arthur Adamov. Et voici un gros volume de *Pages de journal,* de M. Charles Vildrac, en même temps que, sous le titre *Présent passé passé présent,* le second tome de ce *Journal en miettes* [1] où M. Eugène Ionesco se cherche lui-même.

Le théâtre semble permettre pourtant toutes les audaces de la confession sous le masque et à plusieurs voix. Mais cela ne satisfait peut-être pas un besoin moderne et assez sommaire d'authenticité. A demi par jeu, mais à demi seulement, Giraudoux a pu présenter toute l'œuvre de Racine comme l'œuvre d'un homme de lettres indifférent et appliqué. Et de l'auteur dramatique dont les pièces sont dans la littérature universelle les plus riches en révélations sur l'être, on a pu mettre en doute jusqu'à l'existence : tout ce que nous savons de Shakespeare, on l'a déjà dit, c'est que ses pièces ont été écrites par un inconnu nommé Shakespeare.

L'auteur, l'auteur moderne surtout, qui voit ses créatures prendre mouvement, vie et parole sur la scène, semble avoir peur parfois d'être éclipsé par elles. Il veut parler pour son propre compte, et le fait souvent avec une remarquable net

1. Mercure de France.

teté, il veut nous conduire vers la scène la plus intérieure et
la plus secrète de sa vie propre, comme si c'était vraiment la
scène capitale qui éclaire et réchauffe toutes les autres. Un
enfant de quatre ans assis par terre dans une chambre assez
minable, au sixième étage d'un hôtel de la rue Blomet, qui voit
son père allongé sur le lit en longue chemise de nuit blanche
par-dessus ses caleçons longs, qui entend plus ou moins confu-
sément des plaintes et des bruits de dispute, qui voit sa mère
marcher de long en large, pleurer, puis s'emparer de la timbale
en argent du baptême du petit Eugène, la remplir à ras bord
de teinture d'iode et essayer d'avaler le liquide brunâtre avant
que le père, levé d'un bond, ne l'en empêche — est-ce l'origine non seulement du sketch inséré dans le spectacle *Chemises
de nuit* de M. Bourseiller, mais encore de tout le théâtre de M.
Ionesco ? Il nous le laisse croire, il le croit sans doute ou il le
sait.

Fait de notes anciennes retrouvées et de notes récentes rapportées les unes et les autres avec un dédain calculé de la
chronologie, le livre est une recherche angoissée de l'être par-
delà le temps dans lequel nous nous saisissons et nous échap-
pons à la fois. Point trop de philosophie d'ailleurs, malgré des
réflexions sur le kantisme et la phénoménologie, sur Jacobson
ou Lévi-Strauss : ce ne sont pas les lectures philosophiques
de M. Ionesco qui font l'intérêt de son livre, mais la saisie
directe de son expérience d'animal humain philosophant,
même si cette expérience est relativement banale.

L'homme se cherche à travers son temps historique, dans
sa situation d'intellectuel franco-roumain. Il s'est senti à Buca-
rest plus encore qu'à Paris au contact presque direct des
grandes épidémies mentales de l'époque, le fascisme, le nazis-
me, le communisme nationaliste conquérant. M. Vildrac, en
face de ces mouvements, trouve tout naturellement une attitude et une règle en se référant à la bonne tradition de la
gauche française, celle des droits de l'homme. Mais le paysan
roumain qui existe aussi en M. Ionesco ne trouve pas de la
même manière cette tradition dans son héritage, il lui faut
veiller plus scrupuleusement, plus dangereusement sur ces droits
de l'homme, et plus encore sur le devoir de l'homme de rester
un homme (on trouve par exemple p. 168 une réflexion en
forme de question sur la mutation de l'homme en « rhinocéros »).
Ce que l'on aime dans cette pensée, c'est qu'elle est animée par
une sorte d'inflexible instinct de la liberté de l'esprit, et aussi, en
conséquence, par une méfiance sagace vis-à-vis des conformismes conservateurs ou « gauchards ».

Et l'homme se cherche aussi dans sa solitude, dans sa
détresse d'être promis à la mort, dans l'inextricable mélange

de tendresse et de cruauté de sa conduite vis-à-vis de ceux qu'il aime. Il lutte indéfiniment, jour et nuit, avec son père, vivant ou mort, avec cette première image à jamais refusée, mais jamais définitivement écartée de la règle et de l'autorité, avec ce premier « modèle ». Il se cherche avec un pathétique peut-être un peu trop constant, comme si la cantatrice chauve se spécialisait dans le grand air de *Madame Butterfly*. Mais prenons garde aussi que ce gémissement est celui d'une âme religieuse (alors que M. Vildrac me semble une âme naturellement laïque), que c'est la plainte du roi terrestre qui meurt sans être sûr que ses droits réguliers seront reconnus par un roi des cieux.

De la scène la plus secrète, de la cellule d'où M. Ionesco crie comme du fond d'un abîme, jusqu'à la scène du théâtre, la continuité est ainsi visiblement établie.

Rose et morose Ionesco

En 1939, une jeune professeur roumain regagnait la France, où il avait passé une grande partie de son enfance, pour écrire une thèse sur le thème de la mort dans la poésie moderne. Onze ans plus tard, il faisait jouer une pièce, *la Cantatrice chauve*, première de toute une série de pièces, et après un moment de stupeur, on voyait en lui l'inventeur d'une nouvelle espèce de comique et il connaissait un immense succès. Puis, comme pour dissiper bien des malentendus, il publie ce *Journal en miettes* : c'est un essai sur la mort et sur la pensée de la mort au cœur d'une vie et d'une œuvre. Et la lumière noire se réfléchit sur l'œuvre passée, moins absurde et moins drôle qu'il ne paraissait, à la calvitie postiche de la cantatrice se substitue la calvitie réelle de M. Eugène Ionesco, à l'amuseur un homme dont le regard ne plie pas mais qui répondrait sans doute lui aussi si on l'interrogeait sur sa religion : « Je ne crois pas, j'ai peur. »

Peu de dates, peu d'anecdotes, peu de portraits dans ce journal, M. Ionesco est un homme que rien ne peut distraire de l'essentiel et qui tient si passionnément à la vie que son esprit ne peut se détourner de l'unique scandale, qui est d'être mortel. On voit tout de suite comment cela éclaire son théâtre, aussi bien les pièces de la première manière que les grandes méditations dramatiques du *Roi se meurt* et de *la Soif et la faim.* Les personnages de *la Cantatrice,* des *Chaises,* d'*Amédée,* on en riait parce qu'on les trouvait absurdes, mais il n'a pas fallu vingt ans pour que M. Ionesco repeigne le monde à sa couleur et renverse le jugement. De M. Smith qui a ouvert le robinet en buvant, dans les environs de Londres, de l'eau anglaise, au roi Bérenger, tous ces personnages sont logiques selon la logique de la vie, et non selon la logique de la société et du langage conventionnel qui, elle, est absurde. Les personnages que M. Ionesco a voulu créer sont des vivants au sens le plus général, débarrassés des traits particuliers et des problèmes secondaires. C'est drôle qu'ils nous paraissent drôles.

Un seul problème n'est pas secondaire : c'est celui de la mort. Et la pensée de l'inéluctable mort suffit à frapper d'absurdité tous les comportements de la vie, non d'une joyeuse absurdité comme la tarte à la crème qui s'écrase sur le visage, mais d'une absurdité qui pétrifie toute velléité d'action, et qui rend tout à la poussière. Pourquoi ? pourquoi mourir ? et puisque on meurt, pourquoi vivre, pourquoi lever le petit doigt ? C'est cela, la pensée insoutenable, au point que presque tous les hommes la fuient comme ils peuvent — M. Ionesco déclare que pour son compte il n'y arrive guère que par l'alcool à l'occasion.

Pourquoi d'un homme jeté dans un monde abandonné non pas à la pitié, mais au silence de Dieu, pourquoi sans réponse, pourquoi sans réplique, pourquoi élémentaire qui redevient la question philosophique fondamentale. Bien que M. Ionesco ait collaboré à la *Revue de métaphysique et de morale,* les philosophes, j'en ai peur, ne donneront sans doute pas cher de sa philosophie, de ses considérations sur la subjectivité, sur l'essence et l'existence, etc. (mais M. Ionesco de son côté n'a peut-être pas raison de parler au passage d'une manière blessante et méprisante d'un écrivain philosophe contemporain). Mais cela n'a pas tellement d'importance. Il en va un peu de beaucoup de discussions techniques de la philosophie contemporaine comme des anciennes preuves de l'existence de Dieu dont Gide célébrait ironiquement la ronde, elles ne touchent pas, elles ne prouvent pas sauf dans une zone de l'intellect si raffinée qu'elle ne communique plus avec le cœur de l'homme de la rue, du philosophe ingénu. On a reproché aussi au *Roi se meurt* de ne contenir que des banalités, des lieux communs épuisés déjà par l'Aigle de Meaux et depuis par tant d'oisillons. Mais il n'importe, dit M. Ionesco, et il a raison, il n'importe si ces banalités ne sont pas simplement proférées, mais vécues. Et de même dans ce *Journal,* ce n'est pas la philosophie qui nous instruit, c'est l'angoisse qui nous étreint, c'est la pensée de la mort que l'écrivain sait nous rendre présente,

c'est le mur, le grand mur dont il rêve si souvent, qu'il dresse
devant nous, pour que nous nous y cassions la tête à notre
tour. Ce n'est pas une philosophie, mais y aurait-il une philosophie si personne ne se posait plus cette question naïve, ne
vivait plus cette angoisse ?

Si bien qu'il faut prendre ce journal moins comme un essai
que comme une sorte de pièce, un « délire à un », une comédie
dont tous les rôles ont été enregistrés par la même voix, et
dont les paroles sont répercutées dans une chambre d'écho
qui aurait pour particularité de ne pas renvoyer d'écho. Le
drame du dramaturge, c'est « Eugène ou le silence », et tout
ce que nous pouvons en dire c'est qu'on y trouvera justement
la protestation humble, obstinée, véhémente de quelqu'un qui
ne veut pas être un dramaturge, mais un homme, le plus simple
et le plus général des hommes. M. Ionesco parle souvent avec
impatience de la critique, de la critique qui analyse et dans un
autre langage celui de la pensée rationalisée, alors que le peintre pense en peignant, le dramaturge en en dramaturgeant,
etc. Mais comment faire ? La page où il marque très bien la
spécificité et l'indissociabilité de l'acte créateur est du même
coup une définition de la difficulté congénitale de toute critique qui veut comprendre, et faire comprendre. Dans ce journal, un homme dit et redit son angoisse, la vôtre puisque c'est
une angoisse qui tient à ce que notre condition a de plus
commun.

Le reste est divertissement, mais aussi un peu plus que cela.
A travers les miettes du journal, nous voyons ou nous devi-
nons les rapports de M. Ionesco avec les guérisseurs du mal
de vivre, par exemple. Honnêtes, ou malhonnêtes, helvètes qui
vous ramènent à la nature en vous faisant passer par des cliniques aseptisées ou règnent la fée des carottes et le prophète
des pommes, comme si tout n'était pas dans la nature, même
la ciguë et les avalanches. Mais aussi les psychanalystes, qui
cherchent des raisons prochaines à cette incessante recherche
des raisons dernières dans la pensée comme dans les rêves,
qui tiennent une grande place dans ce journal. Souvent, en
effet, la psychanalyse éclaire ou précise des allusions symboliques dans le discours qui est pensé en nous. Mais est-ce
qu'elle apporte des révélations, M. Ionesco n'a pas trop l'air
d'y croire finalement, peut-être parce que, à son âge et ayant
écrit son œuvre, l'ayant soumise à l'éclairage public, il est déjà
son analyste, il peut décrire son paysage intérieur en termes
de géographie freudienne, ou mieux, dit-il, jungienne.

Reste la question de cette œuvre même, de l'exercice de la
parole, enfin du rapport avec les autres. Pas plus que les considérations sur l'absurde, celles si souvent ressassées sur la crise

du langage ne semblent aujourd'hui importantes pour aborder l'œuvre de M. Ionesco. L'Ionesco est une langue qui se comprend fort bien, et même qui se traduit beaucoup. Elle est chauve,
mais Dieu merci, elle chante, s'écrie le malheureux père, et
parfois son chant atteint un autre prisonnier, juste au bon
endroit. Ce n'est pas aux hommes qu'il faut parler, mais à
à l'homme, toute politique est bavardage accessoire puisque
finalement nous sommes tous dans la même charrette, la dernière. M. Ionesco a toujours protesté avec véhémence contre
tout théâtre engagé, il ne s'intéresse guère à ces rapports accessoires des animaux humains entre eux (on est malgré tout un
peu étonné de l'entendre dire que « les Noirs, pour la plupart,
en Afrique, dans certains grands centres des Etats-Unis, n'ont
plus de raison *économique* d'en vouloir aux Blancs »...) et
Rhinocéros est une énonciation universelle de toute forme de
rhinocérite.

Mais puisque notre solitude peut parler à une autre solitude,
l'amour, l'amour de l'homme pour sa femme, n'est-il pas le seul
espoir de remédier à notre insularité? Chacun est à lui-même
une île déserte qu'il n'habite même pas en Robinson. A l'angoisse de mourir, l'angoisse de la solitude ajoute la certitude
d'un engloutissement total, d'une suppression dans l'espace et
dans le temps. A moins que nous ne trouvions un prolongement dans la possession d'un autre être ou dans le don de soi
que nous pourrions lui faire. Rapports terrestres de possession,
de jalousie (c'est la jalousie qui tient le monde, dit-il, les
les hommes sont jaloux, et les chiens et les chats et les tigres
sont jaloux comme des tigres), mais sur lesquels M. Ionesco
sait faire rayonner la douceur d'une tendresse, peut-être
parce qu'insulaire enragé de solitude, il accepte d'être occupé,
comme il l'explique dans une page émouvante sur R. qui est
sans doute sa femme, il accepte, même s'il râle pour défendre
son indépendance, d'être aimé, comme la terre accepte la rosée
d'un matin. « Aimer cela veut dire se laisser aimer, c'est accepter d'être la propriété de quelqu'un... » dit une des dernières
pages, premier pas peut-être vers une dépossession à l'orientale qui apporterait au pourquoi, non une réponse, mais un
apaisement. Mieux qu'un journal soumis à la stricte chronologie, *Journal en miettes* nous fait pénétrer dans l'intimité
des rapports d'un homme avec sa vie et avec l'idée qu'il se
fait de sa vie. C'est un « Ionesco par lui-même » qui ne nous
livre pas les secrets de l'écrivain, mais qui avec une démarche
d'écrivain va beaucoup plus loin dans le secret d'un homme.

GILBERT CESBRON

Avec ses bons sentiments, on lui a fait une mauvaise répu-
tation littéraire. Les augures de l'esthétisme et de l'intellec-
tualisme, qui n'admettent pas qu'un roman traite d'autre chose
que d'un problème esthétique ou intellectuel, le dédaignent
parce qu'il parle, lui, des problèmes et des périls de la société
présente. Il est bon écrivain, excellent conteur, il accroche, il est
du petit nombre de ceux qui conservent au mot roman son
contenu traditionnel et surtout au roman lui-même son pou-
voir de toucher, d'émouvoir, de faire réfléchir des dizaines
de milliers de lecteurs. Il ne sacrifie pas la littérature à une
idée de la littérature, à la manière des gribouilles. On lui en
est vraiment reconnaissant.

La vérité du cœur

Une des lois non écrites de la république des lettres aujourd'hui c'est, dès qu'un écrivain a des lecteurs, que la critique, qui n'en a pas, le traite avec condescendance. Du succès, et de quel droit ? En un temps où les maigres cactées littéraires nourries de nos exégèses et de nos commentaires restent pourtant chétives, comment une œuvre pourrait-elle se développer sans donner non de l'ombre mais de l'ombrage ? Et il est bien vrai que les opinions du peuple en ce domaine ne sont pas toujours saines, qu'il faut le mettre en garde contre des écrivains sans vergogne et sans vérité. Mais tombant dans un excès contraire, une grande partie de la critique (et, assez bizarrement, de la critique qui se réclame de la gauche politique ou intellectuelle) se conduit comme la Marie-Chantal des histoires qu'on racontait il y a quelques années : elle ne connaît pas le métro, ni même la deux-chevaux, elle n'est transportée que par la jaguar. Le succès, c'est-à-dire l'affection d'un grand nombre de lecteurs, suffit à consoler ceux dont on ne parle pas, dira-t-on. Pas tout à fait, et au surplus ce silence électif fausse les perspectives de notre vie littéraire : ne laissons pas croire que seules les plumes prostituées réussissent, il y en a aussi d'honnêtes, et maniées avec un talent vigoureux. Ne nous donnons pas le ridicule de découvrir M. Gilbert Cesbron, mais il n'est peut-être pas inutile de redire qu'il a un tel talent et, mieux que cela, de la qualité.

Il a publié plus de vingt volumes, dont une douzaine de romans. Il a remporté au début de sa carrière quelques prix mineurs (prix des Lecteurs, prix Sainte-Beuve), mais le vrai public l'a découvert sans le secours des grands jurys, et le grand succès lui est venu avec *Les saints vont en enfer*. Succès qui l'a classé dans l'esprit de beaucoup de lecteurs, mais dont il ne serait pas juste de dire que M. Cesbron l'a exploité dans ses livres suivants : je crois plutôt que ce livre l'a aidé à découvrir sa vraie voie, qui est de raconter des histoires individuelles moins pour elles-mêmes qu'en tenant compte de leur résonance dans la conscience sociale de l'époque. La maladie, la vieillesse, les prêtres-ouvriers, les enfants délinquants, le travail et la situation des femmes dans la société avec *Une abeille contre la vitre* [1] ce sont quelques-uns des thèmes des romans de M. Cesbron. Ce n'est pas un romancier engagé, au sens politique de l'expression : mieux vaudrait dire que c'est un romancier « incarné », en réservant le sens religieux sur lequel nous reviendrons tout à l'heure. Ce qui l'intéresse d'abord ce sont les tristesses et les joies, les difficultés et les espérances dans la mesure où elles se font chair dans la masse des hommes, des pauvres hommes de notre temps. Et tous les problèmes qui se posent ainsi, qui sont souvent posés par l'actualité même, il essaie moins de les résoudre que d'en placer les données dans une juste lumière, sans souci de doctrine ou de propagande.

Le sujet le plus apparent d'*Une abeille contre la vitre*, c'est le drame de la femme laide, et je ne crois pas, à vrai dire, que ce soit un très bon sujet de roman, parce que la laideur d'un personnage reste pour le lecteur un attribut invérifiable, de même qu'avec des personnages de grand écrivain, de grand peintre ou de grand musicien, on fait presque toujours de mauvais livres ou de mauvaises pièces parce que ce qui fait leur grandeur reste un postulat abstrait. Pour nous persuader qu'Isabelle Devrain est laide, M. Cesbron est obligé de nous le répéter à chaque instant, ou plutôt Isabelle est obligée de se le répéter constamment elle-même, ce qui semble vite l'effet d'une obsession maladive. D'autant que, puisque nous la voyons de l'intérieur nous savons qu'elle a une belle âme, ce qui nous prépare un peu trop à une fin heureuse. Un romancier d'une génération à peine antérieure, Charles Plisnier, avait traité le sujet pour lui-même en quelque sorte dans *Beauté des laides* : à la fin son héroïne avait recours à la chirurgie esthétique pour corriger les traits de son visage et, avec une intuition profonde, Plisnier montrait comment elle perdait du même coup sa chance d'être aimée pour elle-même parce qu'aimer une créature c'est l'aimer corps et âme, avec le visage que Dieu

1. Robert Laffont.

lui a donné et qui, beau ou laid, est devenu conforme à sa nécessité intérieure.

Pour M. Cesbron, si cette laideur est importante, je crois qu'elle
lui permet surtout d'éclairer plus franchement le problème qui
l'intéresse d'abord, celui de la femme au travail dans la société
des hommes. Laide, Isabelle n'aura pas l'occasion de jouer de
sa féminité comme d'une arme secrète, elle devra lutter et
gagner avec des armes presque égales. Pas tout à fait d'ailleurs, et l'honnête M. Cesbron en convient parfaitement.

Aux premières pages, Isabelle est perdue : elle se suicide
parce qu'elle est laide, ou plutôt — et le suicide n'a sans doute
jamais d'autre cause — parce qu'un instant la certitude d'être
mystérieusement condamnée à la solitude lui devient intolé-
rable. Elle en réchappe de justesse. Pour qu'elle sente le prix
de la vie, un médecin essaie de lui en faire peser le poids
de souffrances acceptées par certains, puis une religieuse lui
offre sans le vouloir la tentation de la sainteté. Mais après
avoir passé quelques mois au couvent, Isabelle se rend compte
que dans l'état de son âme, la vie religieuse serait beaucoup
plus une démission, un suicide douillet, qu'une voie de salut.
Elle rentre dans le siècle et devient très vite chef du personnel d'une très importante société de produits chimiques.

A partir de ce moment, le roman se développe d'un seul
mouvement, mais sur deux plans : celui de la vie quotidienne
d'Isabelle, avec son intelligence et sa laideur, à son poste professionnel, dans ses rapports avec le vieux garçon d'ascenseur,
avec la trop jeune hôtesse, avec le directeur qui est de la
race des « dons Juju, des dons Juans » comme dirait M. Claude
Nougaro, avec le solennel Président, avec vingt autres; et celui
de la vie intérieure d'Isabelle, sursitaire du suicide qui doit
lutter pour les autres contre la fatalité ou, qui pis est, contre la
tentation de la mort et découvrir ainsi que ce qui ensemence
notre vie, ce n'est pas la froide et stérile pitié, mais la charité qui est amour. Banalité chrétienne attendue, me direz-vous,
alors que le moindre grimaud aujourd'hui sait qu'il n'y a pas
de vérité intéressante en dehors du vomissement et de l'incommunicabilité. Mais de même que l'étude de la vie sociale d'Isabelle, M. Cesbron la mène avec des petits faits vrais, de même
je ne suis pas sûr que cet innocent ne soit pas fier d'une
certaine banalité et persuadé qu'après tout la prière est un
petit fait vrai elle aussi, au même titre que la nausée.

Sauf pour quelques gros garçons impudents qui font volontiers appel à l'Exempt même contre un prêtre (la Maison de
Dieu m'appartient, c'est à vous d'en sortir), la position du
romancier catholique est bien difficile aujourd'hui. Quelques-
uns parmi les plus grands, comme Bernanos, suivent en trans-

parence, à travers notre misérable vie, les combats de la grâce et du Prince de ce monde. Mais pour ceux qui veulent rester attachés à cette vie, à ce monde, ils savent qu'ils ne peuvent plus peindre les hommes tels qu'ils devraient être, mais qu'ils doivent les peindre tels qu'ils sont. Ainsi pour M. François Mauriac, pour M. Luc Estang, pour M. Cesbron, Charles Plisnier que nous évoquions tout à l'heure (et dont le souvenir est entretenu, en dehors des réimpressions dans les collections de poche, par une excellente anthologie [1]) est peut-être en cela aussi le plus proche de M. Gilbert Cesbron. En littérature, on ne gagne pas la guerre contre le diable avec des enfants de chœur et avec des enfants de Marie. Mais avec des enfants de cœur. Isabelle Devrain un soir fait la bête, un autre soir refuse de faire l'ange : comme vous, comme moi. La joie des corps existe pour les personnages de Plisnier, de Cesbron : le tout est de faire sentir pourquoi elle n'est pas, ou pas toujours, la joie de Dieu.

Pour tenir cette gageure de la littérature chrétienne, M. Cesbron met en jeu tout son talent d'écrivain et de romancier. Romancier, il crée puis impose ses personnages : on le voit venir certes, posant des jalons, préparant l'avenir sans avoir l'air d'y toucher. Mais à partir d'un certain moment, nous nous apercevons que nous sommes entrés dans ce monde, que ces personnages vivent dans notre mémoire et dans notre cœur, que nous sommes impatients et curieux de savoir ce qu'ils vont vivre, comment ils vont réagir, que nous avons envie de crier « Attention ! » à Isabelle comme l'enfant au héros de cinéma, et c'est un très grand compliment. Ecrivain, M. Cesbron a bien entendu le sens du dialogue (même quand les discussions d'idées entre ses personnages sont presque hors de saison) et celui de la narration claire et pleine de mouvement. A peine pourrait-on le chicaner sur son goût un peu prononcé pour la comparaison ou pour l'image. Il écrit, pour prendre un exemple dans son livre précédent, *Journal sans date* : « Servante consciencieuse, la neige dressait la table chaque matin avec une nappe propre ». Et cette manie de penser toujours à une autre chose à propos d'une chose pourrait être un peu agaçante.

Si elle ne l'est pas, c'est parce que ce n'est pas un procédé, mais un désir de faire chanter toutes les choses ensemble. C'est dans le même sens que nous montrions Isabelle découvrant la charité en la vivant et que nous parlions de M. Gilbert

---

1. Cf. Charles Plisnier, « les Meilleures Pages » présentées avec une longue et riche introduction par M. Charles Bertin (la Renaissance du Livre, Bruxelles).

Cesbron comme d'un romancier « incarné » : dans le sens aussi
où, à la dernière page de ses romans, au lieu du mot « fin »
il préfère écrire : « Adieu donc, enfants de mon cœur ! » La
vérité du cœur, attentive et modeste, mais aussi exigeante et
souveraine, est sans doute le dernier secret de cet écrivain
et de son pouvoir sur ses lecteurs. S'il multiplie les images, c'est
pour mieux fixer un sentiment vrai à l'endroit où elles se superposent. A chaque instant Isabelle Devrain se reprend et se corrige, non pour se conformer à un mode de pensée mais pour se
tenir plus près de ce qu'elle sait dans le secret de son cœur être
la vérité vraie, et nous le savons aussi dans le secret du nôtre.
Et quand, dans un article, M. Cesbron prend la parole sur
quelque point de morale, de politique ou de religion, c'est une
étroite conformité avec la vérité du cœur qui commande notre
estime pour ce qu'il dit même si notre cœur, ou notre raison, ne
disent pas exactement la même chose. Humble et banale vérité
qui fait dire aux simples : « Comme c'est lui! » ou « c'est tout à
fait ça », mais qui en même temps, presque à leur insu, tourne
leur conscience du côté où la lumière se lèvera...

CLAUDE MAURIAC

Une intelligence sans défaut, qui est d'un fils de Monsieur Teste, régit toute son œuvre de romancier, d'homme de théâtre, de critique, de témoin. Il a repensé par lui-même et appliqué les idées contemporaines sur la technique romanesque, il a serré rigoureusement (au risque de lui faire perdre le souffle) la notion de littérature, il a tracé le meilleur portrait du général de Gaulle, il a élaboré une conception du temps humain sur laquelle il compte peut-être, comme Zénon sur la tortue ou sur la flèche, pour abolir le mouvement. Le danger qui le guette, et le retient sans doute au bord d'un plus grand succès, c'est l'esprit de système qui pourrait l'obliger à accepter même l'absurde. Et ce qui le préserve c'est, à côté de cette intelligence, une sensibilité attentive et concrète, une vive imagination du cœur, enfin la qualité.

« Le dîner en ville [1] »

On entre dans le jeu que nous propose cette lecture avec
curiosité, on continue avec parfois un peu d'agacement, on
arrive à la fin en regrettant que le livre ne soit pas plus long
parce que l'on voudrait jouer encore : ainsi M. Claude Mauriac,
que ce soit avec ses cartes ou avec les nôtres, gagne la partie
avec éclat.

L'action, c'est le menu : consommé, mulets, pintades, céleris,
fromages, glace, fruits. Huit personnes prennent place autour
d'une table ronde dont on nous fournit le plan, à la première
page, se lèvent à la dernière. Point de gestes sauf ceux pres-
crits par les bonnes manières. Le livre est fait, d'une seule
coulée, des paroles et des pensées des huit convives, sans que
l'auteur intervienne jamais, même pour nous dire à qui revient
cette phrase ou cette réflexion. Un écrivain-journaliste et sa
femme, une vieille femme du monde, un scénariste à succès,
un homme d'affaires, la femme d'un producteur, une starlette,
un bon jeune homme ami de la maîtresse de maison : par la
culture, le goût, les préoccupations, ils sont « moyens », ce
qu'ils disent est « moyen », et l'ambition de M. Claude Mauriac
est de nous faire sentir grâce à une technique austère que
derrière leurs paroles, ce que pensent ces frivoles a une valeur
universelle.

Cela pourrait être un roman de Paul Bourget récrit à la
manière de Michel Butor, et c'est infiniment mieux que cela,

1. Albin Michel.

parce que M. Claude Mauriac est plus intelligent que ses théories, plus riche aussi, par la culture et le cœur. Il a longuement commenté dans un autre livre ce qu'il a appelé « l'alittérature contemporaine » et quand son personnage de romancier, Bertrand Carnéjoux, réfléchit sur le roman à l'intérieur du livre, c'est au « nouveau roman » qu'il faut penser. Mais est-ce bien éclairant ?

Dans un chapitre de ces *Mémoires intérieurs* qu'il a si tendrement dédiés à son fils Claude, François Mauriac s'étonne un peu que celui-ci ait écrit : « Le beau aujourd'hui en littérature, c'est le vrai », car enfin, pourquoi aujourd'hui ? Bertrand Carnéjoux pense : « Il s'agit pour nous de montrer le monde extérieur (et son reflet intérieur) tel que nous le voyons... » Mais quel est donc le romancier pour lequel il s'agissait d'autre chose ? Balzac ? Dickens ? Flaubert ? Dostoïevski? François Mauriac ?

En fait le roman de papa, si j'ose reprendre une expression tombée d'une bouche illustre, n'est pas mort, lui, et il ne peut pas mourir, parce qu'il est déjà la chair de notre esprit, parce que nous en sommes nourris, parce que la nouveauté esthétique ne se crée pas en ignorant l'œuvre des artistes précédents, mais en l'assimilant et en la transcendant. Les astuces techniques n'y changent pas grand-chose. L'auteur n'intervient pas ? Mais M. Claude Mauriac a choisi le cadre, les personnages ; il fait un choix dans leur conversation puisqu'il ne la reproduit pas comme un sténographe, et à l'avance il a écarté comme une bonne maîtresse de maison les sujets dangereux (ces huit personnes pourraient presque dîner n'importe où à n'importe quelle époque, tant ils fuient du plus loin la politique assassine) ; il ajuste enfin à maintes reprises le contrepoint de leurs pensées d'une manière qui n'a rien de nécessaire ou de vraisemblable. Et en refusant de nous dire qui parle, qui pense, il nous oblige souvent à retourner son livre, un peu comme on retourne ces dessins pour enfants où il faut chercher le chien ou le fusil que le chasseur a perdu.

Alors que ce n'est pas un dessin enfantin, mais un dessin de maître — un Cézanne, un Braque, puisque Bertrand Carnéjoux préfère être rapproché des peintres que des romanciers. Les huit personnages falots se creusent en effet de page en page et leurs monologues intérieurs laissent apercevoir leurs préoccupations profondes et leurs obsessions, les nôtres — la chair, l'amour, la vie, la mort. Bertrand, héros du roman précédent *Toutes les femmes sont fatales*, est en présence de sa jeune femme, Martine, de sa maîtresse actuelle, Marie-Ange, d'une vieille maîtresse, Lucienne. Roland Soulaires vit sourdement, mais sans pouvoir l'oublier un instant le drame de l'im-

puissant. Lucienne pense à son amant qui lui donne du plaisir, et Marie-Ange à celui qui l'a violée quand elle était petite
fille et à tous ceux qu'elle a connus dans sa courte carrière
galante. Cela suffit, d'autant que les autres ne sont pas
indemnes, pour faire courir autour de la table un puissant
courant d'érotisme. Amour charnel, impérieux et douloureux
dont rien ne peut écarter l'obsession et qui ne peut pas non
plus étancher sa propre soif.

Mais pour Martine, et à un moindre degré pour Bertrand
et pour Gilles, le scénariste, il y a un second thème, rafraîchissant au contraire, traité avec un admirable lyrisme malgré toutes les précautions, c'est celui de l'enfant, c'est la
chaleur qui lui vient de son petit garçon et de sa petite fille.
Et à ce thème de la vie répond chez la vieille femme du monde
Eugénie Prieur, et aussi chez les quatre autres convives qui
ont dépassé la quarantaine, et même chez les plus jeunes, le
thème de la mort qui approche, qui est inéluctable. L'érotisme,
triomphant ou aux abois parce qu'il ne trouve pas d'issue vers
l'amour ; la vie, triomphante ou aux abois parce qu'elle ne
trouve pas d'autre issue que la mort, ce sont ces forces qui
nourrissent les personnages plus que les pintades ou les céleris, et le roman plus que les idées sur le roman. Le maître, c'est
Marcel Proust. Non point parce que, en sortant de table, ces gens
pourraient aller chez Mme de Villeparisis ou chez Mme Verdurin, mais parce que tout au long du livre, nous avons l'impression qu'avec ses souffrances à lui et son intelligence à
lui, M. Claude Mauriac a su réveiller la musique du vieux maître et en distribuer les parties à ses convives imaginaires.
Qu'importe après cela que le chef d'orchestre feigne de s'éloigner : le chant de l'homme solitaire et mortel s'élève une fois
de plus vers le ciel tandis que la femme de chambre et l'extra
soufflent les bougies dans la salle à manger.

Entre les anciens et les modernes

Cela pourrait s'appeler l'*Histoire d'A*, comme nous avons eu
l'*Histoire d'O*. Les deux gros volumes de critique, publiés par M.
Claude Mauriac l'*Alittérature contemporaine* [1] qui est la réédition revue, corrigée, considérablement augmentée et diminuée
d'un livre publié sous le même titre onze ans plus tôt, et *De la
littérature à l'alittérature* [2], recueil d'études jusqu'ici non réunies

1. Albin Michel.
2. Grasset.

en volume. L'important, c'est le « a » d'alittérature qui revient comme une bizarrerie dans les deux titres. M. Claude Mauriac s'en est expliqué : il a forgé le mot « alittérature » sur le modèle d'amoralisme, parce que le mot littérature, au moins depuis « le reste est littérature » de Verlaine est devenu un mot péjoratif à force de facilités et de complaisances. L'alittérature est le refus de la littérature au sens vulgaire et le respect de la littérature considérée au sens noble comme un usage original et réfléchi du langage. Les sept cent quarante pages des deux gros volumes que nous avons sur la table sont destinées à justifier l'introduction de ce petit « a ».

Disons tout de suite que ce sont deux livres de la critique la plus riche parce qu'elle est à la fois pénétrante par rapport aux auteurs étudiés et excitante pour l'esprit. Le premier volume constitue probablement la meilleure introduction à une large partie des lettres contemporaines, qui va de Kafka à Beckett, de Borgès à Ionesco, de Butor à Sollers, de Cayrol à Robbe-Grillet. Les auteurs y sont examinés, c'est-à-dire interrogés, de manière à laisser leur pensée ouverte en quelque sorte, tournée vers de nouveaux prolongements. Le second est un recueil de préfaces écrites d'abord pour une collection de classiques des Editions Tallandier et publiées anonymement. Ce ne sont pas des études savantes, ou encore moins scolaires, mais de vivants et intelligents portraits. M. Claude Mauriac connaît l'œuvre qu'il présente et les travaux de ses prédécesseurs, des préfaciers d'autres éditions comme en particulier celles des Classiques Garnier. Il les met loyalement à contribution de manière à varier les éclairages sur l'auteur étudié, il laisse parler sa sensibilité et sa finesse, si bien que le recueil relève d'un genre de critique très classique et un peu trop abandonné aujourd'hui et fait penser aux grandes collections de « courriers » et de « portraits » d'Emile Henriot auquel M. Mauriac rend d'ailleurs hommage à propos de Fromentin. Deux ouvrages nourrissants et brillants, par conséquent, mais il y a ce malheureux « a » et ce parti pris d'alittérature par lequel M. Claude Mauriac est tout assoté.

Il s'agit, on l'a compris, d'un groupe d'écrivains contemporains, ou plutôt d'un ensemble et d'un ensemble de très faible structure. Le caractère commun, et encore, pourrait être celui auquel pensait M. François Mauriac dans le récent *Bloc-Notes* où il a fait allusion aux deux livres de son fils, quand il disait que nous vivons à une époque où la littérature est colonisée par les philosophes : les écrivains de l'alittérature sont en général tributaires d'une philosophie, d'une mystique, d'une métaphysique ou d'une a-métaphysique. La liste des « superhommes » ou des « superplumes » d'aujourd'hui dressée par M. Claude Mauriac en fonction de sa notion de l'alittérature ne peut être très précise.

Si nous disions que l'édition actuelle est considérablement diminuée c'est que; en onze ans, la liste a changé; les Albert Camus, les Wladimir Weidlé, les Jean Rostand ont été rejetés dans les ténèbres extérieures, d'autres suivront peut-être dans l'édition de 1980 : tremblez, chère Nathalie Sarraute, de rejoindre M. Dionys Mascolo. D'autre part, dans la liste actuelle, qui nous dit que René Daumal se sentirait bien en compagnie de M. Roger Caillois, que M. Eugène Ionesco est heureux de se retrouver honorable second des écrivains roumains de langue française derrière M. Cioran, que M. Robbe-Grillet apprécie la compagnie de M. Philippe Sollers ? Mais où l'inquiétude nous gagne, c'est quand M. Claude Mauriac, finaliste convaincu, entreprend de récrire toute l'histoire de la littérature en fonction de ses alittérateurs. Pour un peu, ce dont il ferait seulement gloire aux écrivains du passé serait d'avoir été d'humbles précurseurs ; la phrase parfois lourde de Froissart annoncerait la phrase toujours pâteuse de M. Claude Simon, ou sa conception de l'histoire celle du cinéma de M. Jean-Luc Godard, Scarron aurait été quasi cul-de-jatte pour entrer à l'avance dans les poubelles de Samuel Beckett, Marivaux et Fromentin ont eu la chance de pressentir la sous-conversation de la grande Nathalie Sarraute, Joyce heureusement donne quelque intérêt rétrospectif à Diderot. Et il faut lire, parce qu'il les place à la charnière de ses deux volumes, les pages où M. Claude Mauriac accommode le pauvre cardinal de Retz à la sauce de Mlle Julie Kristeva.

Je charge à peine, mais enfin est-ce qu'il n'y a pas là une toquade dangereuse et une vue un peu courte ? Cela ne gâte pas le livre, certes, parce que M. Claude Mauriac est un critique qui a du nez et son nez le conduit presque malgré lui à bien parler de Rousseau ou de Chateaubriand ou de bien d'autres. Mais je tremble quand je le vois écrire dans une préface chaleureuse pour *Notre-Dame de Paris* de Victor Hugo : « Comment serait-ce un défaut pour un roman d'être romanesque ? » alors que presque la totalité de l'alittérature qu'il prône est précisément opposée à ce romanesque-là? A chaque instant, nous sentons ainsi notre auteur dans une position irréfléchie ou inconfortable. C'est le problème de la continuité vivante de la littérature qui semble mal posé : car enfin, qu'est-ce que M. Claude Mauriac veut établir, que la littérature ou l'alittérature d'aujourd'hui est un commencement absolu qui bouleverse la vision du passé, ou bien que nouveau roman, nouvelle critique n'ont rien de neuf et que l'alittérature ou la littérature du passé contiennent déjà toutes les prétendues inventions de Sarraute, Sollers ou Kristeva ? Il me semble difficile de soutenir les deux thèses ensemble, ou plutôt, je croirais volontiers que les deux thèses sont deux formulations vraies et fausses à la fois d'une continuité mal discernée.

Mais la notion même de continuité est gênante pour un certain orgueil. M. Claude Mauriac semble en réalité convaincu que nous assistons à une sorte de commencement absolu, que son alittérature va remplacer la littérature. En l'affirmant il rejette dans l'ombre ou le néant un certain nombre de littérateurs, bon, mais est-ce qu'il ne rejette pas aussi des écrivains ? Est-ce que toute la production littéraire contemporaine est marquée du signe « a » ? Ne faut-il tenir aucun compte d'auteurs qui se lisent pourtant beaucoup (alors que le non-public adopte souvent en face d'alittérature une attitude d'alecture) : Henri Troyat, Joseph Kessel, Louis Aragon, Jean-Paul Sartre par exemple ? Et bien qu'il professe toujours la plus tendre et la plus déférente admiration pour l'œuvre de son père, n'est-il pas inévitable qu'au nom de ses principes, M. Claude Mauriac la rejette dans la littérature, en bonne compagnie d'ailleurs ? Ou bien la critique de M. Claude Mauriac ne serait-elle pas œdipienne, et ces centaines de pages la perpétration d'un meurtre littéraire du père ? Je veux dire qu'il me semble faux de prétendre à la fois que les écrivains étudiés représentent la totalité de la littérature contemporaine vivante et que ces écrivains sont d'abord nouveaux.

Mais dira M. Claude Mauriac, tout mon autre volume tend à montrer que, de Froissart à Flaubert, ces nouveautés sont en germe. Mais est-ce tout à fait la même chose de dire que Marivaux et Fromentin préparent Nathalie Sarraute ou que Sarraute continue Marivaux, Proust ou Virginia Woolf, que Sterne fraie la voie à M. Aragon ou qu'Aragon reprend le gaufrier romanesque de Sterne ? Y a-t-il un intérêt d'intelligibilité à renverser la vapeur ?

Ce qui peut nous aider, me semble-t-il, c'est de considérer la littérature comme un immense édifice qui s'augmente sans cesse et dont les éléments anciens et nouveaux par le jeu de la réflexion, aux deux sens du terme, s'éclairent sans cesse mutuellement. Chaque pierre garde sa nature propre, elle est signée : comment peut-on à la fois approuver les prétentieuses niaiseries sur l'intertextualité et l'anonymat de l'alittérature et parler quelques pages plus loin de la distinction du talent et du génie entre Mme de Sablé et La Rochefoucauld ? Mais il est vrai du même coup que la littérature d'aujourd'hui nous aide à lire les œuvres du passé, que nous découvrons dans Maurice Scève, dans Boileau, dans Nerval des aspects jusqu'à présent inconnus parce que de nouveaux écrivains ont attiré notre attention vers des régions secrètes que ces anciens avaient déjà explorées. Et il est vrai aussi que le passé peut aider à comprendre ce qui se présente avec le plus d'intrépidité comme nouveau, que les sages de la Chine fournissent peut-être une meilleure introduction que Mao à la lecture de *Tel Quel,* si *Tel Quel* ne relève pas délibérément et

définitivement de l'alecture. Une idée génétique et historique de
la littérature et de la critique est évidemment vieillote, démodée
et fort peu structuraliste. Mais même la critique moderne n'est-
elle pas obligée de faire subrepticement appel parfois à une
méthode de ce genre ? Et l'essentiel n'est-il pas de n'être pas
trop regardant, ni trop exclusif quant au choix des moyens et à
leur valeur scientifique si on peut approcher un peu mieux de cette
œuvre d'art qui, à toutes les époques, quand elle méritait ce nom,
essayait elle-même de s'approcher un peu plus de l'absolu ?

Essais de théâtre

Publiées en volume avant d'être jouées, les cinq pièces de
Claude Mauriac constituaient un spectacle dans un fauteuil, mais
un spectacle qui continuait visiblement les cinq romans de
l'auteur, comme la reprise de la même quête sur un autre terrain,
avec d'autres moyens. L'aspect brillant de chacun de ces livres,
l'extrême ingéniosité et l'extrême application de l'auteur pour
mettre chaque fois à l'épreuve une technique nouvelle de narration risquent de faire perdre un peu de vue l'unité profonde de
cette œuvre qui grandit avec une volontaire discrétion, sans
faire étalage de ses ressources d'intelligence et encore moins de
ses ressources de tendresse.

Pourtant, de livre en livre, depuis son premier roman, *Toutes
les femmes sont fatales,* M. Claude Mauriac revient aux mêmes
thèses, frappe aux mêmes portes avec une insistance qui montre
assez qu'il ne s'agit pas pour lui de procédés ou de thèmes littéraires mais d'une recherche qui l'engage, qui nous engage et
dont il veut nous faire prendre conscience. Ce grand thème, c'est
celui du temps, ou plus précisément celui de la lutte indéfinie de
l'homme contre l'écoulement du temps au moyen de l'art et de
l'amour. Non pas la recherche du temps perdu, mais l'espérance
du temps suspendu ; non point l'éternité un peu trop facilement
retrouvée de Rimbaud, mais la nostalgie, le désir d'une certaine
immobilité dans l'être qui ne serait pas l'immobilité de la
matière ou de la mort.

Les romans de M. Claude Mauriac le préparaient si bien au
théâtre qu'il a pu réunir *a posteriori* les quatre premiers sous le
titre « le *dialogue* intérieur ». Son activité de romancier, on dirait
qu'il la voudrait voisine de l'activité du metteur en scène. Il pose
huit personnages autour de la table du dîner en ville, et,
Asmodée plus proche finalement de celui de Lesage que de

l'Asmodée paternel, il sonde les cœurs et les reins. Il installe un observateur au carrefour de Buci et regarde à l'œil nu, puis à la loupe. Il s'essaie à la vivisection, c'est-à-dire à couper une tranche de vie vivante, et c'est à ce moment qu'il sent, sous son scalpel de romancier ou de dramaturge, le temps s'écouler et fuir ou se figer. Le metteur en scène de cette race, aujourd'hui, n'a pas à retrouver quelque mise en scène préfabriquée par un Arthur ou un Ensemblier comme on dit dans l'*Intermezzo* de Giraudoux. Mais il a à retrouver dans ses personnages un jaillissement, vers la scène « capitale » ou « primitive ». Dans ces conditions, et sans rien préjuger des vertus scéniques de ces textes, le théâtre devait s'imposer à M. Claude Mauriac comme le roman continué par d'autres moyens. Il devait y trouver l'occasion d'une incarnation plus précise dans la durée, parce que la pièce dure toujours un temps défini dans la vie des acteurs et des spectateurs, ce qui contraste mieux que le temps de la lecture avec le temps fictif de l'action — et peut-être de la vie.

Dans le volume de *Théâtre*[1] que nous pouvons lire aujourd'hui, une pièce fait presque figure de simple divertissement. C'est *les Parisiens du dimanche,* un impromptu écrit pour le Pavillon français à l'exposition de Montréal. Dimanche des canotiers sur la Seine en 1880, et peut-être des canotiers sur la tête, passants qui deviendront illustres comme le futur Courteline, comme Monet, comme Maupassant, et passants populaires dont les silhouettes ont été fixées par les peintres des bords de Seine et des bords de Marne. On n'échappe pas au *Déjeuner sur l'herbe,* dont M. Claude Mauriac donne une description à peine différente de celle du professeur Froeppel, que j'aime bien : « Deux messieurs correctement vêtus (l'un d'eux porte une toque de bibliothécaire) sont assis sur l'herbe dans un sous-bois et s'apprêtent à déjeuner, sans paraître choqués par la présence, à leurs côtés, d'une créature entièrement nue qui, d'ailleurs, affecte de ne pas les voir. »

Pour M. Claude Mauriac dramaturge, ce Chatou 1880 joue exactement le même rôle que le carrefour de Buci pour le Claude Mauriac romancier de *La marquise sortit à cinq heures* et de *l'Agrandissement*. C'est un lieu et c'est une sorte de dépôt du temps, de rondelles du temps découpées dans la vie personnelle, mais aussi dans la vie des écrivains, des peintres, voire de monsieur tout le monde.

Dans une très courte pièce, *le Hun,* un Hun qui n'en est peut-être pas un affronte cinq M qui sont les multiples d'un même personnage. Dans un autre, *le Cirque,* une parade ou une repré-

1. Grasset.

sentation qui semble avoir lieu en rêve nous oblige à faire sans cesse la navette du théâtre à la réalité tout en faisant défiler devant nous types et scènes de notre existence. Est-ce une pièce à clés? « Arrive un personnage qui parle avec volubilité, mais sans qu'aucun son sorte de sa bouche... Puis il se tait (si l'on peut dire) et salue, tandis qu'éclatent les applaudissements (enregistrés). » On croit voir un écrivain du nouveau roman ou de *Tel Quel*.

Mais les deux morceaux importants du recueil sont *la Conversation*, que nous connaissons déjà par le livre et par la scène, et *Ici, maintenant*. *La Conversation*, c'est le dialogue ininterrompu de l'homme et de la femme tout au long d'une vie, c'est la superposition, la surimpression de cent, de mille conversations particulières, banales mais déchirantes à la longue parce qu'elles ancrent dans notre cœur une personne, unique et irremplaçable. *Ici, maintenant* se passe dans un bar, et l'auteur insiste pour que ce soit dans la ville, le jour et à l'heure où la pièce est effectivement représentée. Une pendule sur la scène marque le temps réel, mille détails le confirment : on sent ici cette volonté d'incarnation supplémentaire dont nous parlions tout à l'heure. Mais dans ce bar, la patronne, le barman, les clients, les clientes, la strip-teaseuse (pardon, monsieur Etiemble) qui passe en attraction sont joués par un petit nombre d'acteurs, à la limite presque par un couple, comme si dans le temps réel de la représentation s'inscrivait toute la courbe des moments de la vie d'un couple : « comme si toutes les femmes possédaient le même homme et parlaient du même homme en parlant de leur homme... j'ai l'impression d'être là à tes côtés depuis, je ne sais pas, moi, depuis des siècles... ».

Monde de la réduplication à l'infini, monde hanté par la répétition de lui-même. En parlant des multiples de M. Claude Mauriac, je pense à ces multiples de l'œuvre d'art dont la mode semble se répandre aujourd'hui. Toute son œuvre est peuplée de créatures qui sont des multiples, tout l'effort de son regard et de sa pensée tend à réduire cette multiplicité. Cela va de l'aphorisme pour le dictionnaire de poche du petit don Juan : « Toutes les femmes sont fatales... La femme est une promesse non tenue... » jusqu'aux mécanismes les plus compliqués mis au point pour les pièces et les romans.

Ainsi chaque point de l'espace en chaque moment du temps est comme une capsule porteuse de sa charge de passé et d'avenir. Il suffirait peut-être d'un procédé quelconque pour rendre cette charge présente, dit un personnage d'*Ici, maintenant*, mais ce n'est peut-être pas tout à fait exact. Non pas un procédé quelconque, mais l'art, ou l'amour. L'amour qui est sans doute la seule électricité de la charge dont nous parlions, la seule force capable de modeler la cire amorphe de la durée pour lui donner la forme de notre cœur idéal. Et l'art créateur d'une contre-durée stable à l'intérieur de la durée qui s'écoule, l'art qui fait repasser indéfiniment la victoria de Mme Swann allée des Acacias ou qui assure la permanence de la créature nue sur l'herbe à côté des deux messieurs de Manet...

Toute l'œuvre de M. Claude Mauriac est ainsi la recherche et le chant d'une permanence humaine, substitut de l'éternité perdue. Il n'y faut pas chercher une analyse philosophique qui n'est pas de son ordre, mais il s'agit bien de poser avec les moyens du bord la question des rapports existentiels entre l'être et le temps. Peut-être même pourrait-on préciser un peu, trouver des traces d'idéalisme. Car enfin, si toutes les femmes sont fatales, si la femme est une promesse (de bonheur ?) non tenue, cela nous ramène à une certaine idée du Bonheur et de la Fatalité, à un certain monde des essences. C'est peut-être de ce côté qu'on verrait nettement la différence, le fossé entre M. Claude Mauriac et les nouveaux romanciers auxquels il se rattache par les procédés. S'il entend un jour l'avertissement : « Il est minuit, docteur Mauriac » ce ne sera pas par la voix de M. Lindon...

Ce *Théâtre,* on aimerait le voir sur la scène, comme on aimerait y voir, dans des genres bien différents, les pièces que M. Jacques Borel, que M. François-Régis Bastide ont publiées, parce que, tout le monde le sait, le théâtre manque d'écrivains. Pour l'instant, dans le livre, ces pièces me font penser à de grands exercices, à de grandes études plutôt, au sens des études de Schumann, de Chopin ou de Debussy, c'est-à-dire à de grandes pages qui peuvent s'animer de la sensibilité la plus profonde de leur auteur...

GEORGES-EMMANUEL CLANCIER

*Une œuvre assez abondante de poète et de romancier,
accueillie avec faveur, une carrière souvent au service des lettres,
et des belles, et puis ce gros roman qui ne doit pas être oublié
ou négligé, qui est peut-être la peinture la plus juste de la sensibilité d'une génération et d'un moment.*

Du temps à l'éternité

C'est peut-être le premier roman-fleuve. Rappelez-vous, le genre et l'expression étaient à la mode il y a encore une quinzaine d'années. On voyait des romanciers couper les tranches de vie en long et se lancer dans des séries de cinq, dix, quinze volumes : comme il s'agissait souvent d'écrivains d'une hauteur médiocre, cela coulait mal et donnait l'idée d'une grande flaque plutôt que d'un fleuve. Qu'en reste-t-il ? Le soleil de la mémoire a séché presque tout cela. Voici *l'Eternité plus un jour* [1] de M. Georges-Emmanuel Clancier, sept cents grandes pages très serrées, la matière de trois volumes d'un seul coup, une masse énorme de lecture, et une fois embarqués, nous avons bien l'impression de naviguer sur un fleuve, d'être portés par un courant qui a une pente et une force, qui se précipite puis s'élargit, qui nous entraîne vers des horizons de plus en plus larges. Un fleuve, oui, le fleuve de la vie, reconnu, épousé à force de sincérité et d'amour, de contrôle et de perspicacité profonde. Prenez votre temps, ou plutôt donnez-le à cette longue, longue lecture, vous ne le regretterez pas.

Le lecteur de romans est tout de suite délicieusement en pays de connaissance : une maison à flanc de coteau où le narrateur, Henri Verrier, habite avec ses parents, son frère François, sa jeune sœur Emilie. En face, une maison un peu mystérieuse, avec une tour, l'Observatoire. On croit y voir parfois, la nuit, une ombre blanche, un astrologue, ou peut-être une folle

1. Robert Laffont.

séquestrée qui a trouvé un instant de liberté. Puis la maison est
habitée par une grande famille, des adolescents qui ont à peu près
l'âge des Verrier, que ceux-ci vont appeler les Barbares, avec un
mélange d'éloignement et d'attirance. C'est le thème du jardin d'à
côté et des enfants du jardin d'à côté qui portent avec eux les
chances et les prestiges de l'aventure et de l'amour, thème que
Mme Rosamond Lehmann faisait chanter pour moi d'une façon
inoubliable dans *Poussière,* à peu près vers le temps où commence l'œuvre de M. Clancier. Et, bien sûr, les liaisons se font,
grâce à Hélène, amie de François Verrier qui fait sa médecine
comme lui, et nous entrons à l'Observatoire, chez les Garou,
Guillaume, Mathilde, Elisabeth, Caroline... Et tout de suite, nous
sommes lancés dans un grand jeu : sous la direction de Mme
Garou mère, on va monter pour une représentation d'amateurs
Comme il vous plaira de Shakespeare. Orlando, Rosalinde,
Célia, Olivier, Jacques viennent s'ajouter aux enfants et aux jeunes filles ou se confondre avec eux.

La préparation du spectacle, la distribution des rôles, les répétitions semblent un peu longues d'abord. Mais c'est volontaire,
M. Clancier le marque en empruntant à une réplique d'Orlando
le titre même du roman, *l'Eternité plus un jour.* Et surtout nous
distinguerons assez vite que la représentation de la comédie de
Shakespeare n'est pas seulement l'ouverture du roman, elle en
est aussi en un sens la préfiguration ou même la figure. Les relations sentimentales complexes, flottantes entre les Verrier et
les Garou et leurs amis vont se développer librement à partir de
là : et le théâtre a son importance, non seulement parce qu'il
marque la destinée et le caractère d'Elisabeth, mais parce qu'il
peut être aussi, quand c'est Shakespeare, comme une image confuse ou précise de cette longue pièce sans texte préétabli que
nous jouons et que nous appelons notre vie.

L'époque, c'est 1935 — vingt ans vers 1935 —, le lieu, la province, une ville qui n'est pas nommée (M. Clancier est limou-
sin), et les premiers coups que le destin frappe à la porte, ce
sont ceux de la guerre d'Espagne. Ce que ces jeunes gens que nous
allons suivre pendant vingt-cinq ans vont vivre, unis, partagés,
solidaires, ce dont ils vont vivre et mourir parfois, c'est le mouvement des mœurs, des idées et des haines d'une génération qui
a vu changer la face du monde. Le premier grand ébranlement,
c'est bien celui de la guerre d'Espagne parce qu'on y a vu pour la
première fois aussi crûment et cruellement à l'œuvre le nationalisme agressif et le manichéisme politique imbécile qui achè-
vent sous nos yeux de ruiner l'intelligence et peut-être la civilisation. Tout au long de son livre, M. Clancier essaie constamment et courageusement de tenir la balance égale, d'évoquer la
Résistance et les crimes de la Résistance (cela tient une place

importante), les massacres et les mensonges de tous les partis. On le lui reprochera sans doute, on dira qu'il essaie de renvoyer les adversaires dos à dos : ce n'est pas vrai, il essaie de les mettre tous les deux en face de l'immense brasier allumé par leur cupidité et leur appétit de puissance. Il n'insiste d'ailleurs jamais, son roman, qui n'est pas une éducation sentimentale, n'est pas non plus une éducation politique : il fait entendre l'écho dans la conscience de ces garçons et de ces filles des cris qui montent de Guernica, d'Oradour, des casernes d'Algérie où des soldats pratiquaient la torture, de Prague ou du Vietnam. *L'Eternité plus un jour* est sans doute la chronique la plus exacte de la sensibilité française de cette génération tournante.

Sur cette horrible musique de fond, entre les bouleversements où les personnages sont jetés, la vie c'est aussi celle des amitiés et des amours. François épouse Hélène, il en a une petite fille, Sylvie, il est assassiné. Guillaume n'épouse pas Emilie, qui épousera Serge, et plus tard divorcera. Théodora, Théo, aura des liaisons avec Couderc, avec d'autres. Caroline, blessée d'amour, songera à la retraite du couvent et finira plus ou moins médiocrement. Henri le narrateur aimera Elisabeth, la perdra, la retrouvera, l'épousera, en aura un garçon, la perdra de nouveau à demi, et pourtant se sentira lié à elle pour l'éternité, pour l'éternité plus un jour. Il n'est pas possible d'entrer dans le détail, ni dans celui de la vie professionnelle des personnages, médecins, journaliste, etc. Il y a quelques années, et encore maintenant peut-être dans quelques postes d'avant-garde figés dans l'immobilité, raconter l'histoire d'un roman était déjà une condamnation de l'œuvre et du critique. Mais en face d'un livre comme celui-ci, on s'aperçoit qu'on ne peut jamais raconter un grand roman, on peut à la rigueur résumer ce qui s'y passe, on ne peut pas dire ce qu'il est et ce que sont ceux qui y vivent. C'est pour cela que les grandes œuvres, Racine, Balzac, Flaubert, Proust sont sources de gloses indéfinies et toujours renouvelées. De même ici, Betty, Hélène, Emilie, François, Henri et les autres sont plus ou sont autre chose que ce qui est dit.

Le roman, divisé et subdivisé très clairement est composé d'un très grand nombre de chapitres courts ou très courts : à la fin de presque tous, quelques lignes, une ou deux pages au plus, imprimées en italique nous transportent à un autre moment de la vie du narrateur, nous font entrevoir des décors ou des personnages que nous ne connaissons pas encore. Le procédé met un certain temps à devenir efficace, mais à la fin, il l'est, les morceaux du passé, du présent et du futur s'ajustent le plus clairement et le plus naturellement du monde. Pour composer quelle figure ?

La figure de la vie. Ce livre attentif et généreux la respecte constamment, il est le chant du fleuve de la vie, de l'arbre de la vie étudié avec amour jusque dans ses dernières ramifications, et c'est beaucoup, et c'est fort. Mais encore ? La vie a-t-elle une figure pour celui qui vit presque forcément à l'aveuglette, y a-t-il quelque chose de commun entre l'esprit et le cœur d'un homme et la vie qu'il mène, qu'il a menée ?

Sur la terrasse de l'Observatoire, aux premières pages, la forme blanche était bien celle d'une jeune folle séquestrée. Folle, aliénée, absente par déception d'amour. Hélène, François deviendront psychiatres avec l'espoir de la sauver, Hélène, Elisabeth, Esther Zarev, les enfants vivront longtemps dans les pavillons médicaux de grands asiles successifs, au contact quotidien des malades. Il y a une présence constante du thème de la folie tout le long du roman, la folie possession ou exorcisme, — ce que l'on pourrait dire aussi en un sens du théâtre et nous verrons en lointain écho à la représentation de *Comme il vous plaira*, bien plus tard, Elisabeth la comédienne manquée et quelques autres monter un Labiche avec les pensionnaires d'un asile. Ce que l'on pourrait dire aussi de l'amour peut-être. La recherche de la vraie figure intérieure, qui est la tâche de la vie à moins que, Shakespeare pour Shakespeare, celle-ci ne soit qu'une histoire contée par un idiot, le narrateur renoncera après mûr examen à la mener par la psychanalyse, et il la mènera par l'écriture, par l'écriture du livre que nous lisons. Comme le temps perdu, elle est retrouvée. Qui ? L'éternité.

Le temps me manque, et la place. Cet énorme roman ne va pas sans longueurs, ou plutôt sans longueur : il n'y a pas de personnages ou d'épisodes superflus, tout est attachant comme la vie, parce que M. Georges-Emmanuel Clancier est un excellent conteur, mais il y a une longueur qui tient à une certaine éloquence qui ne se presse pas, à une tendance à la redondance. Et puis, on se demande un moment si cet Henri Verrier, le narrateur dans sa sagesse et son impartialité n'est pas un peu trop un témoin plus qu'un personnage. Il n'est pas un héros de roman, quand il sort de la ligne, quand il se dérange, quand il a une folle maîtresse, puis plusieurs, c'est alors que nous le croyons le moins. Mais sans doute cela aussi est-il nécessaire à l'œuvre : le romancier narrateur, préoccupé de la figure de la vie, un moment tenté par la mort, doit être par caractère de ces hommes qui parient invinciblement pour l'éternité au-delà de la vie vécue au jour le jour... J'en ai assez dit, j'espère, pour que vous compreniez si ce livre est ou non pour votre famille. Il faut le lire longuement, et presque il faut le vivre. Dans la bousculade de l'automne, combien parmi les trente ou quarante personnes qui distribuent les grands labels commerciaux ont eu le temps de lire ces milliers de lignes, comme il le faut, ligne à ligne ? Aux lecteurs de donner à ce livre la seule vraie récompense.

ROLAND BARTHES

*Le rénovateur de la critique universitaire depuis les années 50.
S'appuyant sur les courants philosophiques et intellectuels du
temps, il a présenté une nouvelle manière de lire les œuvres littéraires qui a flatté et séduit ses étudiants et beaucoup d'autres.
Même si l'avenir de certains de ses principes philosophiques
semble déjà compromis, même si le lourd pédantisme auquel
elle n'échappe pas toujours risque de la confiner dans les classes et les amphithéâtres, cette critique a joué un rôle considérable de réveil intellectuel. Mais sans entrer sur ce terrain, nous
garderons quelques pages sur un ouvrage un peu en marge dans
l'œuvre de notre auteur.*

Japonaiserie

Quel est le rêve favori d'un esprit passionné de linguistique ? C'est de se promener dans un pays dont il ne connaît pas la langue, de se laisser baigner dans une langue étrangère sans la comprendre. Il conjure ainsi le plus grand péril pour une langue qui est de vouloir dire des choses, sentiments ou idées, il atteint une matière linguistique purifiée des habitudes, des préjugés, des significations. Heureux M. Barthes qui, ne connaissant pas le japonais, et revenant du Japon, en rapporta ce beau livre excitant : *l'Empire des signes*[1].

Beau livre, parce qu'il nous permet de nous immerger à notre tour dans ce qui semble à la fois étrange et familier. Le volume fait partie de la collection « les Sentiers de la création » dont le rythme de publication est pour notre plaisir assez rapide. C'est-à-dire qu'il comporte une illustration abondante et intelligente : entre deux photos de l'acteur Kazuo Funaki dont le beau visage est comme une invitation à l'amour du japonais et au mystère, se succèdent des dizaines d'images, reproductions d'œuvres anciennes peu connues, en évitant les grands maîtres célèbres, photographies du monde contemporain, documents de presse, et tout cela parle, un beau visage d'enfant attentif à Guignol plus encore que le portrait d'apparat du général Nogi à la veille de son suicide.

Dans une sorte de note liminaire, M. Roland Barthes nous avertit qu'avec un certain nombre de traits il va composer un

1. Skira, « les Sentiers de la création ».

système qu'il appellera le Japon, un peu comme il pourrait imaginer un pays fictif : ainsi naguère, nous ne savions pas trop s'il prêtait à Racine une œuvre imaginaire ou s'il décrivait une œuvre imaginaire sous le nom de Racine choisi par commodité ou par pudeur. On ne trouvera pas ici une seule allusion au « miracle » du développement économique japonais, pas une seule description de grande réalisation ou de machine, à part celle du pachinko, qui est la version japonaise de la machine à sous, pas de statistiques, pas de méditation sur le degré d'occidentalisation ou d'américanisation du pays. Et cependant ce n'est pas un livre passéiste, je ne sais pas comment les Japonais le prendront, mais pour moi, sans avoir jamais été là-bas, c'est une image plausible et dans l'ensemble attirante. On y fait allusion au bouddhisme zen, peut-être parce que c'est une mode occidentale, mais on n'y parle pas du shintoïsme ou d'autres religions, on en tente pas de retrouver une tradition ou de décrire l'âme japonaise (M. Barthes a horreur de ce mot et de ce qu'il signifie), mais on essaie d'y saisir le Japon dans sa continuité vivante, quotidienne.

Aussi les traits qui composent le système sont-ils souvent quotidiens : la nourriture, les repas, les manières de table (les baguettes), les corps et les visages dans la rue, l'art de faire les paquets, l'arsenal de la papeterie, et deux formes d'art dont M. Barthes parle très bien, le haïku (adressons une pensée à Paul Claudel) et le Bunraku, ce merveilleux théâtre de grandes poupées servies par des hommes présents sur la scène et dont les actions sont commentées par d'autres hommes, théâtre que nous avons eu la chance de voir à Paris il y a quelques années au théâtre des Nations. Dans tous les cas, la méthode de M. Barthes est la même : il voit partout des signes, le distingué professeur à l'Ecole pratique des Hautes Etudes ne décrit pas, il essaie de lire, il nous propose une lecture des gestes et des visages, et le Japon le fascine parce qu'il y voit bien l'empire des signes. La disposition des aliments sur le plateau du repas, l'importance de la crudité, la cuisine qui se fait à la demande sous l'œil du client, le maniement des baguettes comme celui des pinceaux de l'écriture, le geste par lequel le joueur de pachinko introduit sa bille dans l'appareil et la propulse, les paquets prodigieusement savants et qui ne contiennent rien ou presque, le caractère non de description, mais d'immédiateté, de présentation directe et de transparence du haïku, la savante division des signes du corps et de la voix pour les poupées du Bunraku, tout cela est écriture et l'Occidental se promène dans un monde d'idéogrammes vivants sur lesquels il n'a pas fini de rêver. Rêverie heureuse et féconde, qui s'alimente de la composition d'un bouquet, ou, si la femme tient peu de place dans le

livre, du travesti dans le théâtre de Kabouki où le quinquagé-
naire père de famille n'essaie pas d'imiter la jolie femme, mais
de signifier la féminité. M. Barthes est extrêmement minutieux,
il écrit, dans ce livre exempt de tout jargon, avec une grande
force de suggestion, il se garde bien entendu de tout esprit de
pittoresque ou d'exotisme, il essaie simplement d'écrire le
Japon à son tour ou de laisser le Japon s'écrire dans notre
esprit, et il y parvient parfaitement.

La réussite est très grande : nous avons vraiment l'impression
d'être mis en présence d'une langue d'étrangeté plus encore que
d'une langue étrangère. Cela n'ôte pas certaines objections.
Sommes-nous sûrs que tous les traits du système sont caractéristiques du (ou d'un) Japon ? Quand M. Barthes nous dit qu'au
Japon, dans la rue, dans un bar, dans un train il advient toujours quelque chose, un incident quelconque, n'est-ce pas typiquement la réaction d'un voyageur éveillé au sein d'une société
étrangère dont il ne connaît pas parfaitement les normes,
n'arrive-t-il pas à chaque instant quelque chose dans la rue de
notre ville, dans le métro parisien que la familiarité au contraire nous empêche de voir ? M. Barthes ne triche-t-il pas ici ou
là avec le non-sens (ou l'exemption de sens), par exemple en
nous donnant des traductions de haïku et en ne nous disant rien
ou presque de la métrique et de la sonorité japonaise ? Enfin, et
c'est plus important, si l'ouvrage oppose bien et d'une façon précise, du choix des aliments au choix des éléments dans la poésie
et dans l'art, mentalité occidentale et mentalité orientale, s'il
nous suggère l'existence d'une manière de prendre les choses de
la vie tout à fait différente de la nôtre, pour un esprit occidental
et qui ne renie pas son occidentalité comme le mien, la tendance est presque invincible de passer des signes à l'âme japonaise. Il y a sans doute en moi, et peut-être en M. Barthes quoi
qu'il en ait, une Mme Chrysanthème qui sommeille. Tout son
livre semble écrit pour glorifier le Japonais d'être sans âme et
sur ce point c'est un échec total, parce qu'il nous donne envie de
nous approcher, avec amour comme lui, de cette « réalité » spirituelle dont l'empire sur l'empire des signes aurait peut-être une
valeur d'explication. C'est un échec de l'intention, non du livre
lui-même.

Je me suis attardé au Japon et il ne me reste plus que quelques lignes pour le livre très différent et en apparence plus
important que M. Barthes publia en même temps, l'essai présenté sous le sigle S/Z [1]. Travail original, et donc difficilement classable, tout en étant une explication de texte, ce n'est
pas tout à fait une explication de texte, ou en commentant un

1. Le Seuil.

texte littéraire, ce n'est pas de la critique littéraire, mais un essai de science de la littérature poussant plus loin dans le sens indiqué par un ouvrage précédent, *Critique et Vérité*. Le texte choisi est une nouvelle de Balzac, *Sarrasine*, choix excellent parce que la nouvelle (au tome X, du Balzac des Bibliophiles de l'originale) est une des plus significatives sexuellement et philosophiquement de *la Comédie humaine* et parce que son étendue permet de la commenter intégralement et minutieusement à la fois.

Cela dit, le texte (30 pages) est découpé en 561 fragments ou « lexies » qui font l'objet d'un commentaire de quelques lignes ou de quelques pages, les résultats de l'étude étant regroupés à mesure dans les 93 courts chapitres du livre de M. Barthes. Au lieu de commentaire, il vaudrait sans doute mieux dire décodage, la méthode de M. Barthes étant de suivre un certain nombre de thèmes, de procédés tout au long du texte. Il ne s'agit jamais de considérations littéraires ou esthétiques, encore moins biographiques ou historiques, mais d'une mise en évidence précise d'actions, de contenus symboliques, de procédés d'évocation ou d'illustration de thèmes. Les codes ou clés qui semblent avoir le plus d'importance sont la psychanalyse et la rhétorique au sens de relevé des figures de style.

Travail plus lourd, plus pédant et souvent plus assommant que n'importe quel commentaire universitaire classique. On pourra s'amuser du jargon de M. Barthes, « définitionellement », la « couverture nivale » pour la neige, ou bien du commentaire d'un fragment comme le n° 298 : « *Poverino* ! s'écria l'inconnu en disparaissant » qui se borne à relever le thème de l'italianité (*poverino* et non le pauvre). Mais en même temps, ce n'est pas sans intérêt : de ce grand jeu, le texte de Balzac sort plus flasque, mais ses prolongements dans notre esprit sont mieux éclairés. La nouvelle est décentrée et étoilée. Il y faut de la patience et du courage, mais l'exercice est loin d'être sans profit.

Et les idées plus générales sur la littérature que M. Barthes expose dans les dix premiers petits chapitres méritent aussi l'attention. Il y distingue les œuvres lisibles et les œuvres scriptibles, la lisibilité étant ici une indication péjorative, l'œuvre lisible entretenant la passivité du lecteur, l'œuvre scriptible l'obligeant au contraire à la récrire en quelque sorte lui-même au fur et à mesure. Il y distingue aussi le texte univoque, à sens unique, et le texte pluriel qui présente des degrés, des superpositions de sens. « La littérature, dit-il, est une cacographie intentionnelle ». Pourquoi *cacos* ? Pourquoi pas une callographie ? L'idéal, le degré suprême de l'écriture est-il de rejoindre une sorte de langage premier, sauvage, asystématique, un langage naturel, si ce mot a une application, c'est-à-dire débarrassé de toutes les

implications psychologiques, sociologiques, philosophiques, de
tout ce qui a une odeur d'homme ? Tout entière consacrée à la
science de la littérature, l'œuvre de M. Roland Barthes est peut-
être animée de la haine de la littérature. La critique proustienne
condamne le rapport de l'œuvre à l'homme-auteur ; la critique
barthienne condamne le rapport de l'œuvre à tout-homme, au
nom d'un langage pur originel, qui n'est pas non plus le langage
des oiseaux. Le rêve de M. Roland Barthes, pour revenir à notre
point de départ, est peut-être d'écrire en japonais sans connaître le japonais...

LUCIE FAURE

Une situation dans le monde, ne serait-ce que comme directrice de revue, une notoriété parisienne de bon aloi : le premier roman pouvait passer pour un caprice, ou un travail d'amateur. Mais très vite, on s'est aperçu que c'est une vraie carrière d'écrivain qui commençait. Le choix des sujets dramatiques et nouveaux, le « rendu » des personnages, l'application de l'écrivain pour tout dire dans une langue sinon brillante, du moins nette et efficace, ce sont soucis de professionnel. Des prix littéraires lui ont déjà rendu hommage, mais ce qui compte le plus, c'est qu'il existe aujourd'hui un petit monde de la romancière dont les créatures portent sa marque.

Le psychanalyste et la psychanalyse

Les rapports réciproques entre la psychanalyse et la littérature mériteraient bien une étude détaillée. S'il suffit d'ouvrir Freud pour voir ce que la première doit à la seconde et la place que le fondateur faisait à l'étude de certaines œuvres et surtout à l'intuition et aux formules des grands poètes comme Goethe, il est beaucoup plus difficile de se faire une idée d'ensemble de la place que la littérature a faite à la psychanalyse depuis un peu plus d'un demi-siècle. C'en est même un peu scandaleux : la psychanalyse est le point de départ de la plus grande révolution dans l'histoire de la psychologie et une littérature qui se pique de psychologie (comme la littérature romanesque française, par exemple) se soucie à peine d'en tirer les bénéfices ou de marquer ses distances. La psychocritique de Charles Mauron se situe plutôt dans le prolongement des travaux des psychanalystes eux-mêmes sur les œuvres du passé. Mais nous manquons d'une étude d'ensemble qui examinerait comment les poètes, des surréalistes à M. Pierre-Jean Jouve, ont utilisé les clés de l'inconscient et du rêve que la psychanalyse mettait à leur disposition. Dans le roman, américain et français, on s'est tenu le plus souvent à de grosses mises en scène de gros complexes qu'on se dispensait précisément d'analyser. Quand on ne s'est pas borné à faire de la psychanalyse une occasion de dire d'une manière pédante des choses « inconvenantes », on s'en est débarrassé, avec une incroyable sottise, en la reléguant du côté de l'excentricité mondaine. « On sait, écrit M. Jacques Lacan dans son jargon contourné, le « comment peut-on être psychanalyste » qui nous fait faire encore à l'occasion sur des lèvres mondaines figure de Persan, et que s'y enchaîne bientôt un « je n'aimerais pas vivre avec un psychanalyste », dont la chère pensive nous réconforte par l'aspect de ce que le sort nous épargne. » Dans son roman,

Mme Lucie Faure prend le taureau et le psychanalyste, si j'ose dire, par les cornes, elle essaie de montrer ce que c'est que de vivre avec la « chair pensive » d'un analyste : l'intérêt de *l'Autre Personne* [1], dans la mesure où le livre est réussi et aussi dans la mesure où il ne l'est pas, est de nous faire saisir la difficulté de la liaison entre les deux domaines.

Nous rencontrons Remi Estève, banquier, la cinquantaine, dans une clinique mondaine de Savoie où il se repose et subit des examens. Il y fait la connaissance d'un autre pensionnaire, Christian Lamblain, personnage un peu en marge, peintre du dimanche dont nous ignorons l'autre métier, et il subit fortement son ascendant, son pouvoir de mage. Or, c'est bien à tort que Remi Estève pense qu'il est entré dans cette maison de repos « sain de corps et d'esprit », et on se demande même comment un homme de ce genre peut se faire illusion à ce point-là. Il souffre manifestement d'une psychose assez avancée. Sa vie est dominée par le souvenir et par l'image de sa mère, morte alors qu'il avait moins d'un an. Au point que ses relations avec les autres, et surtout avec les femmes, en ont été et en sont empoisonnées, au point de passer de longues soirées, de longs jours en conversations imaginaires avec la disparue dont la photo encadrée ne le quitte pas. L'auteur s'efforce de nous donner discrètement un tableau presque clinique de l'attitude de Remi vis-à-vis de la nourriture, de l'argent, des prostituées, de nous faire comprendre son sentiment de solitude quasi irrémédiable. Lamblain prend cependant assez d'empire sur lui pour se faire prêter la photographie afin d'en tirer un portrait peint. Mais sur ce portrait, que Remi emportera, les traits de la jeune disparue sont devenus des traits de femme, le temps que Remi voulait immobile est passé par là. Du coup Remi quittera la maison de santé plus solitaire qu'il n'y est entré, abandonné à lui-même.

C'est le prologue, conduit d'une main ferme, avec une intelligence nette. Nous apprenons tout de suite qu'une chance s'offre à Remi de sortir de cette solitude : car Christian Lamblain ne l'abandonnera pas à Paris, et Lamblain est bien un mage : c'est un psychanalyste renommé. Le roman sera fait, pour ce qui est de Remi Estève, de son attirance et de sa résistance à l'égard de Lamblain. Mais il y a bien d'autres personnages, et on ne peut suivre un tel livre en détail : Elisabeth Lamblain d'abord, celle qui a accepté de vivre avec le psychanalyste, Geneviève Harbant, cliente du docteur, maîtresse de Serge Morel qui est un des rares amis de Remi, un certain Jacques Bernis, homosexuel à mauvaise conscience assez maladroitement rattaché aux

1. Julliard.

autres, etc. Ils ont des problèmes, ils sont mal dans leur peau, ils
n'acceptent pas de se voir comme ils sont, et le progrès du
roman coïncide ou devrait coïncider avec leur progrès, de leur
personne à leur autre personne. Mme Lucie Faure les suit avec
attention, avec une sympathie lucide, elle montre leurs mouvements en avant, leurs reculs, leurs difficultés, c'est le roman
d'âmes qui doivent lutter contre elles-mêmes pour s'ouvrir à la
lumière que pourtant elles désirent. Et quand le docteur Lamblain
meurt bêtement d'une typhoïde, un épilogue nous montre que
son action n'a pas été vaine et qu'elle se prolonge, que ceux
qu'il a éveillés ont repris courage et qu'ils seront plus ou moins
les personnages d'une nativité saugrenue autour de l'enfant posthume auquel Elisabeth va donner le jour.

Voilà le côté positif du livre, son aspect d'évangile d'un psychanalyste, qui est nouveau et intéressant. Mais je ne sais si le
lecteur sera tout à fait sensible à la magie du mage et c'est
peut-être une question de moyens romanesques et psychanalytiques. Mme Lucie Faure a imaginé que Christian Lamblain était le
demi-frère de Remi Estève, fruit d'une infidélité du père, du mari
de la dame photographiée ; qu'Elisabeth Lamblain qui prépare
une tardive agrégation de droit, comme il est arrivé à Mme
Faure, pour réagir semble-t-il contre une certaine aliénation
conjugale, est née dans un milieu sordide, d'une ouvrière qui faisait des heures supplémentaires dans une maison de rendez-
vous ; qu'au cours d'une croisière avec son mauvais garçon de
frère, cette Elisabeth devient la maîtresse d'une escale d'un jour
de Serge Morel ; que celui-ci raconte cette infidélité passagère à
sa maîtresse, Geneviève, la cliente de Lamblain ; que Geneviève
se voit mal allongée sur le divan du mage expliquant à celui-ci
comment il a été cocufié ; qu'Elisabeth ne manque pas de
retourner parfois faire une visite en tout bien tout honneur à
Mme Hélène, la tenancière de la maison de rendez-vous où,
enfant, elle batifolait sur le tapis entre les jambes des clients
et des demi-pensionnaires, en attendant sa mère ; que cette
maison est fréquentée par Remi Estève ; qu'un jour, j'entendais
venir les gros sabots de la romancière sur la moquette de Mme
Hélène, à la faveur d'une porte mal fermée, Elisabeth aperçoit Remi et Remi Elisabeth, etc. « Cruelle et sensible femme » !
comme écrit Mme Faure : mais n'est-ce pas la romancière qui
a le complexe d'Eugène Sue ou de Xavier de Montépin ? « Sur
des pensers nouveaux, faisons des vers antiques » : mais le peut-
on ? peut-on faire coïncider un roman d'un romanesque un peu
gros par les péripéties et d'une écriture qui manque parfois un
peu d'ironie à l'égard d'elle-même, avec une psychologie d'une
infinie finesse tributaire d'une métapsychologie, pour reprendre
une expression freudienne et le titre d'un ouvrage dont on

nous a donné récemment une nouvelle traduction française ?
Et ce psychanalyste qui intervient dans la vie de son demi-
frère avec une brutalité particulière en brisant deux fois l'image
de la mère, d'abord par l'artifice du portrait vieilli, puis par la
révélation de la mère trompée, trahie, est-ce bien le mage, le
sage et presque le saint dont on veut nous laisser le souvenir ? Ne
sait-on pas qu'à intervenir dans la vie de ses proches, le psychanalyste non seulement contrevient aux règles, mais encore risque de provoquer des drames et des suicides ? Enfin la romancière n'a pas la prétention de nous introduire dans le cabinet du
psychanalyste, elle s'en tient à une rhétorique psychologique de
la conscience le plus souvent, en n'indiquant que par un biais la
marche de la « cure ». Mais alors si nous pensons aux obser-
vations publiées par Freud et d'autres, ou au livre gonflé d'expérience personnelle qu'est le *Psychanalyser* de M. Serge
Leclaire [1], comment ne pas regretter le chatoiement et la
richesse de ces quêtes qui vont presque à l'infini dans l'étude des
cristallisations secrètes au fond des mines de la mémoire de
l'esprit et du corps ? Comme par contraste avec l'invention de
la libido protée, les personnages du roman paraissent malha-
biles à se masquer et pauvres quand ils se démasquent.

Mais l'auteur pouvait-il faire autrement ? Peut-on tenter une
psychologie romanesque sur la métapsychologie freudienne ? Ce
que la psychanalyse dit dans son langage peut-on le dire dans
un autre. « Quand la littérature se tourne vers la psychanalyse,
j'ai l'impression qu'elle y retrouve son bien, mais, bien entendu,
à un niveau de conscience plus explicite », disait un jour
M. Jean Starobinski. Ce niveau de conscience, la littérature peut-
elle l'atteindre et l'exploiter en restant littérature ? On comprend
pourquoi nous disions tout à l'heure que le roman de Mme Lucie
Faure est intéressant même dans la mesure où il échoue : c'est
l'échec d'une rare entreprise, qui sera recommencée, et qui
nous intéresse tous. Il ne peut être question, bien entendu, à propos d'un roman d'évoquer même sommairement les travaux de
M. Lacan ou de M. Leclaire, ou l'herméneutique de M. Ricœur,
ou tout ce qui gravite autour de la pensée de Freud et peut servir
à l'homme et aux hommes de notre temps. Comment ne pas se
dire que de là peut venir quelque chose pour remédier à cette
« misère psychologique de la masse » dont parle *Malaise dans la
civilisation* ? Si bien que contrairement aux apparences, les travaux de Mme Lucie Faure sont peut-être plus utiles que ceux de
son mari pour sortir de notre crise...

1. Le Seuil, « Le Champ freudien ».

L'amour geôlier

Il y a des livres, il y a des histoires surtout, où l'amour prend un visage si terrible qu'à peine peut-on le reconnaître. Je ne pense pas à l'attirail de fers et de fouets qui depuis le marquis de Sade encombre les chambres secrètes des châteaux et des fermettes et les bas-fonds de la littérature. Mais à des formes de tortures infiniment plus banales et plus subtiles à la fois qui peuvent fournir à l'imagination de l'écrivain un champ beaucoup plus varié. On a chanté l'amour fou, l'amour monstre et même les horreurs de l'amour, le titre du roman de Mme Lucie Faure, *Le Malheur fou* [1], évoque un peu ces précédents. C'est un bon roman traditionnel par le mode du récit, comme par le milieu bourgeois, et qui satisfera sans doute les liseurs de romans traditionnels. Mais en même temps, c'est un livre extrême, un livre soustendu par une constante et presque effrayante férocité. La comparaison avec la mante religieuse est banale : mais imaginez une mante religieuse qui ferait durer le plaisir, en gourmet...

Claire et Guillaume Valmar mènent une vie retirée dans le château, une grande maison à demi retapée, d'un petit village du Rouergue. Pas de domestiques, pas de visites, pas de relations dans le coin, la quasi-réclusion. Ils sont encore un peu jeunes pour la retraite, ils ont des moyens financiers qui leur permettraient de mener une autre vie. Guillaume Valmar, sous le nom de Jean Nivert, est un romancier à grand succès. Comment en sont-ils arrivés là, et puisque Guillaume a le désir ou la velléité d'aller passer quelques jours à Paris, Claire arrivera-t-elle à l'en empêcher ?

Claire et Guillaume sont mariés depuis longtemps. Ils ont eu une existence brillante : ancien poète surréaliste, Guillaume s'est assez vite orienté vers une littérature plus commerciale. Les romans signés Jean Nivert lui ont valu beaucoup de lecteurs, beaucoup d'argent. L'Académie française n'a pas voulu de lui, mais cela n'a entamé ni son succès, ni sa notoriété en France et à l'étranger. Claire a pris en charge non seulement les affaires de la maison mais encore l'administration de la carrière de son mari : rapports avec les éditeurs, les traducteurs, les journalistes, etc. Un ménage bien uni, et qui se déplace d'un bon pas dans la vie parisienne.

Claire a accepté d'avoir un amant. Liaison sans grande pas-

1. Julliard.

sion, amitié amoureuse continuée par des relations charnelles qui sont réussies et, un jour, éveillent particulièrement sa sensualité de femme. Un incident banal conduit Claire à soupçonner la fidélité de son amant. Une intrigue ingénieuse, presque policière, intéressante mais peut-être un peu trop chargée de coïncidences l'a fait se heurter à une révélation qu'elle n'attendait pas : c'est son mari, c'est Guillaume qui semble avoir une liaison avec une jeune traductrice, qui en a peut-être un enfant. Et dès lors le mécanisme se met en marche, l'évolution commence, dont nous connaissons déjà la conclusion, dans la grande maison du village. Claire rompt avec son amant, et met tout en œuvre pour reprendre possession, possession jalouse, possession exclusive de son mari. C'est le vrai sujet du livre, et ce mécanisme, Mme Lucie Faure le démonte minutieusement avec un sens aigu de l'observation. Claire s'arrange, en sourdine plutôt que sournoisement, pour rendre difficiles les relations de Guillaume avec la jeune traductrice, relations d'ailleurs à peu près innocentes, elle s'insinue de plus en plus dans sa vie professionnelle, elle réduit leur vie mondaine, elle protège le travail et la liberté de son mari, en écartant les importuns et les autres, en organisant une vie de couple replié sur lui-même. Bientôt cela ne suffit pas : on déménage, on quitte Paris pour s'installer près de Saint-Tropez. Trop près, il y a les voitures, les sorties pendant la saison. Claire est de nouveau torturée par sa jalousie possessive, il faut qu'elle fasse un pas de plus pour s'assurer entièrement de Guillaume, elle simule savamment et délibérément une tentative de suicide pour exercer sur lui une pression, un chantage, elle réussit enfin à l'entraîner vers cette maison d'un village où ils ne connaissent personne, où ils mèneront une vie mesquine mais où Guillaume sera à elle, rien qu'à elle. Mais est-ce possible ? Chaque fois que notre jalousie sans pitié essaie d'enfermer plus étroitement l'être que nous aimons, ne semble-t-il pas retrouver une liberté, inventer une évasion ? Ce lent progrès de la séquestration, Claire l'organise minutieusement, et de même, le roman de Mme Lucie Faure fonctionne comme un piège implacable, un piège vivant dont Guillaume est la proie fascinée. Victime d'une sorte d'ironie du sort, Claire fait le malheur de celui qu'elle aime et le sien propre avec une sorte de fatalité rigoureuse, parce qu'elle ne peut plus savoir qu'il n'y a pas d'amour sans liberté de l'âme et que personne ne peut se flatter de mettre des barrières ou des sentinelles à toutes les portes de la vie d'un autre.

Il me semble cependant qu'il y a dans ce roman deux graves défauts, au sens de deux grands manques et non d'un manque de qualité littéraire ou de réussite. C'est d'abord le personnage de Guillaume lui-même qui reste un peu trop pâle. Romancier à succès, écrivain de second ordre, soit, mais nous n'avons pas la

moindre indication sur son œuvre et ses rapports avec son
œuvre, nous ne pouvons pas nous faire la moindre idée de ce
qui, dans sa personnalité d'écrivain, accroche ses lecteurs et ses
lectrices. Le roman est habilement construit puisque nous faisons connaissance avec le couple à un moment de crise provo-
quée par une révolte de Guillaume, par son désir de fugue à
Paris, mais nous le voyons tout au long du livre réagir si peu et
si faiblement que nous n'avons pas beaucoup de doutes sur l'issue
du conflit : en fait, il partira, mais pour revenir lui-même tendre
sa tête au joug. Au surplus, il n'écrit plus, il est un homme fini,
et la victoire de Claire est une amère victoire puisqu'elle ne s'est
emparée que d'une armure vide. Mais cette personnalité vidée
est-elle bien intéressante pour nous ? Mme Lucie Faure me semble être venue ici au secours de Claire, en diminuant l'homme
a priori, elle a rendu plus facile la victoire de la femme.

L'homme, la femme : cela nous amène au second défaut.
L'épisode de l'amant nous a indiqué que la sensualité de Claire
avait été réveillée. Mais sur la vie intime du couple, de Claire et
de Guillaume, on ne nous dira rien. Nous ne saurons jamais de
quelles caresses, de quelles odeurs cet amour conjugal continue à se nourrir et à brûler. Les rares indications (ils font
chambre à part) feraient plutôt penser que cette vie charnelle
compte peu dans l'amour de Claire. Mais alors, la volonté forcenée de possession finit par ressembler plus à de l'avarice
qu'à de l'amour. Presque toutes les scènes entre Claire et Guillaume sont des discussions qui mettent en valeur la merveilleuse stratégie psychologique de Claire. Il n'y a pour ainsi dire
pas une scène de tendresse. Pas une scène d'amour. Ou bien
elles le sont toutes, mais à condition d'appeler amour cette
jalousie, cet appétit féroce, cette volonté de réduction et d'anni-
hilation de l'autre où il entre, sinon de la haine, du moins de
l'orgueil et peut-être une sorte de frustration, de dépit féminin.
Cette avidité insensée, désespérée, cette aberration, comme suggère de l'appeler une épigraphe adroitement empruntée à Paul
Valéry, est la passion de Claire et le nerf du roman.

L'aberration est encore une fois de déplacer l'amour du domaine de l'être au domaine de l'avoir. Du grand écrivain presque
académicien, Claire veut faire un objet à elle. Mais elle ne peut
réussir qu'en le réduisant à un tel point que sa victoire en devient
dérisoire : et cette victoire est toujours précaire, parce que
Guillaume peut retrouver en lui-même une ressource de liberté.
L'amour geôlier n'enferme jamais qu'un simulacre de ce qu'il
aime, et il se torture désespérément parce qu'il ne peut, ni
détruire la liberté de l'autre, ni encore moins la respecter.

On n'enferme pas les cœurs. Proust a écrit le grand chant
désespéré de la jalousie désarmée, de la séquestration impuis-

sante. Même s'il transpose, s'il observe un seuil lui aussi dans
la description la plus intime, il va sans doute plus loin que
Mme Lucie Faure et d'une manière encore plus implacable. *Le
Malheur fou* ne cherche d'ailleurs nullement à être un pendant
de *la Prisonnière*. Par la netteté de la conception, la fermeté de
la démarche, la qualité générale de l'expression, ce que Mme
Lucie Faure a réussi, mieux encore que dans son livre précédent qui lui avait valu le prix Sainte-Beuve, c'est un roman
d'allure toute classique qui traite un sujet tout moderne sans
concession. Ce qui semble parfois un peu trop prémédité ou
un peu trop cérébral dans ses livres comme dans la conduite
de Claire, tourne finalement à l'avantage de l'œuvre, sans que
celle-ci tombe pour autant dans la démonstration. Disons
qu'elle nous présente un visage féminin de la rigueur qui intéresse hommes et femmes, et qu'elle a ainsi gagné par elle-
même une place dans le petit groupe des femmes écrivains
dont l'œuvre en dehors de toute mode ne peut laisser indifférent.

PIERRE GASCAR

*Est-ce l'essai qui prolonge le roman, ou le roman qui pro-
longe l'essai ? Tous les livres de Pierre Gascar semblent être
des diagnostics portés par un homme soucieux des problèmes
et des maladies de l'individu et de la société de notre temps. Cela
manque peut-être un peu d'éclat pour attirer la foule, mais cela
frappe fort et aux bons endroits.*

Le troupeau sans berger

« Malheur aux bergers d'Israël qui se paissent
eux-mêmes. » (Ezéchiel, 34, 2.)

« Au cours de la nuit, une dizaine d'explosions retentirent
dans Paris. Bruits plus assourdis, en fait, que ne le laisse
supposer cette formule. Sans en être conscient, chaque habi-
tant de la capitale vivait dans un espace étroitement muré.
L'écho de la déflagration qui, dans une rue voisine de la vôtre,
dévastait un logis et, parfois, tuait ou blessait, ne parvenait
à vous qu'atténué et noyé dans la rumeur de la ville ».

Vous en souvenez-vous ? C'était il y a quelques années.
Mais de même qu'il y a une accélération de l'histoire, il y a,
me semble-t-il, une accélération de l'oubli. Notre mémoire collective est comme assoupie par quelque tranquillisant, les événements dont les séquelles immédiates emplissent encore les
journaux semblent rejetés dans un passé lointain et le roman de
M. Pierre Gascar, *les Moutons de feu* [1], fait déjà figure de roman
historique alors qu'il évoque des scènes de guerre civile dont
les plaies sont loin d'être cicatrisées dans les consciences, sinon
dans les corps.

Histoire contemporaine : n'oublions pas que c'est le titre d'un
cycle romanesque d'Anatole France. La tradition du roman
dans lequel l'écrivain réfléchit sur l'actualité politique de son
époque à travers des personnages imaginaires n'est pas du tout

1. Gallimard.

négligeable. Alors que l'historien, même partisan, traite de la
passion politique à distance, comme d'un phénomène général
et presque abstrait, ces romanciers essaient de la saisir encore
brûlante et de comprendre comment et pourquoi elle s'insère
dans la psychologie individuelle. Il ne s'agit pas des idées qui
mènent le monde en elles-mêmes, mais de comprendre pourquoi
et comment à certains instants, ces idées deviennent incandes-
centes — et meurtrières. En peignant quelques jeunes hommes
d'aujourd'hui dans *les Forêts de la nuit*, dans *les Justes Causes*,
M. Jean-Louis Curtis nous a donné ainsi d'excellentes études de
psychologie politique concrète, prises sur le vif. M. Pierre Gascar procède exactement de la même façon : il nous propose
dans *les Moutons de feu* une chronique d'événements vraisem-
blables pour essayer de nous faire mieux comprendre les événements vrais dont nous avons été les acteurs ou les témoins.

Les quelques jeunes hommes qu'il nous peint d'abord font
partie de l'Organisation — celle qui faisait déposer de petits
paquets d'explosif devant les portes. Dès la première page
(comme à la première page de *la Condition humaine*) nous
prenons Alain la main dans le sac, et le plastic à la main.
Alain Marieu a vingt-cinq ans et travaille dans le douteux cabinet d'affaires de Rataud ; les autres sont un peu plus âgés :
l'avocat Letellier, l'ingénieur Maine, le commandant Frochot, la
bourgeoise Mme Malevin, le naturaliste Goes qui a une boutique
d'animaux empaillés près de Saint-Germain-des-Prés, le journaliste Timonnet. Pour tous, la justice de leur cause ne fait
aucun doute, ni la pourriture de leurs adversaires du côté
du régime comme du côté de la gauche. Leur conviction les
met dans une sorte d'hypnose au point qu'ils acceptent de vivre
en conspirateurs traqués et même de prendre des risques criminels. Le roman d'espionnage, ou du moins de « services
secrets » de M. Pierre Gascar est bien construit et attachant.
Après avoir entreposé dans les caves du naturaliste une grande
quantité de matière explosive dérobée à l'armée avec la complicité du commandant Frochot, Alain, un peu par inquiétude
réelle, beaucoup par souci de la sécurité de Béatrice Goes dont
il est tombé amoureux, sera obligé d'emporter de dangereux
chargements à Lyon. Goes a eu l'idée de dissimuler les explosifs
dans le corps de moutons empaillés, ce qui justifie le sens
littéral du titre, et Alain prétendra qu'il va livrer ces étranges
agneaux à un prêtre pour une crèche ou une cérémonie pascale.
D'ailleurs il n'arrivera pas à Lyon, il sera obligé de jeter ses
moutons dans l'Ain, du haut d'un pont, la nuit, avec la complicité d'un vieux curé, et de rentrer à Paris où il trouvera le
petit groupe d'activistes désorienté, en proie à la méfiance réciproque. Inquiète, révoltée, jalouse, Béatrice Goes a renoué

avec un de ses anciens amis, Roger Dandrieu, qui est un
homme de gauche, comme le professeur Sarrola, comme un
certain Barthélemy, brutal jusqu'à en devenir une brute, qui
s'occupe d'un comité de vigilance antifasciste. L'organisation
connaîtra sa « nuit de Walpurgis » triomphale (dix attentats)
mais Alain après avoir raté un attentat au revolver contre « un
traître » sera arrêté grâce à Dandrieu — qui d'ailleurs sera arrêté
et condamné lui aussi par un régime qui aime bien comme Jean
le Bon à Poitiers prendre garde à droite et prendre garde à
gauche.

Cela ne peut donner qu'une idée incomplète (et confuse) du
roman d'aventures, mais on sent bien que dans ce livre les
actions comptent moins que les raisons des actions. M. Gascar
s'est bien gardé de peindre, de part et d'autre de l'horloge
de l'histoire, le jeune homme de droite et le jeune homme de
gauche. Ses sentiments le porteraient plutôt vers celui de
gauche mais il le tient à distance (il l'appelle par son nom de
famille, Dandrieu, alors que l'autre est « Alain ») et il a fait
volontairement une peinture fort sarcastique des vigilants du
blablabla. Mais c'est Alain qu'il lui importe de comprendre,
Alain le terroriste au plastic et au revolver, Alain le faible,
l'entêté, qui va jusqu'au bout de ses actes comme s'il espérait
ainsi aller jusqu'au bout de ses convictions et jusqu'au bout de sa
virilité. Dans un essai publié antérieurement, *Vertiges du Présent* [1], M. Pierre Gascar consacre tout un chapitre à ce qu'il
appelle « L'étirement anormal de l'adolescence » dans notre
société bourgeoise, et il y montre très bien comment le fait d'être
traité trop longtemps en enfant dans le domaine de l'argent
et dans celui des responsabilités (même sexuelles) peut conduire le jeune homme à un engagement politique par orgueil
plus que par conviction profonde. Alain en est une bonne illustration. Ange exterminateur, il est encore quand il se retrouve
en présence de lui-même poreux, perméable au sentiment de
la vie. Autour de lui, Letellier cherche à réaliser son ambition, Goes son vieux rêve monarchiste, Maine une sorte d'idéal
de moine-soldat dont l'ascétisme sexuel jugulerait le tempérament : l'Organisation est le moyen d'une fin non point politique, mais individuelle. En face de lui, Roger Dandrieu fait figure
de frère non point ennemi, mais, à la lettre, méconnaissable.
Alain et Dandrieu sont proches parce qu'ils croient l'un et l'autre
que la vie ne peut être vécue que si elle est réellement porteuse d'une certaine charge d'électricité : mais à cette charge
ils ne confèrent pas le même signe. Les mêmes mots, les mêmes
sentiments servent dans les deux camps, il est devenu banal

1. Arthaud.

de le répéter, et l'armée athée avance comme l'autre dans la conviction que Dieu est avec elle. Ce que l'analyse de M. Gascar montre c'est qu'il ne peut guère en être autrement.

« Rêveuse bourgeoisie », disait Drieu La Rochelle. Ces moutons de feu qui finissent piteusement noyés par une nuit sans lune, c'est encore un de ses rêves. La bourgeoisie est aujourd'hui une classe conquérante dans les mœurs, puisque son style de vie mord de plus en plus sur celui de la classe ouvrière, et pourtant agenouillée dans la mauvaise conscience. Elle rêve de conserver des signes qui ne signifient plus rien, mais elle est trop souvent incapable de proposer à sa jeunesse des signes nouveaux qui signifieraient quelque chose. Impuissance d'ailleurs tout aussi évidente à gauche qu'à droite et dont le sentiment inconscient est peut-être ce tranquillisant de l'opinion publique dont nous parlions tout à l'heure. M. Gascar dans cette histoire de moutons fait loyalement la part de l'Agneau, comme dirait M. François Mauriac : mais alors qu'il utilise assez discrètement les symboles, il n'a pu s'empêcher de faire se briser la croix d'un des moutons entre les mains du prêtre — et Alain en abandonne les morceaux. Si bien que ce beau et solide roman auquel on pourrait tout au plus reprocher de manquer un peu d'humour (Anatole France en avait, M. Curtis en a, et l'avantage de l'humour dans le traitement romanesque de l'histoire contemporaine c'est de créer ce que l'on appelle aujourd'hui au théâtre et en allemand une « distanciation ») s'achève dans l'ironie du sort : les médiocres tirent leur épingle du jeu, même le commandant Frochot qui en bonne logique policière aurait dû être compromis par son revolver 21856 E prêté à Alain pour l'attentat, Alain et Dandrieu ne se rejoindront pas, même en prison, et Béatrice, l'amazone dérisoire de Saint-Germain-des-Prés qui n'a pas su, qui n'a pas voulu, choisir entre sa droite et sa gauche, deviendra folle...

La folie, disons mieux : les périls de la santé mentale dans la société contemporaine, c'est le sujet de *Vertiges du présent,* l'essai auquel M. Gascar a donné pour sous-titre « ce difficile accord avec le monde ». C'est un essai nourri de faits encore plus que de réflexions, une enquête psychologique et sociologique sur les névroses et sur leurs causes. M. Gascar s'est surtout intéressé à la médecine psychosomatique d'une part, au traitement chimique des troubles nerveux et mentaux d'autre part. Mais s'il s'appuie constamment sur l'expérience clinique, son dessein bien entendu n'est pas de faire œuvre de vulgarisation, mais de s'interroger sur la stabilité ou l'instabilité de la personnalité. Les frontières entre la matière et l'esprit, entre le monde extérieur et le monde intérieur deviennent de plus en plus imprécises : d'une religieuse anxieuse, une lobotomie fait une religieuse un peu trop espiègle, d'un écrivain au sombre génie un tranquillisant tire un agréable collaborateur pour les grands magazines. Et si le médecin de Van Gogh lui avait fait une lobotomie, si le médecin de Baudelaire lui avait donné un tranquillisant ? On pense à ces histoires de « science-fiction » où, grâce à quelque machine à explorer le temps, un homme s'introduit dans le passé d'une civilisation pour modifier le cours de l'histoire. Ainsi le médecin peut dès à présent violer notre histoire intérieure et faire que nous ne soyons pas ce que la vie de notre corps et de notre âme nous avait déterminés à devenir. Quelle libération — et quel danger ! A la minute où la pilule du bonheur nous rend maîtres de notre humeur, il semble qu'elle nous laisse plus incertain que jamais de notre destin...

La réflexion de l'essayiste confirme et élargit ainsi la réflexion du romancier sur l'homme d'aujourd'hui. En pastichant M. Sartre, on pourrait dire que l'homme est une passion qui se révolte à l'idée d'être inutile. Les deux ouvrages restent ouverts, et M. Pierre Gascar ne prétend évidemment pas annoncer une nouvelle téléologie. L'éloge qui vient sous la plume quand on ferme ces deux bons livres n'est modeste qu'en apparence : on a envie de dire que M. Gascar est un homme qui aime la vérité vraie.

L'homme des cavernes

La carrière de M. Pierre Gascar est des plus estimables. Il a publié plus d'une vingtaine de livres, mais il se fait apparemment une si haute idée de la littérature qu'il reste à l'écart de la foire littéraire et publicitaire qui se tient sur la place : d'avoir été distingué par le jury du prix des Critiques ou du prix Goncourt n'a rien changé à cette conduite, au point qu'il n'en fait même plus mention dans la liste de ses œuvres. Il montre partout dans ce qu'il écrit, romans ou essais, un tempérament de moraliste, attentif aux formes de la vie moderne, et à ses déformations comme à ses défauts, mais attentif aussi à ce qui replace l'homme dans l'univers, entre les pierres, entre les arbres, entre les bêtes, et ce sont des traits qui appellent assez la sympathie pour qu'on me pardonne, j'espère, si je suis amené à n'être pas toujours de son avis en tout point.

Roman ou essai, rien ne permet trop d'en décider pour son livre, *l'Arche* [1]. C'est en quelque sorte un drame sans personnage individuel. M. Gascar nous parle du village de D. dans l'Est de la France, et il n'est pas utile d'essayer de l'identifier. La plus grande curiosité naturelle de D. est constituée par d'immenses grottes aménagées pour le tourisme. Et M. Gascar nous les fait visiter avec une éloquence superbe : stalactites, stalagmites, concrétions calcaires dont les formes évoquent des fleurs, des plantes, des jets d'eau, des éventails, des lieux quasi mythologiques, nous allons de merveille en merveille, avec admiration, et aussi avec crainte, car le manteau des ténèbres retombe derrière nous, et M. Gascar met tout son art d'écrivain à évoquer les puissances de la nuit aussi bien que les richesses de l'invention minérale.

Les habitants de D. sont des paysans, plus depuis quelque temps des retraités venus de la ville et des gens qui ont installé là leur résidence secondaire. Or, il y a dans le village non seulement les grottes, mais les ruines d'une abbaye ; les « étrangers » s'intéressent surtout à l'abbaye et à leurs trouvailles d'archéologie naïve, les paysans sont plus attirés par le monde des grottes, dont ils songent à développer l'organisation touristique, voire qu'ils rêvent d'aménager pour en faire éventuellement un abri antiatomique. Tout le livre est fait de ce balancement de la grotte et de l'abbaye, et M. Gascar ne cache pas le parti qu'il prend : il choisit la grotte.

C'est-à-dire qu'il choisit la terre et la nuit contre le ciel et la lumière, la pierre naturelle et la grotte creusée par la pesanteur des eaux contre la pierre travaillée par l'homme et le monument édifié par son génie. Il prend certes des précautions oratoires, et il est trop intelligent pour ne pas tenir compte de la pesanteur de l'histoire. Mais son parti est bien pris, ce qu'il envisage c'est le retour de l'homme à l'homme des cavernes, qui, vêtu des lambeaux de son dernier slip en nylon, mangera de l'herbe crue en attendant le prochain départ de la civilisation. On comprend le titre et l'allusion à l'abri antiatomique : comme il est beau que l'homme rentre finalement dans le sein de la terre (bonjour Monsieur Freud) et que l'abri des premiers temps soit le seul refuge contre les catastrophes du dernier âge de la civilisation !

C'est ici que je me sens gêné. Je ne sais ce que les spécialistes penseront des considérations historiques de M. Gascar sur la caverne, temple ou tombeau. Mais le non-spécialiste risque de trouver outrancière cette spéléologie idyllique. A combien de reprises dans ses belles descriptions des grottes, M. Gascar évoque les fleurs, les arbres, les plantes, voire les ani-

1. Gallimard.

maux : mais enfin ce que le calcaire produit là dans son
suprême effort, ce sont les images des êtres de la vie, qui restent infiniment distantes de la vie elle-même. De même si le temps
n'est pas entièrement exclu du monde des grottes, s'il faut des
millénaires pour produire telle ou telle concrétion, c'est un temps
presque insensible à l'échelle humaine. Alors que le temps de
l'abbaye et de sa ruine est pour nous un temps vivant. M. Gascar
n'a pas assez de sarcasmes pour les archéologues amateurs,
pour ceux qui se tournent vers le passé (considérant sans
doute que se tourner vers les grottes ce n'est pas se tourner
vers le passé, mais vers le toujours) et qu'il soupçonne visiblement d'une complaisance de classe sociale. Ce qui revient à
nier la valeur de continuité de l'esprit humain, c'est-à-dire
du même coup le passé et le progrès. Est-ce à cela qu'on veut
parvenir, à ce structuralisme du pauvre servant de couverture
à une philosophie du bon sauvage ?

Comment ne pas penser, bien des lecteurs l'auront fait en
même temps que moi, à un autre dialogue célèbre qui préfigure
celui de la grotte et de l'abbaye, le dialogue de la prairie et de la
chapelle à la fin d'un des plus beaux livres de Maurice Barrès,
la Colline inspirée ? « Je suis, dit la prairie, l'esprit de la
terre et des ancêtres les plus lointains, la liberté, l'inspiration.
— Et la chapelle répond : Je suis la règle, l'autorité, le lien ;
je suis un corps de pensées fixes et la cité ordonnée des
âmes... »

Cette cité est-elle déjà engloutie ? Je ne voudrais certes pas
abandonner la prairie ou la grotte, je veux croire avec un Ernst
Jünger à la vie ordonnée des formes naturelles, mais elle est
ordonnée parce que la cristallographie nous permet d'y lire
notre géométrie, et je crois à la Nuit avec Novalis, mais c'est
une nuit où remue l'esprit, où nous l'entendons déjà. Ce pas,
M. Gascar ne le ferait sans doute pas, pour des raisons qui viennent d'un autre courant de sa pensée. M. Gascar publie en même
temps un autre petit livre, *Rimbaud et la Commune de Paris* [1]
fort intéressant, mais la place me manque pour en parler convenablement. Dès la préface M. Gascar annonce son intention qui
est de replacer Rimbaud et son œuvre dans l'actualité de leur
temps, de couper les ailes au mythe du pur poète et à l'angélisme trop souvent prêté à l'auteur d'*Une saison en enfer*. Intention excellente, travail bien orienté après tant de divaga-
tions prétentieuses et fumeuses. Certes, Arthur Rimbaud était
un homme avec un corps, avec des défauts, qui vivait à une
époque donnée et cette époque explique peut-être plus de
choses qu'une sacralisation postiche. Mais pourquoi, allant un

1. Gallimard, coll. « Idées ».

peu trop loin, réduire tout homme à sa situation matérielle, historique et politique ? Sans porter un jugement sur la vérité des réalités qu'il a cru atteindre dans sa vie spirituelle, il est clair que cette croyance et son contenu ont compté pour lui et ont aussi leur pouvoir d'explication. L'insurgé a pu cohabiter avec le mystique à l'état sauvage claudélien. Il faudrait une longue discussion, mais on voit que les deux livres de M. Gascar ne sont pas indépendants et qu'ils appellent justement la discussion à un bon niveau. Conjuguer les voix de la prairie et de l'église, de la grotte et de l'abbaye, est-ce désormais impossible ? Ou bien est-ce impossible seulement parce que certains esprits, d'un côté comme de l'autre, ont peur de cette union, et préfèrent laisser le monde risquer d'aller à sa perte plutôt que d'essayer de construire raisonnablement une arche?...

JEAN-LOUIS CURTIS

Le petit professeur béarnais, qui rejoignait les troupes vic-
torieuses de la France libre et montait avec elles jusqu'en
Allemagne, a continué son chemin pendant vingt-cinq ans,
publiant livre après livre, sans hâte et sans complaisance pour
les modes ou les goûts du gros public. Les romans sont d'excel-
lents mémoires pour servir à l'histoire de la société, le journal,
les pages de critique, les pastiches font la part de l'homme
intérieur, et aussi la part de l'humour, de l'extrême agilité de
intelligence. Il jette sa matière romanesque dans le vieux gau-
frier balzacien ou flaubertien, sauf à lui apporter quelques
perfectionnements venus d'Angleterre, et en même temps ce
romancier classique est l'homme moderne le plus avisé. Sans
ailes peut-être, mais surtout sans béquilles, il va d'un bon pas,
le miroir à la main.

Pour un portrait

Charmant, jeune (il le reste et le restera d'apparence et de caractère parce qu'il ignore toute pose), traînant tous les cœurs après soi, souriant, affable, courtois, point ennemi du monde, d'humeur semble-t-il égale, Jean-Louis Curtis est d'un abord facile et d'un commerce agréable. Mais ne vous y trompez pas : ce chaste Hippolyte qui semble apprivoisé quand il hante familièrement les bois des salons parisiens est fier et même un peu farouche, ce Philinte a par certains côtés l'âme trempée à la manière d'Alceste. Sa courtoisie même est ouverture et protection : elle le protège un peu comme on dit dans le patois de son Sud-Ouest que « porte ouverte garde la maison ». Il n'ouvre point volontiers son intérieur par un mélange de modestie vraie et de goût de l'indépendance. A plus forte raison répugne-t-il à se laisser exposer sur la voie publique, à donner la becquée aux échotiers et aux parasites de la vie littéraire. Bref, dans cette vie, il est cet être assez rare aujourd'hui, un honnête homme, au sens classique, sans effort, ni affectation. Ce caractère gouverne sa carrière et il en passe quelque chose dans ses livres, c'est pourquoi il n'était pas inutile d'en donner une première idée. Mais c'est l'œuvre qui nous intéresse d'abord ici.

Il a publié d'abord deux romans, *les Jeunes Hommes* et *Siegfried* qui lui ont valu l'estime de tous ses lecteurs, puis un troisième, *les Forêts de la nuit,* qui lui a valu le prix Goncourt. On sait qu'on parle souvent d'un prix Goncourt pour un jeune écrivain ainsi qu'Esope parlait de la langue, comme de la meilleure et de la pire des choses : la pire parce que, ensuite, le souci de sa notoriété peut lui faire perdre le sentiment de sa gloire, au sens de Chimène, parce que le succès peut décevoir ou corrompre ; mais pour Jean-Louis Curtis ce fut sans doute la meilleure. D'avoir passé son baccalauréat de romancier si peu de temps après son agrégation d'anglais, cela lui rendait la liberté féconde des grandes vacances, sans devoir à remettre chaque année à son éditeur, sans souci médiocre. Mais non sans réflexion personnelle.

A une époque où beaucoup de romanciers sont des théoriciens ou de bruyants disciples de théoriciens et consacrent volontiers, comme dit Paulhan, la moitié de leur œuvre à se justifier d'avoir écrit l'autre, Jean-Louis Curtis semble un pur empirique. Il ne part ni d'un système philosophique infrangible, ni d'une théorie générale de l'art romanesque : mais il part de l'exercice réfléchi du métier de romancier. Rappelez-vous : quand le jeune maître passe son dernier examen, en 1947, la situation n'est pas facile pour le romancier, et elle ne le deviendra guère davantage dans les années suivantes. Les uns prétendent qu'il est du dernier vulgaire d'écrire « la marquise sortit à cinq heures », les autres que c'est un devoir impérieux d'écrire « le propriétaire se leva à cinq heures du matin ». Le problème de l'engagement est posé à tout le monde, M. Sartre tient le bureau de recrutement et encourage les braves petits à réconcilier les deux grands en écrivant des romans à contenu communisant avec la technique des grands Américains. Mais d'autre part la résistance, si j'ose dire, s'organise, la fable kafkaïenne, le roman allégorique à programme métaphysique ont leurs défenseurs. Au cours des années suivantes, le roman existentialiste engagé connaîtra un sûr déclin, mais c'est du roman géométrique et parnassien qu'on parlera beaucoup. Dans tous les cas, être tout bonnement romancier est une faute à tel point que le romancier lui-même se sent un peu coupable et se cherche, comme l'indique le titre de l'essai où Jean-Louis Curtis médite alors à la croisée des chemins, des alibis.

Il est lui-même de formation toute traditionnelle. Il avait, dit un témoin de sa jeunesse, M. Maurice Faure, « une lecture ample et solide, et pour nombre d'auteurs, des préférés, admirablement précise. Il était nourri de classiques. Parmi les modernes, il connaissait exactement Barrès, Proust, Valéry, Gide, Mauriac, Montherlant, Giraudoux, Jouhandeau. Il savait admirer. Mépriser aussi. » Avec cette formation, que M. Maurice Faure a raison de qualifier d'exacte et de précise — la formation d'une tête bien nourrie de province et que les feux follets dans les prés de Saint-Germain ne tourneront pas — Jean-

Louis Curtis a écrit ses premiers romans en utilisant le gaufrier romanesque traditionnel, celui qu'il tient de Mauriac et
probablement aussi, bien qu'il en parle rarement, des grands
Anglais du XIX° siècle autant que de Balzac. Doit-il en changer, doit-il répudier, comme il est de mode alors, l'histoire
racontée à la fois pour l'instruction et le divertissement du
lecteur, doit-il chercher la nouveauté à tout prix et se mettre
à construire comme vont bientôt le faire les adeptes du nouveau roman des objets qui sont des merveilles d'ingéniosité
technique mais qui ne peuvent servir à rien ni à personne ?
« Je pense, écrit sagement l'auteur des *Alibis du romancier*
dans *Haute Ecole* (1950), que, si la littérature vit d'innovations et de découvertes, elle vit en même temps de traditions »,
et il va s'en tenir là. Cela ne veut pas dire qu'il s'arrête et que
son art se fige : mais au lieu de se jeter à plume perdue dans
la nouveauté, il essaie d'intégrer toujours le plus d'innovations
techniques possible dans la forme traditionnelle, ici il développe
l'art d'un dialogue non commenté mais qui éclaire de lui-même
ses propres dessous, là il pratique la litote et l'ellipse en unis-
sant un sens classique de la mélodie à un sens moderne de
la rapidité du temps. Il a bravement renoncé aux alibis,
comme il le conseillait, et cela nous vaut ce plaisir, assez rare
aujourd'hui, d'un honnête homme qui ne rougit pas d'écrire
pour d'honnêtes lecteurs.

D'autant que ce recours raisonné et raisonnable à la technique n'entraîne pas un apprauvrissement du fond. Pas plus
qu'il ne pratique la technique pour la technique, Jean-Louis
Curtis ne donne dans l'engagement pour l'engagement : mais
toute son œuvre fait écho à notre société et à notre époque. Les
jeunes hommes qu'il aime peindre, depuis son premier livre,
jusqu'à *Cygne sauvage* (c'est la jeunesse selon Shelley), ne
sont pas des individus isolés, coupés de leur temps, préoccupés
seulement de leurs belles amours ou de leurs belles âmes. Bien
au contraire. Ils sont situés, datés, et leur histoire individuelle est étroitement engagée dans l'histoire des idées et de
la société. Jean-Louis Curtis aime analyser le mécanisme des
passions que l'on appelle politiques sans prétendre en justifier les triomphes ou en expliquer les égarements. Ce qui l'intéresse d'abord, me semble-t-il, c'est la jointure de la vie privée et de la vie publique, ce sont les motivations intimes qui,
beaucoup plus puissamment que les idées ou les théories,
commandent les attitudes des uns et des autres sur la scène
du monde. Le massif central de son œuvre, jusqu'à présent,
c'est celui des trois grands romans, *les Jeunes Hommes, les Forêts de la nuit, les Justes Causes :* trois volets, trois étapes, trois
prises de vue successives sur la société contemporaine et par-

ticulièrement sur la partie la plus mouvante d'une société, la plus sensible aux courants de l'atmosphère morale, la jeunesse. Ces jeunes personnages qui en sont encore à se chercher même quand ils s'affirment, Jean-Louis Curtis les peint avec un mélange d'amour et de férocité, avec une verve étourdissante qui admire ou pardonne sans être dupe, et dont on ne sait chez cet angliciste béarnais si elle est plus proche de l'ironie ou de l'humour. Il nous les montre dans leur vie privée, mais aussi bien entendu dans leurs relations avec les grands événements politiques et sociaux du dernier quart de siècle. Et il le fait avec un strict souci d'objectivité. Lucide, sincère, impartial, son témoignage porte sur la vérité des mœurs de ce temps, et au-delà sur la vérité de l'homme, sous les vérités variables des partis et des doctrines. M. Maurice-Edgar Coindreau a très bien dit ce que la lecture des *Forêts de la nuit* avait été pour lui : Français vivant aux Etats-Unis il avait beaucoup de peine, dit-il, à se représenter exactement ce qu'était la vie en France sous l'Occupation et ce que fut la Libération. A travers les sèches données de l'information journalistique comme à travers les exagérations des propagandes il était difficile d'atteindre la réalité humaine, la pâte humaine d'un peuple vivant, pensant et souffrant. Or, dit-il, la lecture des *Forêts de la nuit* fournit une réponse à toutes ses questions : grâce à ce livre, « je savais, comme si j'y avais vécu moi-même, ce que fut en France occupée la vie d'une petite ville à cheval sur la ligne de démarcation. J'en connaissais les habitants, leurs grandeurs et leurs bassesses, leurs activités publiques, leurs intrigues secrètes... » Et, cette expérience, tous les lecteurs de Curtis peuvent la faire et la feront. Le bloc des trois romans fixe avec une fidélité parfaite toutes les images qu'un miroir pouvait recueillir au bord de cette route tragique de l'histoire contemporaine. Quand on voudra connaître la vérité quotidienne et la vérité intime de notre temps, c'est là qu'il faudra aller la chercher.

Bien entendu, ce goût de « spectateur français », d'observateur de la société contemporaine qui va jusqu'à faire penser souvent à son cher Proust, ne s'exerce pas aux dépens de ce métier de romancier que nous lui reconnaissions il y a quelques instants. Les romans de Jean-Louis Curtis sont, sans honte, de vrais romans au sens traditionnel, avec une intrigue, des personnages et, plus ou moins voilé, un romancier. Mais parce que son œuvre est nourrie de psychologie concrète et vécue, son premier souci n'est pas de faire vrai, il est d'être vrai. En d'autres termes, c'est un romancier traditionnel, ce n'est pas un romancier conventionnel. Cela va si loin qu'on pourrait presque lui en faire un reproche : ce qu'il y a de moins bon dans certains de ses livres, ce sont certaines parties de l'intrigue, qui relèvent d'une affabulation un peu forcée alors qu'il n'est jamais meilleur que dans l'observation lucide et significative. Des romans comme les siens oscillent souvent entre le général et le particulier : tantôt l'auteur fait de ses héros des types représentatifs d'une classe ou d'un parti, et il néglige un peu leur vie personnelle, tantôt il les singularise et s'oriente vers le portrait. On pourrait dire que dans *les jeunes Hommes*, Curtis va plutôt dans le premier sens, dans *les Justes Causes* dans le second au point qu'on a pu sans grande raison chuchoter des clés. A distance, certes l'intrigue existe, nous pouvons la raconter sans aucune peine ni aucune obscurité, les personnages existent aussi, nous les retrouvons dans notre mémoire. Mais l'intrigue existe moins que le climat, si on peut dire, c'est-à-dire la densité, l'odeur, la température morale d'un certain monde (le nôtre) à une certaine époque, et les personnages existent moins par ce qu'ils font que par ce qu'ils sont, par la qualité ou la faiblesse de leur âme. C'est peut-être pour cela aussi, et parce qu'il est d'abord attentif à dégager les lignes de force de son époque, que dans les trois grands romans, les personnages féminins sont moins bien dessinés que les autres et les intrigues amoureuses de peu de conséquence alors que, le petit récit un peu en marge de l'*Echelle de soie* le prouve, il peut parler de l'amour aussi bien qu'un autre.

Œuvre de moraliste donc et d'un homme qui essaie de s'installer en ce point unique de l'univers moral où la vérité de l'homme apparaît à la fois dans son cœur et dans son action. C'est ce point de vue aussi qu'il cherche à faire sien dans les nouvelles d'anticipation d'*Un Saint au néon*, pratiquant le genre à la manière de Voltaire et surtout des grands Anglo-Saxons comme Huxley et Orwell. Les scènes burlesques de la vie future ont une valeur d'avertissement pour la vie présente. Et peut-être ce grossissement nous permet-il de saisir un peu mieux le contenu de cette morale que l'écrivain indique et sous-entend presque à chaque ligne, mais qu'il n'expose bien entendu jamais dans son œuvre. Morale de la liberté de l'homme opposée à toutes les formes de la dictature sociale, morale de l'individu contre les régimes politiques autoritaires, mais aussi contre les tyrannies insidieuses de l'opinion partisane, du conformisme social et de ces conventions mondaines devenues folles qui constituent trop souvent le snobisme d'aujourd'hui. C'est-à-dire morale de la vérité intérieure, morale de la droiture contre toutes les difformités de l'âme consciemment ou inconsciemment cultivées. Humanisme qui, au-delà de l'humanisme bourgeois déformé par un moralisme étroit et un sordide intérêt de classe, retrouve sans peine l'humanisme classique.

Humanisme, et rien de plus. A côté des considérations techniques dont nous avons parlé il y a, dans l'essai sur *les Alibis du romancier*, quelques lignes sur le roman métaphysique qui sont peut-être en un certain sens un alibi elles aussi. Jean-Louis Curtis y explique avec raison, qu'après tout, les grands romanciers ont toujours été métaphysiciens, mais par surcroît, et qu'il est dangereux de mettre la charrue avant les bœufs et de faire de la métaphysique délibérément avant d'avoir amené le roman à l'existence. Si médiocre que soit le sujet de Balzac, de Stendhal ou de Proust il sert d'appui aux plus grandes méditations sur la liberté et sur la destinée. Mais à vrai dire, tout se passe comme si Curtis n'avait pas la tête métaphysique ou, encore moins religieuse, plus proche en cela de Stendhal ou même de Proust (car il faudrait nuancer) que de Balzac. Ce monde, ce monde seul, est son domaine. Jean-Louis Curtis est de ces garçons très bien élevés qui ayant observé ou cru observer le silence de Dieu sur cette terre, s'en voudraient de le troubler. Peut-être aussi l'extrême pudeur de l'homme et du romancier nous dérobe quelque chose — un accent venu du chant profond de la passion et qui nous aiderait à incarner ce respect philosophique de la vérité.

Il en va des brèves études comme celle-ci quand elles portent sur une œuvre importante (une vingtaine de volumes, de nombreux articles, des adaptations et des œuvres originales pour la T.V., etc.) comme des survols à haute altitude : elles risquent de faire sentir les grandes lignes du paysage au dépens de son pittoresque, de tout ce qu'il offre au plaisir du voyageur. Mais l'œuvre même de Jean-Louis Curtis prête à une confusion d'un genre voisin : c'est une œuvre modeste, au sens où la modestie est une vertu, trop modeste. Ce garçon ne défraie la chronique ni par ses amours, ni par ses automobiles, ni par sa pratique nocturne de la danse ou de la boisson : est-ce que vraiment on peut être un écrivain sans tout cela aujourd'hui ? Il faut un temps de réflexion pour s'apercevoir que son œuvre existe, et même qu'elle tient une place importante dans le paysage littéraire de sa génération, qu'elle devient vite à la fois indispensable et amicale. Faites d'ailleurs, par comparaison avec d'autres, le compte de ce qu'il a écrit et de ce qu'il n'a pas écrit. Tout dans l'œuvre de ce jeune maître rend le sens loyal de la vérité. Et jamais on ne le voit donner dans la complaisance, dans la mode, dans la futilité. De combien pourrait-on en dire autant ! C'est que cet humaniste est un homme, et ce témoin qui peut jurer dans la pureté de son cœur et sur l'honneur de sa plume, qui est intact.

Les « Justes Causes »

Tout le monde parle cette semaine, tout haut et tout bas, des *Justes Causes,* le roman de M. Jean-Louis Curtis [1]. Tout haut, parce que c'est un livre brillant et débordant de talent. Tout bas, parce que chacun croit y reconnaître un certain nombre de figures du monde intellectuel et littéraire parisien d'aujourd'hui. Roman à clés par souci de la vérité bien plus que du scandale, ce livre malicieux ne fait pas l'effet d'une bombe, mais d'un coup de projecteur.

L'emploi de la bombe d'ailleurs ne serait pas dans le caractère de l'auteur. Le prix Goncourt n'a pas transformé ce garçon doux et paisible. Célibataire soigneux, on l'imagine déférent avec sa concierge et avec son proviseur. On le voit passer dans des salons ou des cafés littéraires, plus soucieux, malgré son talent et sa notoriété, de s'effacer que de se mettre en valeur : modeste et gentil, il se donne volontiers l'air du bel indifférent. S'il se confie, on découvre que ses joies sont celles de la lecture, de la musique, de l'amitié ; et que ses soucis, chose bien plus incroyable encore de la part d'un homme de lettres, sont les scrupules de sa pudeur ou de sa volonté de rester fidèle à la parole donnée.

Mais il y a ses livres, bien faits pour dérouter ou inquiéter ceux qui auraient tendance à le prendre pour un gentil garçon inoffensif : s'il se tait, c'est pour mieux écouter ; s'il reste dans son coin, c'est pour mieux voir, et quand il rapporte sans avoir l'air d'y toucher ce qu'il a vu et entendu, on s'aperçoit qu'il est, lui, de ces échos et de ces miroirs qui réfléchissent avant de renvoyer les paroles ou les images. Images de l'adolescence dans son premier roman, *les Jeunes Hommes ;* images de la campagne d'Allemagne qu'il fit en 1944-45 avec le corps franc pyrénéen dans *Siegfried ;* images de sa petite ville béarnaise sous l'occupation dans *les Forêts de la nuit ;* images de Saint-Germain-des-Prés et de ses grotesques dans *Chers Corbeaux.* Après toutes ces images, il peint aujourd'hui, avec une admirable liberté d'esprit, un grand tableau.

Son sujet reste toujours le même, et toute son œuvre pourrait s'appeler en somme : notre jeunesse. Mais d'une jeunesse divisée, il faut multiplier les portraits : celui-ci n'a pas quitté la France, a écouté religieusement le maréchal Pétain et Philippe Henriot et a été incarcéré à Fresnes à la libération ;

1. Julliard.

cet autre, bien que juif, n'a pas quitté la France non plus, a combattu dans le maquis, a libéré Paris et déploie maintenant son ardeur à la tête d'un hebdomadaire progressiste ; ce troisième qui a été à Londres et qui a fait de la Résistance voudrait rester l'ami de l'un et de l'autre ; ce quatrième, un peu plus jeune, n'était guère qu'un adolescent en 1944 et, après la bataille, joue avec les idées des vainqueurs et des vaincus plus qu'il ne les épouse réellement, etc., etc. Ne dites pas que ce sont de vieilles histoires. Tous ces personnages, vous les connaissez, je le sais bien, pour les avoir rencontrés dans la vie ou les avoir déjà rencontrés dans les livres. Notre bibliothèque est pleine désormais de maquisards héroïques et de maquisards assassins, de collaborateurs infâmes, et de collaborateurs victimes hagardes de l'épuration. Mais presque toujours, ces portraits sont d'une seule pièce, et l'auteur prend grand soin de nous indiquer quand nous devons applaudir et qui nous devons estimer. Ce sont des images d'Epinal : Jean-Louis Curtis a fait des images de Paris et il y a aussi loin entre les personnages des *Justes Causes* et les miliciens, maquisards et résistants que vous connaissez déjà qu'entre M. Roger Stéphane et le directeur du *Petit Progressiste de Clochemerle* ou qu'entre M. Roger Nimier et un collaborateur des *Veillées des chaumières* (ancienne manière).

Bernard, Roland, François, Thibault, les héros des *Justes Causes,* ne sont pas des abstractions : ils vivent parmi nous, ils lisent *Samedi-soir* et les livres de la Série noire entre deux traités de métaphysique et pas de morale comme tout le monde ; ils s'honorent de l'amitié de Pascal, le garçon de café du Flore, et fréquentent les générales d'Anouilh ou de Montherlant. C'est parce qu'ils semblent mêlés à notre vie et non point à cause d'autres ressemblances, plus psychologiques qu'indiscrètes d'ailleurs, que Bernard, rédacteur en chef d'*Horizons,* nous fait penser au rédacteur de *France-Obervateur,* ou Thibault Fontanes, auteur d'*Une étoile de sang,* à l'auteur du *Hussard bleu.* Et quand on nous présente l'abbé R. : « L'abbé maquisard était un délicieux mélange de saint Thomas d'Aquin, de Hegel et de Frère Jean des Entommeures. Il hantait toutes les coulisses, déjeunait chez Gallimard, soupait chez Camus... Devant le spectacle d'une telle activité, nourrie, diverse, crépitante, on était amené à se demander si l'abbé R. trouvait parfois le temps de dire sa messe. Détail ! La défense de la spiritualité moderne valait bien une messe », si nous pensons un instant au père Bruckberger, faut-il en vouloir à M. Curtis ou au trop célèbre prêtre-ouvrier de la rue Sébastien-Bottin ? D'ailleurs, on se doute bien qu'il ne s'agit pas de portrait, mais en empruntant des traits de droite et de gauche,

une phrase à M. François Mauriac, un geste à Mme Florence
Gould, une intonation à Mme Lise Deharme, une manière de
s'habiller à M. Adamov, un sourire à M. Jean Denoël, notre
auteur compose pour les initiés et pour les autres d'excellentes scènes de roman qui sont aussi d'excellents tableaux
de la comédie parisienne.

Bien entendu le livre ne serait qu'un savoureux divertissement s'il se bornait à ces croquis malicieux ou indulgents. Il
ne signifierait même pas grand-chose s'il se contentait de
faire sentir l'égalité dans le ridicule ou dans l'odieux des partisans de tous ordres et s'il ébauchait une vague réconciliation
générale. Mais à mesure que nous avançons dans la lecture du
roman, que nous apprenons à connaître non seulement les
opinions et les fréquentations de ces jeunes gens, mais encore
leurs amours, leurs femmes et leurs maîtresses, leurs familles, leurs liens avec leur province ou leur race, nous distin-
guons mieux aussi les intentions de M. Jean-Louis Curtis. Ce
n'est pas seulement par l'ironie qu'il prétend traiter ces « justes causes » en montrant que toute cause est toujours juste
pour quelqu'un ; ce n'est pas dans les nuages qu'il veut faire
l'union, mais dans la profondeur du cœur. Ce que nous dis-
tinguons mieux, c'est que tout se tient, que les choix d'un
homme se commandent les uns les autres, que nos opinions
politiques sont liées à nos options sentimentales, à nos souvenirs d'enfance, de collège, de jeunesse, que les raisons que nous
nous donnons sont toujours moins bonnes que les raisons profondes dictées par tout notre passé. L'éducation intellectuelle
plus encore que sentimentale d'un groupe de jeunes gens, c'est le
sujet du chef-d'œuvre de Maurice Barrès, *les Déracinés*. En le
reprenant sans arrière-pensée M. Jean-Louis Curtis montre en
somme qu'il n'y a pas, qu'il ne peut guère y avoir de déraciné :
l'arbre humain partout emporte avec lui ses racines. Même
l'imbécile de ce livre, espèce d'antisémite braillard et cocar-
dier qui découvre à la fin une cruelle ironie de son destin,
même lui, sert à cette démonstration. Et dès lors, comment
condamner sans appel ? Cela ne signifie pas d'ailleurs que
tout est relatif, qu'il n'y a pas de juste cause, ni de justice :
mais que la justice est singulièrement difficile à rendre, qu'elle
ne peut pas se séparer d'une compréhension profonde de
l'humanité. Ainsi du tableau d'une jeunesse divisée elle-même,
d'une société frivole ou troublée, une leçon de sérénité se
dégage : c'est le Curtis sage et silencieux qui se fait entendre
derrière l'amusante et pittoresque farandole du Curtis romancier.

L'ouvrage reste ouvert : à la fin du livre, nous voyons chacun
des héros continuer à s'avancer de son pas, bon ou mauvais,
sur le chemin de sa vie. Et c'est aussi le souvenir et l'espoir

que nous garderons de M. Jean-Louis Curtis : celui d'un romancier aux dons les plus rares qui, après avoir moissonné les
dernières images de notre jeunesse, commence à découvrir les
secrets de la maturité.

Quand le roseau ne pensera plus...

C'est une chance d'avoir l'occasion de parler d'un très bon
roman qui peut intéresser et toucher beaucoup de lecteurs.
Le roseau pensant, ne vous déplaise, c'est l'homme, c'est vous,
d'autant que M. Jean-Louis Curtis a choisi de nous parler d'un
roseau de notre temps, d'un homme d'aujourd'hui qui n'a rien
de si extraordinaire que de l'être si peu.

Depuis son prix Goncourt, déjà lointain, cet écrivain a fait
alterner les portraits typiques et sentimentaux et les tableaux
d'ensemble de la vie des hommes d'aujourd'hui et des idées
qu'ils se font de cette vie. D'entrée de jeu, nous sommes à
table avec les personnages et nous pouvons nous mêler à la
conversation : Martial Anglade, homme d'affaires cossu, adapté
à la vie parisienne mais dont l'accent béarnais revient aux
moments de passion, sa femme Delphine, ses enfants Yvette et
Jean-Pierre, étudiants, et la vieille tante Berthe, la délicieuse
et vigoureuse Mme Sarlat venue passer quelques jours à Paris,
ils parlent d'un peu de tout au long du livre avec des parents
plus éloignés, des amis, des gens rencontrés ici ou là. Ces
conversations semblent prises sur le vif, mais elles sont savamment composées et rapportées. C'est, en action, un petit dictionnaire des idées toutes faites qui ont cours et qui bientôt
n'ont plus cours. M. Jean-Louis Curtis est un parfait écrivain
de goût classique sans rien de rétrograde, un observateur
sagace de la société contemporaine, qui doit beaucoup, quant
à la manière, à La Bruyère et encore plus à Proust. Tout y
passe, la mode et le film à la mode ; les drôleries et les pédan-
tismes du langage et la théologie de la mort de Dieu, qui évoque toujours pour un profane l'image d'un bon moine occupé
à scier la branche sur laquelle il est assis. Tout cela avec un
humour léger, parfaitement impertinent, c'est-à-dire parfaitement indifférent aux idées communément reçues quand ces
idées n'ont pas le moindre bon sens, ce qui est presque toujours le cas dans les bavardages des demi-intellectuels. Cet
humour nous ravit, mais prenez-y garde, la flèche va droit
au but. Brillante remise en ordre des mots et des idées, d'au-

tant que dans son petit groupe de personnages, M. Curtis a aménagé trois points de vue, celui de la vieille Mme Sarlat, catholique de bonne roche, celui de Martial, homme d'aujourd'hui, et celui de la jeunesse connaturellement contestataire.

C'est la première partie. Mais les thèmes vont être orchestrés avec beaucoup plus de puissance. Martial a un ami de jeunesse, Félix, le brave ami un peu cornichon avec lequel le dimanche il va au match de rugby. Et un dimanche soir, sans crier gare, Félix meurt. Martial ne sent rien d'abord, et se le reproche. Et puis un mois après, il a la révélation de la vérité : tous les hommes sont mortels, lui-même est un beau petit mort pour un avenir prochain. Alors il cherche, il met à l'épreuve de la mort les raisons de vivre que les autres se donnent et qu'il se donnait lui-même. Le progrès économique et politique d'une société de consommation si bête qu'elle se consomme elle-même sans s'en apercevoir ; l'amour physique qui se dépense et qui se vend un peu partout ; il rencontre le nouveau prêtre qui a des idées sur tout, sauf sur le sacré ; il voit sa fille tomber dans les pièges fallacieux d'un homme de lettres vieillissant, sa femme elle-même se tourner vers quelques pseudo-religion et se retirer dans un ashram tourangeau ; son beau-frère, l'homme du progrès technique et social et de l'optimisme impénitent, tremble à l'idée d'être compromis dans un scandale du style « ballet rose ». Déçu, irritable, solitaire, Martial Anglade fait son voyage au bout de la nuit climatisée et éclairée au néon que le monde moderne aménage cyniquement et savamment pour nous.

On le voit, il s'agit du roman d'une quête spirituelle, mais où encore une fois, l'humour le plus féroce ne perd jamais ses droits. Les sottes et ridicules prétentions de nos intellectuels sont fustigées comme il le faut : c'est-à-dire en montrant ironiquement qu'elles sont prétentieuses et ridicules. Ce qui revient sans doute le plus souvent au long du livre, c'est le satire non de la personne, mais du personnel de l'Eglise, selon la distinction de M. Jacques Maritain. Non d'un point de vue intégriste : ni Martial Anglade, ni M. Jean-Louis Curtis ne sont des têtes théologiques, religieuses ou même philosophiques. Mais n'est-il pas naturel que les hommes mordus par une certaine faim spirituelle, comme le héros de ce roman, se tournent vers la maison mère de la spiritualité dans la civilisation occidentale. La conclusion d'ailleurs ne sera pas métaphysique, mais modeste et apaisante : Martial dans la nuit de Pâques téléphone à la tante Berthe retournée dans son Béarn, il a avec elle une longue conversation très banale, très quotidienne, le temps, les pluies, la santé de la chatte. C'est un peu comme si M. Curtis téléphonait à son grand compatriote

Francis Jammes pour lui demander le chemin pour aller au paradis avec les ânes. Et le lendemain, avec sa fille retrouvée, sauvée, il songera que le ciel sur la terre, c'est d'être avec ceux qu'on aime...

Martial, qui relit parfois Pascal, est un roseau pensant, et mieux que cela alors que notre temps prodigue au peuple des roseaux, modernisme, politique, érotisme, l'opium de la plus basse qualité pour l'endormir, ce roseau veut rester pensant malgré tout. Disons, en changeant de botanique littéraire, qu'il plie mais ne rompt pas. Le livre de M. Curtis, parfaitement maîtrisé, est un roman d'aujourd'hui, et très amusant. Mais il est aussi un roman contre les facilités et les hypocrisies qu'on se donne aujourd'hui, et donc un roman qui exige quelque chose de son lecteur.

GAÉTAN PICON

Il était sans doute l'homme le moins fait pour être direc-
teur des arts et des lettres, faute de sens administratif, mais
il est sans conteste un esprit directeur. Une immense culture,
qui est à la fois connaissance précise et art de jouir, nourrit
chez lui la plus solide réflexion, et il sait l'exprimer dans une
prose qui possède à la fois le sens de la cadence et le sens
du raccourci. Un beau récit d'accent personnel nous conduit jus-
qu'à ce champ intérieur sans lequel la culture n'aurait pas de
sens ni de base.

La solitude et la mort

Critique hors de pair par la pénétration de ses analyses comme par la subtilité de leur expression et par la qualité de ses choix toujours tendus vers le plus haut et sous-tendus par le sentiment tragique de la vie (il a écrit des livres sur Balzac, Proust, Bernanos, Malraux) ; placé pendant plusieurs années sous les feux des projecteurs de l'actualité comme directeur des arts et des lettres au cabinet ministériel de M. André Malraux, mais jouant là un personnage plus qu'il ne donnait de sa personne (en un sens, ce livre commencé avant sa retraite est une réflexion sur les limites de son action), M. Gaétan Picon nous donne avec *Un champ de solitude* [1], où l'on retrouve toutes les qualités de son esprit, son premier livre personnel ou plus exactement son premier livre de littérature au premier degré.

Un livre à part, au point que sur le volume l'éditeur a renoncé à faire un usage abusif de roman ou de récit, ni tout à fait une confession où celui qui dit « je » ne parlerait pas de lui-même, ni tout à fait un essai sur un objet situé hors de son champ, un texte qui nous invite à reprendre, après Descartes plus qu'après Lamartine, le terme de « méditation ». Ce n'est tout à fait non plus ni un essai philosophique, ni un très long poème en prose, bien que l'on puisse penser à un philosophe qui serait un artiste maître de sa prose, ou à un poète maî-

1. Gallimard.

tre de l'ordre rigoureux de ses raisons. Je dis tout cela, bien entendu, non par un inutile effort de classification, mais pour fournir quelques repères au lecteur qui va ouvrir le livre.

Et disons tout de suite qu'une fois le livre ouvert il est difficile d'échapper à la gravité de cette démarche et au charme de cette très grande prose. En même temps qu'elles obéissent à une sorte de respiration naturelle de l'esprit, ces longues phrases s'avancent comme les vagues successives de la mer ou d'une armée de fantassins pour investir le plus secret du for intérieur. Prose limpide et lumineuse, de grande lignée classique mais qui n'ignore pas les apports des grands prosateurs surréalistes (Breton, Gracq), ou bien parfois prose d'un Paul Valéry qui essaierait de forcer un monde intérieur proustien, prose dont la moindre velléité d'académisme est tout de suite secouée par un mouvement de ferveur profonde, prose qui chante et qui doit être bien près de la langue dans laquelle est écrit ce chant raisonnable des anges qui s'élèvera du navire sauveur...

Mais n'anticipons pas, et d'abord le salut n'est pas encore en vue. Un homme s'éveille aux premières pages, et dans la nuit remonte à l'idée de lui-même, retrouvant vite le souvenir d'un grave accident de voiture dont il est revenu aussi après un choc et un évanouissement. Psychologie des états entre chien et loup de la conscience, qui ne les exploite pas pour eux-mêmes, si fines que soient les remarques sur les lisières du monde onirique, mais qui cherche à saisir et à maintenir la continuité de l'être intérieur en particulier dans son rapport avec la continuité de cet objet qui n'est pas tout à fait extérieur, le corps. Il s'agit de saisir les mouvements les plus ténus du retour à soi-même, peut-être parce que c'est ainsi qu'on a une chance de mieux saisir ce qu'est cette totalité ouverte ou blessée dont est fait notre moi.

Le thème de la vie vue ou ressaisie après un accident de voiture n'est pas aussi banal en littérature que l'accident lui-même sur la route, mais pourrait le devenir. M. Paul Guimard en avait fait le ressort de son très bon petit roman *les Choses de la vie* et une brève comparaison des deux manières n'est peut-être pas inutile. Le héros blessé de M. Guimard était en quelque sorte réduit à l'état d'écran sur lequel se projetait le film de son passé, mais un film presque complet avec des personnages, des préoccupations sociales, des incidents, des progrès et des arrêts. Cela obéissait grosso modo à la convention littéraire qui veut qu'au moment de la mort, on revoie sa vie en un instant et sans doute (mais qu'en savons-nous ?) cela ne se passe pas comme ça, de même que les rêves littéraires sont arrangés (Racine a écrit le songe d'Athalie et pourtant il rêvait

dit Giraudoux). Psychologie macroscopique d'un merveilleux
conteur, à l'opposé de la psychologie au microscope de l'observateur minutieux, professionnel, de la vie intérieure qu'est
M. Gaétan Picon. Ce sont donc moins des personnages, des anecdotes qui vont revenir à la conscience du « je » couché sur
l'herbe du *Champ de solitude* que des états de conscience. La
grande affaire est de se saisir comme vivant, précisément dans la
mesure où nous sommes promis à l'interruption et à la mort.
La grande affaire est de mourir en disant « je meurs », alors
que l'accident de voiture, ou le cataclysme général qui détrui-
rait la terre risquent de nous frustrer de cette seule satisfaction ou justification : il n'est sans doute pas interdit d'entendre ici une résonance heideggérienne, et au-delà rilkéenne de la
méditation de M. Picon.

Le retour vers soi-même se fait à travers des souvenirs
concrets, et le récit de M. Picon, car sous cet angle il s'agit
bien d'un récit, est riche d'évocations très précises. Très peu
de notations de couleurs dans ce texte à la peinture, mais des
images très dessinées, très poussées, en noir et blanc comme dans
l'ancien cinéma dont le rôle a manifestement été capital dans
la formation de cette imagerie intérieure et sentimentale. Mais
l'important, c'est que ces images ne composent pas une histoire,
elles entrent dans une récapitulation, elles sont les éléments
d'une somme qui est sans doute unique, mais seulement
parce qu'il ne peut y avoir deux sommes composées exactement de la même manière. En d'autres termes, l'enquête intérieure est une exploration rétrospective de « mes propriétés »,
si on peut emprunter un titre à M. Michaux, elle est addition
d'états qui ne sont qu'accidentellement (existentiellement ?) et
non essentiellement à moi-même. A la limite, on pourrait presque dire que pour une telle conscience, le verbe être apparaît
comme une conjugaison légèrement abusive du verbe avoir.

Et cela crée une distance intérieure presque infranchissa-
ble (mais déjà M. Paul Guimard, après Valery Larbaud, parlait des « choses de la vie », s'établissant lui aussi à distance
de propriétaire, comme il est sans doute inévitable dans un
monde sans âme et sans dieu) entre le moi vécu et un hypo-
thétique moi totalisateur ou ordinateur. Le narrateur n'a jamais une connaissance immédiate de sa propre vie, et il ne se
reconnaît pour sien que dans son passé, et le seul moment où
il s'imagine être « présent au présent », c'est dans un chapitre
de pèlerinage aux lieux de sa jeunesse, aux îles et aux marais
de la Rivière après Blaye. Il se voit dans un recès « où me parviennent selon les jours bonnes ou mauvaises nouvelles de ma
propre existence ». Et distant ainsi de lui-même, comment ne
serait-il pas distant des autres, isolé au centre de son champ ?

Deux chapitres dans la seconde moitié du livre évoquent deux visages de l'amour, un troisième jauge les promesses et les dangers de l'Eros en général. Le premier, masse compacte de dix grandes pages que le mouvement de la phrase ne suffit pas à soutenir et à animer, évoque avec une ombre de remords un moment où le narrateur à la recherche d'une preuve de son existence se demande si la preuve par la souffrance infligée n'est pas plus convaincante que la preuve par la jouissance donnée. L'autre est une sorte de conversation imaginaire avec une Elle très lucide à laquelle nous avons parfois tendance à donner raison : « Vous songez aux lignes que vous allez écrire dans votre journal, dit-elle, vous ne me regardez pas, vous écrivez déjà... » Et quant à la puissance de l'Eros, on ne peut l'envisager sans une certaine crainte puisqu'elle menace cette continuité qui nous est chère par-dessus tout. Ainsi le désert se referme, jusqu'à la mort.

« Vous ne me regardez pas, vous écrivez déjà. » Est-ce l'issue, y a-t-il un « salut » par l'écriture ? Cet homme acharné à lire sa vie, parfois comme un palimpseste, peut-il arriver à l'écrire ? Au moment de l'accident de voiture, le narrateur avait sur les genoux la luxueuse maquette d'un ouvrage futur prêtée par un ami éditeur, du beau papier vierge : nous comprenons que le livre que nous lisons, c'est le livre virtuellement écrit sur ces feuilles, analogie malgré tout insatisfaisante du repliement sur elle-même de l'œuvre proustienne. Ecrire, « ce n'est pas refuser de vivre, mais prendre en charge le mouvement que la vie ne peut mener jusqu'au bout », répondait-il déjà en esprit à son amie, et il note très bien vers la fin qu'il s'agit d'écrire non *sur* moi-même, mais *avec* moi-même, programme parfaitement exécuté. Ecrire, c'est l'emporter sur la mort impromptue et étrangère, individuelle ou collective, dont nous parlions tout à l'heure; écrire, c'est dire : « je meurs », fragile mais peut-être aussi irréfragable position d'un « je » en présence de la mort... Est-ce une défaite, une victoire à la Pyrrhus de l'ombre, « mobile et souple momie » sur l'écrivain ? Du moins ce beau livre de solitude forcenée parle à notre âme. Un chant de solitude, oui, et la solitude est brisée, sinon vaincue, dès l'instant que nous arrivons à la faire chanter...

MAURICE DRUON

Un talent qui s'est essayé dans tous les genres, une sorte de force qui ne peut se satisfaire des limites étroites que le haut goût contemporain voudrait assigner à la littérature : aussi est-il du petit nombre des écrivains qui ne méprisent pas le grand public. On lui trouve parfois de petites raisons de vanité ou d'ambition. Il en a une grande, qui est de générosité.

MAURICE DRUON

La grande famille des dieux

Toute grande œuvre romanesque a ses enfers, et d'ailleurs elle n'existerait peut-être pas, on le sait, sans une secrète complicité des démons et du diable. Mais elle a sans doute aussi, dans une région plus secrète encore, plus intérieure, son ciel ou son Olympe. Deux flambeaux brillent près de l'autel dans le sanctuaire où Balzac écrit *la Comédie humaine,* Zola achève son œuvre par des romans qu'il appelle des Evangiles, d'autres célèbrent peut-être le culte de la déesse Raison, mais il y a pour chacun une cellule sacrée où la vérité est la vérité. La surprise dans un cas comme celui de M. Maurice Druon, c'est de l'entendre proclamer que cet Olympe, c'est l'Olympe, celui des grands dieux de la Grèce et de Rome, l'Olympe restitué alors que nous avons un peu trop l'habitude d'y penser avec l'accompagnement d'une musique malicieuse d'Offenbach. Je sais bien qu'en un sens, *Alexandre,* ou les *Mémoires de Zeus*[1], ce sont encore des romans et qui tiennent une place un peu à part dans son œuvre, mais c'est peut-être précisément parce qu'ils nous ouvrent un accès plus direct vers les sources de sa religion ou de sa philosophie.

On se demande d'abord pourquoi et comment l'écrivain est passé des grandes familles qui vivent et meurent dans l'air empesté d'aujourd'hui et des grandes familles de l'époque des Valois, au Macédonien, puis à la grande famille de l'Olympe. A de rares exceptions près, qui peuvent aller de *Quo Vadis?* aux

1. Plon.

Mémoires d'Hadrien, le roman historique qui prend pour cadre l'antiquité ne jouit pas d'une grande faveur surtout en France où même les œuvres de Robert Graves et de Mary Renault, par exemple, s'acclimatent si mal. Cela tient sans doute à la fois à ce que la culture classique a figé les personnages tandis que le déclin de la culture classique les rejetait dans un temps hors de portée. Il se trouve, les succès du romancier populaire ne doivent pas le faire oublier, que M. Maurice Druon est un écrivain de formation classique, au point qu'il fit ses débuts à la scène en essayant de ressusciter la tragédie marginale, si j'ose dire, de *Mégarée.* Et il se trouve aussi, et c'est sans doute plus important, que s'il a été dans *les Grandes Familles* et dans *les Rois maudits* le peintre de sociétés en proie à de graves et parfois à d'abominables désordres, cela n'a pas été sans le renvoyer à une certaine idée de l'ordre social, réel ou idéal. Il est significatif, me semble-t-il, que lorsqu'on demande à ce romancier après tout balzacien, au sens banal du terme, d'écrire un petit livre de maximes et d'aphorismes pour une collection spécialisée, il prenne pour sujet, non quelque passion mondaine ou quelque travers, mais « le pouvoir ». Et ce qu'il écrit sous ce titre, ce n'est pas un portrait de l'ambitieux ou un manuel du politique, c'est la réflexion la plus générale du moraliste.

Comme tout romancier « balzacien » de ce temps, comme M. Georges Simenon par exemple (quelle est la chambre secrète, la chambre de vérité au sens que nous disions à l'instant de la création simenonienne, voilà ce qu'il serait intéressant de se demander... Répondre : une chambre de maison close est trop facile, il faudrait peut-être penser plutôt à quelque « scène primitive » dans un appartement liégeois bien clos...), notre auteur ne peut guère peindre qu'une société où les cellules semblent atteintes d'un cancer et les âmes d'une leucémie : mais justement cela ne peut qu'exciter davantage son appétit de santé, au-delà de l'époque et au-delà de l'histoire. Ainsi, sans accabler M. Maurice Druon sous de trop lourdes comparaisons, mais en cherchant simplement à indiquer la place des romans que nous présentons ici dans l'ensemble de son œuvre romanesque, on est conduit à penser que les *Mémoires de Zeus,* toutes proportions gardées, évoquent ces combats des dieux qui doublent les combats des hommes dans le monde homérique. La grande famille olympienne, on le verra, on le sait, est loin d'être une grande famille modèle, elle a ses désordres comme les grandes familles terrestres, — mais elle a son ordre, celui de Zeus précisément, celui du pouvoir et celui de la raison, ou plutôt celui du pouvoir et de la raison.

Avec *Alexandre,* nous restons encore entre terre et ciel. C'est de l'histoire évoquée par un romancier, avec une abondante documentation et en plus le sens du pittoresque et de la vérité, l'intuition du petit fait vrai qui fait image et qui fait balle. Portrait d'un homme et tableau d'une réussite individuelle : mais dans cet ordre-là, la réussite individuelle devient très vite une réussite collective, si bien que chez l'historien Maurice Druon, le portraitiste scrupuleux s'efface bientôt devant l'homme qui réfléchit, à la suite de Bossuet et de tant d'autres, sur l'élévation et sur la décadence des empires. Quelle coïncidence faut-il entre le génie et les passions d'un homme d'une part, et le mouvement général de son peuple d'autre part, pour qu'apparaisse la chance d'un empire, et cette coïncidence combien de temps peut-elle durer sans que le régime tourne à la tyrannie ou sans que l'empire retourne au désordre ? Vingt situations infiniment plus récentes, on le pressent, peuvent être éclairées par l'aventure typique d'Alexandre, qui eut la chance, ou la force de choisir, de mourir jeune...

En même temps, l'aventure impériale semble parfois trembler au seuil d'une aventure divine. La difficulté était grande de rassembler les terres et les hommes, mais peut-être plus grande encore celle de rassembler les croyances et les idées au moment d'un subit élargissement du monde. En l'espace de deux ou trois générations, comme elle s'est rapetissée dans l'éloignement, la république platonicienne ! Et comme dans un monde étendu jusqu'au cœur de l'Asie, non seulement les hommes sont différents, mais différentes les idées que les hommes se font des hommes ! C'est cela aussi qui intéresse M. Druon, ce qui élargit aussi bien la base que la prise de la raison grecque. L'histoire des empires et des révolutions est moins importante et moins intéressante pour nous que l'histoire des mues périodiques de l'homme et de son esprit, l'histoire des guerres moins significative que l'histoire de la guerre toujours perdue et jamais désespérée que les hommes mènent pour être comme des dieux.

C'est dans le même esprit de réflexion, et en particulier de réflexion contemporaine, qu'il faut aborder les *Mémoires de Zeus*. C'est une mythologie racontée aux gens du monde et aux gens de notre monde. Genre classique, qui a ses lettres de noblesse, et M. Druon ne prétend pas innover par l'application qu'il suggère à la société la plus contemporaine. Zeus nous raconte ses mariages, ses amours, la naissance de ses enfants de divers lits, ses luttes contre eux et contre d'autres, ses aventures et ses avatars, ses mésaventures et ses triomphes. Sur des souvenirs scolaires et littéraires, nous croyons souvent connaître cette mythologie alors qu'il n'en surnage que des bribes dans notre mémoire. Pour beaucoup de lecteurs, non seulement ce livre apportera des précisions, mais encore il fera faire de véritables découvertes. Comme toujours, M. Druon a mis son talent de narrateur, fait d'aisance, de clarté, de pouvoir d'évocation tout en observant dans le ton qu'il prête à Zeus un exact équilibre de sagesse et d'enjouement.

En même temps, il va un peu plus loin que le narrateur à l'ancienne mode. Entre les récits complémentaires et parfois contradictoires des auteurs et de la tradition, il sait prendre un parti. Notre littérature classique (et déjà Pindare refusant de prêter aux Dieux des actions honteuses comme le cannibalisme) avait peigné, nettoyé, policé les héros et les dieux de l'Olympe. M. Druon n'hésite pas à redonner à leurs mœurs un certain degré de sauvagerie qu'une meilleure connaissance de beaucoup d'autres mythologies rend aujourd'hui acceptables. La galanterie est un élément accessoire, la féerie un élément naturel à cet âge de l'imagination humaine et à cet âge de la raison : le récit de M. Druon en tient compte avec une constante élégance.

Nouvelle narration de la mythologie, souriante et sérieuse, appuyée sur les texte, mais qui ne se donne pas pour plus savante qu'elle n'est. Elle prend le récit mythologique dans un certain état, sans trop recourir à la mythologie comparée, sans chercher à éclairer sa genèse par rapport aux lieux, aux rites aux formes de culte. Et ce n'est pas non plus, du moins d'une manière explicite, une mythologie replongée par la psychologie des profondeurs de Freud ou de Jung dans le monde le plus obscur des instincts et des pulsions. Il s'agit pour M. Maurice Druon moins de dégager des archétypes que de dégager une sagesse. C'est moins, mais notre ignorance et notre folie sont aujourd'hui si grandes que c'est en même temps plus et mieux : c'est une narration vivante qui rend au marbre la teinte un peu plus rose de la chair, qui renoue avec le mouvement interrompu des colonnes et des statues, qui essaie de nous rendre non une foi religieuse bien sûr, mais la compréhension d'un système du monde et de la vie presque contemporain du système atomique de la matière qui est encore le nôtre.

Il faut donc lire ou relire les aventures d'Héphaïstos, les amours d'Apollon, l'effroyable apparition de Typhon, le festin de Tantale et le festin de Lycaon, l'amour de Léda, l'amour d'Europe et l'amour de Ganymède. Le romancier en se jouant prête un nouveau souffle à la mythologie classique, prête un nouveau sens au système de cette mythologie. Le moraliste chez M. Druon est peut-être parfois un peu trop près du banal fabuliste français alors que la fable des dieux et des héros est bien autre chose que la goguenarde pantalonnade bourgeoise des animaux. Ce Zeus du XXe siècle semble borner un peu vite son ambition morale et moralisante...

Cela tient sans doute au paradoxe qui fait que ce livre sur les dieux est l'œuvre d'un homme qui n'a pas beaucoup le sens, je

ne dis pas de la Divinité, mais même du divin. M. Maurice
Druon n'est pas un écrivain de tradition chrétienne, son « Dieu
est mort » il me semble qu'il l'entend déjà bien avant Nietzsche, chez Diderot et chez les philosophes de son temps, puis
chez les maîtres du laïcisme français dans la seconde moitié du
XIXᵉ siècle. S'il réfléchit sur le sens des batailles de la vie, sur
les chances d'un pouvoir juste dans la société, il lui faut donc
écarter toute idée d'une cité de Dieu. Il ne s'agit pas bien entendu
de s'en tirer par un « Dieu est mort, vivent les dieux ! », mais
d'essayer d'indiquer une politique et une morale tirés des écritu-
res païennes sans trop s'écarter de la terre et de la raison.

La raison à travers tant de monstres et de merveilles, tant de
métamorphoses, voire tant d'épisodes affreusement sanguinai-
res ? Peut-être, et quand cela ne serait que par cet effort d'équilibre et d'ordre qui conduit la voix de Zeus jusqu'au bout. La
mythologie est à sa manière le récit d'une conquête humaine difficile : moins une fantaisie anthropomorphique qu'une illustration
du lent combat de l'homme pour pénétrer les forces et les
secrets de la nature, et même de la nature humaine. Prenez garde
que pour les dieux de l'Olympe, il n'y a pas à la fin quelque cré-
puscule, mais une retraite comme s'ils voulaient garder quelque
part pour nous une réserve de sagesse.

Et sans doute, Zeus n'a pas tout dit à M. Druon. Ce sont des
« Mémoires » après tout, il ne peut dire ce qu'il a oublié lui-
même, ce qui dans la genèse des dieux est gros d'une sagesse tellurique plus pressante parfois que toute sagesse rationnelle. La
mythologie, c'est beaucoup plus que ce que l'on pouvait penser au
siècle des lumières. La mythologie aujourd'hui, la mythologie au
sens large, c'est peut-être le plus précieux dépôt de la connaissance. Par exemple, il me semble qu'un homme justement
estimé et respecté comme M. Lévi-Strauss est un mythologue
avant d'être un structuraliste à la mode. On dirait que l'esprit a
inscrit dans les mythes à la fois les secrets de la terre et les
secrets de sa terre intérieure. Il faut entrer pour s'en apercevoir
dans un autre ordre d'études, passer peut-être de Druon à Dumé-
zil et à bien d'autres. Mais c'est encore une raison de lire
d'abord ces livres brillants : Druon pour préparer à la mythologie et y préparer de la façon la plus agréable.

ROGER GRENIER

Un journaliste de métier, et ce métier lui a pris beaucoup de temps, d'années. Il a appris à dire avec simplicité ce qu'on voyait dans un petit monde d'autrefois, ce qu'il voit dans le monde d'aujourd'hui. Mais aussi, il sait dire en même temps ce qui ne se voit pas, ce qui ne s'entend pas, ce que l'âme seule connaît quand elle se laisse aller à la tendresse, ou quand elle s'obstine à espérer même contre toute espérance raisonnable.

Le Palais d'hiver

Je risque de faire le plus grand tort à M. Roger Grenier, mais tant pis : il a écrit un très bon roman, un roman que les amateurs de romans peuvent acheter sans méfiance et lire sans perplexités. Je sais bien que dans les textes publicitaires, l'éditeur essaie de masquer cette honte, de faire passer *le Palais d'Hiver* [1] pour un traité de sociologie ou un essai métaphysique sur le Temps, mais ne vous laissez pas décourager : si cette lecture vous entraîne en effet à réfléchir sur l'évolution d'une société et sur l'écoulement du temps, c'est à la manière sérieuse du romancier attentif à la vie, non à celle des écoliers limousins de la philosophie.

Lydia Lafforgue, l'héroïne du livre, est née à la fin du siècle dernier, dans une famille de gros bourgeois encore un peu ruraux de Chazelles, en Anjou. Pendant la guerre, c'est-à-dire vers ses seize ans, elle esquisse un roman d'amour avec un jeune aristocrate qui est malheureusement tué presque tout de suite. Elle découvre aussi qu'elle a une voix admirable, qu'elle pourrait faire une carrière de grande cantatrice : mais par souci étroit des convenances bourgeoises, ses parents s'y opposent absolument. Et voici la fin de la guerre, la ruine pour ces rentiers, qui ne peuvent plus vivre dans cette société dont l'opinion leur importait tellement. Ils vont se fixer à Pau, avec Lydia marquée par la double nostalgie de sa grande carrière ratée et de son grand amour perdu (mais elle a déjà eu une aventure).

1. Gallimard.

Pau, son château, son boulevard, son Palais d'Hiver, les ombres tutélaires de Louis Barthou et de Léon Bérard, les ombres amicales de Maurice Barrès, qui a son allée dans le parc et de l'abbé Bremond qui s'y promène. Les Lafforgue sont bientôt admis dans une petite société de commerçants, d'intellectuels très locaux, d'industriels un peu nonchalants. Monde qui se survit, mais ne résistera guère à la crise de 1929, dans une ville qui s'endort doucement. Avec une précision souvent ironique, mais peut-être ironique par pudeur, M. Roger Grenier ressuscite cette société, ses préoccupations, ses plaisirs surtout, ses menues intrigues, Lydia y brille comme une quasi-artiste, elle y connaît aussi des aventures qui comptent pour elle, parce qu'elle est d'une nature chaude, mais qui ne la conduisent ni à l'amour, ni même au mariage. Lentement, la petite société se désagrège, la dureté des temps modifie les conditions, les dames Lafforgue sont obligées de liquider leur petit commerce de confiserie, on détruit l'ancien Palais d'Hiver, le Palmarium des longues nuits de bal au pied des Pyrénées, pour le remplacer par un casino sans souvenirs et d'ailleurs sans âme. Peu avant la guerre (la nouvelle), Lydia fuira avec un homme déchu, son ancien amant, et qu'elle n'aime pas. On la retrouvera à Bordeaux, artiste : artiste, oui, pianiste de bastringue. La quarantaine est venue, à la mort de son père, elle regagnera Chazelles où ses parents étaient venus végéter, et elle y végétera à son tour, dans la pauvreté et la rumination, ne retournant qu'une fois à Pau, juste pour goûter l'âcre saveur d'un passé devenu désert...

Balzac, oui, je sais : c'est une Eugénie Grandet un peu folle de son corps, qui va vivre dans quelque Houmeau et fréquente la société d'un Pau-Angoulême, etc. Mais avec quelque chose en moins et quelque chose en plus. D'une part, M. Roger Grenier n'ose pas, ou pas encore, donner à son roman sa pleine épaisseur sociale et historique, le plonger dans la pâte de toute une époque. Ses deux chapitres sur les horreurs de la guerre de 14, sur les débuts de la guerre d'Espagne, font un peu hors-d'œuvre et sont là trop visiblement pour mémoire. Mais d'autre part, cette méthode balzacienne il sait la rajeunir aussi bien par le ton général qui reste modéré, neutre avec un petit côté pince sans rire, que par la matière même de son roman qui est bien d'une époque du XXᵉ siècle et non du XIXᵉ, et traitée avec les couleurs de cette époque. C'est du bon, c'est du vigoureux travail : ce n'est pas la faute de M. Grenier si Lydia et ses amis vivent non plus au temps des conquêtes, mais au temps de l'agonie d'une société bourgeoise.

Cette Lydia enfin est un personnage qui ne doit rien à Balzac, précisément parce qu'elle est de notre monde. A la rigueur, elle serait plutôt parente d'Olga, Irina et Macha, les trois sœurs qui

ont vécu loin de Moscou dans l'admirable pièce de ce Tche-
khov dont M. Grenier a très bien parlé. Lydia aussi a vécu loin
de son image d'elle-même, loin de sa propre vie, et elle se
demande si ce n'est pas pour cela que personne ne l'a vraiment
aimée. Et ce passé où elle ne se reconnaît pas, c'est cependant
son passé, le passé qu'elle s'est donné avec l'aide... — j'allais
écrire « avec l'aide de Dieu », mais Lydia est d'un temps, le
nôtre, où Dieu ne semble vraiment pas se donner beaucoup de
mal pour aider ses créatures. Vivre sa vie : mais qui ne se
demande un jour si c'est bien la sienne qu'il a vécue, s'il n'y a
pas eu quelque part, un jour, une mystérieuse, une fatale erreur
d'aiguillage ?

II

LES ENFANTS DE LA GUERRE
ET DE L'APRÈS-GUERRE

JEAN DUTOURD

*« Est-il bon ? est-il méchant ? » se demande Diderot à propos
d'un de ses personnages. Est-il intelligent, ne l'est-il pas ?
peut-on se demander de cet écrivain. Il joue volontiers le personnage du gros-bon-sens-qui-a-raison-contre-les-subtils, et
parfois au contraire il se montre subtil lui-même, adroit, cultivé.
C'est peut-être ce désaccord intime qui fait qu'il ne réussit pas,
ou plutôt, car il a réussi, qui fait qu'il ne parvient pas toujours à
des réussites conformes à ses ambitions.*

Une nature qui a horreur de l'amour

> « La seule façon d'aimer les idiots, c'est de se pencher sur eux et de les scruter avec acharnement. »
>
> *(Les Horreurs de l'amour, p. 44.)*

« Chaque fois que j'ouvre la bouche, il y a un imbécile qui parle », s'écriait ingénument un professeur chahuté. En dialoguant son énorme roman, *les Horreurs de l'amour* [1], l'auteur a donné un tour d'écrou supplémentaire : il y a deux imbéciles chez lui qui, pendant sept cent quarante cinq grandes pages, parlent d'un troisième. L'idée de reprendre, après Diderot, Sterne et quelques autres, la forme du roman-conversation n'est pas une mauvaise idée : mais le roman-conversation avant d'être histoire d'amour ou tableau de mœurs est une question de compagnie, bonne ou mauvaise. Il ne faut lire *les Horreurs de l'amour* que si on est sûr de se plaire dans celle de M. Dutourd autant qu'il s'y plaît lui-même, c'est-à-dire infiniment.

Ce n'est pas que ce soit un gros livre : c'est un livre obèse. C'est une immense conversation entre « Moi » l'écrivain public, et « Lui », l'observateur subtil du cœur humain. Le « Moi » harcèle et asticote, pose des questions, demande des détails, amorce des commentaires. « Lui » raconte les amours dérisoires et tragiques d'Edouard Roberti, avocat et député radical de Paris, et de Solange Mignot, secrétaire de direction. Il sonde les cœurs et les reins, il est le chœur et il a été le confident, il est Goethe refaisant *Faust* sous les yeux bonnasses d'un Eckermann.

1. Gallimard.

Cela dure du début de l'après-midi à l'aube du lendemain, ils marchent dans les rues, sur les quais, ils s'arrêtent pour prendre un verre, pour dîner au Bois, et cela nous vaut une demi-douzaine de croquis de Paris qui ne manquent ni de charme, ni de sensibilité, qui sont peut-être le meilleur du livre et ce qui en restera demain sous forme d'excellentes dictées. Mais enfin ils parlent surtout, et ils s'écoutent parler, et c'est ce qui enfle démesurément le roman. Passons sur les menus compliments et les menues agaceries qu'ils se font l'un à l'autre de temps en temps, si bien que l'on croit entendre parfois le dialogue un peu complaisant de deux gargarismes. Mais nos deux hommes sont de ces moralistes épris de brièveté qui ne tarissent pas de maximes, si bien que nous lisons des dizaines et des dizaines de sentences comme : « Il faut bien montrer le commencement des choses si l'on veut en comprendre le développement... Ce n'est pas parce qu'on est beau qu'on plaît aux femmes... Lorsqu'un homme doit choisir entre un copain de cœur et une femme aimée, le copain ne pèse pas lourd... Il est vrai que le pouvoir corrompt ; mais aussi il grandit l'homme qui l'exerce... Les femmes, même les plus franches, sont encore des monstres de fausseté... On croit plus volontiers ce qui est écrit et signé que ce qui est seulement dit... etc. » Phrases naturelles sans doute dans une conversation à loisir, mais qui dans un livre pèsent beaucoup plus que leur poids de vent : c'est la marquise de La Palice qui sort à cinq heures. Joignez à cela que notre auteur ne se lasse jamais de s'entendre dire deux ou trois fois les mêmes grandes vérités, de donner le thème (l'amour est une nuée de sauterelles), puis la variation (il transforme une contrée verdoyante en Sahara) et la contre-variation (l'amoureux est une terre aride, ravagée par le soleil et le simoun), et vous comprendrez à la fois pourquoi et comment un mince histoire prend ici une épaisseur un peu factice.

Non que l'histoire soit négligeable d'ailleurs. Edouard Roberti, a cinquante ans, a une belle situation ; il a de l'adresse et de l'ambition, un foyer paisible, une femme qu'il aime d'affection, des enfants. Il prend pour maîtresse un peu par hasard Solange Mignot, qui a la moitié de son âge, qui est belle, et qui nourrit depuis longtemps un amour idéal pour l'homme assez en vue qu'est Edouard. Adultère classique des hôtels discrets, puis du petit studio où l'on va de cinq à sept : pour Edouard, c'est une passade, une liaison, une habitude sensuelle ; et pour Solange, c'est le don de soi, le bonheur, l'amour. Un don de soi dont elle s'étonne, dont elle regrette qu'il ne soit pas plus entièrement accepté. Elle brave ses parents, son frère Valentin, elle dédaigne, elle ignore Jacques Legay, le brave garçon, le copain sympathique que son frère voudrait lui faire épouser.

M. Dutourd reconstitue les étapes banales de cette liaison, les élans de Solange, les précautions de Roberti pour éviter toute publicité, la naissance d'habitudes qui deviennent de chères habitudes. Mais surtout, ce qu'il montre très bien, avec de grandes finesses dans l'analyse, c'est le progrès de la cristallisation chez Roberti et parallèlement de la décristallisation chez Solange. Il vient un moment (la liaison dure trois ans) où Roberti, tout en continuant à croire qu'il n'aime pas, aime enfin, tandis que Solange, tout en continuant à croire qu'elle aime, n'aime plus. Elle n'est pas femme à accepter pour toujours de vivre comme l'héroïne de *Back Street,* elle demande à son amant de lui donner plus de place dans son existence, de lui donner un enfant aussi. Et comme il se refuse à comprendre, d'autant qu'il n'a pas encore compris à quel point il tient à elle, elle se fait faire l'enfant par le brave Legay, puis annonce l'intention de l'épouser. Edouard Roberti, vaincu, se révolte, il essaie de faire croire qu'il cherche seulement une sortie en beauté, mais il va jusqu'à écrire à son rival une lettre anonyme d'une précision ignoble, puis un jour, armé d'une petite dague, il se rend chez les parents de Solange, et presque par hasard (l'importance du malentendu dans les relations humaines est un leitmotiv du roman) il tue le pauvre Valentin. Toute l'histoire sera dévoilée aux assises, Roberti sera condamné et mourra un peu plus tard à l'infirmerie de la prison.

Cette histoire amère, cruelle, les deux beaux parleurs de M. Dutourd la comparent vingt fois, cent fois à celle de Faust, et vingt, cent personnes la compareront à une affaire criminelle où l'on a vu la vie d'un grand avocat minée, ruinée, par une longue liaison avec une secrétaire. Mais baptiser le frère de Solange Valentin, comme le frère de Marguerite, est une astuce un peu grosse et qui ne suffit pas à justifier des prétentions faustiennes : disons que M. Jean Dutourd est un trop brave garçon pour que son univers moral ne soit pas aussi étranger à Faust qu'une salle à manger Henri II à une réunion de sorcières sur le Brocken la nuit de Walpurgis, ou bien qu'il a, à la fois, trop bonne opinion de son héros et trop piètre opinion du diable. Quelques détails presque matériels, l'emploi des lettres anonymes, le meurtre commis presque par ricochet, font penser que l'autre comparaison n'est pas dénuée de fondement. Mais il est évident qu'il ne s'agit pas d'un livre à clés, pas plus que *le Rouge et le Noir* n'est un livre à clé sur l'affaire Berthet, et que, de même que dans Julien, il y a beaucoup de Stendhal, dans Roberti, il y a beaucoup de M. Dutourd.

L'histoire de Roberti, en effet, c'est l'histoire d'un homme qui a peur d'être dupe, et qui à force d'en avoir peur, finit par l'être. Or c'est la démarche intellectuelle de tout le roman et ce qui en rend la lecture si pitoyable ou si agaçante. Roberti se plaît à considérer Solange comme l'instrument de ses menus ou de ses grands plaisirs, mais il ricane à l'idée qu'il puisse être amoureux de cette gentille fille un peu sotte et qu'il regarde comme bien inférieure à lui : d'autres peut-être, mais pas lui, on ne la lui fait pas, il ne donne pas dans ces panneaux ou dans ces modes. S'il sent un mouvement de tendresse, il en trouve une explication avantageuse pour lui-même. Il vit dans la terreur de passer pour un jobard et s'il a l'amour en horreur c'est parce qu'il se méfie de tout ce qui pourrait diminuer sa lucidité, sa maîtrise de soi : et il a bien raison, ajoute *in petto* M. Dutourd, puisque l'amour le conduit finalement à sa perte.

Ainsi le « Moi » du roman tranche sur des questions de littérature, de politique, ou de morale. Il ne se demande pas trop s'il faut aimer Mozart et pourquoi, parce qu'il est occupé à se gausser de ceux qui disent « le divin Mozart » et en proie à la panique à l'idée qu'on puisse le confondre avec eux. Il vitupère *la Princesse de Clèves*, vomit Giraudoux et Gide (qui avait lui aussi des côtés de vieille dame qui fait son marché avec méfiance, mais dont tout l'effort a tendu à trouver le point d'équilibre entre la culture et l'esprit critique au niveau le plus haut, alors que M. Dutourd le cherche au niveau le plus moyen : la culture pour Gide, c'est le plus grand commun multiple, pour M. Dutourd le plus petit dénominateur commun). « Moi » ricane de tout ce qui est à la mode, affecte de ne se laisser prendre à rien, et de préférer toujours quelque chanson du bon roi Henry aux airs du temps, qu'il s'agisse de Piaf ou de Vivaldi. Il se donne ainsi des allures d'esprit indépendant qui cachent mal à quel point il vit dans la terreur d'être non conformiste. Dans le Paris littéraire d'aujourd'hui, c'est un paysan du Danube, mais d'un Danube qui coulerait entre la place Gaillon et le quai Conti.

Et comme on le regrette ! Il vit comme Roberti dans la terreur qu'on puisse le prendre en flagrant délit d'aimer hors mariage, d'adultère intellectuel, alors qu'il montre souvent du talent, du goût, des possibilités d'intelligence, qu'avec l'histoire de Roberti et de Solange il pouvait peut-être faire un bon roman d'analyse du genre de ceux qu'il exècre. Mais il a perdu deux fois toute simplicité, par suffisance, et par méfiance. Et bien entendu, il est dupe. Au lieu de mettre en scène le diable, il fait le malin. Et l'enfant que tout occupé à parader, il ne veut pas faire à la littérature, un autre le lui fera...

PIERRE MOINOT

Un écrivain beaucoup trop rare, une œuvre trop peu abon-
dante, trop discrète aussi et par là même trop peu connue. Il a
parlé de la guerre, de la chasse, voire de la chasse à l'homme.
Ce qui l'intéresse, c'est ce qui met l'homme en face de lui-même,
puis l'oblige à être grand, sans prétendue justification théorique
et sans aucun déguisement littéraire. Il est du petit nombre des
hommes qui savent encore ce qu'est la vérité, ou plutôt qui
savent agir comme s'ils le savaient, et c'est cette force que ses
livres nous communiquent.

De la chasse, de la proie, de l'ombre

Depuis M. Paul Vialar, et sa *Grande Meute,* le thème de la chasse semble à la mode auprès de nos écrivains : M. Pierre Moinot nous donne sous le titre *la Chasse royale* [1] un beau et sobre roman ; et M. Marcel Schneider dans son *Enfant du dimanche* nous montre un personnage féminin innocemment surnommé Biquette qui se livre à une chasse à l'homme assez différente de celle qui se déroule dans les fourrés de M. Vialar.

Comme il se doit, si M. Vialar évoque dans ses livres les fastes de la chasse à courre, M. Pierre Moinot, homme de lettres encore dans le rang, évoque une chasse plus modeste et les premières pages de son roman nous montrent ses deux héros soufflant pour grimper les pentes des Vosges avec armes et bagages. Autour d'eux, avec soin, avec amour, grâce à de très belles descriptions, M. Moinot plante le décor, celui de la forêt, avec tous ses mystères et toutes ses suggestions : « Il n'est pas un site de forêt qui n'ait sa signifiance, disait Balzac, pas une clairière, pas un fourré qui ne présente des analogies avec le labyrinthe des pensées humaines... » M. Moinot sait voir une forêt, il sait l'écouter jusque dans ses silences et, sans jamais insister, en faire le cadre nécessaire de son histoire. Histoire de chasse, bien sûr, avec les longs affûts, les grâces et les ruses du gibier. Mais non point simple documentaire. Dans la forêt, chasse gardée, il y a des braconniers qui sont des assassins en puissance. Et voici nos chasseurs transformés en chasseurs d'hommes :

1. Gallimard.

mais aussi, parce qu'ils sont à la merci d'une rencontre dans un
coin isolé, gibier à leur tour. Enfin, dans une maison isolée, une
jeune fille vit entre deux femmes vieillissantes. Fille sauvage,
elle court les bois, tour à tour épiant les chasseurs à leur insu ou
épiée par eux. Une autre chasse s'ébauche, dans laquelle on ne
sait plus très bien non plus qui est le chasseur et qui est le gibier.
Et au-dessus, dans la cavalcade des nuages, un personnage croit
discerner le cortège du chasseur maudit. Ainsi par un jeu subtil,
non point de symboles et d'allégories, mais de répliques et de
correspondances, la vie entière s'organise à l'image de la
chasse.

Mais la chasse, qu'est-ce que c'est ? Un divertissement, disait
Pascal, où nous cherchons un exercice violent, une tension qui
fait passer le temps, et non une prise ou un gibier. A mesure
que nous lisons le livre de M. Moinot, livre de chasse et aussi
roman d'amour, nous sommes obligés de nous reposer la question : et à mesure que nous comprenons mieux que dans notre
monde, il n'y a pas de différence absolue entre chasseur et
gibier, que chaque chasseur est peut-être le gibier d'une autre
chasse à laquelle il ne peut pas se dérober, et qu'en amour, bien
souvent, c'est la proie qui choisit son bienfaiteur ou son bourreau, l'inquiétude nous gagne. Avec une pudeur admirable, l'auteur a évité les grandes scènes d'amour ; le chasseur et la jeune
femme se rencontrent à peine quelquefois avant de se lier l'un à
l'autre. Et quand ils partent à la fin, abandonnant la forêt pour la
mer, nous avons confiance comme eux, parce que M. Moinot le
veut. Mais nous avons aussi le sentiment que la chasse continue
pour les autres, et que pour eux-mêmes un jour peut-être... Ecrit
de la manière la plus propre, la plus vigoureuse, conduit de la
manière la plus ferme et la plus virile, le roman de M. Pierre
Moinot est un beau livre sain sans fadeur, substantiel sans
pédantisme comme le sont souvent les œuvres mûries en plein
air.

Le Bonheur des justes

C'est un roman plein de soleil, d'air marin, de paysages cor-
ses baignés de lumière ou de nuit, où le temps s'écoule d'abord
comme à loisir, où la vie semble délicieusement délestée de ses
tracas trop quotidiens, un roman de vacances, mais où il faut
entrer comme, passé l'enfance et l'extrême jeunesse, on entre
dans les vacances elles-mêmes, c'est-à-dire comme dans un
temps où l'on va goûter à nouveau non la liberté de n'être
rien, mais la liberté d'être soi-même, et d'accorder le rythme de

sa respiration à un rythme plus large. C'est un roman très simple, fait pour dire l'honneur et la difficulté d'être un homme, et
dont il est bien difficile d'achever la lecture sans ressentir
l'envie d'être un homme un peu meilleur. Je sais bien qu'un dessein aussi naïf et un résultat aussi moral sont propres à décourager bon nombre de lecteurs. Tant pis : M. Pierre Monot,
l'auteur du *Sable vif* [1], est de ces auteurs très rares qui savent parler du bonheur comme s'il était, non le sucre, mais le sel de la
vie.

L'ouverture donne assez bien le ton, avec sa belle description de la marche de quelques chasseurs dans un maquis desséché
quelques instants avant l'aube : « Pendant un moment très bref,
une pureté plus douce que la lumière déborda du ciel d'est sur la
crête, où la première cabane de berger se construisit du faîte
jusqu'au pied de ses murs, avec le trou d'une porte ouverte, puis
les toits de Revinda s'allumèrent et Lortier reçut d'un seul coup
la tendresse magique du soleil ». Avez-vous reçu, vous aussi,
cette pureté plus douce que la lumière et cette tendresse magique,
cette manière de ressentir dans son cœur, comme une présence
lustrale, la naissance du jour ? C'est de cet accord que monte le
chant profond du roman.

Ce Jacques Lortier est archéologue ; il est en vacances en
Corse avec sa femme, Françoise, un ami photographe de
presse, Jérôme Valdès, une jeune amie, Célia ; ils seront
rejoints par une amie de Jérôme, Claude, une journaliste. Petit
milieu sans pittoresque particulier, et dont les vacances sont
banales : la chasse pour les hommes, les longues journées sur le
sable chaud de la plage déserte de Chioni et la nage pour tout
le monde ; les repas arrosés de vin frais, les stations à la terrasse du café, chez Néca, et les promenades en bande le soir
dans les rues du village, et les nuits chaudes et claires. Tout cela
M. Pierre Moinot sait le rendre sensible : et il sait le rendre
intéressant parce qu'il nous montre comment chaque personnage, et surtout Jacques Lortier, respire cet air des vacances et
l'assimile.

Jacques est quelqu'un de vigilant ; il est à la fois toujours
ouvert à ce que peuvent lui apporter la vie et les gens et toujours
(disons presque toujours pour ne pas donner l'impression que
c'est un saint) capable de discerner ce qu'il peut accueillir et ce
dont il ne peut pas faire grand-chose. Il est en éveil : c'est un
chasseur, mais qui sait que les gestes meurtiers du chasseur sont
encore une manière d'entrer dans la fraternité des bêtes, ou du
moins dans cet ordre saint de la nature où les bêtes et l'homme
connaissent leurs vocations. Nous l'avons vu dès la première

1. Gallimard.

ligne faire amitié avec la lumière de l'aurore ; il aime les longues marches et tout ce qui lui permet aussi, au prix d'un effort physique, d'entrer en amitié avec la nature. Si bien que ses amitiés viriles sont d'abord dans la même ligne : elles sont un compagnonnage presque silencieux avec des chasseurs, avec les gens du village, une manière de partager le pain, le vin, les raisins. Et les autres amitiés du jeune archéologue sont des manières de se convier mutuellement à d'autres partages, avec la vigilance que cela exige pour écarter ceux qui n'en sont pas dignes ou pas capables. Et l'amour est une communion presque sacrée : il est chez ce chasseur une manière de manifester son orgueil et sa puissance de mâle, comme cela se sent déjà dans ses relations avec Célia, qui sont pures, mais non point dépourvues d'intérêt sensuel, comme cela se sent mieux encore dans ses relations avec Françoise. Mais avec celle-là, qui est forte, l'amour est aussi aveu de faiblesse, confiance, manière de reprendre des forces. Il la prend ou il repose auprès d'elle comme l'autre touchait la Terre-Mère, si bien que cet amour au lieu de le séparer de son ordre du monde achève de l'y intégrer étroitement. On voit que, quand il ne s'y trouverait que ce portrait d'homme, le roman de M. Pierre Moinot serait déjà loin d'être indifférent. Mais il y a autre chose.

Le personnage de l'ami, Jérôme Valdès, est moins détaillé, mais il ne fait point de doute que c'est quelqu'un de la même race. C'est un ami de longue date. Pendant l'Occupation, Jacques a échappé de justesse à un coup de filet de la police, Jérôme a été pris, odieusement torturé, et il lui en reste sous la chemisette blanche dont il ne se sépare pas, une épaule martyrisée avec une lampe à souder où la chair n'a pas repoussé entre l'os et la peau. Il lui en reste surtout le désir longuement entretenu de se venger des deux policiers-bourreaux, et puis quelque chose qui lui fait mal, ne disons pas une plaie mais plutôt un endroit où l'âme est calleuse. Il lui faut l'amitié de Jacques, et de Françoise, pour apprendre de nouveau à faire amitié avec la vie, « sans complexe », et ces vacances en Corse le pacifient. Il y a dans une courette du village un chien méchant qui gronde et qui hurle, dont la chaîne s'est entortillée de manière qu'elle s'est raccourcie et qu'il ne peut plus s'asseoir ou se coucher. Une nuit, Jérôme essaiera d'aller allonger la chaîne, il se fera mordre, il n'y arrivera pas, et il viendra réveiller Jacques pour qu'il vienne l'aider, et ils réussiront : M. Moinot a très bien raconté cet épisode, et la poussée de camaraderie complice entre les deux hommes qui le suit. Il n'y a rien de changé dans le monde, sauf pour le chien qui les a mordus, et qui peut se coucher : mais justement ce changement-là est important. Ici encore, il y a un partage, dont Jérôme a été capable, et en même temps nous

sentons bien que son amie Claude, qui vient d'arriver, peut jouer
auprès de lui un rôle un peu analogue à celui de Françoise auprès
de Jacques.

Quand arrive aussi la bruyante et dégradante caravane d'une
manifestation publicitaire et touristique, qui met tout en l'air
dans le village pendant deux ou trois jours, et dans cette foule un
gros homme dans lequel Jérôme reconnaît un de ses bourreaux.
Il va le tuer, il y va de sa dignité et c'est sa chance de vaincre
cette peur abjecte qui le terrasse, parfois malgré lui depuis qu'il a
été torturé comme une bête. Et cela est juste, Jacques n'a pas une
hésitation, d'autant que cette exécution le regarde aussi, Françoise n'essaie pas d'intervenir et Cardoni, le vieux guide des
chasseurs, entre sans sourciller dans cette vendetta d'un genre
particulier. A la chasse au sanglier dans le maquis des premières
pages, correspond maintenant la chasse à l'homme dans la
foule.

Mais tandis qu'ils cherchent des armes, prennent des dispositions, dressent un plan de bataille, pour Jacques, et même pour
Jérôme naît un débat aux grandes profondeurs : la vengeance
est juste, mais est-ce qu'elle est encore la justice ? En d'autres
termes, cette justice purement humaine peut-elle s'inscrire sans
dommages dans l'ordre du monde ? Ou d'une manière plus précise encore : comment l'homme doit-il être un juste pour rester
dans cet ordre, qui est la santé, ou la sainteté, de la vie ? C'est
ici la grande difficulté d'être homme. La justice, au sens le plus
élevé, c'est la forme humaine de l'ordre de la nature : mais il faut
à l'homme un effort presque surnaturel sur lui-même pour être
juste. C'est cet effort que tout en continuant leur action violente,
Jacques et Jérôme vont faire séparément, à l'insu l'un de
l'autre et presque à l'insu d'eux-mêmes. Il n'est pas question que
Jacques abandonne l'action commencée, d'ailleurs, puisque ce
serait trahir son ami. Mais à mesure qu'il prépare le piège, il
sent que l'homme à abattre représente tout ce qu'il hait, la
cruauté bestiale, la dégradation, la régression de l'homme : et
que cela existe hélas, ni Jacques, ni personne ne peut l'empêcher ou l'accepter. Mais tuer le bourreau, n'est-ce pas aussi contraire à cette plénitude de la vie que la mer, la terre, et les
vivants lui ont enseignée ? L'homme traqué, peut-être parce qu'il
s'est aperçu qu'il l'était, peut-être parce qu'il est mêlé à des affaires de contrebande, s'embarque et disparaît avant que les amis
aient pu rien faire. Mais quand Jacques Lortier annonce la
chose à Jérôme, celui-ci ne proteste pas : le mal dont il a souffert s'est enfui comme un rêve, les forces conjuguées du soleil, de
la mer, de l'amitié, de l'amour l'ont guéri. D'avoir pu tuer son
bourreau et de ne l'avoir pas fait, cela a rendu sans importance
l'ancienne blessure dont il porte encore la marque. Avoir laissé

passer le sanglier, comme Jérôme l'a fait dans la chasse qui ouvre le livre, c'était une faute ; avoir laissé fuir la bête humaine, c'est une victoire. Une victoire de ce qui dans le cœur de l'homme le fait juste, moins au sens de la loi qu'au sens où on le dit d'une voix dans un chœur, d'un instrument dans une musique.

Le critique, hélas, procède un peu lui aussi avec une lampe à souder : en essayant de dégager les thèmes du *Sable vif*, j'ai l'impression de l'avoir réduit aux os et à la peau, alors que c'est aussi un roman de chair et de sang. Ce que j'aime dans ce livre, c'est son humanité et son humanisme : il est d'un laïcisme parfait, et je crois bien qu'on n'y élève pas une seule fois les yeux vers le ciel, si ce n'est pour comparer le baudrier d'étoiles d'Orion à la ceinture de chair blanche que le maillot laisse sur le corps bruni de la bien-aimée, mais cet humanisme est tonique, et cette morale que l'homme propose à l'homme peut faire sa grandeur. Mais ce que j'aime aussi, c'est une sorte de sensualité odorante et franche. Je croirais volontiers que M. Pierre Moinot n'a pas beaucoup d'imagination et que l'agencement de ses intrigues ne va pas sans peine : mais il a en quelque sorte une mémoire créatrice qu'il met à la disposition de ses personnages et de la nôtre. On nous invite souvent aujourd'hui à visiter de grands édifices romanesques construits selon des techniques savantes, à l'intérieur desquels on ne trouve guère que le romancier lui-même assis par terre et perdu dans une méditation hésychiaste. Chez M. Pierre Moinot, il y a du feu et il vous offrira de partager quelque chose avec lui...

MAURICE CLAVEL

Philosophe, romancier, homme de théâtre, journaliste, pamphlétaire, partout bouillonnant, parfois excessif, pressé, emporté par un coup de tête ou par un coup de cœur. Mais c'est un écrivain et ses œuvres ne sont nullement négligeables. Et s'il est excessif parfois dans ses opinions, c'est par un excès de générosité, si cela était possible, et par une passion impatiente de la vérité.

Les délices du genre humain

Voilà un bon livre, si le principe des bons livres est de choisir un grand sujet et de le traiter à l'aide d'une belle image qui donne à penser et laisse beaucoup à réfléchir. M. Maurice Clavel est un écrivain brillant, que l'on rencontre dans beaucoup de domaines, ce qui ne veut pas dire qu'il s'éparpille, mais qu'il a des dons multiples : et il les a presque tous mis en œuvre dans cette *Pourpre de Judée*[1]. Il a déjà publié plusieurs romans, au théâtre il a fait jouer plusieurs pièces, depuis *les Incendiaires* qu'on acclama au lendemain de la Libération jusqu'à ce mystère de *Saint Eustache de Cordoue* qui parut comme un autre *Polyeucte*, il a traduit Shakespeare, et s'est même permis parfois d'y ajouter un peu ; grand professeur il est, dit-on, les délices de ses élèves, journaliste politique et journaliste au sens noble il est l'observateur véhément des mœurs de ce temps. Partout, il montre de la verve, du nerf, de l'audace, voire de l'imprudence : on imagine bien qu'on n'est pas toujours d'accord avec les réactions de cet homme-là, mais on sait qu'elles viennent d'un cœur sincère et généreux et qu'elles s'expriment d'une manière qui exclut la tiédeur.

Eh bien *la Pourpre de Judée* est un long dialogue qui porte la marque de l'homme de théâtre, c'est une méditation sur la vie de Titus et c'est aussi une *Bérénice*, avec en filigrane un *Antoine et Cléopâtre*, c'est une charge du professeur contre

1. Christian Bourgois.

la philosophie, qui se venge d'ailleurs tout de suite, et c'est encore un livre d'un homme qui n'ignore pas que le sort de Jérusalem est encore aujourd'hui un sujet d'extrême actualité, pour ne rien dire du sort de la religion. Ce n'est pas un roman, au sens classique ou au sens nouveau, et même si on étend le terme jusqu'à ce Procureur, de Judée aussi, qui inspira Anatole France : mais vous lirez ce dialogue plus facilement et avec plus de profit que bien des livres d'aujourd'hui qui portent le mot « roman » sur la couverture. Ou à la rigueur, c'est un roman dont les personnages plus que Bérénice, Titus et son interlocuteur sont les ombres projetées par les grandes idées, qui s'offrent à diriger notre vie, sur les parois de la caverne platonicienne qu'on utilise souvent à la légère aujourd'hui. Un grand dialogue académique, comme M. Clavel le suggère lui-même, mais déjà on ne sait quel vent d'Orient souffle sur les jardins de l'Académie et la conversation laisse la place à quelque vision comme en a le saint Antoine de Flaubert. Une *Tentation de saint Titus* par l'auteur de *Saint Euloge de Cordoue ?* Il y a de cela, et nous sommes au cœur du sujet.

Un jour (un jour de septembre 81), Rufus, tribun militaire à la retraite, voit s'avancer un cavalier solitaire sur le chemin des lagunes qui conduit à son petit domaine, entre Ostie et Naples. Dès qu'il est en sa présence, Rufus reconnaît son visiteur, c'est l'empereur, c'est Titus qu'il a rencontré il y a bien des années alors qu'il n'était encore que général, au cours des campagnes du Proche-Orient, Titus qui vient chercher une oreille amicale pour, en disant ce qu'il a fait et ce qu'il a été tenté de faire, se dresser une sorte de monument verbal qui sera aussi, nous l'apprenons en cours de route, son tombeau. Titus va mourir, et il le sait, il dépose sa couronne dans ces pages, et en même temps il dépose comme on le dit d'un témoin dans un procès.

La figure de l'amant racinien oblitère un peu dans notre mémoire celle de cet empereur de quarante ans, dont le règne dura trois ans à peine. Nous oublions qu'il pourrait changer de tragédie puisqu'il avait été le compagnon de jeu du petit Britannicus au point de boire peut-être quelques gouttes à sa dernière coupe. Nous nous rappelons (vaguement) qu'il fut appelé l'amour et les délices du genre humain, et qu'après avoir laissé craindre un nouveau Néron par quelques excès de sa jeunesse, il fut en effet un empereur humanitaire et humaniste, humain au point d'inspirer quelque méfiance ou quelque rancune aux dieux puisque son court règne est marqué par la catastrophe de Pompéi et d'Herculanum et par un incendie accidentel de Rome plus grave que celui de Néron. Pour tout cela, M. Clavel n'a eu qu'à utiliser les quelques pages de Suétone, et

il l'a fait avec la plus grande habileté. Mais la grande affaire,
c'est l'affaire juive. Affaire politique et militaire puisque ce
fut Titus, lieutenant de son père Vespasien qui réprima la
révolte du royaume de Judée annexé et mit à sac Jérusalem
et son temple en 70. Affaire privée puisque Bérénice, reine
de Césarée, était juive. Affaire religieuse enfin puisqu'une
religion issue du vieux tronc juif allait l'emporter sur les
dieux de Rome et de l'Empire. Ce Rufus que Titus vient revoir
est non seulement un vieux compagnon d'armes, mais encore
un Romain passablement enjuivé.

Protégés, favorisés par César et par Auguste, chassés par
Tibère, puis par Claude, puis par Néron, malgré de puissantes
protections, les Juifs ont déjà connu à Rome et en Judée une
histoire dramatique, la question juive est posée (cf. pour les
précisions les quelques pages, 405-410, de M. Jean Cousin
dans *Rome et son destin*). Titus, vainqueur de Jérusalem, jeune
général victorieux en Orient, ne va-t-il pas éprouver ce que
l'on pourrait appeler la tentation ou le complexe d'Alexandre ?
Se détourner de Rome, au moins provisoirement, faire une
sorte de schisme dans l'Empire, et soumettre un monde jusqu'à l'Inde ? Uchronie qui fait rêver parce qu'elle représente un autre équilibre des forces de l'humanité sur le con-
tinent euro-asiatique.

Mais en même temps, Titus, plus qu'Hadrien, plus que Constantin, est empereur au cours d'une période charnière de l'histoire humaine, quelque chose remue déjà dans son vaste empire
presque à son insu. M. Clavel n'a eu qu'à accentuer sa lucidité
pour en faire un héros tragique et parfois hamlétique de l'histoire religieuse. Non un empereur philosophe : c'est ici que se
manifeste la méfiance pour les systèmes philosophiques et une
moquerie anticipée pour l'Empereur à la Marc Aurèle, mais
un homme sage et fou, avec ses impulsions et ses amours avec
son goût aussi d'un ordre dans sa vie et dans la vie. Ni la
vieille religion romaine, ni la nouvelle religion des empereurs,
déjà raillée par son père mourant, ne peuvent le satisfaire
et la foire des mystères et des cultes orientaux ne le tente
pas assez. Alors le Dieu de Bérénice, le Dieu qui était ou qui
n'était pas au rendez-vous du Saint des Saints profané à Jérusalem ? Un Dieu qui peut devenir le Dieu de toute la race
humaine, du destin de tous les hommes, mais qui est encore,
qui est encore trop le Dieu d'un seul peuple. Tout cela Titus
l'évoque et le discute devant Rufus d'une manière précise, concrète, charnelle même puisque il s'agit aussi de Bérénice. Nous,
nous savons bien sûr ce qui en ce temps-là grandissait dans
l'Empire, nous savons quel visage nouveau allait prendre l'histoire religieuse de l'humanité. Titus lui, cherche l'autel du

dieu inconnu, parfois il voudrait remercier, mais qui ? Ce n'est qu'aux trois dernières pages que Rufus se laisse un peu aller, parle de ce qu'il a connu sous Tibère, de cet homme qui était le fils du Dieu d'Israël et qui a guéri son serviteur, Rufus le centurion dont cet homme a admiré la foi quand il lui demanda non d'entrer dans sa maison, mais de dire seulement une parole... Et Titus résume son propre drame tel que le livre de M. Maurice Clavel a voulu l'éclairer en disant : « Je fus frôlé... »

Riche et suggestive histoire de ce qui pouvait être au prix d'un frôlement un peu plus appuyé, et de ce qui a été. Histoire lointaine : mais la reprise et la réunification de Jérusalem est d'hier, elle était dans les journaux il y a quelques années encore, la poussée du monde arabe est toujours menaçante autour de la ville. Dans l'équilibre politique du monde, Jérusalem compte encore pour beaucoup, elle est ville des juifs, ville des chrétiens et ville des plus importantes pour les musulmans, la possession de ce coin de terre signifie beaucoup dans le remodelage qui est en train aujourd'hui comme celui dont Titus fut artisan ou témoin.

Et cela ne compte pas seulement sur la terre. Sous nos yeux, les quatre fleuves du premier jardin sortent peut-être de leur lit et changent leur cours. Nous sommes sans doute nombreux à nous demander si nous aussi, nous ne sommes pas frôlés, du dernier frôlement d'un homme qui s'en va. Mais alors comment allons-nous remettre en ordre aussi les traits de notre visage ? Faut-il avec ce Titus penser à Platon, — Platon pour disposer à l'après-christianisme ? Avec Nietzsche ? Contre lui ? Je ne sais si Flaubert a été tenté de dire un jour « Saint Antoine, c'est moi », mais ce saint Titus, c'est sûrement un peu M. Maurice Clavel. Saint Titus, saint Antoine (avec ou sans M. Maurice Béjart), c'est nous et la Pourpre de Judée ce n'est pas un exercice académique, c'est le mouvement d'une pensée vivante au sein de quelques-uns de nos problèmes essentiels. Titus revint en hâte à Rome pour se présenter à son père Vespasien. Ce livre est écrit parce que nous ne savons plus très bien à quel père nous présenter, ni quel visage faire devant lui. Tout n'y est pas clair, tout n'y est pas parfait, tout n'y tend pas, autre revanche de la philosophie humiliée, vers une réponse originale. Mais il y a plus de choses dans ce livre, cher Horatio, que dans tous nos romans à la petite semaine...

La croisade des enfants de mai

Enfin ou encore? Trop tard ou trop tôt? Ou : trop tard et
trop tôt ? Encore un roman inspiré par les événements de mai
1968, après des dizaines et des dizaines d'autres. Mais celui-ci
est inspiré justement, animé d'un souffle de l'esprit, écrit par
un homme qui est tout générosité, de la générosité qui veut
comprendre en même temps que de la générosité qui veut donner. N'est-il pas trop tard, ce mois de mai-là n'est-il pas devenu
paradoxalement un mois des feuilles mortes ? Ou n'est-il pas
trop tôt parce que cette grande vague ou ce grand séisme,
nous ne pouvons pas encore lui faire équitablement une place
dans la grande histoire ? N'importe, jeunes et vieux, vieux
surtout même si nous en nions l'importance politique, si nous
rejetons la prolifération des mensonges partisans ou publicitaires, nous ne pouvons nous empêcher de nous demander s'il
n'y a pas eu là un inquiétant ébranlement des fondements de
notre société et de notre vie sociale. La jeunesse a de ces sur-
sauts. Au début du XIIIe siècle, l'esprit de croisade semble
définitivement corrompu, les grands de la quatrième croisade
ont vendu leur croix pour l'or de Constantinople. Et voici qu'à
l'appel d'un petit berger du vendômois Etienne de Cloyes, des
milliers d'adolescents de France et plus tard d'Allemagne se
lèvent et partent pour redonner un sens à leur vie. Ils fini-
ront mal, naufragés, esclaves en Algérie. Mais « ces enfants
nous font honte », murmure le vieux pape Innocent III. Contre
les marchands d'esclaves qui sont parmi nous, n'avons-nous
pas assisté au début d'une nouvelle croisade des enfants qui
veulent devenir des hommes « à part entière » ? Et la littérature de mai 1968, n'est-ce pas la chanson de cette croisade
aux espoirs actuellement déçus ?

M. Maurice Clavel, on le sait, a été touché par la grâce ou
traumatisé, c'est selon, en mai 68 et son roman *la Perte et
le fracas* [1], est une histoire pleine de bruit et de fureur mais
dont il espère qu'elle signifie quelque chose. Le roman lui-
même, enlevé bon train, plein de personnages et de péripéties,
est amusant comme un feuilleton, ou comme un roman populaire mondain. Il n'est ni très facile, ni heureusement très utile
de le raconter dans le détail. Disons pour en donner une idée
qu'il prend une bande d'enfants de mai quelques mois plus

---

1. Flammarion.

tard, pendant les vacances, sur la Côte. Une dame bruyante et tapageuse, Carole, va être obligée de vendre sa superbe propriété pour essayer d'éponger 400 millions de dettes. A grand fracas, elle va faire transporter d'abord d'un coin de cette propriété au cimetière local les cendres de sa fille Miette qui s'est tuée quelques mois plus tôt. L'ancien mari de Carole, le colonel Vannier, est là, noble figure de baroudeur d'Indochine, d'Algérie et de putsch ; et ses autres enfants, André et Patricia. En face, la bande des jeunes gauchistes qui fuient Paris et rêvent de passer en Italie : Jean-Marc qui a brûlé pour Patricia, en vain, Luc qui a été l'amant de Miette, et nous apprendrons que celle-ci s'est donné la mort parce que la méchante Carole interceptait les lettres de Luc. Ajoutez un ami de tout le monde, Brice, et une cruche, Denise, qui est venue là pour se vendre à un milliardaire, mais au dernier instant le cœur ou l'appétit lui a manqué ; puis un certain Jean-Baptiste Rosier qui fait cavalier seul sur un rocher, si j'ose dire, pour écrire des articles pour un journal parisien, *le Beaumarchais* (qu'est-ce que cela peut être?); un domestique, Thomas, et ses parents ; un garçon, un môme de quinze ans, Daniel, qui vient rejoindre les émeutiers en sursis. La bande trouble les funérailles de Miette, pour faire de la contestation ou pour venger les amours malheureuses de Luc, qui est aussi le fils de Brice. D'incident en incident, la tension monte entre les deux groupes, celui des adultes pourris et celui des purs adolescents. A tel point qu'à la dernière minute, pour venger une offense à la pureté révolutionnaire du jeune Daniel (on l'a aliéné en lui faisant servir un gâteau à table), les jeunes mettent le feu au palais de Carole. Jérusalem, ou Babylone, ou Rome est en flammes, et les jeunes croisés sont cueillis par les gendarmes alertés par le père du domestique Thomas, dont l'auteur a fait à la fois un électeur communiste et un indicateur.

Tout cela et beaucoup d'autres choses est raconté avec verve et rapidité. Peut-être M. Maurice Clavel se montre-t-il ici un écrivain moins élégant et moins pur que dans ses autres livres, il a le souci d'aller vite, de reproduire le langage parlé et les mots de trois et de cinq lettres reviennent avec une insistance qui sent un peu la veulerie. On voit bien que cette histoire, prise ainsi, est abracadabrante, feuilletonnesque et dépourvue de presque tout intérêt. Mais en un sens, c'est exprès. Cela est destiné à peindre une société, la nôtre, et une société qui doit servir de repoussoir. Ce qui compte, ce n'est pas cette grosse invention, mais les minces passages qui laissent filtrer l'espérance. Ainsi l'érotisme n'est pas absent, on s'en doute, de la peinture de notre monde pourri, et puisqu'ils n'ont pas

fait le vœu de continence, nos jeunes gens s'y laissent parfois aller. Mais ce qui revient à plusieurs reprises, presque
comme une obsession, c'est l'acte d'amour interrompu, comme
si le souci de la pureté était le plus fort et sauvait à la dernière seconde, presque malgré eux, Jean-Marc ou Daniel de la
souillure, de la corruption, tranchons le mot : du péché.

Pour le reste, je ne sais si M. Clavel a tout à fait réussi.
Sans doute, ce n'est pas ici un livre sur les idées de mai 68 :
les idées, il en a tenté l'exposé critique dans son ouvrage
précédent *Qui est aliéné ?* Mais ce petit groupe d'adolescents
déjà démobilisés et bientôt anciens combattants professionnels ne tire un peu d'éclat que de l'auréole passée; ce que nous
les entendons dire est niais, ce que nous leur voyons faire
est stupide. Le jeune Daniel, en particulier, dont M. Clavel
a sans doute voulu faire le Gavroche des barricades de 68, malgré ses rodomontades puériles, se comporte toujours comme un
pauvre gosse paumé et d'une intelligence en dessous de la
moyenne. Les défauts mêmes du livre sont sans doute calculés.
Il charrie de la boue, mais comme un fleuve. Il peint des
fantoches, mais parce que notre monde en est peuplé... Il reste
alors cette petite lumière qui vacille entre le fracas et la perte,
cette petite lumière d'espérance que M. Maurice Clavel a voulu
protéger avant que mai 68 ne tourne au folklore de notre
société.

Jean-Marc peut compter pour deux évangélistes, et il y a
un Luc et un Mathieu dans la bande gauchiste. Peut-être est-
ce le personnage central que nous voyons mal, ou qui n'a pas
trouvé de nouvelle incarnation fictive. A la différence de celle
du XIIIe siècle, notre croisade des enfants est peut-être elle
aussi une croisade sans croix. Ce qui attache finalement dans
le roman de M. Maurice Clavel, ce n'est pas le film adroitement
cousu : c'est sa manière d'évoquer discrètement, mais sans
qu'on puisse s'y tromper, un autre film, un autre monde, un
autre salut...

ANTOINE BLONDIN

Il passe pour l'un des écrivains les plus importants du petit groupe littéraire que vers 1950 on appelait « les hussards ». Et nul peut-être, malgré cette appellation un peu bravache, ne fait autant figure d'enfant perdu dans notre siècle de fer. Il a été floué, par la guerre, par la Libération, il est resté trop jeune dans un siècle trop vieux. Et de tout ce qu'il aime encore dans son cœur, il ne parle plus que sous le voile d'une ironie un peu goguenarde, un peu amère, comme si, après avoir été dupe de tout le monde, il refusait de paraître dupe de lui-même. Ses romans déguisent à peine ses souvenirs, ses digressions ou ses traits ne déguisent pas du tout ses opinions. Il nous amuse et il nous attendrit au même moment, parce qu'il a la touche, un art parfait d'écrivain qui jamais ne pèse ni ne pose. Il a su enfermer dans ses quelques livres l'image d'une jeunesse un peu « paumée » non point parce que le monde est absurde, mais simplement parce qu'il ne tient plus ses promesses. Hussard fragile, et qui gagne au second degré.

« Un singe en hiver [1]*»*

Je crois que l'un des toasts qu'Antoine Blondin porte le plus volontiers c'est : A l'amitié! Ce livre déchirant parce que l'on y entend à travers une mince pellicule d'humour, la voix nue d'un homme qui lutte aux frontières de son propre désert, est un long, très long toast à l'amitié malheureuse.

Le héros, Gabriel Fouquet, passe un mois hors saison dans un petit hôtel d'une petite plage non loin de Deauville. Le patron, Albert Quentin est un vieil homme qui un jour de grand danger a fait le vœu de renoncer à la boisson, et qui a tenu. Une nuit, le jeune pensionnaire, silencieux et bien aimable, rentre ivre, d'une ivresse dont Albert n'a pas beaucoup de mal à deviner qu'elle est habituelle. Est-ce que cette amitié de bon chien que Fouquet sent autour de lui suffira à le retenir ? Ou bien au contraire se servira-t-il de cette amitié pour faire retomber le vieux Quentin ?

Et cela compte d'autant plus que Gabriel Fouquet nous apparaît à mesure que nous faisons mieux sa connaissance comme un homme d'amitié. Il garde beaucoup de tendre amitié pour Gisèle, la femme dont il est séparé depuis des années. Et Claire, la femme avec laquelle il a espéré tout recommencer, est une amie. Sa mère, Mme Fouquet, se montre dans une lettre farfelue et amicale ; et la vraie raison du séjour de Gabriel sur cette petite plage, c'est qu'il voudrait se rapprocher de sa fille qui est en pension dans le coin, et devenir l'ami de ses enfants. Il

1. La Table Ronde.

appelle l'amitié, et soit malchance, soit maladresse, il ne la ressent pas en retour...

Il lui reste alors le paradis des amitiés artificielles, celles qui se font et se défont autour d'une table, le long d'un bar, tandis que le vin, comme Baudelaire l'a bien dit dans des vers médiocres, pousse vers l'homme, ce cher deshérité, « un chant plein de lumière et de fraternité ». Ainsi Gabriel, lucide le plus longtemps possible, tisse avec de l'alcool et des paroles ces liens de tendresse et de fraternité, éphémères et qui paraissent sur le moment d'une solidité inébranlable. On entre libre dans l'alcool on se sait, on se croit libre d'en sortir ; mais tandis que se construisent avec d'autres buveurs qui sont beaucoup plus que des complices, à peine moins que d'autres nous-mêmes, les mirages enchantés du bonheur, on sait déjà qu'il n'y a pas d'autre issue que la chute dans le noir où nous perdrons conscience et illusions. Singe frileux, singe grelottant, nous ne pouvons pas revenir dans l'hiver des hommes, ce n'est pas notre climat.

Et puis viennent l'habitude, la forfanterie, un certain respect humain comme si notre alcool était la forme liquide de notre virilité. Et comment n'aimerions-nous pas ce monde de liberté totale où notre élégante ironie paraît souveraine jusqu'à la minute où, poivrot larmoyant, nous pouvons enfin avouer sans vergogne que si nous demandons encore un petit verre, c'est toujours un verre du fameux lait de la tendresse humaine ?

L'analyse de l'étrange amitié protectrice qui se développe ainsi entre l'alcool et l'homme, M. Antoine Blondin la poursuit sans élever la voix, avec une finesse implacable. Le démon l'emporte, le malheureux Albert Quentin pour sauver son jeune ami essaie de le rejoindre dans son refuge artificiel, il se remet à boire — une fois et jamais plus ? ou deux fois, ou... ? Cela nous vaut le récit d'une cuite épique qui met la petite plage sens dessus dessous, avant que les deux hommes se séparent. Morceau de bravoure, qui n'est sans doute pas la meilleure partie du livre, pas plus que la fin brève, ambiguë. Mais peut-être ne pouvait-on faire autrement. Il ne s'agit pas, on le voit bien, d'un roman fabriqué pour ou contre l'alcoolisme. Ce n'est pas un livre sur l'alcool, c'est un livre sur la solitude et la tendresse. « Tendre est la nuit », disait déjà Scott Fitzgerald dont toute l'œuvre témoigne que son époque le contraignit lui aussi, par des moyens à peine différents, à brûler sa vie par les deux bouts pour essayer de se réchauffer. La place de M. Antoine Blondin sera sans doute celle d'un Scott Fitzgerald de son pays et de sa génération. Il n'y a pas de guerre sans que l'on trouve, dans le camp des vainqueurs, des guerriers *défaits*... Heureux encore lorsque des cendres de leur vie, l'œuvre renaît comme un phénix.

Jadis et naguère

Ce que nous vivons nous préoccupe au point de nous cacher l'étoffe dont notre vie est faite, ce que nous avons vécu nous hante, mais cette hantise prend bien souvent les couleurs inséparables du bonheur et du regret, comme si à distance ce qui compte d'abord et comporte déjà un élément de joie, c'est d'avoir vécu. On connaît des hommes revenus de l'enfer et qui au-delà d'une idée globale de l'horreur se surprennent parfois à penser : c'était le bon temps... Le livre d'Antoine Blondin, *Monsieur Jadis ou l'Ecole du soir* [1], tout parfumé de nostalgie et d'exaltation, n'est pas un roman, mais, un livre de vérité et de vérité de cœur.

Livre de vérité, et livre de raison a-t-on envie de dire même du livre de M. Antoine Blondin qui raconte bien des folies, car cet itinéraire à la paresseuse finit par illustrer une ligne de vie. D'une manière générale, M. Antoine Blondin n'a changé ni les noms de personnes, ni les noms de lieux, on rencontre dans son livre ses amis Albert Vidalie, Silvagni, Louis Sapin, Roger Nimier, on reconnaît la femme exquise qu'était sa mère Germaine Blondin, on hante le Bar-Bac, on séjourne dans cette pointe extrême du Hurepoix qui est comprise entre Saint-Germain-des-Prés et l'ancienne gare d'Orsay. Chapitre après chapitre, nous voyons M. Blondin qui parfois dit « Je » et parfois « Monsieur Jadis », comme s'il voulait enfermer tendrement dans le passé une période de sa vie raconter une nuit mémorable, une grande expédition qui comprend presque toujours des scènes d'ivresse, des horions et un séjour dans la cage de quelque commissariat de police. Monsieur Jadis sauve Popo, une jeune femme dont il fait une sorte d'aristocrate de la clochardise et se fait battre par des Arabes, il se fait passer à tabac à Beaujon, et si cet écrivain régionaliste est surtout à l'aise sur les quelques arpents de bitume de son quartier, il n'en fait pas moins connaissance avec un poste de police à Biarritz, entre deux séjours dans des cages parisiennes. Monsieur Jadis a une mère quai Voltaire, il a une femme et deux petites filles, une maîtresse femme mariée, mais sauf la mère peut-être, ces personnages font partie de la vie du jour, et la vraie vie c'est celle de la nuit, de Blanche, de Vidaloche, de Popo et de quelques autres, il y a quelques années...

1. La Table Ronde.

Je n'ai pas ouvert ce livre sans quelque appréhension. J'avais peur de rencontrer un petit vieux racontant ses frasques de jeunesse avec complaisance, un poivrot évoquant de vaines soûlographies, un Monsieur Jadis s'étendant un peu trop sur son temps perdu dans le lanternement. Je pensais au titre du beau livre de M. Eric Ollivier, qui a connu à peu près la même époque au même âge, *J'ai cru trop longtemps aux vacances*, et cette « école du soir » un peu trop prolongée me donnait de la méfiance, je n'étais pas loin de penser que tout cela est bien joli, mais que M. Blondin avait peut-être une œuvre à faire, que ses séjours chez Blanche et dans les commissariats étaient du temps perdu que rien ne rattrape jamais.

J'avais tort, et M. Blondin a raison. J'ai suivi pendant assez longtemps les cours de la même école du soir, j'ai connu non seulement Albert Vidalie ou Sapin, mais encore Popo pour laquelle je ne me sentais nullement la même indulgence chevaleresque que M. Blondin. Encore maintenant, alors qu'il est redevenu un tabac banal, je ne pénètre pas au Bar-Bac sans une pensée de reconnaissance pour l'incomparable Mme Blanche qui y régnait toute la nuit. Je crois savoir un peu ce qu'il y a de vérité et ce qu'il y a de jeu dans les mémoires de M. Blondin. J'ai quitté cette école il y a quelques années déjà un peu parce que la maîtresse a pris sa retraite dans quelque Périgord, davantage parce que j'ai accepté une vie de travail assidu. Mais c'est Monsieur Jadis, le redoublant qui a eu raison. Le livre est débordant d'un merveilleux bonheur d'écriture, de jeux de mots qui sont parfois des calembours et parfois des découvertes de la vérité notées avec une exquise rapidité. Pas un bégaiement chez ce bègue, pas un geste, pas une expression, pas une intention n'échappent à cet œil souvent perdu dans le brouillard d'entre deux vins. On s'amuse donc beaucoup en lisant ces récits d'équipées plus ou moins abracadabrantes, et on goûte en même temps la prose d'un parfait écrivain.

Au-delà de la drôlerie, bien sûr il y a une tendresse voilée d'une ironie un peu goguenarde. Mais il y a mieux, un sentiment direct de la vie, perdue peut-être selon les normes de la société, mais vécue, c'est-à-dire gagnée. Celui qui a quitté l'école du soir pour se mettre à travailler, qui n'est plus toujours fauché, qui gagne un peu d'argent, qui semble avoir une position, qu'a-t-il de plus ? Il perd son temps en fumée, comme le monsieur qui ne fume pas et qui n'a pourtant pas économisé le prix du tabac pour s'acheter une maison de campagne. Tandis que la grâce d'un écrivain comme M. Blondin c'est que son temps perdu, il le rapporte intact. Vécu et en même temps donné à vivre.

Le pittoresque ne manque pas, le livre peut prendre place dans une tradition, celle des scènes de la vie de bohème à la Murger, à la Carco. Mais il est aussi tout à fait autre chose, l'exemple d'une vie vigilante, mais qui ne trouve rien à prendre au sérieux dans notre monde, et surtout pas le divertissement ordinaire du travail ; d'une vie attentive à son seul écoulement en quelque sorte, puisque vivre est la seule richesse, attentive aussi à ne pas faire trop de peine aux autres, mais là, M. Blondin sait qu'il réussit moins bien, que sa liberté est teintée d'égoïsme, qu'il a besoin de l'indulgence de ses femmes, de ses enfants en même temps que leur tendresse. C'est à la bohème de Verlaine qu'on pense alors, et c'est peut-être pour cela que j'ai eu envie de lui emprunter le titre de cet article. Ne jetez pas la pierre à cet ivrogne apparemment désinvolte, il lui arrive de souffrir d'être ce qu'il est, ou mieux de devoir vivre selon la sagesse qu'il s'est choisie. C'est beaucoup plus sérieux et plus estimable que de parler de la sagesse du zen dans un article ou dans un salon. « Je n'ai pas la foi, mais j'ai tant d'espérance », disait admirablement la mère de Monsieur Jadis. N'est-ce pas une devise, tout ce qui nous reste pour continuer à vivre, écoliers dans la nuit ? *Monsieur Jadis* est un livre exquis qui ne raconte que des pantalonnades, mais avec le sens et l'amour de la seule vraie richesse.

DANIEL BOULANGER

Il est aujourd'hui le prince de la nouvelle ou du conte — de l'histoire courte qui se prolonge indéfiniment dans notre cœur ou dans notre imagination, qui ne cesse pas de nous interroger. Il a publié beaucoup de recueils qui ont fait les délices des connaisseurs, qui presque tous ont eu un prix litté-téraire, mais il a encore quelque peine à atteindre un très large public. Non que ses histoires soient obscures, hermétiques : elles sont ouvertes au contraire, on y entre facilement, mais une fois qu'on y est entré on a l'impression de respirer un air insolite. A moins que ce ne soit l'air pur, alors que notre air quotidien est pollué ?

Boulangerville

Livre après livre, certains écrivains semblent bâtir une ville qui n'est qu'à eux, plus encore qu'ils n'édifient une œuvre, une ville qui a la forme et le climat de leur cœur et qui vient s'ajouter à notre propre géographie sentimentale. Pourquoi ne pas donner à ces stations, quand elles n'en ont pas d'autre, le nom de leur créateur qu'elles porteront sans doute plus légitimement et plus longtemps que d'autres le nom d'un tyran, Léopoldville ou Stalingrad ? Et puisque M. Daniel Boulanger pour ce volume qui est à peu près son quinzième a choisi le titre *Mémoire de la ville*[1], pourquoi ne pas parler de Boulangerville ? C'est un peu plus qu'un jeu de l'esprit, cela peut être une méthode ou au moins un test pour nous aider à séparer les meilleurs des médiocres : il y en a qui ont publié quinze, vingt, trente volumes et dont nous sentons tout de suite qu'ils n'ont pas construit une ville ou édifié une œuvre et que leur piédestal est une pile de livres chancelante. Et il y en a dont nous sentons très vite, après deux ou trois lectures à peine, que nous entrons chaque fois dans une ville qui a son urbanisme secret et un air d'une qualité chimique particulière et particulièrement excitante.

Sans filer trop longtemps l'image, on peut dire qu'elle nous aide à placer M. Daniel Boulanger. Boulangerville existe, à n'en pas douter : entre ses quinze livres, *la Porte noire*, *le Chemin des Caracoles*, *la Nacelle*, *la Rose et le reflet*, il y a

1. Gallimard.

des communications, des rues, des canaux, des ponts. M. Philippe de Broca y a tourné bien des films. Et pourtant, il me semble qu'on n'y va pas encore beaucoup, que les agences littéraires de tourisme que sont la presse, la critique n'arrivent pas à y envoyer la foule des voyageurs. En d'autres termes, voici un écrivain qui a beaucoup travaillé et produit, dont le grand talent est généralement reconnu, qui a eu le prix Sainte-Beuve, le prix Max Jacob, le prix de la Nouvelle, mais dont on peut douter que la réputation ait franchi les milieux littéraires, dont il n'est pas certain que la physionomie morale soit beaucoup plus connue que la silhouette physique qu'il a montrée parfois en tenant de petits rôles au cinéma. Disons donc qu'aujourd'hui c'est moins en critique qu'en guide que je voudrais parler pour vous donner le goût d'aller y voir.

Dans ce recueil de vingt nouvelles, trois textes font expressément référence à la ville, un au début, un vers le milieu qui donne son titre au livre et le dernier et le plus long, *Mort de la ville*. D'ailleurs, il ne faut pas prendre cela trop au pied de la lettre, et si l'ensemble permettrait de situer Boulangerville vers le nord de la France, quelques récits évoquent aussi des villes précises de la géographie courante. Mais la ville, ce sont les hommes, c'est la race d'hommes.

Le docteur Faguerre, médecin de campagne ou de gros bourg, arrête volontiers sa voiture au pied du grand chêne quatre fois centenaire pour bourrer et fumer une pipe. Il y rencontre une belle fille étrange, qu'il appelle Livèche, qu'il veut épouser, mais qu'il est seul à voir, Eve incomplètement sortie de la côte d'Adam pendant son sommeil, mais qui n'en existe pas moins aussi fortement que son désir d'une telle compagne. Félix Cheminais, fonctionnaire raisonnable et ponctuel de l'O.I.L. (Organisation internationale des loisirs), est comme visité, possédé chaque soir à l'heure entre chien et loup par des créatures qui peuvent être un chien, un oiseau, un général ou l'évêque de Trébizonde. Le tailleur Kropsky « avait une jambe de bois qu'il remisait dans le porte-parapluie avant de s'installer pour coudre sur le long comptoir ciré ». Parfois il l'installe devant lui à table, « je lui souhaite bon appétit et je lui fais du pied », c'est un invalide de la guerre de 14 qui a été blessé en se portant au secours d'un camarade dont il se moquait royalement. Mme Cornélie est demoiselle, mais elle se dit mariée à un homme qui avait fui le soir des noces emportant ce qu'elle avait de plus précieux, une statue de la Vierge et des colliers ; elle parcourt la ville en poussant dans un landau une créature à laquelle elle fait la conversation, un chien : et quand ce Darling devient vieux et podagre, elle essaie d'apprivoiser et de voler un autre chien, Corsaire, qui se sauve, la laisse effondrée, en pleurs, au milieu de la rue, devant l'hôtel des Postes : mais elle se redressera, elle ira désormais seule, poussant la voiture vide. « C'est à la huitième marche de son escalier, au 12 de la rue Emile-Loumet, qu'Omer Durosoy, un samedi vers onze heures rencontrera la vieillesse. » C'est une jambe qui refuse service à ce professeur de violoncelle qui est une notoriété de Boulangerville. Et il va lutter, ruser, parfois marchant à reculons parce que cela fonctionne mieux en marche arrière, sous les regards ébaudis des commères de la ville, Aurore Panneton ou Madeleine Bédard. La belle Elphège Lépaule vient vivre avec son père, conservateur du Palais, et c'est une sorte de vie en pique-nique permanent à travers les dizaines de pièces du Palais à conserver. Un enfant parle, qui ne comprend pas tout de suite très bien, mais nous, nous comprenons les relations de sa mère, d'un certain Henri et de son père, faussaire, récidiviste et bientôt criminel.

Ou bien voici Briot, le grand chirurgien de la ville. Sa secrétaire lui annonce un visiteur un peu inquiétant. Il reconnaît derrière la barbe Quérel, un mauvais garçon blessé au cours d'un cambriolage et auquel il a sauvé la vie, dix ans auparavant. Quérel, récemment libéré, revient avec l'intention de tuer le complice qui l'a donné jadis et qui est resté impuni. Voilà une amorce d'histoire bien banale, cela pourrait se passer dans la ville de Simenon aussi bien que dans la ville de Boulanger. Mais attendez : Quérel veut montrer sa reconnaissance à l'homme qui lui a sauvé la vie, il sait qu'il sera condamné à mort pour le crime qu'il prémédite, alors, puisqu'on ne meurt qu'une fois, il offre au chirurgien de le débarrasser de qui il voudra. Le chirurgien hésite, refuse : « Vous êtes bien aimable. — C'est de bon cœur en effet. » Quérel commet son crime. A la fin du déjeuner, ce jour-là, Mme Briot annonce à son mari qu'elle va aller faire un bridge. Il semble jaloux. La nouvelle s'appelle *le Mort du bridge,* elle a cinq pages. Si je l'ai racontée un peu longuement et jusqu'au bout, c'est parce qu'il me semble qu'on y voit bien l'embranchement qui conduit de la grand-route de Simenon à Boulangerville. Plus important, plus significatif que le fait divers sanglant est le crime imaginaire, le crime propre du chirurgien, dissimulé par une sorte de litote supplémentaire sous le titre « le mort du bridge ». Plus important, plus significatif, parce que si nous sommes peu nombreux à avoir participé à un hold-up sanglant, le crime du chirurgien, est-ce que nous ne l'avons pas tous commis au moins une fois ? est-ce que nous n'en avons pas tous eu une fois au moins la velléité ?

Et si nous repensons maintenant aux types des autres nouvelles dont j'ai fait exprès une brève galerie, est-ce que nous ne devons pas nous dire qu'il ne s'agit pas seulement de maniaques pittoresques ou d'excentriques ? Mme Cornélie, Omer Durosoy, Félix Cheminais (M. Boulanger a une sorte de génie de l'état civil fictif) nous semblent un peu raides ou un peu excessifs parce que dans les quelques pages d'une nouvelle, M. Boulanger nous les présente en maniaques, en effet, en proie à une idée fixe. Mais de ces extravagances, de ces crimes ou de ces malheurs sommes-nous sûrs de ne pas porter le germe dont l'art de l'écrivain nous présente une image fortement grossie, mais reconnaissable ?

L'art de l'écrivain est fort et savoureux : « L'amour ressemble au sanglier si bien nommé solitaire. Il me semble qu'on reste toujours seul à creuser frénétiquement sa bauge, même accouplé. Viennent parfois les petits que l'on pousse du groin et qui sont fleurs sur l'églantier, à tous dès que parus. » Ou bien : « L'hiver a le halètement du chien qui veut rentrer, les longs coups de griffe à la porte, la plainte qui s'étrangle et reprend. Par la fenêtre l'enfant voit la neige reprise par le vent dresser sur une lueur d'étang ses tentes aussitôt retendues qu'emportées... » La ville date pour chacun de nous de la naissance du monde, dit M. Boulanger. Le texte central *Mémoire de la ville* est presque un croquis de rêve, une vision qui d'abord ferait penser si cela était possible à une prison de Piranèse à ciel ouvert : mais n'est-ce pas toute ville ? Le premier texte, *Naissance de la ville* avoue que la ville est une sorte de palais des miroirs où l'auteur croque ses reflets. Et le dernier, *Mort de la ville,* est d'autant plus terrible qu'il est d'abord plus réaliste, nous montre un soldat qui au moment de l'invasion allemande se glisse dans sa ville natale qui a été bombardée et ruinée, y retrouve sa mère, vieille égoïste sans tendresse qu'il hait ou croit haïr et qui est maintenant muette, absente, choquée au sens moderne et médical. Il dira sa haine et son désespoir, et il ne pourra s'empêcher d'en finir, de se faire tuer avec sa mère, de mourir avec sa ville et sa mère, comme si l'homme s'écroulait quand se brisent tous ses miroirs et tous ses reflets. Les habitants de Boulangerville sont-ils des reflets pour autant et la situation littéraire de l'œuvre resterait-elle indécise parce qu'elle n'est pas suffisamment lestée de réalisme au goût des lecteurs ? Je croirais plutôt que ces habitants sont des êtres ouverts, ouverts par-devant et par-derrière, par-derrière, pour laisser monter en eux tout ce qui vient de la bouche d'ombre et par-devant pour essayer de continuer à vivre, quand ce serait vivre en aveugles.

JEAN-CLAUDE RENARD

Le premier poète catholique de sa génération. Il parle la langue, d'une concision parfois un peu hérissée, des poètes de son temps, et il a réfléchi longuement sur les moyens et sur les problèmes de la poésie. Mais en même temps il a réfléchi sur sa religion et sur sa prière, et les deux mouvements semblent s'être rejoints, s'être appuyés pour aboutir à ce texte unique, qui gagne ainsi en qualité et en profondeur.

La terre des poètes

A leur manière, et elle est cruelle, les poètes ont particulièrement souffert du « mal de terre », je veux dire d'une certaine
séparation entre les visages de la terre et les images qu'on en
peut donner. Le centenaire de Lamartine fit repasser sous nos
yeux ces grands paysages régulièrement éclairés et encadrés,
comme le seront encore les tableaux de l'école de Barbizon :
mais peu de poètes ou de peintres peuvent encore continuer dans
cette voie alors que nous aspirons à un art qui dégage moins
l'image que l'idéogramme. Pour le poète, ce sont les problèmes
d'arrangement des mots, disons les exercices pratiques de linguistique, qui se posent à lui en même temps que le souci de sauver les apparences de la terre : grand jeu passionnant et péril-
leux qui est l'aventure de la poésie contemporaine en dehors de
toute distinction d'écoles.

M. Jean-Claude Renard, que l'on s'accorde généralement à
considérer comme un de nos grands poètes, peut nous fournir un
exemple. On aimait dans ses recueils une ample poésie à la fois
lyrique et métaphysique, qui s'efforçait de rassembler les visages
de la terre précisément et d'en dégager quelque valeur sacrale ou
sacrée. Je ne le retrouve pas facilement dans son livre, *La
Braise et la rivière,* dont la lecture me semble un peu ardue, et
qui marque peut-être un tournant dans la carrière et l'ascension
du poète. Certes, il reste fidèle à la terre et à ses réalités quotidiennes, il ne s'écarte presque jamais du concret présent dans un
vocabulaire simple, ou un peu cherché plutôt que rare ; il nous fait
pénétrer dans de grands paysages campagnards, et les deux
mots du titre manifestent cet attachement, même s'il faut les
prendre aussi symboliquement. Mais le texte semble s'être creusé
plus encore qu'approfondi : « Il faudra sans augures tenter de
s'avancer plus loin que le langage et le vœu de savoir, vers le
salut possible, vers la seule parole qui soit ce qu'elle dit », écrit

M. Renard dans un des derniers textes du recueil. C'est un peu le carnet de cette avancée qu'il nous donne à lire.

Le volume se présente un peu bizarrement comme un recueil de poèmes et de proses, les poèmes, sauf quelques grandes pièces, étant rejetés en notes appelées par des chiffres au cours des « récits » en prose, et comme le second récit est lui-même un poème, les notes 2 se rapportent au récit 3. Complications qui donnent un peu l'impression d'un édifice dont on n'a pas encore retiré les échafaudages, ou d'une œuvre dont la concrétion langagière n'est pas achevée, mais qui ne sont pas très importantes parce que la distinction prose-vers n'est pas elle-même très stricte. Au total, pour le lecteur naïf, il reste une grande et belle richesse terrestre, mais qui tient à ce que M. Jean-Claude Renard a le don royal de nommer et d'appeler les choses à l'existence du seul fait de proférer exactement leur nom : mais dans le mouvement d'un discours dont il est fort difficile de serrer le fil. Je ne nie pas le plaisir qu'il y a à entrer dans un texte d'une extrême densité, à forcer les allusions à la transparence, à voir jaillir des étincelles en frottant les uns contre les autres ces mots durs comme des cailloux : mais il faut bien dire que c'est aux dépens de la lisibilité. A mesure que le prospecteur s'avance plus loin dans le langage, celui-ci perd sa transparence mais peut-être aussi une part de son pouvoir de communication.

Mais comment faire ? Pour mettre les choses autrement, dans le cas d'un poète « métaphysique » comme M. Jean-Claude Renard, la terre parle. « All realities will sing, nothing else will », disait Coventry Patmore, cité par l'abbé Brémond. Ce chant, ce langage premier des réalités de la terre, le langage second de la poésie doit en retrouver les poids et les balances. C'est à cette traduction, ou à cette alchimie, ou à cette re-création que le poète est appelé, à cet ajustement que M. Jean-Claude Renard travaille sans désespérer mais non sans peine.

ROBERT SABATIER

Romancier et poète. Une assez longue série de romans plus qu'honorables lui valent l'estime des critiques et des écrivains, sans atteindre tout à fait le grand public. Puis vient l'immense succès des Allumettes suédoises : *le chemin était préparé par les romans précédents, mais bien plus, presque tout était déjà dans le premier livre,* Alain et le nègre. *Ce qu'il a retrouvé, ce qui coule avec abondance, c'est le miel de l'enfance, de la tendresse, de la poésie des voix qui se sont tues. Le succès ne le change pas, dit-on. C'est que le secret de ce succès, c'est la fidélité.*

« Alain et le nègre », un livre noir et rose

Voici un livre tendre et charmant qui n'est ni fade, ni bégueule — un petit livre rose pour grandes personnes. Un livre qui sonne vrai et qui met en scène une humanité peu reluisante sans essayer de nous donner des remords ou du cafard — un petit livre noir pour grands enfants. A Montmartre-village (ni la commune libre des rapins et des chansonniers essouflés, ni le quartier affranchi où Prosper, etc.), une femme vieillissante tient une médiocre épicerie-buvette ; elle a un enfant de dix ans, Alain, blond et rose, qui va de la communale à la boutique, en passant par la rue ; et un amant nègre, Vincent, musicien de jazz ou d'orchestre typique. Et c'est une idylle — entre Alain et le nègre. M. Robert Sabatier en a fait un roman qui se joue avec bonheur de toutes les difficultés [1].

M. Robert Sabatier connaît certainement les enfants, et il a compris que Vincent, le grand nègre, était un enfant à sa manière. Il n'a pas négligé le pathétique de la femme vieillissante qui s'accroche à son amant noir. Mais il a mis l'accent sur la fraternité de l'enfant et du nègre. Le livre est fait de menus traits, d'anecdotes, dont il nous appartient de saisir la résonance : la note fondamentale, c'est la tendresse. On connaissait de ce jeune auteur des poèmes : son roman n'a pas les défauts ordinaires des romans de poètes, il est même écrit parfois avec une sorte de gaucherie, de maladresse que M. Sabatier devra corriger. Mais il est éclairé de l'intérieur par ce soleil du cœur qui

1. Albin Michel.

est sans doute le soleil des poètes. Ce que, *a priori,* le sujet pourrait avoir de choquant n'existe pas. Ce sont des gens pauvres, mais honnêtes, qui ne s'encombrent pas de préjugés, mais qui nous obligent par leur naturel à nous débarrasser des nôtres et à voir les hommes et les choses comme eux, avec la simplicité du cœur. Impossible de savoir ce que deviendra M. Sabatier : il perdra peut-être la qualité d'âme qui fait le charme de son roman comme nous avons tous perdu notre enfance. Ce serait dommage : c'est un autre romancier qui a publié un livre intitulé *les Grandes Lessives,* mais c'est l'histoire de nègre de M. Sabatier qui a la blancheur... enfin, la blancheur que nous aimons tant.

Un enfant des rues...

C'est un livre exquis sans fadeur, ferme sans dureté, un livre si plein d'amitié pour la vie qu'on ne peut le lire sans en être pénétré à son tour. Il est presque aussi difficile et inutile d'en parler que d'essayer d'analyser le charme d'un bouquet. On a déjà compris qu'il s'agit d'un roman à l'ancienne manière écrit par un homme d'aujourd'hui, d'un roman tout bête qui se rattache à cette forme à la fois la plus noble et la plus complète de la littérature, la littérature du cœur. Dans l'hiver de notre littérature trop strictement intelligente, si vous savez tourner les pages d'un roman d'un doigt un peu tremblant d'impatience ou d'attendrissement, frottez une à une *les Allumettes suédoises* [1] de M. Robert Sabatier, et vous serez réchauffés.

Au centre, un enfant, un orphelin de dix ans (on ne se refuse rien), Olivier Chateauneuf. Autour, son royaume, le court morceau de la rue Labat, à Montmartre, compris entre la rue Lambert et la rue Bachelet. L'époque, le début des années 30, entre la mort d'Aristide Briand et l'assassinat de Paul Doumer, un printemps et un été. Orphelin de père, Olivier vivait avec sa mère la belle Virginie, dans la boutique et l'arrière-boutique de la petite mercerie. Virginie meurt à son tour, une nuit. Voilà l'enfant seul, recueilli provisoirement par de très jeunes cousins, Jean et Elodie, qui habitent la même rue : y restera-t-il, ira-t-il chez un oncle, chez ses grands-parents à la campagne ? Tout ce qu'il souhaite, c'est rester dans sa rue familière, avec ses copains petits et grands, c'est ne pas subir un nouvel arrachement, un

1. Albin Michel.

nouveau sevrage, et M. Sabatier sait si bien nous faire partager
cette angoisse diffuse qu'alors qu'il ne se passe rien dans ces
trois cents pages, comme pour un roman policier, je ne me
sens pas le droit de vous dire la fin.

Très jeunes, et jeunes mariés très amoureux l'un de l'autre,
Jean et Elodie laissent toute liberté à l'enfant, qui se sent dès
lors comme recueilli, comme réchauffé par sa rue. Il va de la
grosse concierge, Mme Albertine Haque, à Lucien le bègue répa-
rateur de T.S.F., à Gastounet l'ancien combattant raseur qui ressemble vaguement à Doumergue, à Bougras, quelque peu anar,
douze métiers, treize misères, farceur et tonitruant, à Mado, la
très belle femme très élégante dont on ne sait trop ce qu'elle
fait en ville, si bien qu'on pourra un moment la croire chauffeuse
de taxi parce que le bruit a couru qu'elle était taxi-girl, au beau
Mac à l'élégance un peu trop poussée, petit casseur ou caïd manqué, à dix autres et aux enfants, Loulou, Capdeverre, Riri, Ramé-
lie, et à l'infirme, l'Araignée, dont le vrai nom est Daniel.

Olivier, l'enfant blond aux grands yeux verts masqués d'un
nuage de mélancolie sent très fortement la présence ou
l'absence de tous et de chacun, même quand il ne peut comprendre les raisons de leurs activités. M. Robert Sabatier a soigneusement évité le pittoresque conventionnel des romans de « gos-
ses » à l'Alfred Machard ou la manière de ces petits Poulbots qui
étaient à la mode à cette époque et faisaient sans arrêt des mots
d'auteur. Ici, l'âme d'Olivier est comme le prisme à travers
lequel, avec les yeux du souvenir, le romancier compose et
décompose les couleurs du passé. C'est un roman impressionniste qui recrée un « paradis » innocent, mais où déjà le malheur s'est glissé, le deuil, la pauvreté. Olivier, comment ne pas
penser à son petit cousin Oliver, Oliver Twist ? Je relisais
Dickens quand le livre de M. Sabatier m'est parvenu : la différence est grande mais, différence de manière comme entre deux
peintres de deux époques, Dickens n'hésite pas à appuyer le trait
là où M. Sabatier se retient (Mme Albertine à quatre pattes
cueillant des pissenlits sur les fortifications au retour de l'enterrement de Virginie, n'est-ce pas dickensien ? et cela ne porte
qu'imparfaitement) peut-être par fausse honte, sous les yeux de
ses petits camarades du trottoir littéraire, écrivains et critiques
d'aujourd'hui.

Et pourtant, peu à peu, nous entrons dans le tableau. Si grande
est la force de conviction de ce livre que j'ai fini par me sentir
contraint de faire le voyage jusqu'à ce qui est pour moi l'autre
bout de Paris et presque du monde, j'ai retrouvé le tronçon de la
rue Labat, l'Entreprise Dardart est toujours là, et « le Transatlantique », et les fleurs en céramique dans le couloir de la grande
maison du 77, j'ai grimpé les escaliers Becquerel jusqu'à

l'endroit d'où l'on voit le Sacré-Cœur de profil, deux grands
petits garçons, Loulou et Capdeverre, complotaient au bout de la
rue Bachelet, quelqu'un, Bougras sûrement, avait collé sur les
volets clos d'une boutique une affichette manuscrite contre
« l'Etat et sa bande d'apaches », j'ai déjeuné fort convenablement « Aux Rognons flambés », une maison qui n'est pas d'époque, peut-être en face du beau Mac, et Mme Marcelle qui se plai-
gnait parce que sa voisine ne lui avait remonté qu'à onze heures
du soir des graines pour ses oiseaux se confondait un peu avec
Albertine Haque... Le petit monde de M. Robert Sabatier n'est
pas intact, mais il en subsiste de larges pans.

Cette espèce de vérification, cette promenade entre la rue
Custine et la rue Caulaincourt, ce n'est pas de la littérature, et ce
n'est pas de la critique, je le sais bien. Je suis rentré chez
moi finir le roman, et ce que je venais de voir de mes yeux par
une froide journée d'août s'est réchauffé et illuminé.

En rentrant dans le passé d'abord. M. Sabatier excelle à rassembler cet espèce d'humus social dans lequel poussent les fleurs
de notre mémoire, les modes d'hier, les objets naguère de tous
les jours et qu'on ne trouve plus que chez les brocanteurs, les
affiches à peine oubliées, les expressions familières mystérieusement tombées en désuétude, les chansons, les rengaines, les scies
dont il nous faut un instant pour retrouver le rythme, et toute
cette publicité qui marque un temps et qui nous entre dans la tête
malgré nous par les murs et par la radio. La lecture de ce roman
sera pour les plus âgés un voyage sentimental dans les années
30 et pour les plus jeunes la découverte d'un monde de la douceur
de vivre presque aussi inconnu que le XVIII° siècle (« La Libération, c'était quand », me demandait hier un garçon. « En 44 ?
Ah ! je suis né en 46... »).

Cela est possible parce que, au-delà de l'anecdote, ce roman
est un livre d'une grande vérité. M. Robert Sabatier qui a écrit,
avec plus ou moins de bonheur, des romans plus compliqués ou
plus ambitieux ou plus secrets, revient ici à la matière de son
premier livre, *Alain et le nègre*. Ce n'est pas un recul ou une
régression, c'est une manière de reprendre directement contact
avec ce qui en profondeur a sans doute nourri toute son œuvre,
et c'est parce que ce contact est rétabli d'une main légère mais
précise et parfois savante que le livre est réussi. Chapitre « où
malheureusement, il n'est question que de petites gens, et qui par
conséquent ne peut manquer d'être également bas et vulgaire »,
dit ironiquement le cher Dickens dans la table des matières de
Nicolas Nickleby. M. Sabatier à son tour relève le défi. Dois-je
ajouter pour achever de le déconsidérer qu'il a peint ce petit
monde truculent et souvent mal embouché avec vérité sans
employer un mot bas ou vulgaire ou grossier, que le mot de cinq

lettres lui-même ne s'est glissé qu'une fois dans son texte à la faveur d'un mot composé ? C'est un exploit qui donne envie de dire que M. Sabatier a réussi avec ces *Allumettes suédoises* une première comme disent les alpinistes, l'ascension littéraire du mont Martre par la face sans pittoresque factice, celle des braves gens, la face de lumière.

MICHEL BUTOR

Le disciple rebelle de cette école du nouveau roman où l'on a prétendu l'inscrire; et en même temps l'esprit le mieux équipé, le tempérament le plus fort. C'est lui qui s'est montré le plus constamment épris de nouveauté, et dans tous les ordres. Il a le goût de l'expérience et un redoutable esprit de systématisation que ni la pauvreté, ni l'absurdité des résultats à l'occasion ne peuvent décourager. Ces expériences « pour voir », sans savoir à l'avance ce que l'on trouvera, sont la rançon d'une puissante originalité. Il a tendu toutes les forces de son esprit pour étendre le domaine de la littérature, quitte à n'annexer parfois que des sables mouvants.

L'Amérique en Butorrama
Du mouvement et de l'immobilité de Butor

L'Imprimerie Floch, à Mayenne, a mis au point un volume de 336 pages au format double couronne (23 1/2 × 18 1/2) sur un papier blanc d'assez bonne qualité, un peu transparent. Il est imprimé en Plantin corps 11, si je ne me trompe, en faisant usage presque à chaque ligne des caractères romains, des italiques et des capitales. La justification est très large, mais elle n'est jamais employée pour l'ensemble d'une page : au contraire le jeu subtil des marges, des lignes incomplètes, des mots isolés donne une impression de légèreté typographique. L'objet est mis en vente par les Editions Gallimard sous le titre *Mobile* et le sous-titre « Etude pour une Représentation des Etats-Unis », avec la signature de M. Michel Butor.

L'examen sérieux d'un ouvrage comme celui-là se doit, me semble-t-il, de commencer ainsi par la description sommaire de sa principale originalité. Il est clair, en effet, que ce n'est ni par la sensibilité, ni par la pensée que M. Butor a essayé de briller, mais par l'agencement des parties. D'un musée du Vermont, il dit que « la partie la plus étonnante en est peut-être la collection de courtepointes, ou « quilts » en mosaïque d'étoffes ». Ce « Mobile » est composé un peu comme un « quilt ». Nous voilà avertis, cherchons l'arlequin.

Le principe d'agencement semble être de consacrer quelques pages à chacun des Etats de l'Union, par ordre alphabétique, de l'Alabama au Wyoming. Notons à tout hasard qu'il s'agit de l'ordre alphabétique français (Caroline du Nord et Caroline du

Sud se suivent, alors que les Américains séparent North Carolina et South Carolina) et que certains Etats ont droit à une tête de chapitre « Bienvenue en Indiana », « Bienvenue au New Mexico », et d'autres non : on passe de « Bienvenue au Kansas » à « Bienvenue au New Hampshire » sans salut au Kentucky, à la Louisiane, au Maine, au Maryland, etc. Ce qui complique un peu les choses, c'est que les notes sur l'Orégon, par exemple, ne sont pas nécessairement au chapitre « Bienvenue en Orégon », et qu'inversement ce chapitre contient beaucoup d'allusions à des choses qui n'ont aucun rapport avec cet Etat. En fait, tout au long du livre, le principe d'enchaînement le plus fréquent, c'est la coïncidence toponymique : ayant remarqué que nombre de villes des Etats-Unis portent le même nom, M. Michel Butor éprouve un plaisir enfantin mais toujours nouveau à faire cascader Greenfield, Illinois ; Greenfield, Montana ; Greenfield, Oklahoma ; Greenfield, Ohio.

Les notations ainsi classées, si on peut dire, semblent d'abord d'une grande variété, mais on peut les ramener sans peine à un petit nombre de types obsessionnels d'un caractère assez enfantin également, comme la crème glacée et la voiture automobile. Par exemple, vous lirez dix, vingt, trente fois une note comme « Cambridge, où vous pourrez demander, dans le restaurant Howard Johnson, s'ils ont de la glace à la fraise » en changeant à chaque fois le nom de la ville et le parfum de la glace, mais non le nom du restaurant. Ou bien vous lirez dix, vingt, cent fois une note sur une voiture qui file sur une route en précisant à chaque coup la marque, la couleur de la carrosserie, celle de la peau du conducteur (« Une Chrysler tomate rutilante conduite par un vieux Blanc » : il est vrai que l'on rencontre aussi un camion « jaune rutilant », ce qui est beaucoup plus difficile...) et en indiquant sa vitesse par rapport à la vitesse limite réglementaire, ou bien son besoin de s'arrêter au prochain poste distributeur de telle ou telle marque d'essence, ou encore le temps nécessaire pour aller on ne sait où...

Vous trouverez aussi des descriptions d'oiseaux en deux ou trois lignes, inspirées semble-t-il par les planches d'Audubon ; des extraits de prospectus touristiques ; des descriptions d'objets plus ou moins saugrenus empruntées au catalogue d'un grand magasin de vente par correspondance ; des mentions géographiques isolées et apparemment dépourvues de sens (« la forêt nationale de Clarke » ; « les îles Sears et Pickering dans l'Atlantique ») ainsi que des noms de journaux à l'usage des Italiens, des Suédois, des Polonais de tel ou tel Etat ; de brefs extraits d'écrivains (Lovecraft) d'hommes politiques (Franklin, Jefferson) ou de chroniques relatives à des antiquités américaines ou à des épisodes historiques, avec une prédilection pour l'histoire religieuse (les mormons, la religion du Peyotl chez les Indiens, les sorcières de Salem etc.), chaque récit étant bien entendu morcelé en courts fragments distribués ici et là à travers le volume (qui ne comporte ni table, ni index). Qu'importe puisque chaque page ressemble à toutes les autres et présente un cocktail de ces différents éléments? Qu'importe — mais à quoi bon ? Ce « quilt », cette mosaïque, cela représente une énorme quantité de travail, et une patience dont on ne sait s'il faut la dire angélique ou imbécile. Imaginez que vous découpiez en petits morceaux un guide Michelin, un livre de petite histoire et le catalogue de la manufacture de Saint-Etienne, et que vous recolliez les fragments, en vous laissant guider seulement par des coïncidences de mots sur un cahier de trois cent trente-six grandes pages... C'est un ouvrage absolument illisible et qui d'ailleurs n'est pas fait pour être lu. Il est fait pour être regardé, dirait sans doute M. Michel Butor, c'est à la fois son explication et son erreur.

Si nous écartons l'hypothèse que le titre vient de la ville de Mobile, Alabama, temps central, 202 799 habitants, jour férié supplémentaire le 13 avril en l'honneur de l'anniversaire de Jefferson, il faut que nous pensions aux mobiles d'Alexandre Calder c'est-à-dire, pour reprendre la description de M. Jean-Paul Sartre, à d'étranges agencements de tiges et de palmes, de palets, de plumes, de pétales que l'artiste monte avec des matières inconsistantes et viles, avec de petits os ou du fer-blanc ou du zinc. Un souffle d'air un coup de vent, et ces assemblages vibrent, oscillent, se gonflent, prennent des formes qui ressemblent à quelque chose ou qui ne ressemblent à rien, et retombent. Que le lecteur prête son souffle aux pages de ce livre, et des fragments assemblés se lèveront des images flottantes des Etats-Unis — un oiseau, un coup de téléphone, un nom de ville, un nom de pierre, un bout de prospectus, un fantôme de mormon ou de Peau-Rouge, une voiture, un visage de star, Lincoln, une glace à l'abricot — puis d'autres images, dont les composantes ne seront pas exactement les mêmes, et d'autres encore. Aucune image ne se donne pour *stable*, ni pour totale, ni pour définitive, ni pour vraie. Elle ne peut, elle ne veut être en apparence qu'une de vos images des Etats-Unis. Elle ne cherche pas à expliquer ou à convaincre, mais à suggérer, et la faiblesse radicale de ce livre, c'est qu'il se veut en deçà de la parole.

A la même époque, M. Michel Butor publie dans *la Nouvelle Revue française* un livret d'opéra, *Votre Faust*. L'opéra est l'histoire d'un compositeur d'opéra auquel un directeur méphistophélique a commandé un opéra sans lui imposer de livret, à condition que ce soit un « Faust ». Et le directeur fictif intervenant dans l'action propose aux spectateurs d'intervenir à leur tour, par un vote, ou par un représentant choisi au hasard, ou simplement en criant « non », de telle manière que l'on continue la représentation au choix par telle ou telle scène, telle ou telle version. Chaque soir, ce sera *Votre Faust,* c'est-à-dire une sorte de « mobile » musical.

A vrai dire, la question que le directeur met aux voix fait un peu penser à ces questions un peu trop circonstanciées qu'un gouvernement certes démocratique, mais non téméraire, pourrait proposer à un référendum. « Henri assistera-t-il au spectacle de marionnettes en compagnie de Maggy ou d'une autre femme ? » Mais le spectateur n'a pas choisi Henri, ni Maggy, il ne peut pas envoyer Henri non pas aux marionnettes mais au bowling par exemple, et s'il vote pour une autre femme, elle est déjà là ; dans la coulisse, habillée, fardée, définie. C'est-à-dire que la liberté de choisir « votre Faust » est une liberté surveillée, comme celle de choisir « votre Amérique », puisque vous ne pouvez souffler que sur les éléments réunis par M. Butor, dont nous avons fait l'inventaire, à l'exclusion de ceux qu'il n'a pas retenus et dont l'inventaire ne serait d'ailleurs pas moins significatif : par exemple, le ciel américain est plein d'oiseaux qui ne sont jamais gênés par la fumée des usines... Plus un mobile est libre, plus ses éléments se prêtent à toutes sortes de significations, plus son contenu intellectuel est faible. Ce qui représente malgré tout un enrichissement pour des petits os et des morceaux de fer-blanc mais non pour les mots, qui, eux, ont toujours un sens, même si M. Butor prend des précautions de Sioux pour ne pas les articuler en phrases, ou pour que ces phrases n'aient jamais une valeur de jugement. L'avenir du mobile en littérature est dans les steppes du lettrisme, des onomatopées et des grognements animaux.

On ne s'attarderait pas plus sur cet ouvrage que sur n'importe quelle excentricité littéraire, si l'auteur n'en était un écrivain que nous aimons, et qui paraît s'engager dans une voie sans issue. On est tout à fait injuste pour M. Dos Passos et pour M. Butor quand on compare leurs entreprises. Il est exact que bien avant *Mobile,* Dos Passos avait truffé certains de ses livres de petits faits bruts (prenons nos distances en ne disant pas : de petit faits vrais) et qu'en ce sens, avec ses grandes pages et ses artifices typographiques, le dernier livre de M. Butor est du Dos Passos en cinérama. Mais l'intention est radicalement différente puisque Dos Passos rassemblait ces faits pour ancrer une fiction dans la réalité et pour dire quelque chose, tandis que M. Butor les rassemble très délibérément pour qu'ils ne disent rien. On ne trouvera dans ce gros livre, en dehors des citations, ni une phrase, ni une pensée qui méritent un instant d'attention et cette abdication de l'écrivain au profit de l'ensemblier n'est pas un effet du

hasard. Le grand problème de M. Michel Butor, et c'est un grand
problème, est bien celui du mouvement, c'est-à-dire de la vie
dans l'espace et dans le temps. Le héros de *la Modification*
roule entre deux états de conscience autant que de Paris à Rome ;
le héros de *l'Emploi du temps* emploie son temps à courir après
le temps ; et *Degrés* est le récit d'un échec pour fixer par l'écriture une heure de vie dans un lycée parisien avec toute sa
mobilité. C'est-à-dire que toute l'œuvre de l'auteur de *Mobile* est
une recherche inhumaine d'une immobilisation, d'une suspension
du temps. Ici encore, ce qu'il tente par le jeu des fuseaux horai-
res, c'est de prendre une vue panoramique et surtout simultanée,
c'est-à-dire hors du temps. Mais alors que *Degrés,* récit d'un
échec, était une victoire sur le plan de conscience supérieur, celui
de l'écrivain, le rétrécissement volontaire et l'abaissement
infantile de la conscience font de *Mobile* un échec complet. Ce
que M. Butor est en train d'oublier c'est qu'un esprit remporte la
victoire sur le temps en se faisant parole et non en se faisant
chose, c'est-à-dire pour un écrivain livre et non mobile.

« *Répertoire III* »

Ecrivain non conformiste et qui ne dédaigne pas de le marquer par des excentricités de forme, comme le voussoiement de
la Modification ou le recours à la notation « stéréophonique »
d'œuvres plus récentes, M. Michel Butor s'est trouvé au début de
sa carrière enrôlé plus ou moins volontairement par le sergent
recruteur de la compagnie de Minuit et des troupes du roman nouveau et il risque d'en rester quelque chose dans sa physionomie
aux yeux du grand public. Il est temps cependant de souligner
qu'excentricités et non-conformismes n'empêchent pas M.
Michel Butor d'être à la fois un écrivain original et un écrivain
de la voie royale de la littérature, un novateur, mais aussi un
excellent compagnon sur toutes les routes du passé. En lisant ses
Essais sur les essais [1] et surtout les textes qu'il réunit sous le
titre de *Répertoire III* [2], on voit sans peine que c'est notre Paul
Valéry et que ces ouvrages jouent le rôle des différents recueils
de *Variété*. Ne cherchons pas aujourd'hui si à côté de cette
œuvre considérable d'essayiste à la main, comme on disait
nouvelliste à la main, et à la commande, il existe une œuvre

1. Gallimard.
2. Editions de Minuit.

personnelle comparable à *Charmes* et si on peut rapprocher le *Portrait de l'artiste en jeune singe* et *la Jeune Parque*. Ce qui compte c'est la variété de la curiosité, l'étendue et la pénétration de ces recherches, le pouvoir d'excitation pour l'esprit et la force vivifiante d'une manière générale. Oui, M. Butor est de la race de Valéry, et par-delà, de la race des encyclopédistes et de Diderot auquel il consacre ici un essai étendu. Ce n'est point *Charmes* qui me manque ; mais peut-être l'équivalent des essais méthodologiques, du *Léonard* ou du *Monsieur Teste*. C'est une « Introduction à la méthode de Michel Butor » que nous voudrions lire, et le travail de son exégète M. Jean Roudaut dans *Michel Butor ou le livre futur* n'en fournit qu'une faible idée.

Valéry, lui, insistait volontiers sur le caractère méthodique de sa démarche, pour ne pas dire « systématique » qui est devenu impossible à ce niveau de la pensée. Les essais de *Variété* procèdent sinon d'une philosophie, du moins d'un esprit philosophique, alors que les essais de Répertoire semblent procéder d'une manière plus empirique comme s'ils étaient chaque fois l'œuvre d'une sorte de bricoleur génial d'un concours Lépine de la littérature, de la peinture, etc. Peut-être pourrait-on dire aussi, en forçant les positions pour l'un comme pour l'autre, que les essais de *Variété* sont comme les corollaires d'un théorème général sur la nature de l'esprit, alors que les essais de *Répertoire* relèvent plus de la géographie de l'intellect que de sa mathématique, et se présentent souvent comme autant d'explorations, de voyages extraordinaires à la manière de ceux des contemporains de Jules Verne en direction des terres « cultivées ».

La première démarche du voyageur ou du géographe sera donc, comme il se doit, une démarche descriptive. M. Butor se place devant l'œuvre dont il veut nous parler, devant, jamais dedans, c'est contre les illusions d'une intuition compréhensive que sa méthode le met le plus en garde, il choisit sa manière de l'aborder ou son point d'abordage, porche royale ou petite porte dérobée.

Ainsi pour prendre un exemple facile, dans ce *Répertoire III*, l'essai intitulé *Un tableau vu en détail* et consacré à un tableau qui exerce une certaine fascination sur nous, peut-être à cause d'un détail très mystérieux, *les Ambassadeurs de François I*^{er} *à la cour d'Henri VIII* par Holbein. L'essai est bien une description détaillée et expliquée, M. Butor nous dit les noms des personnages, leurs biographies, leurs habits, les titres des livres et la nature des instruments déposés sur la table entre les deux hommes, le luth (à une corde brisée ?), la mosaïque de Westminster à leurs pieds, et enfin, le détail qui frappe, la longue tache blanchâtre qu'en plaçant notre œil dans une certaine position nous identifions comme une représentation déformée d'un crâne.

Détails, anecdotes, situation historique dans l'Europe de 1533, au début de la Réforme, M. Butor nous a donné à voir le tableau en détail comme il l'avait promis. Le tableau ? est-ce bien sûr ? L'image, oui. On apprend des choses sur les rapports d'Holbein avec les milieux hanséatiques londoniens. Mais le tableau, ses dimensions, ses couleurs, ses moyens ? La signification « anglicane » de la mosaïque de Westminster est précisée, mais il faut que je me reporte à une autre description, par exemple la notice de MM. Chastel et Klein, inspirée de M. Baltrusaïtis dans *l'Age de l'humanisme,* pour qu'on me fasse penser que mosaïque et crâne anamorphique sont comme une apologie, une célébration de la perspective.

Qu'on ne dise pas que l'essai de M. Butor, extrêmement soigné, extrêmement intelligent s'en tient à la description pure, puisque il donne des renseignements historiques qui ne sont points figurés. Sa formule, vers la conclusion, « le tableau est donc une sorte de machine à fonctionnement symbolique » n'est elle-même qu'un trompe-l'œil pour cybernétiquard puisque si elle veut dire quelque chose elle dit quelque chose d'évident. Mais elle indique assez bien d'une manière générale la tournure de l'esprit de M. Butor devant les objets de sa réflexion : un tableau, un poème, un livre, un paysage, c'est d'abord une machine dont il se demande comment elle fonctionne plus encore qu'à quoi elle peut bien servir. Et comme il est très astucieux, il nous propose un mode d'emploi intéressant et qui secoue notre paresse d'esprit.

Par exemple un long et amusant essai *La voix qui sort de l'ombre et le poison qui transpire à travers les murs* est consacré à la lecture des drames de Victor Hugo, assimilés au départ un peu cavalièrement au mélodrame de la première moitié du siècle en général. Essai ingénieux sur le vers de Hugo, sur l'alexandrin de la tragédie classique et l'alexandrin de théâtre du romantisme, avec indication des coupes telles qu'elles apparaissent à l'œil sur le papier, réflexion sur les indications scéniques si nombreuses qui établissent des plans pour l'œil et pour l'oreille, qui font bouger les personnages, les déboulent par l'emploi de l'aparté pour faire connaître leurs voix intérieures, les groupent comme pour constituer un décor humain. Tout cela est admirablement analysé et très bien vu dans le détail, mais cela montre quoi ? Que le texte de Victor Hugo quand il écrit pour le théâtre n'est pas simplement un poème, mais une machine à fonctionnement théâtral ? Est-ce une grande découverte ?

Peut-être pourrait-on prudemment aller un peu plus loin. En essayant de se borner à la description et à la description d'un fonctionnement, M. Michel Butor traque probablement toute finalité et toute critique finaliste. Il décrit le tableau d'Holbein sans Holbein, en chassant le peintre ou en le mettant entre parenthèses. Il décrit le théâtre de Victor Hugo sans Victor Hugo. Il est peut-être exagérément fidèle au mot de Gide qui conseillait de construire une belle maison avec la certitude que si elle était belle, quelqu'un viendrait l'habiter. A la limite, les *Essais sur les essais* constituent une tentative de description des *Essais* sans Montaigne. Et dans la foulée, on peut se dire que M. Butor écrit son œuvre dans le même esprit, qu'il agence ses livres comme des machines, que 6 800 000 *litres d'eau par seconde* qui servit de banc d'essai au théâtre mobile de la maison de la culture de Grenoble est d'abord une tentative pour détourner la puissance des chutes du Niagara afin de faire fonctionner un « gadget » géant. On jugera différemment du résultat selon qu'on admettra ou non que M. Butor est malgré tout à l'intérieur de la machine, Dieu ou Vaucanson ? Dans son esprit, ne disons pas que l'œuvre est une résidence secondaire, mais que l'auteur ne doit l'habiter que d'une manière seconde. Chateaubriand habite à coup sûr ses pages sur le Niagara et M. Butor le sait si bien qu'il a essayé de dériver à son profit le courant qui passe là. Mais lui-même, y est-il ? Et pour les autres, la forme de critique qu'il pratique avec une suprême ingéniosité ne risque-t-elle pas de rester en deçà d'une critique moins prudente et moins dépersonnalisante ?

Ce va-et-vient de la critique à l'œuvre est tout à fait dans l'esprit de M. Michel Butor qui a placé en tête de *Répertoire III* un article publié dans *Critique* sur *la Critique et l'invention*. Toute invention est une critique, établit-il d'abord, critique de la littérature, critique de la réalité et critique de la critique, toute œuvre nouvelle se situant par rapport aux œuvres et aux techniques précédentes et cherchant à traduire un nouveau jugement sur la réalité matérielle ou sociale. Et toute critique est invention puisqu'elle complète ce que nous savons de l'écrivain, de son œuvre, voire le texte de cette œuvre elle-même. La bonne critique est celle qui repense l'œuvre de manière à lui faire dire plus qu'elle ne disait, voire plus qu'elle ne savait de son propre contenu. On ne s'élèvera pas contre une conception si avantageuse de notre activité et on aimera cette manière de mettre fin aux oppositions soigneusement cultivées par les imbéciles qui sont inaptes à l'une et à l'autre. D'une certaine manière, M. Butor peut ainsi renvoyer dos à dos les adversaires dans la querelle de la nouvelle critique, d'une autre manière, il propose quelque chose comme un chaînon manquant entre les réflexions sur l'art de M. Malraux et les réflexions de M. Roland Barthes. N'est-ce pas en forçant parfois le sens de certains termes ou en prenant certains mots dans des sens un peu variables ? N'allons pas chicaner,

et goûtons notre plaisir en suivant le guide, des mosquées de
New York jusqu'aux rivages et aux îles de l'Helvétie. Ce faux
ingénu vous rendra souvent votre ingénuité. Le répertoire c'est
aussi, au théâtre, le catalogue des grands rôles tenus par l'esprit.

Le jeune alchimiste

Il faut saluer le retour vers la littérature de M. Michel Butor,
l'un des plus curieux esprits de ce temps, à la fois par la curiosité qu'il inspire et par la vorace curiosité qui pousse son
esprit dans tous les sens. Depuis quelques années, il n'avait
guère publié que des œuvres descriptives, radiophoniques ou
stéréophoniques, plongé à propos de San Marco ou du Niagara
dans une sorte d'expérimentation spatiale du langage dont le
résultat était difficilement consignable dans un livre et pour le
lecteur. Avec ce *Portrait de l'artiste en jeune singe* [1] voici un
volume qui se présente avec une typographie normale, sauf
peut-être une tendance à distribuer le texte en versets plutôt
qu'en paragraphes, et qui est encore descriptif si l'on veut,
mais qui décrit cette fois non plus un monument de la nature
ou de l'art, mais l'artiste lui-même puisque c'est un fragment
d'autobiographie. Disons tout de suite d'ailleurs que ce « capriccio » comme le nomme M. Butor est d'une lecture plaisante
et excitante à la fois dans la mesure où on le comprend et
dans la mesure où l'on comprend que derrière le réseau serré
des allusions qui décourage la science et la patience du lecteur, il y a quelque chose à comprendre : c'est l'ouvrage
hermétique d'un apprenti sorcier qui se reconnaît encore le
droit de jouer avec le symbolisme des maîtres, une sorte de
fête du jeune singe à l'intérieur de la cathédrale de Fulcanelli,
et je ne vois guère que M. Eugène Canseliet [2] ou quelque autre
adepte de même science pour en faire un compte rendu détaillé.
S'il y a bien retour de M. Butor vers la littérature, on le voit, ce
n'est pas au sens facile, ni encore moins au sens péjoratif,
mais au sens du grand art des mots.

Cette reconversion, nous la trouvons peut-être indiquée dans
le tout premier chapitre qui est consacré aux yeux et à la
couleur des yeux. Comme elle est difficile à retenir, la couleur

1. Gallimard.
2. Les grands ouvrages d'alchimie de Fulcanelli, de M. Canseliet, etc.,
ont été très soigneusement réédités chez Pauvert.

des yeux de ceux que nous aimons, c'est-à-dire de ceux que nous voulons vraiment voir : peut-être parce que la vraie couleur est celle de la lumière que cet œil projette comme celle d'un phare vers son monde intérieur... Rendez ainsi votre œil attentif aux couleurs sourdes ou éclatantes qui vont surgir et signifier dans l'athanor. Quelques lecteurs de hasard et d'enfance, de vieux livres relégués dans un vieux meuble avaient donné au garçon une première teinture des philosophes hermétiques. Assez sans doute pour qu'un peu plus tard, au quartier Latin, il ne se laisse pas entièrement prendre par la foule des philosophes déroulant la ronde des belles preuves de l'existence de Dieu, ou de son inexistence, et pour qu'il soit préparé à subir l'influence de l'homme auquel tout le prélude est consacré, le docteur H., médecin hongrois réfugié en France et grand spécialiste de Paracelse (ce n'est pas sans tristesse que l'on voit le capriccio de M. Butor voisiner sur nos tables avec le petit livre d'Albert-Marie Schmidt, qui avait lui aussi bien connu le docteur H. je crois, sur *Paracelse* : c'est un dialogue manqué...). C'est le docteur H., encore un curieux dont la curiosité sérieuse s'étendait à notre monde entier et à quelques autres qui va envoyer M. Michel Butor en 1949 en terre allemande et en pays d'alchimie, et c'est ce double voyage qui est raconté dans le *Portrait*. Cela s'appelle *le Saint-Empire,* et vous pouvez imaginer qu'il s'agit d'une survivance dans un coin perdu du style de vie de l'énorme empire disparu, ou bien d'un autre empire et d'une autre sainteté.

Vous pouvez imaginer, à vrai dire, est la clause de style qui devrait revenir à chaque instant à partir d'ici. La narration est arrangée de manière à être aussi concrète que possible, tout en essayant de ne point trop fixer les lieux et les temps. M. Butor rend compte exactement de son voyage, il décrit minutieusement l'énorme château de la famille O.W., la bibliothèque où il était chargé de mettre un peu d'ordre tout en rafraîchissant le français d'ailleurs excellent (châtié, coulant, vieillot, exquis) de son hôte.

Mais en même temps nous gardons l'impression d'un voyage initiatique, d'un séjour du jeune étudiant français dans quelque demeure philosophale où même ce qu'il ne comprend pas d'abord de la décoration ou des habitudes de ses hôtes est destiné à l'instruire symboliquement. Le XVIII° siècle a aimé les ouvrages de ce genre, voyages imaginaires infiniment plus élaborés que ceux des drogués d'aujourd'hui, voyages maçonniques dont il nous reste *la Flûte* (mais le monde de M. Butor est plutôt du côté de chez Wagner que du côté de chez Mozart), Nerval a rêvé de ces mystères allemands entre Valois et Orient, le symbolisme ne s'est peut-être assez oublié lui-même pour retrouver le vrai point de départ et le mouvement de ces explorations, et plus près de nous, il me semble que le genre n'a guère été cultivé. Michaux, c'est autre chose naturellement. Parfois, en lisant M. Butor, me revenait d'une lecture trop lointaine une bouffée d'un roman initiatique, mais il faudrait aller y voir. Tout cela pour dire à quelle tradition littéraire on pourrait rattacher ce livre et pour faire comprendre que l'Allemagne de cette autobiographie n'est pas celle où se prépare le miracle allemand de l'ex-chancelier Erhardt, mais une Allemagne qui n'est pas tout à fait d'ici.

Ce qui est très vite d'autant évident que M. Butor fait alterner les chapitres vécus et les chapitres rêvés. Impossible de se souvenir d'un rêve qu'on n'a pas noté sur-le-champ pour le raconter après tant d'années, nous dit-il honnêtement. C'est donc sa rêverie d'écrivain d'aujourd'hui sur les rêves perdus de cette époque qu'il consigne dans les chapitres pairs de son récit de voyage. Commence alors un conte qui se voudrait à mi-chemin d'un conte des *Mille et Une nuits* et du *Château des Karpathes*, l'assez médiocre féérie illusionniste de Jules Verne qui a parfois réussi à captiver (à tromper ?) notre enfance. Mais nous sommes avertis, ces rêves sont nourris des « restes de la veille » c'est-à-dire de la vie et des lectures du jeune Butor séjournant dans ce château. Nous pouvons nous amuser alors à faire la chasse aux prétendues réminiscences et aux transformations plus ou moins malicieuses. Ce lièvre qui passe en rêve, méfiez-vous il ne vient pas de la forêt, mais de Fulcanelli, et s'il y a beaucoup d'hommes des bois et de forestiers dans ces rêves, ce n'est peut-être pas à cause de l'homme des bois de Thiers qui a droit à un chapitre dans *les Demeures philosophales,* mais parce que la seule fois où le jeune Butor a aperçu M. Martin Heidegger, celui-ci était vêtu en forestier : et notre jeune singe doit trouver malicieux de promener le souvenir du philosophe dans cette aventure d'une autre philosophie.

Au surplus, à mesure que chapitres vécus et chapitres rêvés alternent, nous pouvons bien nous amuser à relever ainsi des restes de la veille disposés à notre intention, mais une inquiétude ne peut pas ne pas nous venir : est-ce que les chapitres vécus, eux-mêmes ne sont pas les restes d'une autre veille ou d'un autre sommeil ? Est-ce que notre distinction n'est pas bien superficielle ? Est-ce que le rêve n'est pas plus justement la clé alchimiste qui redonne son unité à notre courant de pensée au-delà des transformations ? D'un sommeil qui résiste à l'or du rêve, on dit que c'est un sommeil de plomb.

L'alchimie, le rêve, mais aussi bien d'autres moyens sont indiqués comme des chemins ouverts : voici quelques allusions astrologiques par exemple, et surtout de nombreux passages consacrés aux cartes et aux réussites. Voici la théosophie de Jacob Boehme, et voici une collection de minéralogie avec ses échantillons d'une variété presque innombrable, ses beaux noms savants ou populaires, et sa palette des teintes les plus variées, comme pour nous ramener à l'art spagirique de Paracelse et à sa cosmologie. Et voici l'histoire, la vieille chronique des tortures et des exécutions, où la sirène du temps de la guerre qui, malencontreusement mise en action, semble vouloir faire repartir à rebours la marche du temps. Parfois, dans son souci de restitution totale de son château, M. Butor utilise des procédés qui ne sont pas tellement différents de ceux de M. Claude Mauriac essayant de restituer totalement un instant du carrefour de Buci. Avec, en plus, le recours systématique à l'alchimie, non l'alchimie des chercheurs d'or, mais l'alchimie de ceux qui cherchent pour le monde et pour l'homme une mutation contre la mort.

Déjà dans un article de 1953, recueilli dans *Répertoire*, M. Michel Butor avait indiqué toute l'importance qu'il attache avec raison au langage alchimique. Celui-ci est un système de symboles extrêmement riche et extrêmement serré, contre lesquels les progrès de la chimie ou de la métallurgie ne peuvent rien, parce qu'il s'agit de bien autre chose, comme André Breton, en particulier le savait fort bien. Avec ce *Portrait de l'artiste,* M. Butor s'exerce en virtuose à l'emploi du langage alchimique, et il en résulte immédiatement un enrichissement de la prose, une ouverture du livre non vers le laboratoire, mais au contraire vers le monde dont les aspects et les choses sont nommées avec leurs signes, et déjà pour notre plus grand plaisir sensuel. Est-ce un roman hermétique, la description complète d'un itinéraire, je n'en suis pas sûr et M. Butor ne l'est sans doute pas davantage qui, après vingt-cinq ans de culture alchimiste, parle modestement d'un capriccio. Parfois peut-être il s'arrête en chemin en permettant aux mots de prendre de l'avance en liberté. C'est un ouvrage d'extrême culture qui prolonge avec art et avec malice une allée injustement négligée de notre jardin littéraire, sans aucun souci du grelot de nouveau romancier qu'un singe plus rusé a essayé de lui accrocher. C'est un livre très ancien et très nouveau, qui amuse l'esprit et peut-être, demain, le nourrira.

FRANÇOIS-RÉGIS BASTIDE

Homme de radio et de télévision, fervent d'astrologie et de musique, critique de théâtre, la carrière de l'homme de lettres ne doit pas nous faire oublier, ni à lui, l'œuvre de l'écrivain. Quelques romans, dont un de caractère probablement autobiographique et particulièrement riche reste malheureusement jusqu'à présent interrompu après la publication du premier volume. M. François-Régis Bastide est un écrivain distingué.

Il faut tenter de vivre...

Pour ceux qui ont le goût du regard intérieur, il vient toujours un moment où leur esprit commence à balancer sans cesse entre deux questions : qu'ai-je fait de ma vie ? qu'est-ce que ma vie a fait de moi ? Peut-être est-ce en réalité la même question posée sous deux formes différentes, peut-être tout homme est-il à la fois le voyageur et le sphinx qui l'interroge aux portes de sa cité céleste. Mais nous ne le savons pas, et nous savons très bien au contraire que nous avons déployé notre liberté en prenant un certain nombre de décisions, en faisant un certain nombre de choix, dont tous les éléments n'étaient pas nécessaires, ni toutes les conséquences prévisibles, mais dont nous ne pouvions plus, ensuite, changer l'orientation. Et c'est cette double interrogation, fiévreuse, passionnée, à la lettre déchirée et déchirante que M. François-Régis Bastide tourne et retourne tout au long de son roman, *la Vie Rêvée* [1], dont nous ne connaissons encore que le premier volume.

Interrogation existentielle fondamentale qui n'a de sens que si elle intéresse non un livre mais l'écrivain lui-même. M. Bastide s'est donc mis en scène, lui, François-Régis Bastide né le 1er juillet 1926 à Biarritz, fils du docteur Bastide, etc. : ce sont ses « mémoires d'un jeune homme rangé ». Mais en même temps il se met en scène aussi, parvenu au milieu du chemin de la vie (trente-cinq ans chez Dante), écrivant à la fois ces mémoires, un roman d'amour et le récit de l'aventure

1. Le Seuil.

amoureuse réelle qui lui a dicté ce roman. Nous ne pourrons
évidemment dire s'il a tout à fait réussi cette construction poly-
phonique que lorsque nous aurons lu le second volume annoncé, mais pour l'instant le récit se lit aisément et les avan-
tages de ce système un peu compliqué apparaissent déjà.

Système d'autant plus compliqué, on le pressent, qu'entre
les trois plans du récit, il ne peut pas y avoir de cloisons
étanches : le roman de Fred et Maria est de l'imaginaire mêlé
de réel, l'aventure de François-Régis Bastide avec celle qu'il
appelle Luce est un roman à clés pour des raisons de conve-
nance, parce que M. Bastide comme il le dit est « un romancier bien élevé » : et le récit de l'enfance de François-Régis est
un récit vrai, mais transposé par le souvenir, du réel mêlé
d'imaginaire. Bref, une vie n'est jamais tout à fait vécue, ni
tout à fait rêvée...

Aux yeux du souvenir, et nous avons bien l'impression que ces
yeux ne se trompent pas beaucoup, l'enfance de M. Bastide est
une enfance heureuse, heureuse au point d'en paraître anachronique. Est-ce parce qu'un père de cinquante ans plus âgé que
lui le reliait tout naturellement à des formes de sensibilité et
de vie d'une autre époque, est-ce parce qu'une ville de vacances
et de retraite comme Biarritz jouit d'une sorte d'exterritoria-
lité de l'histoire, mais nous avons l'impression que le jeune
François-Régis, d'autant plus adulé qu'il était drôle, fort intelligent, et merveilleusement musicien, a vécu il y a trente ans
une enfance de roman anglais du XIXᵉ siècle (et du côté de
Jane Austen plus que du côté de Dickens). Il faut lire ces
deux cents pages de souvenirs, exquises, lumineuses, où la
tendresse vraie balaie toujours les précautions d'une ironie de
commande : c'est tout un petit monde de jadis beaucoup plus
que de naguère qui est ressuscité avec bonheur.

Mais en même temps les jeux se font. « Oh ! que cela est bien
dit ! oh ! qu'il a bien fait ! qu'il est sage ! », enfant trop admiré,
François-Régis lutte pour n'en être point gâté, il cherche à distinguer ses goûts réels de ses goûts de commande, sa vie vécue
de sa vie parlée par les autres. En un sens *la Vie rêvée,* comme
tout examen de conscience sérieux est une conquête de la
modestie. Et d'autre part, cet anachronisme d'une enfance
heureuse, le jeune homme va le porter, sinon comme une
tare, du moins comme une inconvenance : « Vous êtes démo-
dé » lui diront des femmes étourdies — étourdies par les sensi-
bilités et les insensibilités à la mode...

L'imprégnation de tout le caractère par le tourment délicieux du passé va dominer toute la seconde partie, le récit
de la liaison avec Luce, et sur plusieurs registres. Luce est
une jeune femme en cours de divorce, indépendante, intelli-

gente, brillante, qui a su se faire une position aux frontières
du grand journalisme intellectuel et de la politique, une femme
d'affaires si on veut bien entendre par là moins les affaires
d'argent que les affaires semi-publiques ouvertes aux femmes.
C'est une jeune amazone tempérée par la très bonne éducation. En face d'elle son goût du passé va d'abord inspirer au
jeune écrivain une subtile jalousie rétrospective. Luce a été
mariée ce qui ne compte guère, elle a eu des amants, ce qui
compte davantage : et sans doute notre homme sait bien
qu'il ne peut pas la posséder vierge, mais il voudrait la posséder sans passé pour pouvoir l'intégrer, l'enchâsser dans son
passé à lui. Entreprise d'autant plus épuisante que le passé
de Luce n'est pas fermé, il y a eu, il y a un Marc dans sa vie,
officier actuellement en Algérie, et qui peut revenir et la
reprendre. A la jalousie se mêle donc l'humiliation de se
savoir ou de se croire intérimaire, la conscience désespérante
au sein des minutes les plus heureuses que ce ne sont malgré
tout pour l'être aimé que des minutes entre parenthèses dont le
retour de guerrier effacera le sens sinon le souvenir...

Marc revient, reprend Luce, et c'est la rupture. Je te voyais tel
que tu es, dira Luce, « un ancien enfant malheureux. Un petit
retraité de l'enfance heureuse, qui a quelques économies
de bonheur devant lui, et qui les ménage, comme tous les
retraités ». C'est cruel, mais ce n'est pas tout à fait faux. Tout
au long du récit il nous faut faire un effort pour nous souvenir que Luce, qui est de janvier 1929, est de trois ans la
cadette du narrateur, tant elle nous semble plus adulte que
lui. Cette liaison de deux années, c'est la tentative d'un ancien
enfant pour être l'égal d'un homme, pour mettre à l'unisson la
virilité de son cœur et la virilité de son sexe. Effort qui échoue
manifestement : mais il a remporté une victoire qu'il n'attendait
pas, et c'est pour cela que les paroles de Luce sont trop
cruelles. Car si auprès de Luce, il n'a pas tout à fait réussi
à être un homme, il est parvenu à ce qu'après lui, elle soit parfois un enfant, et c'est ce qu'elle lui pardonne mal. La contagion
de l'enfance a réveillé fugitivement une petite fille dans l'armure
de l'amazone, une petite fille dont elle ne veut pas plus qu'au
fond elle ne veut du fils qu'elle a eu de son mari. Ce qu'elle
ne peut admettre, comme tant de femmes et comme tant
d'hommes, c'est qu'on lui parle du bonheur, c'est qu'on lui
en fasse goûter.

Vie vécue, vie rêvée, vie parlée, vie écrite, le roman de
M. François-Régis Bastide est ainsi une tentative d'orchestration
de la chanson du bonheur, et c'est pour cela qu'il nous touche
directement. C'est une chanson, « souviens-toi mon amour »,
qui se chante presque toujours au passé. « On n'est rien que

par le bonheur », dit Chateaubriand cité par M. Bastide : et celui-ci sera toute sa vie client de ce grand magasin de sa ville natale où il allait enfant et qui s'appelle (il me semble qu'il existe toujours ?) « Biarritz Bonheur ».

Ce petit capital de bonheur, auquel Luce faisait allusion, comment l'homme va-t-il le prêter à l'écrivain, comment l'écrivain va-t-il le faire fructifier ou le dilapider c'est ce que nous ne savons pas encore. Aux dernières pages de ce volume le narrateur esquisse un enlèvement de Jacques, le fils de Luce, et chante sa tendresse pour cet enfant, et c'est encore une manière de revenir à son propre secret d'enfance en se donnant cette fois le rôle du père. Il est un père pour Jacques, il est le père de la petite fille qu'il a inconsidérément réveillée dans la conscience un peu trop climatisée de sa maîtresse, il est le père aussi de Fred et de Maria et de tous les personnages de roman qui peuplent la chambre d'écho où il va essayer de nous introduire. Ce n'est pas une simple figure : la vie écrite n'est pas une autre vie rêvée, elle est, chez l'écrivain digne de ce nom, une autre vie vécue. Deux ans après la fin de sa liaison avec Luce. M. François-Régis Bastide écrit un récit de cette rupture en quarante ou cinquante pages poignantes par ce qu'on y sent encore de sang et de larmes au creux des mots. Il n'est pas devenu un autre, quoi qu'il en dise, il souffre encore, mais du même coup il connaît ce bonheur second, celui de créer « a joy for ever ».

Y parviendra-t-il dans son second volume qui contiendra sans doute la suite de son autobiographie (il est un peu trop discret sur sa vie de seize ans à trente ans et cette censure en se prolongeant risquerait de fausser l'entreprise) puis le roman de Maria et de Fred, puis la résolution dans l'accord final ? Ce premier volume n'est pas sans défauts, parce qu'il s'étale parfois avec un peu de noblesse, comme si la cure de modestie de l'auteur n'était pas tout à fait terminée, ou comme s'il avait peur de choisir lui-même entre les mots, entre les formes, que le destin met à sa disposition : la manie astrologique de notre auteur n'est peut-être pas tout à fait innocente dans la mesure où la croyance à l'astrologie est l'alibi étoilé d'une certaine complaisance envers soi-même... N'importe, *la Vie rêvée* est un livre qui nous rend exigeants, et M. Bastide nous oblige à exiger de lui plus encore que la suite d'une œuvre, la suite d'une vie.

FRANÇOIS NOURISSIER

Petit bourgeois deviendra grand. Grand bourgeois ou grand écrivain, ou les deux ? François Nourissier est entré en littérature au moment où la veine littéraire de Jacques Chardonne était déjà presque épuisée. Il a pourtant voulu se tenir dans cette ligne qui est la sienne, et il s'est fait une place, qui est parfois une place de mal-aimé malgré ses grandes qualités d'écrivain, en poussant la sincérité minutieuse jusqu'au masochisme. Mais sans se faire trop mal parce qu'il est lucide et douillet. Encore un écrivain distingué.

L'homme et la maison

Habiter une maison est sans doute un instinct et un art, un instinct hérité de l'instinct du terrier et du territoire de l'animal, mais aussi un art parce que, né sans coquille, l'homme se plaît à varier à l'infini celle qu'il se choisit, et surtout parce qu'il ne suffit pas de décorer une maison et d'y vivre quotidiennement pour l'habiter, il faut encore favoriser entre son esprit et l'esprit des lieux un réseau de rapports infiniment subtils. M. François Nourissier a écrit le roman, qui n'est pas toujours un roman d'amour, des rapports entre un homme et sa maison. C'est un sujet important, qu'il traite avec son grand talent d'écrivain, mais aussi avec le souffle et la gravité qui lui appartiennent désormais.

Sujet ô combien traditionnel : *la Maison,* c'est le titre d'un des principaux romans d'Henry Bordeaux. En disant *le Maître de maison* [1], M. Nourissier a voulu mettre l'accent précisément sur le rapport de la maison et d'un homme d'aujourd'hui. Notre époque n'est pas tellement celle des maisons : l'architecture trop souvent s'est soumise servilement à une société grégaire au point d'inventer l'horrible expression d'usine à habiter, comme si l'autre usine ne suffisait pas. Mais il y a aujourd'hui, comme en réaction instinctive, la vogue, la folie des maisons de campagne, des résidences secondaires, surtout dans un monde qui n'est pas tellement loin de celui des personnages de M. Nourissier.

1. Grasset.

Celui-ci reste fidèle à la manière de ses derniers livres, c'est-à-dire à l'autobiographie tempérée par la pudeur et par un usage volontairement modeste de l'imagination. Ce que nous savons de M. Nourissier par les articles et les notices (comme celle de M. Joseph Majault dans le troisième recueil, si utile, de *Littérature de notre temps* paru chez Casterman) : 45 ans, trois mariages, trois enfants, deux garçons du premier, une fille du troisième, des métiers dans l'édition et la littérature, une propriété près d'Uzès, correspond à peu près à la physionomie de son Maître de maison, ou du moins n'y contredit pas vivement. En trois volumes réunis sous le titre *Un malaise général*, *Bleu comme la nuit, Un petit bourgeois, Une histoire française,* il nous avait déjà donné les chroniques de Nourissiers approximatifs. Ce roman est comme une chronique nouvelle, composée du monologue-journal à la première personne du héros, et de commentaires et compléments plus brefs, imprimés en italique, mis dans la bouche d'un agent immobilier, M. Fromageot, qui finit par jouer le rôle de coryphée des habitants du village en face des nouveaux propriétaires du Lossan.

Nous voyons donc le narrateur et sa femme Geneviève courir les routes d'automne à la recherche d'une propriété, se laisser séduire par un grand mas, passablement délabré, que l'on appelle le Mas-vieux ou le Lossan, l'acheter, y faire de grands travaux d'aménagement, s'y installer, y passer l'été avec leurs trois enfants, la grande fille Bettina, les deux garçons Roland et Robert, puis commencer une difficile acclimatation hivernale. Les commentaires de M. Fromageot nous donnent des indications sur les rapports avec les gens du pays, qui sont comme d'ordinaire ni bons, ni méchants, mais sceptiques. Sur les rapports avec les ouvriers, les domestiques, avec la pierre, avec le bois, avec la terre, tout est dit d'une manière précise et vivante. Le « je » du livre est un écrivain, un polygraphe dit-il quelque part, qui vit d'articles et de travaux de librairie, et qui en vit somptueusement, ce qui prouve bien qu'il s'agit d'un roman. Il semble être passé sans transition des hôtels de troisième ordre, des chambres meublées chez de suspicieuses dames sur le retour au grand amas de pierres du Lossan. Le problème pour lui est d'habiter la grande maison dont il est le maître, de faire amitié avec ses chambres et ses escaliers, ses murs et ses planchers, mais aussi de continuer à vivre une fois transplanté et si possible de vivre mieux. Il en doute d'abord : « Pourquoi feindre de l'ignorer ? Je ne saurai pas mieux habiter la maison que je n'ai su toutes ces années habiter ma vie. Ma fuite continuera... »

Petit bourgeois, comme disait le titre d'un volume précédent, deviendra grand : l'un des intérêts de ce livre est de nous montrer les difficultés de cette mue dans la société actuelle. Comment faire pour passer de la bohème demi-mondaine du jeune homme brillant souvent invité dans le monde à la stabilité et aux responsabilités du propriétaire ? Le narrateur se montre dans quelques pages ironiques tellement attaché à l'ordre de sa maison que quand il reçoit des amis, il passe le temps à vider des cendriers, à ranger des verres sales : ce ne sont pas des réflexes de maître de maison, mais de maître d'hôtel. La mue du petit bourgeois, c'est l'installation définitive du bernard-l'ermite dans un hôtel « particulier ». Et c'est ce qui se fait mal peut-être parce que c'est un phéno-mène provisoirement anachronique. Tout ce monde qui, encou-ragé par les revues spécialisées installe des maisons de cam-pagne, ne s'y installe pas pour autant. L'intelligentzia, en par-ticulier, qui a poussé dans les serres que sont les terrasses vitrées des cafés de Saint-Germain-des-Prés, s'adapte mal à la pleine terre. Dans leur fermettes et dans leurs mas, que de gens donnent l'impression de vivre en pots ! C'est peut-être qu'il faut longtemps, plus longtemps qu'à l'acacia meurtri par un terrassier maladroit dont nous parle M. Nourissier, aux déracinés humains pour jeter de nouvelles racines. Plu-sieurs générations : je ne puis que signaler au passage le beau livre de tendresse et de mélancolie que M. Michel Robida a publié sous le titre *Un monde englouti* [1], et qui est aussi, com-me l'indique un sous-titre, l'histoire d'une maison de cam-pagne, mais d'une maison de campagne qui est dans la famille depuis toujours, où la continuité ne semble jamais se rompre avec l'arrière-grand-mère qui a vécu sous Louis-Philippe. Si son grand-oncle Antoine, écrivain et dessinateur, a donné il y a presque un siècle dans l'anticipation, M. Michel Robida est délicieusement passéiste. Son enfance et, au-delà, tout le passé des siens lui collent à la peau et, au cœur, et il sait nous en rendre le charme, tout en sachant aussi qu'il s'agit d'un monde englouti et qu'on ne peut pas vivre à reculons.

Naturellement on ne peut pas reprocher à M. Nourissier de n'avoir acheté sa propriété d'Uzès qu'en 1965, ni de faire état de ces difficultés dont il a parfaitement conscience d'ailleurs et qui sont même un aspect de son sujet. Un autre aspect, non moins important, était déjà signalé dans la phrase que nous citions tout à l'heure, c'est la difficulté d'habiter sa vie. L'action, ou plutôt le mouvement du livre tient à peu près en une année, nous assistons à la tentative, ou à la tentation, de la vie traditionnelle pendant l'été, avec les enfants en va-cances, la vieille bonne, le chien, puis à l'effilochement de ce

---

1. Julliard.

bonheur inconsciemment un peu trop préfabriqué : quelques pages sur une tentation amoureuse, quelques pages sur une tentation religieuse qui n'emportent pas du tout la conviction parce que la métaphysique de M. Nourissier est trop évidemment soliste (« the solipsis thinks that he is the one » ; disait un philosophe), et le narrateur est bien près de retourner à son vomissement. Il lui faut faire tout le chemin entre : « Je marche au hasard dans ma vie », p. 218, et : « Je vis enveloppé dans la tendresse de Geneviève », p. 266. Ici comme dans les œuvres précédentes, le « je » des récits de M. Nourissier éprouve et nous fait éprouver un malaise qui n'est peut-être pas, quoi qu'il en pense, un malaise général. On a parfois l'impression d'un homme qui met une extrême délicatesse à jouer un peu faux sa musique intérieure. Il a toujours peur que son cœur ne soit la dupe de son esprit ou son esprit la dupe de son cœur et cela se complique d'autant plus qu'il ne serait pas le chroniqueur de lui-même s'il n'était pas un peu exhibitionniste. Le contre-récit de M. Fromageot met en lumière avec humour les plus gros de ces traits affectés, de ces snobismes nigauds d'un petit monde parisien, mais il y a des traits plus subtils qui sont moins bien dénoncés, une certaine boiterie du cœur qui tient peut-être à ce que tout le poids du monde pèse ici sur un seul Atlas. Peu ou pas de terres, garrigues ou cultures, autour du Lossan, peu ou pas de bêtes sauf une chienne de salon, et les portraits de Geneviève et des trois enfants restent assez flous, aperçus seulement dans le miroir un peu trouble de celui qui se regarde trop pour bien voir toutes les autres images. Plus difficile encore que de mettre de l'ordre au Lossan est l'établissement d'un ordre dans notre demeure intérieure si nous considérons notre âme, selon l'image de la grande sainte Thérèse, « comme un château fait tout entier d'un seul diamant ou d'un très clair cristal, où il y a beaucoup de chambres, de même qu'il y a beaucoup de demeures au ciel... ».

M. Nourissier explore son Lossan intérieur sa lanterne à la main, qui est parfois une lanterne sourde, mais il le fait avec autant de loyauté qu'il en est en lui. Dans la vieille maison du roman psychologique français, il se conduit avec de plus en plus d'assurance et la lumière est déjà dans sa prose toute classique d'analyste. Son premier livre était un essai sur les personnes déplacées, et il reste en lui une inquiétude, une errance, un déplacement que ni l'amour, ni la maison n'ont encore tout à fait guéris. Mais c'est peut-être ce qu'il cherche et ce qu'il aime, plus gidien que barrésien après tout. Ce *Maître, de maison* est un livre hors du vent, qui parle de pierres à notre époque de pavés, qui dans sa prose un peu léchée est

peut-être vieilli avant de naître. Mais il veut être, et il est
pour beaucoup, le livre de la maturité difficile des enfants de
cette génération.

« *La Crève* ».

Les romans de M. François Nourissier soulèvent toujours un
assez vif intérêt qui est curieusement fait, me semble-t-il, d'estime et d'antipathie. D'estime pour l'écrivain, d'antipathie
pour le sujet ou pour le héros, disons pour la matière
humaine que cet écrivain brasse avec quelque complaisance.
M. François Nourissier est un des bons écrivains de sa génération pour la bonne raison qu'il est un bon écrivain. Sa prose
est nette, précise, harmonieuse, toute classique, avec juste ce
qu'il faut de gamineries et de ruptures de ton pour la garder
vivante, sans tomber dans un ronron académique. On sent,
dans *la Crève,* comme dans les livres précédents, qu'elle est
l'objet d'une étude scrupuleuse. Elle dit bien ce qu'elle veut
dire, elle est assez charnue pour ne pas être sèche, elle colle
avec exactitude au mouvement intérieur, sans faire de faux plis
ou de cloques. Ce sont des qualités durables, plus que des qualités à la mode, ce sont de sages, vraies et, à leur manière, bril-
lantes qualités pour beaucoup d'amateurs de littérature. Et
puis il y a le héros, le sujet, l'atmosphère qui gênent, non
pas au sens fort, mais au sens courant, non comme un aveu
courageux, mais comme une mauvaise odeur corporelle. Une
intelligence psychologique extrême s'applique uniquement à détec-
ter, débusquer ce qu'il y a de sordide dans le cœur. Que le
héros soit peu sympathique, ce n'est pas un défaut : qui n'a
senti de la répugnance pour Adolphe sans que cela retire rien
à la valeur d'*Adolphe,* pour prendre un exemple sur les bords
d'un lac cher à M. Nourissier ? Mais pendant deux cent
soixante pages et près de dix volumes maintenant cela trahit
peut-être plus de complaisance que de lucidité, plus de dal-
tonisme moral que de masochisme béat. Tout cela pour indiquer tout de suite, qualités et défauts, à quoi vous pouvez vous
attendre en lisant *la Crève.*
D'une manière toute classique encore (la nostalgie des trois
unités, sinon de l'unité), le roman raconte une journée de
la vie d'un homme. Par une chaude journée de juin (1969) Benoît Magellant, quarante-huit ans, marié, père de deux grands

garçons, directeur d'une maison d'édition de la rive gauche, fait le tour de son petit monde. C'est une journée comme les autres, sans incidents notables, mais c'est une de ces journées où nos habitudes semblent devenir poreuses, ne plus nous défendre contre les inquiétudes et les questions de portée existentielle, une journée de nausée bien élevée. Benoît n'arrive plus à se prendre au jeu de sa vie familiale, de sa vie professionnelle, du peu de vie personnelle qui lui reste, il rêve de tout abandonner pour recommencer avec une jeune maîtresse dont la pensée l'obsède, dans un pays réputé pour ses qualités aseptiques, la Suisse ou le Canada (le livre était écrit bien entendu avant le récent recul politique vers la barbarie). Journée de la « crève », journée où un cadre craque, dégoûté par l'image de la vie qu'on lui demande d'encadrer, journée qui se terminera par la fuite en avant vers l'amour ou vers la mort, M. Nourissier abandonnant son personnage vers la fin aux mains du plus banal *deus ex machina* de la littérature moderne, le dieu qui préside aux accidents d'automobiles.

Benoît Magellant est encore capable de tout faire comme tous les jours, ou presque, simplement il n'est plus capable de trouver le moindre sens à ce qu'il fait. Alors, il ne le fera plus, il décommande un déjeuner important, il dicte quelques lettres, mais n'a pas le courage d'affronter ses collaborateurs ou les auteurs de sa maison. On sent que M. Nourissier a voulu éviter à tout prix de faire un documentaire sur la vie d'un directeur de maison d'éditions, milieu qu'il connaît bien. Les employés ne font que de la figuration, les auteurs ne paraissent pas, sauf un certain Jérôme Molissier qui sert d'ilote ivre (vous noterez qu'il y a dans ce nom de Molissier du Nourissier et du démoli). Ce métier n'est pas indifférent toutefois, parce que ce dont Benoît a conscience, c'est de travailler dans l'emballage, papier, caractère, couverture, et dans la vente des bons et des mauvais sentiments, des exaltations et des nausées. Il ne peut pas, comme nous tous qui travaillons dans ce domaine, ne pas se faire une idée parfois dérisoire, et parfois grande de ce que nous aimons, la littérature. Les centaines de manuscrits qui la défigurent, les milliers de volumes qui en portent aux lecteurs un visage souvent à peine moins infidèle. Benoît Magellant sait ironiquement qu'il n'est pas le seul de son espèce, que l'histoire d'un cadre qui craque est presque un produit de série.

Le second thème du livre, l'amour de Benoît pour la petite Marie, qui pourrait être sa fille, n'est pas non plus strictement original : c'est le thème du démon de midi. Il est traité par des souvenirs de rencontres au pays vaudois, et par des anti-

cipations de voyages au Canada ou dans le Vermont. Attachement charnel, très précis et très fort, Benoît le sait et il semble
parfois ne pas chercher à en savoir davantage, à ne pas trop
préciser son portrait intérieur de la jeune fille. Elle est son
eau vive, son eau de jouvence, mais il est du caractère méfiant
et avare de Benoît de ne pas se faire d'illusions et aussi de ne
pas risquer de perdre celles qu'il peut entretenir sans grands
frais. L'être très jeune que nous aimons, comme il est difficile d'imaginer son amour et d'y croire alors que nous-même
nous ne pourrions aimer un corps de l'âge du nôtre. Le démon
de midi doit être un démon aveugle pour avoir quelque chance
de nous aveugler. Benoît Magellant soulève parfois un coin du
voile, il doute, mais il refuse d'examiner son doute, parce
que l'amour pour un être jeune est en lui-même un philtre
dont nous sentons, comme le roi David, les effets immédiats,
et parce que si cet amour venait à manquer, que reste-
rait-il?

Ce qui introduit après le démon de midi, le deuxième démon
de Magellant, le plus original, et en même temps le plus
commun pour les modernes possédés, celui qu'on pourrait appeler le démon de l'inanité. C'est la puissance qui fait perdre sa propriété au sel de la terre. Benoît n'a de goût à rien.
Dès son pénible lever, il sait que sa journée ne sera que pénible routine. Ce n'est pas qu'il n'aime pas sa femme, Hélène,
mais cet amour est comme tari, comme entre parenthèses. Il a
laissé ses deux grands fils devenir des indifférents, par une
sorte de consentement mutuel, ce qui lui a d'ailleurs évité de
souffrir comme d'autres pères des oppositions proclamées en
Mai 68. Et sans doute, son métier lui a parfois apporté des joies
comme peu d'autres métiers peuvent en donner, mais trop rares,
trop fugitives, trop mal reliées à ce qu'il ressent comme sa
quête profonde. Puisque le livre, à la troisième personne
(par reste de pudeur) ou à la première, est le monologue intérieur de Benoît, nous pouvons tenter de porter non un jugement mais un diagnostic : Benoît est avare et égoïste, un avare
mais encore pour le souligner avec une pointe de modestie
qui frise la gloriole. Un égoïste qui pour sa femme, ses fils,
ses collaborateurs, se demande toujours ce qu'ils lui apportent, jamais, jamais ce qu'il peut leur apporter. Tout fait ventre
pour cet ogre, sa gentillesse possible n'est que fausse monnaie
d'échange. Et cela entraîne un rétrécissement terrible du
champ de la conscience et des intérêts : pas une idée dans
ce livre, pas le moindre soupçon qu'une idée ou un sentiment
puisse exister au-delà de la sensation, une psychologie d'une
extrême justesse mais qui ne lève jamais les yeux, qui broute
de la très moyenne observation morale ou sociale. Le petit

monde dont ce Magellant fait le tour tient dans un mouchoir de poche pas très propre.

Encore une fois, ce n'est pas nécessairement un défaut. La vérité, qui est peut-être triste, couche peut-être aussi dans des draps douteux. Je le dis simplement pour que vous sachiez dans quel genre d'hôtel vous entrez en soulevant la couverture de ce livre. M. Nourissier qui est à la réception, le gilet ouvert, un peu débraillé, n'en est d'ailleurs pas autrement fier, et cette gêne est une qualité du livre, ce qui achève de lui donner du ton.

J'ai voulu m'en tenir à la description d'un cas, répète M. Nourissier à la suite de M. Aragon. On est donc mal venu de généraliser, mais on ne peut guère s'empêcher d'en avoir la tentation : ce Benoît Magellant existe, son cas n'est pas unique, il témoigne de la maladie des cadres, comme on dit la maladie des pare-brise, du malaise de ceux qui gardent le col blanc d'une certaine formation morale traditionnelle sans cette formation, de ceux qui ne peuvent remplir leur fonction s'ils sont de purs robots et dont la société ne peut cependant accepter la moindre velléité critique. Ainsi *la Crève,* roman d'un intérêt inégal, un peu trop longuet, peut passer pour un acte d'accusation contre une classe. Malgré des coïncidences évidentes, le métier, l'âge, les fils, il est certain que ce livre s'écarte un peu plus de l'autobiographie transposée que les autres romans de M. Nourissier. Et pourtant on voit qu'il pourrait aussi bien porter le titre de tel ou tel autre roman, qu'il pourrait s'appeler *l'Eau grise,* ou *Portrait d'un indifférent,* ou *Un petit bourgeois,* ou même *Un malaise général.* Le docteur Nourissier a un peu les manières et les travers d'un médecin mondain, mais il établit correctement le tableau des symptômes et le diagnostic de son cas : peut-on lui en vouloir s'il est empêché de prescrire des remèdes ou s'il n'a pas grande idée de ce que pourrait être la santé...?

FRANÇOISE MALLET-JORIS

Un roman audacieux et scandaleux quant aux mœurs pour débuter, et aujourd'hui le succès avec un journal de bonne mère de famille. Une conversion au catholicisme (cette aventure si rare dans les lettres d'aujourd'hui, après avoir été si fréquente dans les lettres d'hier) qui n'a pas été claironnée comme le retour d'une enfant prodigue, mais qui a été vécue en profondeur. Au milieu de tous les revirements, une constante et fructueuse application au métier de romancière, une maîtrise gagnée grâce à des livres dont certains ne sont peut-être que des exercices mais dont les meilleurs sont bien à elle et gagnent l'estime et la sympathie.

Le rempart des sorcières

Pourquoi Anne de Chantraine, Elizabeth de Ranfaing et Jeanne Harvilliers sont-elles devenues des personnages de Mme Françoise Mallet-Joris ? Anne de Chantraine, jeune et belle sorcière, brûlée en 1625 à Warêt-la-Chaussée, dans le comté ou la province de Namur. Elizabeth de Ranfaing, possédée, longuement traquée et exorcisée à Nancy vers la même époque. Jeanne Harvilliers, sorcière brûlée à Ribémont un peu avant, après de longs interrogatoires menés par Jean Bodin, futur auteur de *la Démonomanie* : trois personnages de la petite histoire, et même de la basse histoire de la superstition et de l'Eglise, qui entrent tout naturellement dans l'œuvre de l'auteur du *Rempart des béguines. Trois Ages de la nuit* [1], dit le titre du livre d'une manière elle-même assez obscure, puisque les trois épisodes ne sont pas classés dans l'ordre chronologique et ne correspondent que d'une manière assez artificielle à une dialectique de l'âme en proie au nocturne et au démoniaque. Et pourtant ce n'est pas un livre en marge, un travail historique entrepris un peu au hasard : cela pourrait même devenir dans l'œuvre de la romancière un livre central par la force et l'insistance avec lesquelles Mme Mallet-Jorris y reprend une question qui est au centre de sa vie intérieure.

Trois histoires de sorcellerie datées d'une des grandes époques de la sorcellerie, la fin du XVI° siècle et le début du

1. Grasset.

XVII° : rarement on avait allumé autant de bûchers, on a pu avancer le chiffre de cinquante mille exécutions pour l'Allemagne, la Belgique et la France. Mme Mallet-Jorris marque bien que la grande époque de la chasse aux sorcières, ce n'est pas le Moyen Age, c'est l'époque de transition entre l'âge de la foi et l'âge moderne, mais manifestement elle ne s'intéresse pas particulièrement au problème général des rapports de la religion et de la magie auquel les sociologues ont consacré tant de travaux, soit dans le sens classique, soit dans le sens du *Dieu des sorcières* comme dit le titre du livre de Margaret Murray traduit en français dans la collection de M. Robert Amadou (Denoël). Le gibier de la romancière quand elle fait repasser ces sorcières devant son tribunal, c'est l'âme même de ces malheureuses, coupables et victimes.

Anne de Chantraine, c'est d'abord une enfant mal élevée ou pas élevée du tout par un père ivrogne, marchand ambulant qui la traîne dans les auberges, sur les routes du pays wallon. Puis la sauvageonne est confiée aux sœurs noires de Liège, elle tire grand profit de l'éducation et un certain profit aussi du contact avec les religieuses plus ou moins avancées dans les voies mystiques. On la place comme petite servante, comme ravaudeuse, dans une étrange maison où l'on vend un peu de tout sans trop se préoccuper de savoir si c'est du recel ou du commerce, elle est plus ou moins fascinée par la dame du logis, la belle et plantureuse Christiane de la Chéraille et son beau-frère Laurent. Ils l'entraînent par jeu, par défi, par vice, jusqu'au sabbat. Au sabbat, oui, à la grande orgie nocturne dominée par un homme noir, où l'on se rend le corps enduit d'un onguent plus ou moins puant, où se déchaînent goinfrerie et luxure. C'est un fait avoué, avoué par les héros de cette histoire et par des centaines d'autres témoins et des témoins qui se sont fait égorger. Naturellement cela finira mal, le petit commerce de philtres et d'envoûtement sera dénoncé, les coupables arrêtés et exécutés. En cent pages, l'histoire est racontée de la façon la plus directe, la plus concrète, la plus parlante par la romancière. On se fera une idée de sa manière en comparant son texte à une source aisément accessible, les quelques pages sur Anne de Chantraine dans le *Satan* publié il y a une trentaine d'années par les Etudes carmélitaines, on verra comment Mme Mallet-Joris fait revivre un texte et l'enrichit.

Elizabeth de Ranfaing, de très petite noblesse lorraine, semble-t-il, a été élevée principalement par sa mère dans une piété scrupuleuse, pointilleuse, lancinante. Puis on l'a jetée dans les bras d'un vieux mari, qui a fini par mourir, et elle a connu la tentation de l'amour, l'amour fou, dit notre auteur, mais pas au sens d'André Breton, pour un médecin, Charles Poirot. Mais elle luttera, elle résistera, elle préférera inconsciemment tomber dans ce qui passera pour la possession diabolique plutôt que de céder à la possession charnelle. Elle enverra ainsi son amant au bûcher, tandis qu'elle-même sera exorcisée à grand fracas pendant des années avant de finir dans une piété un peu suspecte.

Jeanne Harvilliers est un cas plus simple, plus banal, une bohémienne et une sorcière de village, mais son histoire tire son intérêt du caractère entier et lucide de la femme et de sa confrontation avec Jean Bodin, inquisiteur passionné mais déjà dans une certaine mesure inquisiteur pour le bon motif au sens moderne, c'est-à-dire désireux de comprendre comme nous, même s'il laisse aller son interlocutrice au bourreau selon la coutume et l'esprit de son temps. C'est d'ailleurs à propos de Jeanne Harvilliers que Mme Mallet-Joris touche le plus nettement au problème de la situation sociale de la sorcière et de la sorcellerie.

Chaque récit relève de l'histoire romancée, ce qui entraîne parfois de petits flottements, mais nous vaut de minutieuses tentatives de restitution psychologique. Ce qui est mis en évidence, ce n'est pas le gros pittoresque de la sorcellerie et des procès : c'est la montée à l'intérieur d'une âme de ce qui va naturellement (selon la nature des choses) devenir le mal et bientôt le mal absolu, celui du démon. Nous allons naturellement au sabbat avec Anne de Chantraine, nous nous ouvrons naturellement à la possession diabolique avec Elizabeth de Ranfaing, nous avons l'impression que la nature et la raison impitoyable sont davantage du côté de Jeanne Harvilliers que du côté de Jean Bodin. Les voies et les faits extraordinaires de la magie semblent préparés, appelés par des voies intérieures qui n'ont rien que d'ordinaire, ou presque...

« Anne de Chantraine ou le Théâtre » dit le titre de la première histoire et nous voyons Anne passer de la scène de son enfance misérable et vagabonde à la scène du couvent, puis à la scène du sabbat comme dans une suite de rôles.

L'objet du duel oratoire entre Bodin et Jeanne Harvilliers est surtout de savoir si la femme doit et peut assumer le personnage de sorcière qui lui a été distribué. Et le cas d'Elizabeth de Ranfaing est sans doute le plus complexe (une grande romancière me soufflait l'autre jour à propos de ce livre que le cas d'Elizabeth et de son médecin pouvait faire penser aux rapports d'une femme d'aujourd'hui et de son psychanalyste), mais il repose aussi sur une détérioration intérieure, une distanciation entre la personne et le personnage proposé à l'enfant, puis collant à la jeune femme comme une sanglante tunique. Paradoxalement, Mme Mallet-Joris a écrit ces trois histoires sans beaucoup parler de Dieu et sans beaucoup parler du diable. Parce que pour elle le vrai débat est tout intérieur. Les sorcières, les possédées, sont des images grossissantes de la vie intérieure divisée contre elle-même par la présence d'un Intrus. Mais le danger, mais le mal n'est-il pas le même pour tous ? « La scission, la perte de l'unité, c'est le diable » écrit-elle.

Déjà un de ses romans s'appelle *les Mensonges,* un autre *les Personnages,* et toute son œuvre en somme pose la question de la vérité. Dans un texte très important publié par *la France catholique,* un récit de sa conversion (elle a été baptisée en 1954, à vingt-quatre ans, à Saint-Pierre-du-Gros-Caillou), Mme Mallet-Joris a raconté comment elle avait été marquée dans sa petite enfance par un mensonge fait à une maîtresse d'école, et surtout par la difficulté presque insurmontable de distinguer la parole vraie du mensonge, dans la vie, puis dans l'œuvre littéraire. Fille d'un ministre et d'une académicienne, a-t-elle manqué entre des parents représentatifs de la chaleur du nid ? Ou bien quel furieux amour d'adolescence pour la vérité la pousse à la transposition scandaleuse du *Rempart des béguines* ? Car il ne suffit pas de souhaiter vivre dans la vérité de l'unité intérieure : il faut encore savoir où se trouve cette vérité et pour ainsi dire quelle est la nature selon laquelle la grâce nous demande de vivre. Méfions-nous de la sorcellerie quotidienne, de la possession au jour le jour par les petites tentations de la chair et de l'esprit, méfions-nous des grandes tentations de l'orgueil qui propose de céder à la fascination d'un personnage qui n'est pas nous. D'un point de vue historique, Mme Mallet-Joris ne fait probablement pas assez de place à la religion, à la piété, dans la mentalité de ses personnages d'un autre temps. Mais ce qui l'intéresse ici comme partout, c'est le procès de la vérité, c'est la vérité elle-même. En un sens, le récit de sa conversion dont nous parlions à l'instant, c'est le récit de la découverte d'une parole vraie.

Les récits sont parfois un peu fastidieux, alourdis encore par l'usage immodéré de la forme interrogative. Mme Mallet-Joris n'a peut-être pas reçu la grâce d'écrire au même degré que la grâce de raconter. Mais la romancière sait joindre à une grande force d'évocation précise un souci constant de la vraie vie. Plus tard, bien plus tard, par exemple quand M. Cohn-Bendit sera doyen à la Sorbonne de droit et non plus de fait, le parallèle des deux Françoise qui sont nées à la vie littéraire dans le bureau de René Julliard presque en même temps sera peut-être aussi classique que le parallèle de Corneille et de Racine. Il est trop tôt pour en décider, mais on dira peut-

être que Mme Françoise Sagan a cédé à la fascination du vide
et Mme Françoise Mallet-Joris à la fascination de la vérité...

Du « Rempart des Béguines » à l'éducation des filles.

Cette *Maison de papier* [1] de Mme Françoise Mallet-Joris est
un livre modeste qui m'a souvent remis en mémoire le conseil
fameux de La Bruyère : « Quand une lecture vous élève l'esprit et qu'elle vous inspire des sentiments nobles et courageux, ne cherchez pas une autre règle pour juger l'ouvrage ;
il est bon et fait de main d'ouvrier. » Tant pis si cette conception de la littérature est d'un autre siècle. Pendant cette
semaine de lecture, je n'ai jamais rouvert le volume sans plaisir, et je ne l'ai jamais refermé sans me sentir porté à une
réflexion sérieuse. C'est pour cela que je voudrais dire ma sympathie et ma reconnaissance.

On sait sans doute déjà qu'il ne s'agit pas d'un roman, mais
d'un livre de confidences personnelles. La maison de papier,
comme elle dit, et ce titre ne me semble pas tout à fait heureux,
c'est la sienne; Mme Mallet-Joris nous parle d'elle-même et des
siens, de son mari et de ses quatre enfants : Daniel, Vincent,
Alberte et Pauline. Cela pourrait s'appeler « la Maîtresse de
maison » et faire le pendant du *Maître de maison* de son
ami M. François Nourissier, avec cette différence qu'il ne s'agit
pas d'un luxueux château avec piscine, mais d'un trois-pièces
parisien quelque peu surpeuplé et pourtant toujours hospita-
lier.

Au niveau le plus bas, et pour ceux qui lisent sans entendre,
c'est une chronique domestique, pittoresque et amusante, avec
ses mots d'enfants, son défilé de bonnes ou de femmes de
ménage généralement espagnoles, ses complications et ses
déboires ménagers, un récit plein de petites drôleries comme
ceux de Pierre Daninos ou de M. Jean Duché il y a quelques
années, ou dans un autre genre comme « papa, maman, la
bonne et moi » de M. Robert Lamoureux, mais c'est une analogie purement superficielle. Le livre de Mme Mallet-Joris se
rattache bien plus à la série des confidences d'écrivain, des
mémoires partiels, des journaux sans dates et d'ailleurs arrangés sans souci de stricte chronologie. Et l'important, c'est
que ce n'est pas un journal qui dit « je », c'est un journal qui
dit « nous ».

1. Grasset.

Nous nous familiarisons donc assez vite avec Dolorès et avec les autres Espagnoles qui sont ses amies ou qui lui succèdent, avec les quatre enfants du grand Daniel à la petite Pauline, avec ceux qui passent, fournisseurs, colporteurs, clochards ou ceux qu'on va voir périodiquement chez eux, avec les animaux domestiques aussi, variés et nombreux. Nous ne nous familiarisons pas du tout avec le mari, Jacques, le peintre, qui reste assez effacé, non qu'il le soit, mais parce que pour Mme Mallet-Joris il appartient sans doute aussi à une autre province de son royaume intérieur, plus secrète et où elle pourra nous guider une autre fois.

Les anecdotes sont amusantes et bien contées, les portraits d'une grande vie et d'une grande précision : d'une grande franchise d'expression, avec parfois un trait dur, un mot qui fait mouche. Ce ne sont pas des gens extraordinaires, une vieille tante quinteuse et méchante, une Mme Josette qui soigne et entretient les cheveux des clientes dans son petit appartement du septième, boulevard de Strasbourg, une dame qui vient dîner, une locataire alsacienne et pâtissière de l'étage endessous qui est perpétuellement inondée par les débordements des enfants et des baignoires... Ce sont les enfants surtout dont Mme Mallet-Joris nous parle avec une tendresse communicative, avec plus d'amusement que de douce ironie, avec sérieux, avec gravité aussi parce qu'ils sont au centre du livre.

Ce « nous » dont nous disions que *la Maison de papier* est le journal est le petit groupe de la mère et des enfants, de Françoise, Daniel, Vincent, Alberte et Pauline. Ce livre, elle le dédie tendrement à son père, — et le lecteur ne peut s'empêcher de faire un retour en arrière. Il n'y a pas si longtemps un peu plus d'une quinzaine d'années, Mme Mallet-Joris est entrée en littérature avec le *Rempart des béguines,* c'est-à-dire avec le plus insolent, le plus féroce règlement de comptes d'une jeune rebelle à l'égard de son père. L'anecdote était sans doute inventée ou transposée, nous n'avons pas à le savoir : mais l'accent de la rebelle, la colère qui faisait vibrer sa voix appartenait bien au très jeune auteur. Depuis, elle a publié avec succès une demi-douzaine de livres d'imagination où l'accent personnel était moins sensible, mais qui étaient faits de main d'ouvrier pour parler comme La Bruyère. Et la voici, non seulement qui parle en mère à son tour, mais encore qui évoque au passage ses parents avec une vraie tendresse et une vraie reconnaissance. Je ne déplore pas son assagissement, je ne cherche pas à la mettre en contradiction avec elle-même, au contraire j'essaie de la voir en continuité, comme c'est le devoir, je crois, d'une critique littéraire attentive. Il y a eu,

certes, dans cette vie intérieure, un grand événement dont
nous parlerons tout à l'heure, mais restons encore un instant
au chapitre des enfants.

Il est probable que l'arrivée du jeune Vincent en blue jean,
flanqué de son grand frère Daniel en costume hippy en guise
de parrain à la cérémonie de confirmation d'une paroisse très
bourgeoise, a été un choc pour Monseigneur comme dit M. le
curé. Et la vie quotidienne de Françoise, de Jacques, de leurs
enfants et de leur Dolorès a de quoi donner des chocs à beaucoup de personnes très convenables. L'appartement tient parfois
de l'asile de nuit et parfois de l'arche de Noé, les repas sont irré-
guliers quant à l'horaire et quant à la composition du menu,
les meilleurs vins se boivent souvent dans des verres à moutarde, on parle de tout librement et parfois dans des termes
bien libres pour des enfants aussi jeunes. La grande préoccupation de Mme Mallet-Joris cependant, celle qui domine tout le
livre, c'est l'éducation. Mais dans ce domaine, elle a un sens très
vif de ce qui est essentiel et de ce qui est accessoire. Les bonnes
manières sont accessoires, c'est la bonne qualité de l'âme qui
est essentielle. Et cette bonne qualité, c'est en favorisant, en
inclinant peut-être mais sans jamais la forcer, leur liberté
qu'on la dégagera. Mme Mallet-Joris reprend volontiers le principe « aime et fais ce que tu veux » de saint Augustin et de
Rabelais, et nous la voyons essayer d'appliquer ce principe
par rapport aux cent problèmes de la vie d'aujourd'hui, parfois les plus délicats que les enfants ne peuvent plus ne pas
connaître (« maman, qu'est-ce que c'est une fausse couche ? »,
mais il y a bien des domaines en dehors de l'éducation sexuelle).
En somme Mme Mallet-Joris considère ses enfants comme de
bons petits sauvages qu'il faut faire entrer en les éclairant
dans le style de vie et de culture de notre civilisation. Elle
ne cherche pas à les rendre raisonnables malgré eux (« il
faut être sérieux plutôt que raisonnable », dit son père), elle
cherche à leur montrer non ce qu'il faut, mais ce qu'on peut
faire, elle cherche à être un exemple vivant de tendresse
lucide. Ce n'est pas une réponse à tout, ni valable pour tout
le monde, mais dans le cas particulier, l'expérience semble
réussir.

Ce qu'il faut dire encore, c'est que ce foyer est catholique,
c'est que le grand bouleversement de la vie intérieure de Mme
Mallet-Joris, c'est sa conversion. Elle nous raconte que ses
parents lui ont donné une éducation libérale, en dehors de
toute religion, pour ne pas influencer sa liberté, et qu'elle
leur en est reconnaissante parce qu'elle a le sentiment que
c'est en effet librement qu'elle a reconnu Dieu quand elle l'a
rencontré. Si Daniel, son fils aîné, est indifférent ou même

hostile, Mme Mallet-Joris, chrétienne, ne va pas jusqu'à laisser ses enfants sans éducation religieuse, mais elle veille scrupuleusement à ne point forcer leur foi, à les entretenir dans une piété raisonnable ou raisonnée. Bien entendu, c'est surtout à propos de problèmes de conduite que ces matières sont abordées, et il semble que la maison de papier soit assez souvent le théâtre de discussions entre théologiens en herbe. Ainsi dès la première page (mais le livre n'est pas composé au hasard, et le thème reviendra plus d'une fois), Vincent, à onze ans, cherche devant sa mère à quelle conditions le monde serait parfait : « Il faudrait d'abord supprimer les moustiques. — Tiens ! — Et les vipères aussi. — Pourquoi ? — Parce qu'elles font tort aux couleuvres. On les confond, alors... » Peut-être est-ce prêter à Dieu un peu trop de notre moralisme. Je songeais à une page de Marie Noël s'écriant : « Comme je suis contente que Dieu ne soit pas un saint ! Si un saint avait créé le monde, il aurait créé la colombe, il n'aurait pas créé le serpent. Il aurait créé la colombe? Il ne l'aurait pas créée « mâle et femelle », il n'aurait pas osé créer l'Amour, il n'aurait pas osé créer le Printemps qui trouble toute chair au monde. Et toutes les fleurs auraient été blanches. » Il me semble que Marie Noël a raison, qu'il ne faut peut-être pas identifier la sainteté et la nature de Dieu. Mais on voit bien où la méditation de Mme Mallet-Joris sur la maison de papier et sur l'éducation des enfants débouche : sur le problème que pose l'exigence de sainteté à ceux qui vivent dans le monde. N'est-ce pas le signe que ce petit livre de bonne foi et de foi, de bonne humeur et d'humeur, s'il nous raconte beaucoup d'histoires de femmes de ménage et de vaisselle cassée, n'oublie pas pour autant que les femmes de ménage aussi ont une vie et une âme ? et qu'il peut nous inspirer, comme je vous le promettais, des réflexions modestes, mais salubres, des sentiments élevés et courageux ?...

HÉLÈNE CIXOUS

*Un beau sphinx féminin. Ses livres sont souvent d'une
extrême difficulté de lecture (joycienne plus que mallarméenne),
mais cette difficulté n'est jamais gratuite ou élaborée seulement
pour se conformer à une certaine théorie de la littérature. Elle
reprend à nouveaux frais, avec les moyens de notre littérature
actuelle, une quête qui n'est peut-être pas tellement éloignée de
celle de la jeune Parque, elle se cherche de repli en repli, et cette
chasse intérieure vaut la peine d'être suivie.*

L'espace du dedans

Sous ce titre emprunté à M. Henri Michaux, on pourrait réunir bien des romans d'aujourd'hui, qui sont des récits d'exploration intérieure. Mais il me semble qu'il s'applique particulièrement au très attachant petit livre de Mme Hélène Cixous, qu'il en est de même le vrai titre alors que ce livre est simplement intitulé *Dedans*[1]. C'est un texte qui risque de paraître d'abord un peu difficile, un peu mystérieux à certains lecteurs : mais je crois qu'il faut persévérer, s'y plonger ou se laisser baigner par lui. La difficulté ne vient pas en effet, comme dans le nouveau roman, d'une obéissance un peu bovine à une idée du récit ou du langage, elle vient d'une manière très personnelle de sentir, de penser, de progresser que l'auteur essaie de nous communiquer. Enfin ! ce n'est pas un nouveau roman, c'est un roman original, et d'une originalité valable.

De quoi s'agit-il ? En apparence, et le texte placé sur le rabat du livre nous oriente en ce sens, d'un roman de la maison et de la famille. Le dedans, c'est la partie du monde qui appartient au narrateur ou à la narratrice et aux siens, tandis que le dehors appartient aux cinquante mille, c'est-à-dire aux nombreux. L'évocation du monde du dedans est ainsi pleine de souvenirs d'enfance, à la fois savoureux et graves. Mais ce que le récit essaie d'élucider, me semble-t-il, et c'est son vrai sujet, c'est un dedans plus intérieur encore, c'est la vie sentie du dedans de la conscience et pourtant en rapport avec la vie des autres et

1. Grasset.

avec la vie en général. La narratrice, son frère, son père et sa mère forment pour ainsi dire un être unique dont Mme Cixous essaie d'étudier le fonctionnement. L'important, ce n'est donc pas l'anecdote, ou le rapport avec les autres, avec la société, c'est la circulation continuelle des sentiments et des images encore plus que des idées dans le monde du dedans.

En fait, on pourrait dire que le livre représente un effort pour remplacer la psychologie classique par la géographie de l'espace du dedans. Mais ce n'est pas rébarbatif, d'autant que Mme Cixous est un bon écrivain : la narratrice prend un souvenir d'enfance dans sa vie et en examine la consistance et l'éclairage par rapport à son frère, à sa mère, à son père surtout. Chaque vivant a non seulement des souvenirs, mais des plis de sensibilité, des courants profonds en commun avec les siens : c'est cela que la géographie intérieure met en valeur.

Cette conception a pour premier effet important de modifier les frontières. Chacun a beaucoup donné, et le père plus que tout autre : mais ce qu'il a donné est pourtant resté à lui en même temps. Le même courant nourrit le frère et la sœur sans cesser pour cela d'être un courant du père. Mais aussi de proche en proche, car ce père lui-même reste fait en partie de la substance de son père, les individus ne se referment pas sur eux-mêmes, ils se définissent par leurs appartenances, au sens des mathématiques modernes, plus et mieux que par leurs frontières. Ainsi à bien regarder nos souvenirs nous les connaissons et les reconnaissons dans le lien avec le père, tandis que l'être familial global plonge lui-même dans une tradition ou dans un être familial plus vaste encore qui semble bien être ici la race juive. Le premier livre de Mme Cixous était un recueil d'excellentes nouvelles intitulé *le Prénom de Dieu* [1]. En un sens ce roman, en mettant l'accent sur la dévotion de la fille au père, sans ignorer la possibilité d'une interprétation psychanalytique mais sans s'y attacher, est une recherche du nom de famille de Dieu.

Mais non point une recherche bornée à une famille ou à une race. La considération de ces liaisons et de ces permanences dans l'espace du dedans conduit en effet à déplacer une autre frontière encore, la plus importante, celle de la vie et de la mort. Ce n'est pas vainement qu'on peut dire que les morts vivent en nous : mais en même temps ils y vivent d'une vie qui va s'affaiblissant et qui finit par ne plus être la leur puisqu'ils perdent toute puissance personnelle : l'être intérieur aussi retourne à la poussière.

Tout cela que je suis obligé de schématiser pour faire court est suggéré avec patience de la manière la plus concrète en parlant

1. Grasset.

des fleurs, des corps, de toutes les qualités sensibles. La seconde partie de *Dedans* est une tentative de sortie, en un sens, le difficile établissement d'un rapport charnel et plus que charnel avec l'amant pour la fille toujours attachée à l'amant-père. Mme Hélène Cixous, nous l'avons déjà dit, écrit bien, l'obscurité ne vient parfois un instant que d'un raccourci ou d'une référence à son « dedans » que nous ne pouvons saisir. On peut parler de l'influence de James Joyce, puisque tout le monde sait qu'elle est l'auteur d'une grosse thèse sur Joyce (qui est peut-être aussi en un sens un travail non sur le plan de Dublin, mais sur l'espace intérieur où Joyce avait choisi de vivre en exilé), il y a donc des joycismes, assez rares, et il y a parfois des touches de la plus vraie poésie. Enfin c'est un livre qui nous aide à descendre dans notre propre « dedans » et peut-être à en prendre une vue nouvelle. Est-ce qu'il y a d'autres livres qui comptent ?

Un déchiffrement provisoire

Mme Hélène Cixous a déjà publié un recueil de nouvelles et trois romans. Ses deux premiers livres au moins ont été très favorablement remarqués et sa grande thèse sur James Joyce fait autorité. Elle est d'ailleurs une de nos anglicistes très distinguées. Elle a obtenu le prix Médicis en 1969. Elle est codirectrice de *Poétique,* une de nos meilleures revues de critique et de technique littéraire. Bref, elle a tout ce qu'il faut pour devenir une mandarine dans notre monde mandarin, et il est probable que son tempérament, son talent et son ambition peuvent la porter plus haut encore.

Pourtant son dernier ouvrage, *Neutre* [1], roman est-il écrit sur la couverture, passe un peu partout pour un texte d'une obscurité redoutable, et il l'est en effet par sa concision, sa démarche plus déconcertante que celle du cavalier aux échecs, son abondance d'harmoniques selon le son et selon le sens. La notice imprimée sur la couverture pour nous présenter cet « opéra textuel » n'est pas beaucoup plus claire, ni d'un grand secours. Il me semble cependant que nous ne devons pas nous en tenir dans notre examen des livres aux œuvres des maîtres reconnus. Il faut essayer de voir ce que font et ce que cherchent les cadets : et dans le cas de Mme Cixous, nous y sommes portés non seulement par ses titres, mais encore et surtout par le sérieux de la voix, et peut-

1. Grasset.

être même son angoisse. Il ne s'agit pas de cette obscurité banale qui est un relâchement de la plume inventé pour couvrir les défauts de l'esprit, mais de l'obscurité de quelqu'un qui arrache avec peine à une zone de l'être quelque chose d'original. Cela dit, je ne me targuerai pas d'avoir compris les intentions et les apports de ce volume mystérieux. Je n'en propose ici qu'un déchiffrement provisoire et peut-être entièrement faux, en balbutiant et en me servant du langage ordinaire, ce qui est peut-être déjà une contradiction.

Il s'agit à n'en pas douter de la naissance. De la naissance de l'œuvre littéraire. Parmi les quelques anecdotes en clair qui surnagent ici ou là dans le discours, il y a celle de l'homme qui, en rentrant chez lui, voit brûler la maison où il a laissé sa grand-mère et ses manuscrits, et qui pense d'abord à ses manuscrits, et celle du petit garçon sans doute écrasé sur l'autoroute qui ne lâche pas son cahier qui lui tient lieu de tout. Réflexes caractéristiques d'homme de lettres. Mais dans un passage lyrique, Mme Cixous parle du livre, « livre-né lavé de la même eau qu'Adonis, Osiris, Moïse, Bacchus, refourni par les vestiges d'histoires bien plus anciennes qu'il ne le sait ou voit, et le Sujet-en-suspens entre ses ruines et sa (re) construction ».

La création littéraire, si on peut employer cette expression du vieux style, est la mise au jour d'un texte. La pureté (sens chimique) de ce texte est presque continuellement menacée par des incursions qui viennent du sujet, l'auteur dans le vieux style, et par des impulsions qui viennent du récit lui-même. Le sujet a son sexe, ses souvenirs, ses caractères acquis accidentels qu'il a tendance à glisser dans son texte. Le récit a ses habitudes, pour ne pas dire ses manies, ses manières d'enchâsser le texte neuf dans un contexte usé qui vient sans doute de la mémoire collective et héritée, peut-être peut-on dire de la culture. Il faut donc sans cesse rectifier l'écoulement du texte et le purifier. L'idéal est de le rendre neutre, comme dit le titre du livre, qu'il faut prendre en plusieurs sens. Neutre devrait être aussi la source, le sujet qui ne devrait être ni celui-ci, ni celui-là, ni d'un sexe ni de l'autre précise-t-on bien.

Ces sévères exigences limitent considérablement le choix des éléments qui peuvent être évoqués sans risque de compromettre la neutralité. Par de progressives éliminations, il ne reste plus que la terre d'une part, et de l'autre, le sang. Une terre basse, déserte, désolée, une langue de terre, si on ose dire dans ce monde linguistique, et un sang non encore analysé, pris comme le véhicule vital. Ainsi le « roman » de Mme Cixous qui ne se passe nulle part et ne met en scène personne, a cependant un décor ou un climat. Il se passe dans le monde du ventre, à la température du sang, entre mater et terre. Dans la première

partie surtout, le texte charrie des allusions aux rapports avec le
père, qui obsèdent la romancière de *Dedans,* Brutus et César,
Hamlet surtout, dans la seconde partie, c'est le drame de l'enfantement qui prend plus de place, l'enfantement littéraire conduisant notre auteur, qui est femme, à l'enfantement charnel, ce qui
est peut-être manquer à la neutralité. Plus précisément le livre est
traversé par des allusions au mythe du Phénix qui transporte
dans un œuf le cadavre de son père, ce Phénix cher à D.-H.
Lawrence. *Neutre* est peut-être une rêverie nostalgique sur la
naissance virginale.

C'est écrit avec beaucoup de force et de brio, si on veut bien
ne pas faire attention aux déboîtements de sens. Le terme
d'« opéra textuel » se justifie en ce sens que le son des mots
pense par lui-même en quelque sorte, que cela va des mots inven-
tés, chevillés, déformés (elle aimait trop le Joyce, c'est ce qui
l'a perdue...) aux calembours ou aux développements commandés
par des présences sonores, celles des voyelles a et o par exemple. Pourquoi tout cela, dira-t-on peut-être, et beaucoup d'autres
choses, car comme *Ulysses*, l'ouvrage a certainement des clés
secrètes, pourquoi tout cela puisque le livre est à peu près illisible pour l'immense majorité des lecteurs ? Parce que ce n'est pas
rien. Avec son talent et une immense culture, Mme Cixous semble
avoir voulu écrire un traité d'obstétrique littéraire. Puis l'enfant,
Adonis, Osiris, elle l'a jeté avec l'eau du bain lustral. On se
demande parfois si la linguistique dans son orgueil ne joue pas
un mauvais tour aux écrivains en leur conseillant de regarder au
microscope les éléphants ou les hommes, alors que la littérature
est une activité macroscopique. Mais l'intérêt de *Neutre* est peut-
être de nous conduire dans cette région entre chair et peau de
l'esprit où la parole prend naissance. Mon déchiffrement n'est
qu'un déchiffrement provisoire, bien sûr, mais peut-être à son
tour le livre de Mme Cixous lui-même n'est-il qu'un provisoire
déchiffrement d'un mystère de la création.

FRANÇOISE SAGAN

Dix-huit ans déjà depuis qu'elle a eu dix-huit ans. Dix-huit ans pendant lesquels, après son premier grand succès, elle a tenu la gageure de vivre plus ou moins comme un animal du grand cirque de la presse, c'est-à-dire comme une vedette, et de récrire une dizaine de petits romans dans lesquels, derrière les images du petit monde du plaisir, on entend toujours discrètement la petite plainte de l'être enfermé dans un monde sans amour...

« Bonjour tristesse ».

En lisant avec un plaisir constant *Bonjour tristesse*[1], on ne peut s'empêcher de se demander si nous n'assistons pas à une transformation importante de la littérature féminine : ce ne sont pas les qualités un peu molles de cœur et de sensibilité que la tradition accorde aux romancières qui font le charme et le prix de ce livre, mais les qualités dures de l'intelligence et de l'impitoyable lucidité. En poussant un peu, on pourrait dire que la littérature féminine devient intelligente, et même plus intelligente ou intelligente d'une manière plus complète que la littérature des hommes. Dans les livres comme dans la réalité les femmes ne sont plus des objets, au sens où l'on disait « l'objet de ma flamme ». Elles luttent pour la vie, pour l'amour, pour le bonheur, et elles le font avec une redoutable pugnacité.

C'est évident dans le cas de Mlle Sagan : cette pugnacité est le sujet même du roman, et elle est d'autant plus remarquable que l'auteur écrit ce livre à dix-neuf ans et que son héroïne en a dix-sept. Le bonheur pour elle, ou du moins ce qu'elle appelle ainsi, c'est de continuer à vivre facilement avec son père, un don Juan à peine quadragénaire qui la traite en confidente et en camarade. C'est l'affection de ce père qui compte, sans qu'il soit question de faire entrer ici la psychanalyse, parce qu'elle lui ouvre la porte d'un monde d'une parfaite amoralité, le monde du plaisir. Elle découvre très vite pour elle-même le plaisir sexuel, et elle ne dédaigne pas les autres menus plaisirs d'une société dont le

1. Julliard.

niveau de culture est bas et la moralité plus basse encore, comme le whisky par exemple. La boisson, le spectacle de la liberté sexuelle des adultes, bientôt les contacts équivoques avec les garçons et l'expérience précoce : en somme Mlle Sagan nous peint une enfance soumise aux mêmes dangers et aux mêmes déchéances que l'enfance misérable de la zone, au décor près, qui est ici de villas luxueuses, de voitures américaines, de boîtes de nuit, comme si la société pourrissait de la même manière par les deux bouts.

La jeune Cécile de *Bonjour tristesse,* grandie trop vite, reste une enfant, et c'est sur le plan de l'enfance qu'elle sent d'abord le danger : quand la maîtresse de son père, forte d'une promesse de mariage, l'oblige à faire ses devoirs de vacances, à interrompre un flirt encore innocent, ou bien l'enferme dans sa chambre. Et elle construit avec machiavélisme, en utilisant les appétits, les désirs, la veulerie d'adultes qui sont loin d'avoir sa détermination et sa perspicacité, un grand jeu réel pour rejeter son père dans les bras d'une autre maîtresse et éliminer la gêneuse. Elle réussit au-delà de toute espérance, puisque celle-ci s'en va, désespérée, et meurt le soir même dans un accident de voiture qui est peut-être un suicide. La tristesse que Cécile salue dans le titre du roman et à la dernière page du livre, c'est le sentiment fait de vague regret, de remords plus vague encore qui l'envahit parfois, maintenant qu'elle est retournée à ses plaisirs, en pensant au drame. Mais cette tristesse, c'est peut-être aussi, sans qu'elle le sache, quelque chose de beaucoup plus profond, la saveur du néant, une tristesse venue de l'Ecclésiaste : c'est ce qu'il y a au fond du cynisme qui lui fait écrire d'une dame mûrissante : « A son âge, je paierai aussi des jeunes gens pour m'aimer parce que l'amour est la chose la plus douce et la plus vivante, la plus raisonnable », ou bien au moment du drame : « Mon père ferma les volets, prit une bouteille dans le frigidaire et deux verres. C'était le seul remède à notre portée. » Ainsi Mlle Sagan derrière sa très jeune héroïne, fraîche et cynique, dresse l'ombre de ce qu'elle va devenir, une vieille femme imbibée d'alcool qui ne sort de sa demi-somnolence que pour se prêter sans illusions aux caresses des gigolos. Et s'il y a une chose qui ne sera jamais épargnée à Cécile, c'est la lucidité.

Blues

C'est toujours Sagan, et c'est un peu autre chose, qui cherche à aller plus loin. Un livre réussi, un médiocre roman ? Un essai de

technique nouvelle ? Une demi-confession qui éclaire d'un jour
cruel les deux faces, intérieure et extérieure, du petit monde de la
romancière ? On pourra se poser toutes ces questions. Sur le
tourne-disques qui lui sert à faire ses livres, ce titre, *Des bleus à
l'âme*[1], l'indique, elle a posé un vieux blues, *Solitude* peut-être,
et je crois que ses fidèles lecteurs, auxquels elle pense souvent,
ne resteront insensibles ni aux astuces, ni à la petite magie de
nuit de cette musique.

Cela se présente sur deux plans, celui d'un roman, et celui du
journal de la romancière, Mme Sagan elle-même qui écrit ce
roman, s'interroge sur ce qu'elle veut faire et se répond, victorieusement, sur ce qu'elle a fait de sa vie. A première vue, le
roman est un peu faible et le journal n'est pas d'un intérêt capital. Au moment d'écrire la première phrase : « Sébastien montait les marches quatre à quatre... ». Mme Sagan a un scrupule,
comme l'autre au moment de faire sortir la marquise à cinq heures, et elle annonce son projet de faire revivre dans un roman,
dix ans après, Sébastien et Eléonore, le frère et la sœur, le couple de héros de sa première pièce, *Château en Suède*. Ils sont
suédois, grands, blonds et beaux, oiseaux de luxe et de frivolité.
Mais ils traversent une mauvaise passe, complètement désargen-
tés. Un ami Robert Bessy leur prête un studio, puis plus tard,
les aide à louer un petit appartement meublé, un rez-de-chaussée,
rive gauche. Sébastien, sans se départir de sa suprême élégance
paraît-il, devient l'amant d'une femme âgée dont il monnaie les
cadeaux. Eléonore lit des romans policiers puis, presque sans
interrompre sa lecture, devient la maîtresse d'un beau jeune loup
de cinéma, Bruno Raffet.

Le journal est celui de la romancière qui écrit cette courte histoire. « Je suis une légende », pourrait dire Mme Sagan, et elle
parle beaucoup de sa légende, de ses dix-huit ans déjà de vie littéraire depuis le triomphe de *Bonjour tristesse*. Elle parle donc
beaucoup et souvent de sa légende, même si c'est pour la regretter, elle donne son avis sur les automobiles, sur les mouvements
féministes, sur les critiques et les journalistes (elle en est obsé-
dée : dans un court passage d'anticipation, elle se voit inter-
viewée vers l'an 2 000 par le neveu d'un chroniqueur à potins),
elle indique qu'elle a de bons sentiments de gauche comme tant
de petites bourgeoises aisées. Tout cela ne vole pas très haut.
Mais...

Mme Sagan nous a dit que son roman ne serait pas érotique et
que son journal ne serait pas confidentiel. Mais... Mais les
beaux, les divins, les élégants Sébastien et Eléonore ont aujour-
d'hui quarante ans, Mme Sagan en a trente-six ou trente-sept.

1. Flammarion.

Quand elle veut un homme, en général ça marche encore, merci. Mais c'est le temps des blues, c'est une question de climat dans l'été de la vie, on n'y peut rien. Sébastien est un gigolo de quarante ans, Eléonore ou Mme Sagan, les deux textes se superposent habilement, rêve souvent de la Léa de *Chéri*. Françoise Sagan répète tout le temps que ses héros sont beaux et qu'ils ont quarante ans, comme si elle voulait s'en persuader, elle les admire, elle les projette devant elle, elle fait tout ce qu'elle peut pour couvrir la voix de son amie Juliette Gréco qui susurre son « Si tu t'imagines qu'ça va, qu'ça va durer... ». Il menace d'y avoir quelques lézardes dans ce petit monde, et très dignement Mme Sagan essaie de les prévenir. Eléonore et Sébastien ont encore de l'allure, c'est vrai, mais il faut déjà ne regarder que leur bon profil sous un bon éclairage. Ces quadragénaires gais et bien conservés vivent de leur prostitution, ils sont les coucous, les oiseaux un peu déplumés qui accompagnent tant bien que mal le grand navire de la société de l'argent, d'où on leur jette des restes, comme ce corps de vieille femme. En fait ce langage ne s'applique pas à eux, ils ne relèvent pas de la morale parce qu'ils ont vécu en dehors de toute morale conventionnelle, tout en se soumettant à des règles de vie très strictes : à une sorte d'esthétique de la vie, renouvelée d'Oscar Wilde peut-être, mais plus simplement à une politesse, à une élégance. Ils ne font pas les choses qui ne se font pas, simplement pour eux coucher avec une rombière n'est pas de ces choses-là.

Et la Sagan du journal ? Sébastien et Eléonore sont les deux fleurs de pureté scandinave qui ont poussé dans son jardin ou sur sa moquette. Mais elle-même ? Ce n'est pas l'heure de l'échéance, ou plutôt de la fatigue qui va sonner, ni celle de la conversion, mais ce qui fait le pathétique du livre, roman et journal, c'est son effort pour se défendre et pour se tenir. Elle se justifie à propos de détails stupides de sa légende, comme l'habitude de conduire les pieds nus. Mais ce qu'elle veut, c'est justifier son choix, son choix d'un genre de vie à dix-huit ans et sûrement avant. Elle n'a pas voulu faire une carrière littéraire, comme tant d'oies, elle a refusé d'entrer dans le morne grand jeu des adultes, elle a choisi de faire la fête, et ce fut une belle fête dit-elle, et elle s'est beaucoup amusée. On en doute un peu, on se demande si ce fou rire qui revient à chaque instant dans ce livre n'est pas une grimace spasmodique plus qu'un signe de joie. Ce n'est pas une fête royale qui va continuer, c'est la vie d'une vieille fêtarde...

Il y a l'amour, celui d'Eluard et d'Edith Piaf. Le journal en parle souvent : bonjour tristesse, bonjour nostalgie, l'amour, un peu de soleil dans l'eau froide... L'amour, c'est-à-dire le plaisir plus la tendresse, le besoin d'un sexe et d'une épaule où reposer sa tête, mais sans trop se préoccuper de savoir où l'autre met la sienne. J'ai interrompu exprès tout à l'heure le résumé de l'intrigue avant la péripétie finale. Bruno, l'adorable petit loup, était à voile et à vapeur, comme on dit familièrement. Robert Bessy, l'ami de Sébastien et d'Eléonore, avait été le sien d'une manière différente. Robert rentre de voyage, découvre que Bruno l'abandonne pour Eléonore, et se supprime. Mais ce suicide d'un ami est un acte grave, qui sépare les amants, Eléonore, au nom de sa morale de ce qui se fait et de ce qui ne se fait pas, ne voudra plus revoir Bruno. Dans un dernier chapitre, le journal rejoint le roman, Mme Sagan rencontre ses héros, ils repartiront pour quelque château suédois. Mais les pages écrites par Mme Sagan sur le suicide de Robert, sur le suicide d'un ami qu'aucune amitié n'a su retenir, sur la mort enfin, sont simplement admirables. « Les démêlés des êtres humains avec leur mort volontaire sont les démêlés à la fois les plus élégants et les plus obscènes qui soient », écrit-elle. Et le cœur parle, sans obscénité, dans ces pages poignantes de quelqu'un qui doit bien savoir ce que c'est que d'aimer la mort. On voit à quel point Mme Sagan mentait en disant que son journal n'aurait rien de confidentiel : Sébastien, Eléonore sont là à sa place, Robert meurt pour elle quand il ne sent plus le pelage du jeune loup à ses côtés. Voilà la quarantaine qui vient. Mme Sagan n'a pas perdu sa lucidité un peu sèche, sa peur horrible d'être dupe. Elle est au milieu du chemin de la vie. Encore un whisky, et elle reprend la route.

JEAN-LOUP TRASSARD

Peu de livres et qui ont attiré l'attention de peu de lecteurs. Des textes courts qui parlent d'objets, de bêtes, de bois, de paysages et remettent ainsi l'homme les pieds sur la terre, ou la terre sous les pieds de l'homme. Cela pourrait n'être presque rien, et c'est d'une force presque invincible par l'art de l'écrivain.

« Paroles de laine », esprit de vérité.

Une voix qui parle, précise et pressante, avec des intonations qui sont à elle seule et une force de conviction presque irrésistible, un discours qui est de notre monde, plein de choses familières et concrètes, et qui cependant nous fait apparaître notre monde comme différent, comme plus riche et plus secret à la fois : c'est ce que je crois trouver, ce que j'aime et admire chez M. Jean-Loup Trassard, un jeune écrivain auquel je ne vois guère à reprocher que sa timidité. C'est le bon moment pour le lire : à son troisième petit livre, il n'a guère encore été découvert ni par la critique de clan qui a la chance d'inventer deux ou trois chefs-d'œuvre hebdomadaires, ni par la critique bénisseuse, ces deux plaies du métier comme les grenouilles et les sauterelles furent des plaies d'Egypte. Il parle seul, mais d'une voix assurée. Il choisit cette fois de nous parler des *Paroles de laine* [1]. Ecoutez déjà ce titre, qui est celui de la première nouvelle du recueil, avec dans le son une sorte d'allitération liquide, et dans le sens une première suggestion qu'il va falloir écouter ces matières qu'on juge à la légère muettes. *Paroles de laine.*

La nouvelle elle-même est parlée par un enfant dont nous comprenons qu'il fit longtemps une sorte d'école buissonnière : chaque matin, il faisait semblant de se rendre à l'école, mais au premier tournant, il sautait la haie et ne quittait pas la ferme, s'y cachant tout le jour de bâtiment en bâtiment. C'est la paille, c'est le foin, la paille d'avoine, la plus souple, les greniers, les

1. Gallimard.

remises, le tas de pommes ; les cris stridents du cochon qu'on égorge, poussés sur l'aire ou dans la mémoire, les moineaux qui marchent juste de l'autre côté du toit d'ardoises, les fumées qui montent de l'orge bouillie, des seaux de linge et du fumier, comme si la chaleur de la ferme respirait, ce sont les étables, les vaches, les hangars où la place vide de tels outils ou de telles machines indique les travaux auxquels on se livre suivant la saison ; c'est une légère odeur d'aigre ou de moisi de la laiterie, la douce obscurité des greniers, du dernier grenier, celui des poches à blé, rêches, couleur de terre. L'enfant escalade les charpentes, se laisse glisser le long des échelles, attentif à ne pas se laisser prendre par l'espèce d'être familial collectif qu'il appelle « chez nous ». C'est tout. Pour vous donner une idée de ce texte, je ne puis pas vous raconter une histoire, je ne peux que reprendre un peu au hasard des noms ou des notations concrètes, qui font appel à tous les sens et surtout à la sensibilité générale. Pour l'enfant, les fagots ou les seilles sont bien comme des paroles qu'il répète pour nous. Oui, à la fin il a été repris, conduit de force à l'école, surveillé. « Au bord des livres l'ignorance », dit-il, et la ferme, avec sa chaleur, son ombre, ses trappes, ses portes basses ne vit plus qu'en lui, dans sa mémoire, comme il a vécu en elle.

Mouvement caractéristique de l'art et de la tournure d'esprit de M. Jean-Loup Trassard, cette sorte de double osmose qui fait que le monde qui est dedans est pareil au monde qui est dehors et réciproquement. Faut-il chercher dans ces dix ou douze pages une signification symbolique précise, la ferme contre l'école, la leçon des choses contre la leçon de chose et de parole ? Je ne le crois pas : ce qui compte, c'est la suggestion d'un espace intérieur du narrateur, M. Trassard est un gibier tout désigné pour M. Georges Poulet plus encore que pour le psychanalyste qui pensera au difficile arrachement de l'espace intérieur maternel. Au vrai tandis que l'enfant monte, grimpe, descend, hôte inconnu de la carcasse de la ferme, c'est à Jonas explorant la carcasse intérieure de la baleine qu'il faut peut-être penser...

Paroles de laine, donc, parce qu'elles essaient de nous dire de quoi est faite l'étoffe du monde. Chacun des douze récits reprend à partir d'une bête, d'une plante, de n'importe quoi en vérité le dévidement sur le rouet de la parole matérielle qui est sans doute l'essence de la parole. Parfois, la matière semble se rassembler en un élément, l'eau ou le vent, que le récit chante avec plus d'insistance. Parfois l'invention semble suggérer quelque analogie fantastique : ce touriste qui, à travers les marais mouvants, gagne un château, qui n'est peut-être qu'un rocher évidé par les vers lithophages, y trouve-t-il vraiment un magnétophone? Mais tout coquillage ou toute pierre n'est-il pas comme la bande magnétique enroulée où sont inscrites les paroles de la mémoire de la terre ? Et s'il y a ou s'il y a eu une parole humaine inscrite sur la bande du magnétophone, n'est-ce pas à l'avance celle du voyageur lui-même, prisonnier d'un éternel retour, prisonnier du château, prisonnier du rocher ? Ou bien encore, la face qui monte vers vous du fond des eaux quand vous vous penchez sur leur surface n'est-ce pas celle d'un double captif et muet mais infiniment plus sage que vous ?

Dans les fictions de M. Jean-Loup Trassard, dit la notice de présentation, il n'y a pas de référence à la culture, les mots sont en contact direct avec les matériaux naturels. C'est vrai, sauf que l'art de l'écrivain est lui-même un art très savant qui met le mot juste à sa juste place, c'est-à-dire exactement où il faut pour qu'il garde toutes ses résonances dans toutes les directions. Point de culture au sens des maisons, des musées et des bibliothèques. Peu ou pas d'idées, en particulier d'idées sociales ou politiques puisque M. Trassard creuse dans la nature des choses bien au-delà de ces agitations superficielles. Et même peu de présence de l'autre, par exemple, des références érotiques précises mais discrètes puisque l'essentiel est dans une communion beaucoup plus générale avec les formes de la vie et même, si on peut dire, de la vie généralement considérée comme inanimée. De même si notre être change, ce n'est point par caprices ou par volontés, mais par l'effet de cette érosion intérieure pour reprendre le titre du livre précédent de l'auteur. Un homme devient un autre homme tout en restant le même par une suite de pétrifications et de délitements dont l'action du temps et du milieu est plus responsable que ses décisions propres. Parfois un récit nous suggère ces lents et profonds bouleversements d'un paysage intérieur qu'il devient presque abusif de désigner toujours par le même nom.

La vision du monde de M. Jean-Loup Trassard existe donc avec beaucoup de force, de cohérence et d'originalité. C'est pourtant ici qu'on pourrait reprendre le reproche de timidité. Il reste l'auteur de textes très courts, de récits de dix ou quinze pages en général. La longueur ne fait rien à l'affaire : mais il me semble qu'il est armé pour un travail un peu plus suivi et un peu plus ambitieux. Jonas dans sa baleine, disions-nous, mais pour quelle traversée ? Une érosion intérieure qui s'attaque aux poses trop avantageuses de l'homme, mais pour dégager un visage vrai ou pour le ramener à la poussière ? Et si le monde est comme une immense tapisserie qui parle en paroles de laine, y a-t-il une image dans le tapis et laquelle ? Je crois pressentir que M. Jean-Loup Trassard répondra en matérialiste de l'antiquité ou en spinoziste, qu'il laissera la laine retourner à la laine et la statue de sable retourner au sable. Mais pour l'instant, on peut se demander si c'est son souffle qui est court ou si c'est sa méthode (sa philosophie) qui ne peut pas aller loin. Excellent écrivain, il tient ferme son fil de laine à la main, mais il n'ose pas aller trop loin en le dévidant, Thésée sans minotaure mais peut-être aussi sans Ariane...

PHILIPPE SOLLERS

*Après un premier roman tout classique (une brave petite éduca-
tion sentimentale), renié mais réédité, il se tourne vers des voies
nouvelles, grâce au structuralisme, à la linguistique, au marxisme
gauchiste, et fait figure de jeune chef d'école. Ecole vide? Ou
école dont les disciples n'ont pas encore donné leur mesure?
Peut-être en littérature une grande agilité de l'intelligence ne
remplace-t-elle pas entièrement le sens de la vie spirituelle.
Après quelques essais de littérature romanesque, M. Sollers semble s'être surtout consacré à des travaux para-scientifiques en linguistique et en politique.*

Un autre adolescent d'autrefois

Il y a dans tout adolescent un petit diable au corps qui sommeille. Né à la littérature par quelques pages d'un recueil collectif, le premier roman de M. Philippe Sollers [1] est sympathique, encore maladroit et un peu insuffisant, dans la lignée de Radiguet ou plutôt de beaucoup d'éducations sentimentales. Adolescent en vacances dans le Sud-Ouest, le narrateur découvre l'amour avec une femme de trente ans, la nurse espagnole qui vit dans sa famille ; il la retrouve un peu plus tard à Paris et ils continuent « leurs études ». En fait, le jeune homme fait l'éducation de sa sensualité avec Concha, l'éducation de son cœur dans la littérature, et quand l'aventure se termine, il décide tout naturellement d'en faire un livre : n'avons-nous pas l'exemple de Proust auquel notre homme ressemble d'ailleurs puisqu'il a des crises d'asthme ?

Roman d'analyse conduit d'une manière très simple et très traditionnelle, avec un certain penchant pour la vérité d'ordre général et pour la phrase-maxime que l'originalité des découvertes ne justifie pas toujours : « C'est toujours une découverte assez terrible que de surprendre un regard... On ne sait pas comme la seule annonce d'un être nouveau peut agiter certains caractères... » Mais oui, on le sait. La figure de Concha qui pourrait être pathétique est mal éclairée, parce que le jeune écrivain en puissance n'est au fond préoccupé que de lui-même, comme il est d'ailleurs assez naturel à cet âge et avec son carac-

1. *Une curieuse solitude*, Le Seuil.

tère. C'est-à-dire que la solitude dans laquelle il se trouve à la fin du livre, après son aventure avec Concha, « cette dernière tentative du réel pour me faire douter de moi-même » n'est peut-être pas aussi *curieuse* qu'il le croit.

Premier roman, pierre d'attente. Que deviendra M. Sollers ? Mais qui pourrait se vanter d'avoir deviné toute la carrière de son parrain en littérature à la lecture de son premier roman, *L'Enfant chargé de chaînes* ? Je crains seulement que celui-ci ne soit pas assez chargé de ces chaînes morales génératrices de beaux conflits et de belles œuvres.

Un parc solitaire et glacé

Autour du berceau littéraire de M. Philippe Sollers de bonnes fées, chenues mais sagaces, se sont pressées : tu seras écrivain, tu seras grand écrivain, ont prophétisé tour à tour François Mauriac, Louis Aragon, Emile Henriot, en se penchant sur son premier livre, *Une curieuse solitude*. Puis s'avança une fée plus jeune mais d'assez méchante humeur parce qu'elle n'aime pas beaucoup que l'on baptise les bébés-romanciers sans elle : tu seras nouveau-romancier, dit Alain Robbe-Grillet. Et de même que dans l'histoire, la Belle s'endormit au milieu de son bois, M. Philippe Sollers écrivit *le Parc* [1].

Ce titre définit moins le sujet ou le décor, bien qu'un parc soit évoqué au cours de certaines scènes, que la volonté de composition. L'épigraphe empruntée à une citation de *la Nouvelle Héloïse* que fait Littré s'en explique : « Parc : c'est un composé de lieux très-beaux et très-pittoresques dont les aspects ont été choisis en différents pays, et dont tout paraît naturel excepté l'assemblage, comme dans les jardins de la Chine dont je viens de vous parler ». L'ouvrage est un parc intellectuel composé de fragments choisis en différentes régions de la mémoire et dont l'assemblage ne se pique pas d'être naturel. Cela défie tranquillement l'analyse, et ce serait faire injure à un tel livre que de chercher à en raconter l'histoire. Tout au plus peut-on en tenter la description.

Le Parc se présente comme un petit volume de 145 pages de texte d'une typographie aérée ; ce texte est divisé par de simples blancs en fragments qui ont en général de deux à quatre

1. Le Seuil. Cf. aussi les textes de Ponge et de Sollers dans le *Mercure de France*, juillet 1960.

pages ; une seule coupure plus importante p. 82-3. La phrase de
M. Sollers est souvent courte et précise, avec cet inimitable ton
descriptif qui fait le charme de certaines pages de M. Robbe-
Grillet et des méthodes élémentaires pour apprendre les langues
étrangères (la plume de ma tante est...) : « les médicaments —
trois flacons de même taille — sont rangés au-dessus de la cheminée... la lettre a été glissée sous la porte ; la moitié de l'enveloppe se découpe dans l'ombre de l'entrée. » Mais plus souvent,
la phrase s'allonge : elle ne s'organise pas en période, mais elle
se charge de parenthèses (presque à chaque page, souvent deux
ou trois fois par page), de propositions juxtaposées, dans un
mouvement pressé pour mieux cerner une sensation-souvenir,
mais sans grand souci de musicalité semble-t-il.

Les fragments et paragraphes ainsi distribués ont trait à un
personnage qui dit « je » et qui écrit le livre sur un cahier à couverture orange avec un vieux stylo à l'encre bleu-noir. Ce personnage qui semble vivre dans sa chambre, d'un grand appartement
à un étage élevé, dans une grande ville, évoque une femme aimée
et connue là ou bien au cours de vacances au bord de la mer,
un ami prestigieux perdu dans un accident ou dans une guerre,
un enfant qui est peut-être lui-même. Evocations troubles de figures floues, qui se mêlent parfois à des images de tableaux ou de
films, comme si parmi les personnages réels de notre petite
enfance se glissaient les personnages que notre imagination
découpait dans le tapis ou dans le papier de tapisserie. Le plaisir
et l'intérêt que vous éprouverez à cette lecture dépend donc uniquement de la qualité que vous trouverez aux fragments : s'ils
sont pour vous « très-beaux et très-pittoresques » vous vous pro-
mènerez avec joie dans ce parc, comme dans un jardin des
plantes de mémoire. Si votre sensibilité et votre mémoire
répondent mal à ces notations qui sont comme des excitations
élémentaires, isolées, vous vous ennuierez ferme et mieux vaut
rester à la grille. La critique dans une certaine mesure perd ses
moyens devant une œuvre qui prétend chercher la communication directe entre la sensibilité sujective de l'auteur et celle du
lecteur.

Cela nous renvoie de ce que M. Sollers a fait à ce qu'il a voulu
faire et à sa conception de la littérature. Il nous dit d'abord quelque part ce qu'il a voulu éviter : « nuits interminables où il fallait
empêcher une fausse continuité de s'établir, se remettre par
force devant le motif... ». C'est-à-dire que l'écrivain qui dispose
d'un certain capital de sensations et de souvenirs, avec leurs
franges émotives, doit refuser comme fausse toute continuité qui
s'établirait dans son récit en fonction d'une thèse, d'une utilité,
voire d'une simple chronologie. Ce que M. Sollers voudrait, c'est
tout effacer à mesure, proposer à la mémoire une surface, un

volume et un poids évidents, irréfutables, et il me semble bien
qu'il évoque son idéal en parlant de « cette toile où nul spectacle
réel n'est identifiable ; où, plutôt, s'ébauchent, croirait-on, des
scènes partielles et sitôt interrompues, des lieux à peine indiqués
par un détail coloré mais reliés par cette couleur même, lieux
qu'un fil invisible réunit ; formes dont la composition ordonnée
selon des principes cachés, mais rigoureusement ressentis, constitue un spectacle en formation, une clé pour tout spectacle, et,
en somme, une sorte d'image apparente et souterraine — fermée — de l'illimité ». Et à la page suivante il parle encore de
projeter « une matière inépuisable aux séries constamment
ouvertes... ». C'est-à-dire que la littérature en même temps qu'une
recherche du temps perdu doit être une préservation de tous les
temps possibles ; et si l'auteur est dans son œuvre, il y est, pour
reprendre l'image dans le goût d'Henry James que nous évoquions tout à l'heure, comme est dans le tapis la figure que l'imagination du lecteur y découpe à ses risques et périls.

Ces comparaisons avec le tapis ou avec la toile indiquent une
direction. Sous ce titre de toile impressionniste, le Parc, M. Philippe Sollers a mis une toile abstraite. De même que les taches
de couleur ne s'ordonnent plus dans l'espace de la toile selon une
perspective et une ressemblance, de même les taches de littérature ne s'ordonnent plus dans l'espace du roman selon la
perspective temporelle de la chronologie ou la ressemblance de
l'âme. Chaque fragment comme chaque couleur chante pour lui-
même et les voix composent un chœur qui est sa propre justification. D'autant que les justifications de la littérature par les
idéologies sociales, politiques ou religieuses sont périmées ou
« patheuses » : l'écrivain sans foi et sans parti s'en tient à son
métier, il veut être un bon artiste comme on est un bon artisan.
Pour cela, il se bornera à faire des œuvres qui établiront le contact avec le consommateur-lecteur non plus au niveau des idées,
des croyances ou des sentiments, mais au niveau du plus petit
dénominateur commun, celui de la vie sensorielle avec ses résonances affectives élémentaires.

C'est ici que la critique pourrait peut-être contester la légiti-
mité et même la possibilité de l'entreprise. Car la critique du
langage musical ou du langage pictural ne peut pas être transposée jusqu'au bout en critique de la parole. Quand, tout à l'heure,
je feignais de décrire l'ouvrage de M. Sollers en parlant de sa
typographie, puis de la qualité de sa phrase, puis du sens, je sui-
vais la méthode d'un écrivain que M. Sollers admire beaucoup et
qu'il a bien raison d'admirer, M. Francis Ponge. Le mot, dit
M. Ponge, a une dimension pour l'œil (« c'est un personnage d'un
centimètre, ou d'un demi-centimètre ou de trois millimètres et
demi, avec un point sur l'i ou un accent ») ; il a une dimension

pour l'oreille, une existence sonore ; et puis il a une troisième dimension, qui est la signification. Ce qui distingue irrémédiablement l'écrivain du peintre, du musicien (et de l'animal) c'est que ses matériaux les plus élémentaires, les mots, ont une signification.

C'est-à-dire qu'un roman abstrait à l'état pur est une contradiction dans les termes : pour l'écrivain, même le plus petit dénominateur commun du langage, c'est encore un mot chargé de sens. Priver le mot (le verbe) de son sens, c'est en priver l'homme : les catholiques en seront d'accord, et aussi M. Francis Ponge qui annonce que l'homme nouveau « considérera comme définitivement admise l'absurdité du monde... Il n'aura pas d'espoir (Malraux) mais n'aura pas de souci (Heidegger) ». Reste donc la régression en deçà du mot, le dadaïsme. Mais si vous m'accordez que le mot a un sens, de proche en proche, vous m'accorderez la phrase et la nécessité du discours. Du même coup, la littérature au lieu d'essayer d'installer l'homme dans l'instant (ce qui est une forme dépravée de l'angélisme) le rétablira dans la succession de sa conscience et dans le temps, ce qui est peut-être un esclavage, mais ce qui est sûrement *la condition humaine*. Etrange et vieillot souci d'humanisme, direz-vous : c'est que je suis un homme, et vous aussi. Dans une œuvre aussi résolument consacrée aux choses que celle de M. Ponge, est-ce que les meilleures descriptions ne sont pas subtilement anthropomorphiques ?

Dans le cageot littéraire où M. Sollers s'enveloppe est-ce que M. Mauriac a reconnu son auteur d'*Une curieuse solitude* ? Il se peut, d'une part parce que nous pouvons prendre *le Parc* comme une œuvre hybride ainsi que son auteur nous y invite : non point roman poétique, mais poème romanesque, comme son maître à écrire en contaminant le mot prose et le mot poème forgeait ses « proêmes ». Telles pages susciteront alors la beauté des eaux endormies de notre mémoire. Mais ici encore, il me semble, comme à Edgar Poe, que l'entreprise est contradictoire, que le long poème est impossible, que la qualité et l'intensité de l'émotion proprement poétique ne peuvent être maintenues au long de cent quarante pages, même petites et d'une typographie aérée.

D'autre part, parce que la confidence de lui-même que M. Philippe Sollers nous fait presque malgré lui à travers les grilles de sa « littérature littératurante » est riche de possibilités : malgré qu'il en ait, il y a ici un jeune homme enfermé dans sa chambre qui rêve et qui écrit parce qu'il vibre au souvenir du vert paradis des amours enfantines ; qui évoque avec pudeur les plaisirs solitaires, puis la beauté des caresses, et les soirs au balcon, les soirs illuminés par l'ardeur du charbon ; qui s'exalte enfin à la mémoire des grandes amitiés qui enrichissent le cœur et l'esprit. Cela, c'est le capital romantique, le capital humain de M. Sollers, c'est ce qui nourrira ses œuvres futures après la cure d'ascétisme technique du *Parc*, c'est sa nature. Dans l'article de Littré où il a trouvé son épigraphe, il y a une autre citation, de Villemain, Dieu me pardonne, qui risque de venir à l'esprit en fermant ce volume : « Les parcs de Versailles, où il y a tant d'art qu'il n'y a plus de nature. »

JEAN-MARIE GUSTAVE LE CLÉZIO

Un homme seul. Un homme seul qui marche dans la ville et dans la vie, c'est son héros favori, et il lui a donné d'abord le nom du seul homme qui a été un temps radicalement seul dans la création, Adam. Mais aussi un jeune homme seul qui marche dans notre littérature depuis presque dix ans, beaucoup plus indifférent aux modes et aux théories littéraires en vogue qu'aux appareils à sous qu'on trouve dans les cafés, arrachant parfois un livre à son carnet de route. D'une manière souterraine c'est peut-être à l'existentialisme, moins la philosophie sartrienne, qu'on pourrait le rattacher. Mais l'essentiel, c'est cette marche pathétique, cette solitude et ce dépouillement, ce vide qui semble l'attendre au coin de sa feuille de papier dès qu'il prend la plume, comme il nous attend presque tous...

Procès-verbal à Adam

Il n'y a pas de livres difficiles, il n'y a que des livres étrangers. Dans le domaine de la poésie et du roman, par exemple, il arrive que l'emploi de certains procédés par l'écrivain exige du lecteur un effort d'attention supplémentaire. Mais le seuil franchi, s'il s'agit non de procédés arbitraires mais de démarches dictées par quelque vraie nécessité, notre sympathie une fois donnée nous n'avons plus aucun effort à fournir. Qui donc aujourd'hui a de la peine à entrer dans la poésie de Baudelaire, ou dans la poésie de Verlaine, ou dans le roman de Proust qui furent d'abord réputés difficiles ? Tandis qu'il y a des œuvres du passé et du présent qui ne deviendront jamais naturelles. En fait l'écrivain original pour nous faire voir le monde comme il le voit demande moins l'attention qu'une sorte de conversion du regard intérieur dès le départ. Je crois que M.J.-M.G. Le Clézio est de ceux qui méritent cette adhésion préalable.

Dans *le Procès-verbal* [1], à première vue, il risque de décourager par l'emploi de ce que l'on pourrait appeler les poncifs de l'originalité dans le roman contemporain : recours au fameux idiot du village post-faulknérien, emploi d'un langage familier un peu relâché, introduction de papiers faussement déchirés dont il ne reste que des mots incomplets, ou faussement collés qui comprennent aussi au contraire des textes qui n'ont rien à faire dans l'histoire, gentillesses comme la désignation des chapitres par

---

1. Gallimard.

des lettres et non par des chiffres, ou l'emploi, pour représenter la conjonction, des signes *et* ou du signe &, etc.

En même temps, on peut être déçu par le peu de relief apparent de l'histoire : un homme à la conscience assez primitive déambule à vide en quelque sorte dans les rues d'une ville qui peut être Nice et ses environs, nous ne savons très bien ni d'où il vient, ni où il va, et son vagabondage s'achève à l'asile d'aliénés. Mais il suffit d'entrer dans la tête de cet homme que M. Le Clézio appelle Adam Pollo, Adam Lenombreux, c'est-à-dire Jedermann, Tout-Homme, ou plus exactement, un homme quelconque, pour que tout devienne plus clair, plus nécessaire et plus intéressant. Car, puisque tout homme est quelconque, Adam ne sera pas un personnage allégorique, un être vaguement synthétique comme on en obtient par la méthode du portrait-robot par exemple, ce sera au contraire quelqu'un de physiquement déterminé, dont la singularité ne gêne pas la généralité, un garçon démesuré, un peu voûté, allongé dans une chaise longue au soleil devant la fenêtre ouverte d'une maison à demi abandonné où il campe, à quelques mètres de la mer, torse nu, tête nue, pieds nus, vêtu d'un pantalon de toile beige salie de sueur, etc. Dès les premières lignes, il a une existence extrêmement concrète, et nous nous apercevons tout de suite que sa pensée est également concrète, précise, un peu minutieuse même. Comme un musicien indiquant en tête d'une portée comment il faut lire sa partition, M. Le Clézio nous donne d'ailleurs dès les premières pages une clé pour notre lecture : Adam sur la plage n'établit pas de rapports logiques entre les enfants qu'il regarde jouer et lui, il accueille leurs formes, leurs couleurs, leurs bruits, leurs mouvements, comme s'il était lui-même « un objet monstrueux, tout de douleur, où la conscience de la vie n'est que la connaissance nerveuse de la matière ». Plus nettement encore (parce que cette connaissance « nerveuse » ne me plaît qu'à demi), deux pages plus loin, Adam se nomme tout bas le maître des choses, il refuse d'organiser le paysage dans un système temporel différent du sien pour décréter que « seule la connaissance sensorielle est mesure de la vie » et dans ce cas « Adam était à coup sûr le seul être vivant au monde ».

On voit comment et pourquoi l'expérience romanesque de M. Le Clézio est passionnante : il s'agit d'une tentative de description de la conscience au niveau de la connaissance sensorielle. Cessez de lire cet article, levez les yeux, et essayez de prendre conscience de ce qui vous entoure en termes de sensation « délogicisés », vous ne voyez pas un tapis bleu, mais du bleu, vous n'entendez pas un bruit de moteur dans la rue, mais un bruit de telle nature et de telle intensité, etc. Expérience que M. Le Clézio a le grand mérite de mener à un degré de lisibilité efficace : il est évident que la juxtaposition sensorielle pure serait inintelligible et en tout cas intransmissible, le romancier en nommant les objets sert de relais en quelque sorte entre la conscience d'Adam Pollo et la nôtre. De même cette connaissance sensorielle ne peut évidemment rester neutre : Adam Pollo obéit aux pulsions biologiques, la faim, la soif, le désir sexuel, il éprouve les formes élémentaires de la vie affective, le plaisir et la douleur. Mais cela ne s'organise pas en sentiments, ni encore moins bien entendu, en attitudes morales. Il faut suivre Adam Pollo sans le juger, puisque rien, absolument rien, ne nous permet de le juger : malgré certaines habitudes, certains souvenirs, il vit dans une relative discontinuité, chaque moment de sa vie a, en gros, son autodétermination. On parle toujours après Rimbaud du « long, immense, et raisonné dérèglement de tous les sens » : il s'agit bien plutôt ici d'un règlement des sens, et rigoureux, de manière à éliminer ce qui n'est pas d'eux. M. Le Clézio dépasse ainsi de beaucoup l'objectivité souvent en trompe-l'œil des romans du comportement, il dépasse peut-être même dans le sens de l'intentionnalité le roman sartrien : Adam Pollo n'est pas conscience de lui-même, il est conscience des objets, des choses, des états.

Expérience réussie : ces indications un peu austères sur la méthode de M. Le Clézio ne doivent pas faire oublier qu'il est bon romancier, que sa langue a un grand pouvoir d'évocation, qu'il est extrêmement adroit pour passer d'un plan de conscience à l'autre et nous donner à connaître ce qu'il donne à sentir à son héros. La vie d'Adam Pollo dans sa retraite, son combat avec un rat blanc, ses descentes en ville, dans les magasins, ses relations avec Michèle, ou aussi bien avec un chien, sa découverte d'un noyé sur la plage, sa visite au jardin zoologique, tout cela est singulier et en même temps vivant et coloré, tout cela a de la présence avant d'avoir du sens. Nous ne savons pas toujours où nous allons, mais nous sommes toujours quelque part, tout près d'Adam, parce que M. Le Clézio a le don, le pouvoir de conviction de l'écrivain et du romancier. Si expérience psychologique il y a, c'est une expérience menée à chaud, à laquelle le lecteur participe de tout cœur.

Mais c'est également une expérience qui reste en suspens. Dans une courte préface, chargée d'ironie plus encore que d'innocence, M. Le Clézio nous dit qu'il raconte « l'histoire d'un homme qui ne savait trop s'il sortait de l'armée ou de l'asile psychiatrique ». Après la lecture du *Procès-verbal*, nous pouvons le rassurer, Adam Pollo ne sort sûrement pas de l'asile, il sort sans doute de l'armée, et encore plus probablement de la Sorbonne ou de quelque autre Faculté. Adam Pollo connaît la musique, si j'ose dire, et la poésie, et un peu de métaphysique. Son innocence adamique est une innocence acquise et délibérée, une innocence expérimentale, et qu'il pourrait révoquer. A vingt-neuf ans il refuse la famille, le métier, les formes de la vie sociale, les prétendues exigences de la morale, mais aussi les catégories de la pensée qui ne sont peut-être que la transposition intérieure de l'asservissement collectif. Par un certain style de vie, par le milieu de petite bohème dans lequel il évolue, par la ligne générale de sa démarche, Adam Pollo fait penser à une version française du beatnik américain, ce jeune homme en désespoir encore plus qu'en colère. Mais de cette situation psychologique M. Le Clézio sonde les possibilités avec beaucoup plus de sagacité que les beats américains. Pour faire court, Adam Pollo peut aller vers la mystique ou vers la folie et la fin du roman est une ruse pour esquiver ce dilemme.

Adam est bien maître des choses, comme il disait tout à l'heure, au zoo, il est maître des animaux, et s'il suit un chien, comme un chien tiré par une invisible laisse pourrait suivre un homme, il devient ce chien. Quand la conscience refuse ce qui est social, ce qui est intellectuel, quand elle n'est plus conscience que de sensations et d'attitudes vitales, elle devient facilement participation, sympathie (fausse sympathie, selon les analyses de Max Scheler, mais cela nous entraînerait trop loin). L'homme devient odeur de rose, ou odeur de chien. Poussons un peu plus loin, cette fusion avec les objets, les plantes, les animaux devient une sorte d'état mystique, étant bien entendu, M. Le Clézio y insiste, qu'il n'est pas question que cette mystique-là nous renvoie à quelque Dieu transcendant qui fonderait à nouveau l'univers et la société. Nous ne sommes pas très loin d'une sorte de bouddhisme zen de monoprix, en faveur précisément chez le beatnik.

Mais cette solution, et même cette dissolution de la difficulté de vivre, à la prendre par l'autre bout de la lunette, c'est un retour à l'état animal, un renoncement aux fonctions propres à ce vertébré supérieur par excellence, l'homme, une démence. Il est donc tout à fait naturel qu'Adam Pollo s'étant mis à dire sa vérité sur la voie publique, il soit « embarqué » par la police et interné dans un asile psychiatrique où nous le retrouvons au cours d'un très long dernier chapitre. La société isole celui qui s'est isolé d'elle. Et face au médecin-chef et à ses étudiants, Adam essaie d'expliquer son point de vue, son refus du monde, sa fin de non-recevoir opposée à la connaissance, son souci de la réalité vécue. A travers lui, c'est M. Le Clézio qui refuse toute explication de l'expérience spirituelle qu'il a imaginée, soit par un mysticisme facile, soit par la psychiatrie. Adam Pollo reste enfermé dans sa cellule, mais c'est peut-être une façon de laisser une porte ouverte. Il se retourne sur son lit d'asile, il repose sa

tête sur ce qui est (peut-être provisoirement) le mol oreiller de sa
certitude.

Il faut lire ce livre. J'ai essayé moins d'en rendre compte
que de suggérer quelques directions de pensée à partir de son
contenu, qui est à la fois très simple et très riche, et qui est
visiblement encore à devenir. C'est le procès-verbal d'un policier à propos d'un minuscule incident, l'arrestation d'un maniaque sur la promenade du bord de mer. Et le procès-verbal d'un
huissier qui fait froidement, objectivement l'inventaire de la
condition humaine. Et peut être le procès-verbal, la marche, le
développement de la parole pour établir une communication...

A la recherche de son âme

> « Ce fantôme sana couleur et sans forme qui est
> glissé dans le fourreau de la chair, et qui est digne,
> et qui rend tragique... »

M. Jean-Marie Gustave Le Clézio n'est qu'un roseau, le plus
faible de la nature, mais il enrage d'être un roseau pensant du
moment que la pensée ne lui donne pas la clé de sa condition,
et c'est à « détruire cette différence », à n'être que roseau qu'il
met son application et sa dignité : c'est ce qu'il entend par
l'extase matérielle.

Après deux romans et un recueil de nouvelles, *l'Extase matérielle* [1] est le livre où il *essaie* de dégager sa vision du monde.
Ce n'est pas un poème en prose, et ce n'est pas un livre de philosophie : M. Le Clézio met sa coquetterie d'ailleurs à répudier
toute distinction de « genres » littéraires », assez vainement puisqu'il est évident pour tout le monde que ce qui compte, ce n'est
pas le genre dans lequel on range l'œuvre faite, mais la
méthode suivie par l'auteur pour la faire. Ici, c'est l'élan lyrique
qui l'emporte, comme dans un récit de voyage intérieur ou
d'expérience, l'expérience personnelle de la vie et même de
l'existence, alors que la langue philosophique reste, plus ou moins
volontairement, d'une extrême naïveté, voire d'une extrême
imprécision. En un sens, l'ouvrage est même assez représenta-
tif de la pauvreté du bagage purement intellectuel dont un jeune
écrivain d'aujourd'hui dispose pour rendre compte de ce qui est
pour lui l'expérience la plus importante.

Mais elle témoigne aussi de la richesse des moyens littéraires

1. Gallimard. Cf. aussi son article sur Sartre : « Un homme exemplaire » dans le numéro 30 de *l'Arc*.

d'un écrivain comme M. Le Clézio, par la variété et la qualité des descriptions, par le mouvement pressé et pressant de la phrase, qu'elle dise le désespoir et l'angoisse ou qu'elle dise l'extase. M. Le Clézio d'ailleurs n'est pas un ingrat, s'il salue poliment les critiques modernes du langage, il ne se range pas tout à fait de ce côté, il parle, il jouit de parler, il se baigne dans la parole ou bien il la presse pour lui faire dire aussi exactement que possible ce qu'il sent et ce qu'il sait ou croit savoir. C'est ce qui donne au livre une sorte de pathétique indirect mais puissant, même si l'auteur n'arrive pas tout à fait à nous convaincre, même si nous le soupçonnons de n'être pas convaincu jusqu'au fond de lui-même (non parce qu'il triche, bien sûr, mais parce qu'il laisse subsister quelques nœuds de contradictions).

Bravement, M. Le Clézio va donc s'aventurer sur les terres de la philosophie avec ses seules armes d'écrivain. Sauf une ou deux fois à titre d'exemple, en passant, je crois bien qu'il n'y a pas un seul nom propre dans ce livre, sauf p. 166-167 où il n'y a rien d'autre que des noms propres à la queue leu leu. Et il n'y a pas de mots du vocabulaire proprement philosophique, ni surtout de noms de systèmes, de cartésianisme, de marxisme, d'existentialisme, etc. Au contraire, à chaque instant, M. Le Clézio s'élève contre les systèmes qu'il considère obstinément de l'extérieur, comme des prisons où des méchants essaient d'enfermer la pensée en lui faisant perdre par le fait même sa fluidité vivante, sans se dire une seule minute que chaque grande philosophie a d'abord été le mouvement d'une pensée vivante qu'il importe de retrouver par sympathie, et que *l'Extase matérielle* n'est après tout, bon gré, mal gré, que l'exposé du leclézionisme.

Le problème de départ, celui du roseau, c'est le problème de la présence au monde. Le premier chapitre (le premier couplet) commence en répétant « quand je n'étais pas né... », le dernier en répétant « quand je serai mort... ». En un sens, M. Le Clézio est un homme du chaos, un homme que tente l'expérience contradictoire de prendre conscience du monde sans conscience. Et nous oscillons alors bravement d'un extrême à l'autre, le monde est tout et je ne suis rien, le monde n'est rien que ma représentation. Impossible de ne pas savoir que le monde matériel avec la multiplicité et la splendeur de ses formes existe avant ma naissance comme après ma mort. Mais splendeur pour quel œil, existe pour (ou par) quelle conscience ? Comment, à certains instants, ne pas sentir ce déchirement ? On pense un peu à la nausée de Roquentin quand on voit M. Le Clézio sur un pied, lavant soigneusement ses orteils droits dans le lavabo, saisi par la cruelle visitation du néant, du vide ineffable, infini, éternel, sentiment du néant qui est en fait très proche du sentiment de

son absence au monde. Mais il n'essaie pas d'opérer une réconciliation par une réflexion philosophique : il conserve le souvenir de cette expérience comme celui d'un avertissement, et il
revient à la conscience.

« Etre vivant, c'est exclusivement être conscient », écrit M. Le
Clézio, biologiste souvent hasardeux, et aussi : « La première —
et peut-être aussi la seul véritable — réalisation de l'esprit est
de savoir qu'il est. Tout le reste en découle ». C'est le cogito, le
« je pense donc je suis », du Le Clézionisme point tellement
différent de celui de Descartes, toute discussion sur le « je » par
exemple suspendue puisque nous ne sommes pas à ce degré de
réflexion. Méfions-nous d'ailleurs de toute réflexion qui risque de
nous séparer de l'expérience directe de la réalité et de la vérité :
elle risque de nous laisser dans la solitude et dans le froid. La
conscience nous sépare du monde, et dans la mesure même où
elle est caractéristique de la vie, elle fonde notre mortalité. Nous
mourons, le monde ne meurt pas.

Nous avons une conscience, et même « la grande beauté religieuse, c'est d'avoir accordé à chacun de nous une âme », c'est-à-
dire une « étrange présence cachée, ombre mystérieuse qui est
coulée dans le corps, qui vit derrière le visage et les yeux et
qu'on ne voit pas... » Conception de l'âme, on le voit, qui est
à peu près celle d'un primitif, et que M. Le Clézio maintiendra
d'ailleurs d'un certain vague. Par la conscience, l'homme
est un animal social, il est pris dans la société de son époque et
de sa civilisation d'une part, il est pris dans la société humaine
en général d'autre part, principalement par le langage. M. Le
Clézio n'est pas un animal politique, il n'a pas l'air d'être de
ces intellectuels qui essaient d'exister un peu plus à force de
signer des manifestes, il semble croire raisonnablement que
l'homme pèse plus même dans la société par le poids de ce qu'il
est que par le poids de ce qu'il dit, et il ne s'étend pas beaucoup
là-dessus. Mais il ne peut pas ne pas s'attarder davantage sur la
socialité par le langage : « Ecrire, ça doit sûrement servir à quelque chose. Mais à quoi ? ». Il ne répond guère, si ce n'est en
admettant d'une manière presque indirecte : « Je n'ai pour
approcher ma vérité, que les pauvres instruments de l'intuition et
du langage ». Mais ce langage, il le veut incarné, comme il dit,
c'est-à-dire aussi près que possible du concret, lié aux choses et
non point élaboré, systématique, créateur d'une réalité qui n'est
pas la réalité. Ainsi la conscience à son plus haut degré d'élabo-
ration, le langage, se trouve suspecte, arrêtée, ligotée, ramenée à
ce qui n'est même pas la b, a, ba d'un langage universel des choses. Le désir de lucidité, de vérité, d'exactitude chez M. Le Clézio
ramène toujours à l'appréhension la plus naïve et la plus grossière de la grosse « réalité ».

Dès lors, c'est contre la conscience qu'il va croire devoir diriger ses efforts. Puisque la réalité la plus ferme, la plus durable, c'est celle de la matière, à nous de nous faire objet matériel, à l'art et à l'écriture de piéger les apparences directes du monde. N'essayons pas de rien ordonner ou élaborer, mais aiguisons notre intuition, notre faculté de coïncider intérieurement avec les choses, ne proposons pas un système de l'univers, mais recourons à ce que M. Le Clézio appelle l'infiniment moyen, c'est-à-dire à la description minutieuse indéfinie qui nous permet de saisir le plus grand nombre de choses en leur état. C'est, si l'on veut, la quatrième règle de la méthode, celle des dénombrements entiers et des revues générales, sans admettre les autres soupçonnées de ce péché capital, l'analyse. Ainsi nous acheminons-nous vers l'extase matérielle, c'est-à-dire dans une vision du monde qui hésite à dégager les caractères spécifiques de la vie et du langage, vers la mort et vers le silence. En éliminant la conscience, c'est l'homme aussi qu'on élimine. M. Le Clézio rejoint ici par ses moyens propres un certain abhumanisme de la pensée contemporaine, et l'ouvrage se termine par un superbe hymne au silence, au silence éternel des espaces infinis qui, faute de roseau, n'effraie plus personne.

Oui, mais chez M. Le Clézio, disons que Gustave, le mauvais sujet, prêche pour la mort, tandis que Jean-Marie est un grand vivant et un grand amoureux de la vie, alors cette mort il la gonfle de toutes les puissances de la vie au repos, comme ce silence, il le conçoit gonflé de vibrations prêtes à éclater en mélodies. Le leclézionisme est une sorte de matérialisme animiste. Ce qui rend passionnante la lecture de *l'Extase matérielle,* c'est le mélange des deux voix, c'est l'effort pathétique d'un esprit ardent pour dégager sa vérité, ou du moins sa vérité provisoire. Le scepticisme à l'égard des systèmes de la philosophie dégénère malheureusement en refus des méthodes qui brouille le vocabulaire, retarde la démarche, nous vaut de médiocres esquisses de ce que Schopenhauer, Bergson ou Sartre ont déjà dessiné et finalement compromet le résultat en tant que philosophie. Non en tant que cri du cœur — mais je ne suis pas sûr que le cri que ce jeune homme nous lance du fond de la matière soit un cri d'extase...

La guerre permanente

Il y a sept ans déjà que nous marchions derrière M. Le Clézio, depuis son *Procès-verbal* et son prix Renaudot de 1963, sept ans qui correspondaient à sept ouvrages, quand parut *la*

Guerre. C'est-à-dire que sept fois, il nous a proposé de suivre un homme en marche, ou en fuite. On dit souvent qu'il nous sert toujours le même livre, ou des tranches d'un même discours : en ce cas, il faut ajouter tout de suite que *la Guerre* [1] est une tranche particulièrement saignante, ou sanglante. Comme il nous propose toujours une immense déambulation, avec un léger travestissement romanesque ou symbolique, qu'il est prêt lui-même à laisser tomber à la première occasion, on a envie de lui demander ce qu'il fuit et où il va, et on ne trouve pas la réponse dans ses livres. Le marcheur piétine, le discours se répète. Cependant, ce que M. Le Clézio a gagné c'est que nul ne doute plus aujourd'hui qu'il soit un écrivain sérieux et original. Ses romans ne ressemblent pas aux autres, son œuvre est à l'écart des modes et des imitations, et en même temps, on sent que rien n'est gratuit, qu'il est lui-même tout entier derrière chacune de ses phrases, chacun de ses petits jeux typographiques. Ce récit d'une longue errance sur la terre est aussi le récit de quelqu'un qui marche dans les galeries de la mine où il est enfermé, dans son souterrain, ou peut-être dans sa prison : et cette angoisse ou cette rage du bagnard de la vallée terrestre colore presque chacune de ses paroles. Il manque peut-être quelque chose à chacun de ses livres pour être réussi, à leur ensemble pour constituer une œuvre en progrès : mais tout est vrai ici. Peut-être loyalement ne faut-il plus lui demander où il va, il ne peut rien en savoir, mais se borner à étudier la démarche et le paysage.

De même cette fois, ne faut-il pas lui demander de quelle guerre il parle. « La guerre a commencé. Personne ne sait plus où, ni comment, mais c'est ainsi ». C'est la première phrase du livre. Mon cœur pacifiste s'est réjoui d'abord en pensant que M. Le Clézio allait nous donner une vision horrible de la guerre pour la guerre, sans ses alibis patriotiques ou religieux, sans hypocrisie et sans camouflage, une sorte de portrait-robot de toutes les guerres superposées où l'on ne distinguerait plus clairement que les traits communs de toutes les guerres dans tous les camps, les traits de la boucherie et de la mort, la guerre enfin. Mais, si l'idée de M. Le Clézio va bien dans le sens d'une généralisation, il va plus loin que cela, il dépasse le but pacifiste, il cherche à atteindre la guerre non comme réalité sociale ou historique, mais comme état d'âme. Moins l'agressivité étudiée par Lorenz que la violence, et même moins le sentiment de violence que l'état de tension, fait de violence et de terreur, entre l'homme et les hommes ou l'homme et les choses du monde. L'immense dancing, violemment coloré et éclairé, peut être une image de cette guerre-là.

1. Gallimard.

De la guerre que l'homme fait à l'homme ? C'est déjà trop dire. M. Le Clézio donne volontiers à ses livres des titres qui désignent des phénomènes massifs, généralisés : *la Fièvre, le Déluge, la Guerre,* mais d'une autre manière c'est contraire à sa nature qui est de rester accrochée au concret, au détail. Il me semble qu'il définit tout son art poétique au passage quand un de ses personnages ou de ses supports dit « qu'il ne fallait plus jamais parler de choses importantes. Il fallait dire des choses très simples, sans chercher d'explication ». Et l'exemple d'application suit immédiatement : la jeune fille raconte comme il faut comment elle a pris l'avion. C'est-à-dire qu'elle ne nous dit pas les choses importantes, quel avion, parti de tel endroit pour aller à tel autre, elle décrit minutieusement le plateau en matière plastique que l'hôtesse de l'air a posé devant elle, avec ses petits récipients, ses petits bols, son petit sac en cellophane contenant fourchette, couteaux, petite cuiller, sachets de poivre, de sel, de sucre (il me semble qu'elle oublie la moutarde ?). Bref, dire des choses très simples, sans chercher d'explication.

Ainsi va tout le livre, ainsi vont les chapitres. Il ne s'agit pas du tout de la laborieuse description inventaire du nouveau roman d'il y a quinze ans. Il s'agit d'un changement d'échelle sans arrière-pensée, d'une description pleine d'intérêt de ce qui a vraiment intéressé celui qui parle. Ici, le personnage qui se promène dans le roman, c'est une jeune fille, Bea B. Elle va, dans le monde, dans la ville, elle rencontre parfois Monsieur X. c'est-à-dire l'homme, sous des visages divers, avec une relative généralité, sexe compris. Elle tient aussi, sur un petit carnet de moleskine bleu acheté dans un grand magasin et marqué Semainier Pratic, une sorte de journal dont nous lisons des fragments. Cette jeune fille est peut-être là pour obtenir un effet de contraste avec l'immense machine du monde en guerre, son journal est un peu le journal de Mélisande perdue dans une forêt de pierre et de fer.

Pas de choses importantes, du concret. C'est-à-dire que l'œil de M. Le Clézio (c'est l'œil qui domine chez lui) s'attache à des objets, à des couleurs, à des lumières et à des variations de lumière, sans rechercher de symbolisme ni d'explication. J'ai pensé plus d'une fois en lisant *la Guerre* de M. Le Clézio à la grande et effrayante image du douanier Rousseau qui porte le même titre, mais c'est par opposition. Pas de chevauchée mythique ici, mais une masse de petites vues concrètes. M. Le Clézio procède un peu comme dans ces livres d'art où l'on trouve parfois cinq ou six détails d'une œuvre, et jamais la reproduction de l'œuvre complète. Ou bien, pour prendre une comparaison plus proche de sa manière, il fait son film presque uniquement avec des gros plans. Ainsi dès le début, c'est par une série de gros plans que le visage de la jeune fille est composé devant nous, comme si l'auteur regardait naître un visage de Matisse, ou comme s'il se penchait sur une de ces photographies dont le grossissement fait que nous sommes plus attentifs au grain de la peau qu'à l'expression des traits. J'imagine que pour les décors aussi d'ailleurs, M. Le Clézio doit continuer la description de ce qu'il a vu en réalité par la description de ce qu'il a vu au cinéma.

Le décor, et c'est plus que cela, c'est la ville. Les sentiments de M. Le Clézio pour la ville sont ambivalents. Il sait que la ville est contre nature, contre la mer, les arbres et le chant des oiseaux. Mais il sait aussi que la ville est un monde fait et ordonné de main d'homme. Il ne le dit pas comme cela, il ne faut pas dire de choses importantes, mais il chante l'ordre humain et citadin dans son détail, par exemple dans l'hymne au feu de signalisation, dont on trouve aussi la photo dans le petit dossier de clichés placé à la fin du volume. « Je t'aime parce que tu n'es pas un arbre. Et pourtant tu portes de beaux fruits en haut de ton corps, trois beaux fruits, vert, jaune et rouge... ». Un carrefour, avec ses flots pressés de voitures, quel émerveillement! A condition bien entendu que ce soit un carrefour tout simple, et non quelque carrefour du vice et de la vertu, ou quelque carrefour sur la route de Thèbes. L'idée de la ville tentaculaire, et qui emprisonnera un jour entièrement le globe sous sa carcasse de ciment, de rues, de boulevards, d'autoroutes est une idée qui va contre la nature : mais le détail de la ville, de ses mécaniques et de ses mécanismes a quelque chose de fascinant et d'exaltant. C'est plus qu'un décor, parce que Bea B., cette béatitude incomplète, a parfois tendance à s'identifier à la ville même, à penser que dans le dessin abstrait des murs et des trottoirs est dissimulé le secret de sa conscience. Si nous refusons grandes choses et grands sentiments toujours suspects, ce n'est que par le détail qui se voit et par le comportement que nous pouvons espérer remonter au secret intérieur ; mais en aucun cas le romancier ne peut disposer de ce secret comme d'une donnée, il doit s'attacher au détail, toujours au détail. « Il y a tant de choses à apprendre, à voir. Personne ne s'émerveille de rien. Les gens vivent au milieu de miracles et ils n'y prennent pas garde. Il y a tant d'objets extraordinaires et beaux, avec des chromes, avec des fils, avec des moteurs et des lumières ».

De cet émerveillement sort la science, dit-on. Avec sa préoccupation de l'objectif et du concret, la méthode de M. Le Clézio se veut para-scientifique, les épigraphes des chapitres sont tirées de physiciens comme Heisenberg ou Schrödinger ou d'écrivains d'anticipation. L'art peut-il naître de la même source? L'art de M. Le Clézio est d'abord son art d'écrivain, clair, simple, direct, avec une grande force de conviction, une grande présence comme on dit au théâtre. Il se méfie de la poésie, il ne la sent plus survivre que dans les musiques des appareils à sous, les grands poèmes de notre temps sont pour lui *End of the world, Shake it baby, A whiter shade of pale* (mais Valery Larbaud attribuait la force poétique de *J'ai deux amours* de Mlle Joséphine Baker à ce titre, quatre mots empruntés à un sonnet de Shakespeare...). Ce qui fait sans doute la faiblesse par surabondance des livres de M. Le Clézio, c'est l'absence de choix, de contrôle. Tout objet, tout détail peut l'émerveiller et prêter à des développements qui semblent tous sur le même plan. Son livre se situe dans la marge étroite entre l'émerveillement pur et le début de la science, ou de l'art, disons de la connaissance. Il est riche de notations et de suggestions mais, faute de contrôle, il semble ne venir de personne (« moi-même, je ne suis pas vraiment sûr d'être né ») et ne s'adresser à personne. C'est peut-être une qualité de la littérature pour le monde de demain. Après la guerre, il restera un no man's land où M. Le Clézio est notre seule vraie avant-garde.

DIDIER DECOIN

Ce cas si rare, un jeune écrivain qui ose être lui-même alors que son tempérament le porte à raconter des histoires comme un romancier. D'ailleurs, il ne choisit pas n'importe quelles histoires : il s'interroge sur l'amour, depuis son premier livre, l'amour des femmes, l'amour de Dieu, mais il le fait en choisissant des cas extrêmes et presque paradoxaux sous sa plume. Il réussit parce qu'il a un grand talent de conteur, mais il ne touche pas les augures et les précieux parce qu'il ne prête pas assez d'attention à son style, ce qui au second degré risque de limiter aussi la portée de son questionnement. Prenons son dernier livre (1971) pour voir où il en est.

Abraham sur le pont

Un roman plein de péripéties et d'aventures, pittoresque, coloré, attachant, qui veut être en même temps la description d'un itinéraire intérieur ; si le genre n'est pas nouveau, disons que depuis plusieurs siècles, il n'est guère cultivé dans notre littérature, et c'est ce que nous apporte le livre de M. Didier Decoin, *Abraham de Brooklyn*[1], ce titre essayant d'indiquer à la fois le décor de l'aventure et le type humain de l'aventurier.

C'est, en peu d'années, le cinquième roman de M. Didier Decoin, signe d'une vocation bien assurée d'un écrivain qui veut construire une œuvre, qui reste indépendant des écoles et des modes littéraires, indifférent aux querelles, comptant pour se faire lire sur son talent, et il en a. Il ne lui manque guère que de mieux veiller au grain de sa prose. Il n'écrit pas mal, mais il lui arrive de laisser courir sa plume un peu trop facilement.

Un autre trait de ce jeune romancier est de choisir volontiers ses sujets loin de lui et de son expérience personnelle immédiate. Son premier livre *le Procès à l'amour*, qui lui valut la bourse d'encouragement de la Fondation Del Duca, était une sorte de règlement de comptes avec le lyrisme sentimental de l'adolescence. Mais depuis, *la Mise au monde,* par exemple, était le récit minutieux d'une grossesse, où les incidents physiologiques semblaient tenir une aussi grande part que les éléments psychologiques, et *Elisabeth ou Dieu seul le sait* était

1. Le Seuil.

centré sur l'expérience mystique d'une jeune fille et sur son ascension plus ou moins réussie vers la sainteté.

Cette fois, il nous emmène aux Etats-Unis vers 1880, et son héros, Simon Mounier, est un Français de Marseille qui travaille durement à la construction du pont de Brooklyn, immense ouvrage d'art qui doit relier Brooklyn à New York, c'est-à-dire Manhattan. C'est le roman de la construction de ce pont qui constitue l'élément pittoresque et attachant pendant la plus grande partie de l'ouvrage. Avec Simon et ses camarades, nous partageons la dure vie des travailleurs qui, sous la mer jettent les bases des piliers et des arches du pont, avec les moyens rudimentaires de l'époque : il s'agit de travailler en plongée en quelque sorte avant l'invention de la cloche à plongeurs et des scaphandres. Les accidents matériels et corporels se multiplient, on remonte en hâte des corps qui ne reprendront plus vie, ou qui resteront paralysés à jamais. Nous sentons bien que l'orgueilleux projet doit être conduit jusqu'au bout, que les souffrances et les échecs du matériel humain, constitué le plus souvent par de pauvres diables récemment immigrés, ne comptent pas. Nous vivons tout cela dans l'entassement misérable des bicoques de Brooklyn. New York, la riche Sodome lumineuse qui est de l'autre côté de l'East River, n'existe pas plus que Bagdad ou qu'une cité de rêve.

Tout cela, M. Decoin l'a peint d'une manière très concrète et très attachante, et son livre intéresse beaucoup par ce côté. Mais il y a au premier plan la grande aventure de Simon. Le jeune Français, robuste, laborieux, pondéré, épouse, sans avoir à lui faire longuement la cour et sans beaucoup hésiter, une jeune Italienne, Mina, dont le caractère primesautier et généreux nous est assez sympathique. Mais un soir, il y a grand déploiement de police montée dans les ruelles de Brooklyn, interpellations, perquisitions peut-être. Dans l'ombre, la main de Simon qui rentre chez lui saisit la petite main palpitante d'une fugitive. Il l'emmène, il l'installe chez lui.

C'est Kate, une très jeune fille, une adolescente sauvage, que Mina et Simon ont beaucoup de peine à apprivoiser. Oui, c'est elle que la police recherche : enfant, elle a volé un collier de verroterie, elle a été enfermée en prison au bagne, dans les pires conditions (de petits crabes rouges rongeaient les chairs des prisonnières...), elle s'est évadée. Simon aura toujours quelque peine à croire cette histoire, et nous aussi. Il y a une disproportion flagrante entre la faute avouée par Kate et la malédiction sociale qui semble peser sur elle. Mais là n'est pas le problème principal. Simon s'attache à Kate, il s'y attache beaucoup trop, il l'aime, et Mina

s'en aperçoit et en souffre. Bientôt Kate et Simon partagent
le grand lit, tandis que Mina est reléguée sur un lit de camp.
L'attention éveillée par le titre, on pense à Abraham entre
sa femme et l'esclave Agar, mais il ne faut peut-être pas pousser le parallèle biblique dans le détail. Il y a en tout cas une
grosse différence : c'est que l'amour de Simon pour Kate est
chaste et le reste malgré les incitations et les provocations
de la jeune fille. Simon aime Mina comme sa femme et Kate
comme sa fille, ou comme une part de lui-même, avec un désir
passionné de l'aider, de la protéger, de la sauver. Cette nuance
de l'amour, M. Didier Decoin la cerne aussi très justement.

Puis après maintes péripéties dramatiques, toujours inven-
tées et filées par un très bon conteur, la menace contre Kate
semble se préciser, Simon achète un cheval et, marchant à
pied à côté de la bête qui porte les deux femmes, il prend la
route vers l'Ouest. Voyage de plusieurs mois qui les conduit
à Chigago où Simon trouve un emploi dans un abattoir. La sécurité, la paix, le bonheur ? Hélas. Nous sommes aux dernières
pages du volume. Un jour, Simon emmène Kate, un peu en
dehors de la ville, sur une pente boisée... Nous avons envie
de crier : attention, Abraham ! mais ce qui se passe est décon-
certant. Soudain c'est Simon qui désire faire l'amour à Kate
comme elle le lui a souvent demandé, et il la viole. Au vrai
Simon à ce moment me fait moins penser à Abraham qu'à la
chèvre de M. Seguin... Puis il fuit, tandis qu'une tornade se
déchaîne, sans trop se soucier de Kate. Il rentre à la maison.
Dans la nuit, c'est la police qui ramène la fugitive identifiée,
et le lendemain matin, c'est Simon lui-même qui ira la conduire
jusqu'à la porte de la prison, tel Abraham attachant Isaac
pour le sacrifier...

Le thème religieux, notamment celui de la rédemption, a été
touché à maintes reprises dans le roman. Mais on peut se
demander ce que le parallèle avec Abraham signifie dans l'esprit de M. Decoin, surtout dans le rapprochement des deux
derniers épisodes. La perte de Kate (ange blanc, ange noir ?
il reste une équivoque) risque d'apparaître comme le châti-
ment de l'acte de chair plutôt que comme le sacrifice absolu
d'un amour qui est bien au-delà. La signification religieuse
d'*Abraham de Brooklyn,* s'il y en a une, reste peut-être volontairement ambiguë.

Peut-être faut-il s'en tenir alors à la perspective de Simon.
Simon est de ceux qui savent que l'on construit sa vie comme on
construit un pont, et le pont de Brooklyn prend sa signification symbolique. On jette sa vie, comme on jette un pont, on
en fait un chemin, et le plus important n'est pas de savoir
où il va. Ainsi la vie apparaît comme un pont, comme un iti-

néraire, comme un dépassement — Zarathoustra lui aussi pense au surhumain comme à une projection sur un abîme. Et ce dépassement, Simon le connaît et le reconnaît dans l'amour de Kate, qui dépasse l'amour de Mina, et sera lui-même dépassé par l'amour de soumission à la volonté suprême. Nous rappelions tout à l'heure le titre du premier livre de M. Didier Decoin, *le Procès à l'amour*. Ce livre-ci est un peu un nouveau procès à l'amour, une nouvelle interrogation, d'homme et non plus d'adolescent.

PATRICK MODIANO

On a reconnu le talent de très jeune écrivain dès ses deux premiers livres, on s'est interrogé sur les raisons qui le faisaient revenir à l'époque de l'occupation, alors qu'il est trop jeune pour l'avoir connue. C'est le squelette de l'homme torturé, plus encore que de l'homme assassiné que l'homme d'aujourd'hui garde dans le placard secret de sa conscience. Mais au-delà des anecdotes déjà historiques, il y a peut-être chez l'écrivain une torture plus intime qu'il tente d'exprimer et de dissimuler tout à la fois. En tout cas, c'est quelqu'un qui combat pour l'honneur.

Dans la nuit

Avec la ronde de nuit, voici le second court roman d'un écrivain de vingt-deux ans, M. Patrick Modiano. Le premier, *la Place de l'Etoile* [1], a été fort bien acceuilli et a reçu deux récompenses secondaires, le prix Roger Nimier et un prix Fénéon. Tout de suite après les fées, nous nous penchons sur le berceau de ce grand garçon évidemment doué pour savoir quels dons lui ont été prodigués et ce qu'il va en faire. Il se lance librement et seul dans la carrière littéraire, et ses livres ne se hérissent pas de difficultés techniques calculées pour effaroucher le lecteur. A n'en pas douter, et même si on est tenté de faire des réserves de détail, il écrit généralement bien, d'une manière grave, ou plutôt avec une sorte de tension tragique qui fait bien augurer de son sérieux.

Ce que l'on remarque d'abord, ce qui est le plus visible, mais peut-être pas le plus important, c'est que ce garçon prend ses sujets et plante ses décors dans les années qui ont immédiatement précédé sa naissance. *La Place de l'Etoile* jouait sur la place de l'étoile jaune sur la poitrine du juif pendant l'occupation et sur l'existence à Paris, à proximité de la place célèbre, d'une officine de tortionnaires. Le récit tournait au long cri de protestation contre l'antisémitisme, ou plutôt contre la sanglante discrimination raciale de l'homme par l'homme, au point d'être à la limite une sorte de grand cri de honte, alors que né après l'événement le jeune écrivain pouvait

1. Gallimard.

à la rigueur s'en laver les mains. *La Ronde de nuit,* cette fois, est un récit des luttes acharnées sous l'occupation entre réseaux de résistance et officines de basse police. Mais que vous soyez friands ou lassés de cette littérature, attendez, il s'agit d'autre chose aussi.

M. Patrick Modiano évoque donc le Paris de l'Occupation, ses modes, ses manières, ses chansons, ses habitudes dans le monde où se côtoyaient les trafiquants et la pègre. Son héros, jeune homme passablement dégagé des événements, est embauché un jour par hasard à la terrasse d'un café par une officine de police privée qui devient bientôt, square Cimarosa, un service de répression du terrorisme commandé de loin par la Gestapo. On lui demande de s'infiltrer dans le réseau de résistance du lieutenant Dominique, il y réussit, et dans ce réseau on lui demande de s'infiltrer dans le service du square Cimarosa, ce qui ne lui est évidemment pas difficile. C'est une sorte de vaudeville sinistre : va-t-il à la demande du lieutenant du Réseau des Chevaliers de l'Ombre descendre le Khédive et Monsieur Philibert, square Cimarosa? ou dénoncer à ceux-ci les membres du réseau ? Il choisira finalement de trahir les benêts idéalistes du lieutenant, puis de passer pour traître aux yeux des bourreaux, de se faire exécuter par eux, à moins qu'à la dernière minute il ne lui reste la dérisoire liberté de jeter sa voiture contre un arbre pour leur échapper.

A ce niveau-là, cela ne va pas sans faiblesses. On pourra reprocher à M. Modiano des négligences d'écriture, des artabanistes ou des clichés, des concordances de temps douteuses ; des inadvertances qui montrent qu'il ne connaît pas assez la vie des Français sous l'Occupation ou le livre de M. Amouroux qui s'en est fait le chroniqueur *a posteriori,* la tour Eiffel prend des libertés avec le black-out, la présence de touristes anglais dans un théâtre à cette époque est saugrenue, etc. ; enfin dans l'agencement de son intrigue, notre auteur se permet des facilités qu'on n'accepterait pas dans un roman d'espionnage ou ne lésine pas sur certains détails : malgré l'énorme publicité que la grande presse fait à la drogue pour le moment, je me demande encore s'il est bien vraisemblable qu'au cours d'une soirée une dame s'injecte d'un coup trente centimètres cubes de morphine ?

Mais ce sont là des bavures que M. Modiano effacerait sans peine ou qui auraient disparu si son éditeur disposait d'un lecteur-correcteur. En fait ce Paris de la guerre et de l'espionnage, M. Modiano ne veut pas lui donner une valeur réaliste, mais une valeur obsessionnelle. Ce qui le touche me semble-t-il dans ce Paris-là, ce n'est pas sa signification politique ou historique, mais sa valeur de dernière en date des

figures dangereuses et héroïques des mystères de Paris, avec
ses maquisards ou ses Mohicans. C'est le Paris de l'ombre qui
enveloppe cette *Ronde de nuit*, c'est sa valeur obsessionnelle
qui explique les retours et les répétitions presque cycliques du
récit qui semble parfois, comme dans une ronde revenir sur
ses pas. Et de même que dans un livre, M. Henri Bonnier
n'hésite pas à charger d'une valeur autobiographique la figure
enfantine et fantomatique qui apparaît au centre de *la Ronde
de nuit* de Rembrandt, je me demande s'il ne faut pas s'attacher surtout à la figure du romancier-narrateur qui fait sa
ronde, entre Passy et Vaugirard, en métro, allant sans cesse
des truands aux victimes et des victimes aux truands.

Ce qui donne force et gravité à la voix de Patrick Modiano,
ce n'est pas l'évocation d'années terribles, c'est peut-être la
détention de quelque terrible secret d'un autre ordre, le poids
(il parle quelque part une manière curieuse et un peu anachronique d'apesanteur) de quelque culpabilité. Le problème qui
est au centre du livre est-il comme on le suggère le problème
de la trahison et du martyre expiatoire ? Ce qui frappe surtout, c'est au contraire une certaine facilité, une certaine
désinvolture à être traître. Le narrateur ne se pose guère de
problèmes, sauf des problèmes de moyens, il ne se réfère à
peu près jamais à des valeurs morales ou idéales, sauf
dans la mesure où le terme de « donneuse » le gêne. Les personnages tarés, les truands de M. Modiano sont de détestables
truands un peu conventionnels. Ses résistants sont des
nigauds. Il ne s'agit pas, bien sûr, de les renvoyer dos à dos,
mais la trahison du personnage central ne tient pas à une
idée politique ou nationale. Elle est peut-être moins goût de
la trahison que goût de la faute.

A chaque instant dans ce Paris de la nuit où il tourne en
rond ce sont des figures criminelles qu'il croit distinguer sans
souci de la chronologie, Weidmann, le docteur Petiot, Landru et
il s'identifie lui-même au fils de Stavisky dont le suicide fut
peut-être ambigu lui aussi. L'ambiguïté est volontairement sou-
lignée dans la figure du héros : son pseudonyme dans la
Résistance est Lamballe et il fabrique lui-même le piège où il
sera pris en faisant croire aux hommes de la Gestapo que le
mystérieux Lamballe est le véritable chef du réseau. On pense
un peu au nommé Jeudi du cher Chesterton, chef de la bande
et chef de police à la fois.

En même temps, ce personnage central reste un peu schéma-
tique. Nous ne savons pas grand-chose de son passé, nous
ne lui connaissons qu'une passion positive centrale et à la
lettre puérile, sa passion pour sa mère. En dehors de cela, ce
très jeune homme dans un milieu de déplorable facilité n'a

pas d'histoire d'amour ou de sexe. Il est neutre. Son affaire de cœur, ou sa B.A., qui revient assez souvent, c'est de protéger aussi des abus deux gentils et pittoresques vieillards, Coco Lacour et Esmeralda perdus dans ces temps difficiles : mais nous pouvons nous demander si ces deux personnages ne sont pas des personnages imaginaires qui font partie du rêve obsessionnel du Paris sous l'Occupation, et mieux encore si le narrateur ne rêve pas qu'ils existent pour pouvoir rêver de les trahir. Il y a de la cruauté chez ce jeune homme mais une cruauté qui n'hésite pas à se retourner contre lui-même par autopunition.

A mes risques et périls, ce que je voudrais suggérer c'est que les deux ans qui séparent la fin de la guerre de la naissance de M. Modiano jouent un peu le rôle des trois siècles qui séparent la chute de Troie d'Homère. Le Paris de la guerre ne lui fournit que le cadre et la matière extérieure de ce qui sera sans doute, même s'il ne le sait pas encore tout à fait lui-même, la confession essentielle de toute sa vie d'écrivain. Complexe d'Oreste ou d'Electre peut-être ou récit sans cesse repris de quelque lutte avec l'ange. Ce qu'on peut craindre pour lui, c'est de le voir verser dans la brillante facilité, et utiliser décorativement ses décors. *La Ronde de nuit* n'est pas un grand livre, ce n'est peut-être même pas un grand livre de jeune homme, des maladresses, des passages à vide y sont sensibles, M. Modiano, avec son talent d'écrivain et de narrateur, passera sans doute au récit d'aventures tout à fait différentes, à l'étonnement ou à la déception des nigauds, il écrira de meilleurs livres. Mais que très jeune, il ait le pressentiment de ce qui pèsera le plus lourdement sur sa vie et entreprenne déjà de le dégager, c'est ce qui lui fait honneur, lui vaut une place à part à côté des jeunes littérateurs et confère à ce livre une vertu qui n'est pas seulement littéraire.

TABLE DES MATIÈRES

AVANT-PROPOS 7

I. OMBRES PROCHES 15

François Mauriac 17
   Pour le chant profond............................. 18
   Le triomphe de François Mauriac.................... 22
   Note sur le fragment posthume : « Maltaverne »........ 26
   Dernier adieu 28

Jean Giono 33
   Adieu à Jean Giono................................ 34
   En relisant « le Hussard sur le toit »............... 36

Claire Sainte-Soline 39
   « En souvenir d'une marquise »..................... 40

Pierre-Henri Simon 45
   « La Sagesse du soir »............................. 46

II. LE SÉNAT 49

Jacques Maritain 51
   A l'écoute de la poésie............................ 52
   Raïssa Maritain : la poésie entre deux silences........ 55

Marcel Jouhandeau 61
   Jouhandeau et sa Jouhandelle....................... 62
   « Du pur amour »................................... 66

Saint-John Perse   71
  Le poète   72

Maurice Genevoix   85
  Aux écoutes de la forêt   86
  « *Le Bestiaire enchanté* »   89

Jean Guéhenno   93
  « *Changer la vie* »   94
  La guerre et « la Mort des autres »   98

Marcel Brion 103
  Si l'arbre ne meurt 104

Louis Aragon 109
  Les miroirs de la mort 110
  Lecture d'Aragon 114

Louis Guilloux 119
  Le patient 120
  Le compagnon 121

Marcel Arland 125
  « *Le Grand Pardon* » 126

Henri Michaux 131
  L'explorateur des gouffres 132
  Le voyageur et l'exorciste 137

Julien Green 143
  Julien Green par lui-même 144
  Les souffrances du jeune Julien 155
  Le romancier 152

André Malraux 161
  « *Antimémoires* » 162

Nathalie Sarraute 167
  « *Les Fruits d'or* » 168
  « *Entre la vie et la mort* » 169

Marguerite Yourcenar 173
  L'amateur de critiques 174
  « *Denier du rêve* », *monnaie flottante* 176

« L'Œuvre » de Marguerite Yourcenar 179
Raymond Queneau 183
    Exercices de critique 184
    Queneau comme Icare avance et raille 187
Georges Simenon 191
    L'anti-Balzac 192

III. LES GÉNÉRATIONS AUX AFFAIRES 197

1. 20 ANS AVANT 39 199
Jean-Paul Sartre 201
    Moi, dis-je, et c'est assez 202
    « Le Diable et le Bon Dieu » 211
Samuel Beckett 215
    En attendant la fin 216
Jean Genet 219
    « Les Paravents » 220
Jules Roy 225
    « La Mort de Mao » 226
    « Les Chevaux du Soleil » 227
Jean-Jacques Gautier 239
    Au spectacle de la vie 240
André Pieyre de Mandiargues 245
    Des trésors 246
    Mort en suspens 249
Michel Mohrt 253
    « La Prison maritime » 254
    Amica America 256
Julien Gracq 259
    La soirée avec M. Gracq 260
    La géographie des profondeurs 263
Jean Cayrol 269
    Présentation 270
    Le journal d'un poète 275

Marcel Schneider 281
    Pour un portrait 282
    Visite à des terres insolites......................... 286

Eugène Ionesco 289
    I.O.N.E.S.C.O. 290
    La scène la plus secrète............................. 293
    Rose et morose Ionesco............................... 295

Gilbert Cesbron 299
    La vérité du cœur................................... 300

Claude Mauriac 305
    « Le dîner en ville »............................... 306
    Entre les anciens et les modernes................... 308
    Essais de théâtre................................... 312

Georges-Emmanuel Clancier 317
    Du temps à l'éternité............................... 318

Roland Barthes 323
    Japonaiserie 324

Lucie Faure 329
    Le psychanalyste et la psychanalyse................. 330
    L'amour geôlier 334

Pierre Gascar 339
    Le troupeau sans berger............................. 340
    L'homme des cavernes 344

Jean-Louis Curtis 349
    Pour un portrait 350
    « Les Justes Causes »............................... 356
    Quand le roseau ne pensera plus 359

Gaétan Picon 363
    La solitude et la mort.............................. 364

Maurice Druon 369
    La grande famille des dieux......................... 370

Roger Grenier 375
    « Le Palais d'hiver »............................... 376

2. Les enfants de la guerre et de l'après-guerre....... 379

Jean Dutourd 381
   Une nature qui a horreur de l'amour.................. 382

Pierre Moinot 387
   De la chasse, de la proie, de l'ombre................. 388
   Le bonheur des justes 389

Maurice Clavel 395
   Les délices du genre humain 396
   La croisade des enfants de mai 400

Antoine Blondin 403
   « *Un singe en hiver* » 404
   Jadis et naguère 406

Daniel Boulanger 409
   Boulangerville 410

Jean-Claude Renard 415
   La terre des poètes 416

Robert Sabatier 419
   « *Alain et le nègre* », un livre noir et rose.............. 420
   Un enfant des rues 421

Michel Butor 425
   *L'Amérique en Butorrama. Du mouvement et de l'immo-
   bilité de Butor* 426
   « *Répertoire III* »................................... 430
   Le jeune alchimiste 434

François-Régis Bastide 439
   Il faut tenter de vivre 440

François Nourissier 445
   L'homme et la maison 446
   « *La Crève* » 450

Françoise Mallet-Joris 455
   Le rempart des sorcières 456
   Du « *Rempart des béguines* » *à l'éducation des filles* 460

Hélène Cixous 465
  L'espace du dedans 466
  Un déchiffrement provisoire 468

Françoise Sagan 471
  « *Bonjour tristesse* » 472
  Blues 473

Jean-Loup Trassard 477
  « *Paroles de laine* », *esprit de vérité* 478

Philippe Sollers 483
  Un autre adolescent d'autrefois 484
  Un parc solitaire et glacé 485

Jean-Marie Gustave Le Clézio 491
  Procès-verbal à Adam 492
  A la recherche de son âme 496
  La guerre permanente 499

Didier Decoin 505
  Abraham sur le pont 506

Patrick Modiano 511
  Dans la nuit 512

CET OUVRAGE A ÉTÉ ACHEVÉ
D'IMPRIMER LE 2 MARS 1973
FIRMIN-DIDOT S.A.
PARIS - MESNIL - IVRY

Dépôt légal 1er trimestre 1973.
Numéro d'édition : 3792
Numéro d'impression : 1777